91 买美国国债的利有害
99

BLACK SWAN 黑天鹅图书

为 人 生 提 供 领 跑 世 界 的 力 量

BLACK SWAN

时寒冰说
未来二十年
经济大趋势

现实篇

时寒冰

——

著

megatrends of the next 20 years

上海财经大学出版社

图书在版编目（CIP）数据

时寒冰说：未来二十年，经济大趋势（现实篇）/时寒冰著. —上海：
上海财经大学出版社，2014.7
ISBN 978-7-5642-1923-9/F.1923

Ⅰ.①时… Ⅱ.①时… Ⅲ.①中国经济—研究 Ⅳ.①F12

中国版本图书馆CIP数据核字(2014)第111768号

□ 责任编辑　温　涌
□ 产品经理　张庆丽
□ 特约编辑　郑晓娟
□ 装帧设计　门乃婷工作室

时寒冰说：未来二十年，经济大趋势（现实篇）

时寒冰　著

上海财经大学出版社出版发行
（上海市武东路321号乙　邮编200434）
网　　址：http://www.sufep.com
电子邮箱：webmaster@sufep.com
全国新华书店经销
北京慧美印刷有限公司
2014年7月第1版　2014年10月第2次印刷

760mm×1050mm　1/16　27印张　496千字
定价：49.80元

第1章
大变革：1978~2002

第2章
辉煌与危机：2003~2011

在严冬到来前拉响警报

向没有经历过战争的人讲述战争的残酷，是一件很困难的事。同理，向不曾亲历过金融危机的人预言即将到来的金融战争，也是一件非常困难的事，甚至比讲述战争更困难。所以，当摊开这部长达百万字之巨的书稿时，我断定，时寒冰是在干一件极有可能吃力不讨好的事情。

没有被狼咬过的人，很难相信那个喊"狼来了"的孩子。

我想，当时寒冰在三年前的某个黄昏，像一个潜水者面对大海，深吸一口气，一头扎进浩瀚无边的资料堆里，沉下心去，一寸寸地掘进、钻探、采集那些隐藏在波涛深处的矿石，苦心孤诣地要把它们提炼成一颗闪耀预言之光的水晶球时，他一定已经对这部巨著可能遭遇的任何命运都做好了充分的精神准备。

现在，这部让每个阅读它的人都会心情沉重甚至窒息的巨著，就静静地摊开在我们面前。也许不同的人由于知识储备、思维方式、立场观念的不同，对这部书中许多让人心惊肉跳的观点和结论，会有截然不同的看法和评价，但我相信，没有人会怀疑时寒冰这部大书的分量和力度。

2008年，金融危机爆发。整整6年时间里，美国人使出浑身解数，一边奋力从泥潭中拔出自己深陷的双脚，一边处心积虑地与全世界下一盘大棋。时至今日，终于走出了一番大模样：

自1971年8月15日，尚未陷入"水门丑闻"的尼克松总统，宣布美元与黄金脱钩，以背信于世人的方式摧毁布雷顿森林体系以来，40年间，美元指数每次下跌周期结束以后，就会走出一个最长为6年的上涨周期,这期间美国政府及美联储会挥动利率这支金融魔杖,让全球经济像坐过山车一样,在先弱势美元后强势美元的浪谷波峰间俯冲跃升,而所有国家的经济命运,就在这种上下颠簸中,被死死操控和掌握在代替了上帝那只"看不见的手"的美国人手中,直至每一次虚假繁荣之后,一个个泡沫破裂,各国经济深陷危机之时,就是美国人收获全球财富的季节到来之时。美国人挥起美元利剪,无情地剪去了每一只待宰羔羊身上丰饶的羊毛……

按照金融学博士戚燕杰的观察,美元指数在1978年10月到1985年2月6年上涨周期里,"从84.13涨到128.44,涨幅最大达52%(另一说法与戚博士的数据有出入,即这期间美元指数从83.07上涨到164.72,涨幅达98.29%),……美元大涨带来了拉美债务危机!……促使原本属于发达国家的阿根廷等国重新又成为了发展中国家甚至沦为落后国家"。如果拉美债务危机是孤立现象,那就构不成周期律,更构不成大概率。然而,不幸的是,下一个周期如期而至:"20世纪90年代,美元指数在6年左右的上涨周期里,即1995年4月至2001年7月,从80.05涨到121.01,涨幅最大达51%,……美元的大涨引发了亚洲金融危机及新兴市场货币大幅贬值!"接下来,美元资本在东亚国家长驱直入,席卷扫荡,狼藉枕地、哀鸿遍野的景象至今历历在目。现在,美元指数又从2011年5月进入新一轮上涨周期,从那时美元指数73.70起算,6年时间将到2017年7月截止。如果"按照美国人的胃口50%的涨幅进行预估,那么此轮上涨周期,美元指数的上涨目标大约在110左右"。届时,已被美元全球化紧紧捆绑在一起的世界,将是一番什么景象?

如果这一周期律确实存在的话,这是否意味着全球化经济史上最冷的冬天就要来临了?

尽管也有人拿出了一些相反的证据,来抵消悲观预测给人们带来的疑虑,却没有一个证据,比时寒冰的发现和分析更有说服力。所以,我宁肯接受:用悲观清醒的态度,警惕即将到来的冬天。

那么,这个冬天是怎样形成的,而它又将以怎样的方式寒彻全球?时寒冰以他金融分析师的敏锐和洞见,向我们清晰地勾勒出了这个严冬的侵彻路径和图景。他用大量的原始数据、图表和资料,抽丝剥茧,条分缕析,把美国人的核心机密——金融大战略令人瞠目地展现在世人面前,让每一个读到它的人叹为观止的同时又心生骇然。你不能不暗自叹服美国的战略设计师,在运用金融杠杆捍卫美元霸权或曰美国霸权方面娴熟的技巧和高超的手腕——把整个世界操弄于股掌之间,竟还能让你浑然不知!更让人叹服的是,这些美国"战略金融大师",在世人的眼皮底下,把实实在在的阴谋玩成了阳谋，把明明白白的危机玩成了机遇，让你即使心知肚明也无可奈何，明知是火坑也不得不往下跳，我相信未来的世界金融史在书写这一段落时，一定会把它描述为人类金融史上的奇观。

看看这些美国人化危为机、点石成金的本事！

2008年，在把虚拟经济玩到花样穷尽时，终于在美国，而不是在其他地方，爆发了有金融史以来最严重的金融危机。随着雷曼兄弟等重量级金融机构的倒下，人们再次想起了一个"古老"的话题：美国衰落。甚至连我本人也认为这一次美国在劫难逃。

但是，仅仅6年时间，差不多相当于一个"美元指数周期"的长度，美国人就卷土重来了——虽然我坚信这仍然避免不了美国终究将在本世纪衰落的大趋势——但美国人在如此短暂的时间里显示出如此超强的修复再生能力，还是令人生畏。

尤其让我惊讶的是，寒冰非常准确地捕捉到了美国金融权杖上新近嵌上的一颗最大、最亮的宝石——全球金融监管权。要知道，这是美国获得真正的金融霸权40年来，即使在金融危机前的巅峰时期也不曾获得过的权力！

但是，美国人却以对金融危机反思—纠错之名，轻松愉快地就把这个它梦寐以求的权力揽到了怀里。换句话说，美国人以道义之名占据了全球金融制高点。

寒冰写道："仅仅一英镑，Libor（伦敦同业拆借利率）的掌控权从欧洲转移到了美国。这是一次意义重大的权力交接。"

攻下这一在英国人手中攥了近30年的阵地之后，美国金融特战队长驱直入，"把美国的金融监管权扩大到海外"，"动辄对海外的金融机构进行调查，处以数亿美元的罚款，这实际上是让全世界的金融机构在美国的监管之下'裸奔'！美国'国际金融警察'的角色让它成为超级金融强权下的最大受益者"。在寒冰的键盘点到之处，我们看到英国的巴克莱、汇丰、渣打，瑞士的瑞银、韦格林，再后面是德意志银行，莱斯银行，苏格兰银行，意大利裕信银行，……一家接一家，在美国以金融调查为名的打压下，纷纷交清了罚款，亮出了白旗。

——这真是美国式的让人大跌眼镜的咸鱼翻身！

但美国人不会就此止步。或者说，这只是美国人化危为机的第一步。

接下来，寒冰一层层掀开雾幔，让我们看到了这盘大棋的第二步、第三步、第四步……

我们已经从美联储第一位女掌门耶伦的行动中，知道美国正在逐步退出"量化宽松"。但多少人对这一看似只是个有始有终的金融动作可能带来什么后果，有足够的警觉和认知呢？当"量化宽松"结束后，就像泄洪闸突然落下了闸门，下游的水流将骤然收窄，这意味着美国对全球的货币供应将一下子收紧，然后，美联储将祭出它在让美元由弱转强时的惯常手段——加息。于是，国际资本就会像被催眠式地大批转向，接踵涌入美国，继续推高美国的债市、股市，让美元强势，让美国的资本市场进入又一波大牛市。

反观之下，其他国家，无论是其他发达国家还是发展中国家，特别是金砖国家，将因为资本在眨眼间断流而不可避免地陷入新的金融危机。

这时，我在前面提到的，美国人用金融大剪刀剪全球羊毛的季节就到来了。届时，有多少国家会因为事先做好了准备而躲过这一劫呢？

放眼全球，我看不到有哪个国家真正对这一恐怖前景了然于胸，从而备好应对之策。我们能看到的，都是些目光短浅之辈，在为一些眼前的蝇头小利争得你死我活、寸步不让。其结果，就是大家一起，或有意或无意，为美国人剪全球羊毛，席卷全球财富，创造满足其最后一项条件的要素——地区危机。这是因为，不管美国人如何高明，不管美元如何强势，它要想收割全球财富，其战略步骤的最后一步，都必定需要某一热点地区出现牵一发动全球的危机。

而危机一旦到来，美国人用美元收割全球的机会就真正成熟了。99℃水温再加1℃，沸点就到来了。危机，在这个时刻，就是压倒骆驼的最后一根稻草。在危机带来的一片萧条之中，美国人像他们在阿根廷、泰国、中国香港、韩国、俄罗斯曾经做过的那样，以极低廉的价格，收割着所有遭遇危机国家和地区的优质资产……

在下一轮更长的被收割者的名单中，会不会添上中国的名字呢？仅仅是想到这一点，都让我不寒而栗！有关研究显示，美国人摆脱经济危机的办法有三种：一是利用危机，二是提高汇率，三是利用科技创新带来经济增长点。这三种办法中，利用危机脱困的比率高达60%。明白了这一点，还有什么想不通的呢？

想想看，为什么随着美元指数周期开始走高，中国的周边如此密集地出现麻烦，从中日钓鱼岛，到中菲黄岩岛，再到最新的中越南海冲突，这些随时可能由争端转化为地区危机的事件，难道都是些孤立的、互不相干的小概率事件吗？再想想，美国人在俄罗斯拿下克里米亚这样的大事件上都能隐忍下来，却在中国与周边的争端问题上咬住不放，甚至有意拱火，让东海南海局面一再恶化，其背后究竟隐藏着一个多大、多深的动机呢？如果我们不把它称之为"阴谋"的话。

答案，已在时寒冰的这部百万字的煌煌巨著之中。你尽可以不同意时寒冰的分析、判断和结论，但你未必敢说你的分析、判断和结论，比时寒冰的更结实、更高明、更站得住脚。面对这样一部建立在一个呕心沥血者用千余天时间，用不计其数的图表、数据和研究资料写就的大书，仅仅用一句"我不同意你的观点"就想轻率抹杀时寒冰的人，毫无疑问，定是浅薄之辈。谁不同意，就请他为我们的国家，也为这个世界，拿出比时寒冰的这部著作更有分量的东西来，这是我向自己，也向读者推荐这本书的理由。

乔良

中国人民解放军国防大学教授、空军少将

2014年6月10日于北京夕照寺

碧血照丹心

最近，我搬离住了多年的公寓，回到祖父母的老宅居住。我把祖父的两句诗"横扫千军无斧钺，俯冲万壑有波澜"抄录成一副对联，贴在了门上。然后，我就过起了养鱼种花、读书写字的闲散生活。我不知道这是对繁荣得几乎嚣张的社会的逃避，还是对潜在的金融风险的对冲，抑或是我人到中年，激素和野心同时消退以后的正常生理反应，总之，平静的日子就这样过着。直到我接到了暖之的电话，说他的新作已经完成，嘱我为之序。

我是一天晚上应酬完之后，回家看到他的电子邮件的，匆匆浏览书稿，不知不觉已是子夜，妻儿都早已熟睡。我明早还要送孩子上学，此刻却丝毫没有睡意。就在这万籁俱寂的夜晚，我心里反复体会着这本书中沉甸甸的主题和这些年来我与暖之交往的点滴往事。

对于绝大多数人来说，多明白一些大道理、多了解一下国家和世界的发展状况并不能直接有效地改善个人境遇。我们每日忙忙碌碌，无非为了生计四处奔波，或者说得更直接一些，无非就是为了早日还清房贷。虽然我们都知道很难改变现状，但我们未必都有勇气去回望逝去的青春，未必有动力去勾画未来的蓝图；我们未必希望更清醒地活着，未必会主动去承担属于自己的一份社会责任。我们执着于把自己从按揭贷款中尽早解放出来的念头，漫长的还款期就像是魔咒一样困扰着许许多多的中国人。

暖之的这本书就是为千千万万这样生活着的普通人写的。从《中国怎么办——当次贷危机改变世界》《时寒冰说：经济大棋局，我们怎么办》《时寒冰说：欧债真相警示中国》到今天的《时寒冰说：未来二十年，经济大趋势》（包括"现实篇"和"未来篇"），暖之每一部呕心沥血的作品都是在我们沉睡时唤醒我们，在我们沮丧时激励我们，在我们迷茫时鞭策我们继续前行。他大声地呼喊着，想要告诉每一个疲惫前行却不知身往何处的人——"前方逆风"！

我不知道每一本著作出版的背后，他皱着眉头，在冥思苦想间驱赶了多少个黑夜，在极尽仔细地查阅中翻破了多少本图书，在俯身案头笔耕不辍中错过了多少次花开花落。最终，暖之把这些心血凝成的真知灼见毫无保留地奉献给大家。而这一次，暖之这部百万字的巨著是他耗费健康写成的。

我感到这本书是一部世界经济现代史片段，但这本历史又不单单是事件的列举与记载。本书在记叙事实的同时贯穿着作者对国家民族的感情。即使是对近几年一些主要国家经济状况的表述，但依然有历史长河般的沧桑与厚重。"人世几回伤往事？山形依旧枕寒流。"有些历史虽未经历，谈古却避免不了论今，读来仍不免唏嘘感叹；另有些事曾经历其中，尝尽酸甜滋味但又无力改变。这本书点燃了我内心的家国情怀，我念着祖父的两句诗"世界须有新秩序，中华应许献良方"，实在无法把繁荣、腐败、停滞和迷茫"尽付笑谈中"。我像是多了一份沉甸甸的担子，感觉重任在肩，却又无从下手，这就是我面对的现实世界。

这本书又是一本极具参考价值的学术著作，这里有世界重要经济体近几年来的多项翔实的经济数据。虽然篇幅巨大，但都是结合数据说话，内容客观，有理有据，并非泛泛而谈，让广大读者感受到作者的严谨而又流畅。维特根斯坦曾说，"一部好的哲学著作应该像诗歌"，《史记》也被称为"无韵之离骚"。从这个角度来讲，本书就是一部长篇抒情诗歌。在这首长诗里，借助众多载体，作者抒发着他对养育自己的国家的热爱，以及对当今社会底层民众的深深关心——如10年前我们初见时的模样。那时候，中国刚刚加入世贸组织，我们都热烈地期望全面市场化改革会开启国家民族命运的新篇章，更重要的是，那时候，我们都还年轻。

"怀旧空吟闻笛赋，到乡翻似烂柯人。"10年过去了，如今中国取得了巨大的经济成就，同时又面临着一系列重大而又深刻的问题：外部摩擦与日俱增，新的经济增长点尚未建立，经济体制全面改革仍有待启动。以房地产投资和信贷扩张为主的经济增长模式分明是不可持续的，但同时又要"守住不发生系统性金融风险"的底线。究竟要做什么，究竟怎么做？我没有答案，我建议大家去读一下暖之的这部新著，也许对你思考这些问题会有所启发。

读完他的著作，我心里有一种迫切、一种唏嘘、一种无奈、一种悲愤、一种惋惜。我不知道为什么突然想推开窗户，对着黎明前浓郁的黑暗，大声喝道："暖之，你何苦生在这个时代！"我想起很早以前读过的一个记述十字军东征战士的长诗《故乡的山楂树》，依稀记得那首诗歌讲述了那名战士年轻时为了心中单纯的信仰，自愿响应教皇的神圣教旨参加了十字军东征，同去的许多伙伴都倒在了征途上，他却一路打到耶路撒冷，在圣城折下一个山楂树的树枝，孤独地回到了故乡。自种下这棵山楂树几十年后，他也老了。

我继续想象着这样一番场景：他一直在贫苦困顿中抗争着，家乡的亲人渐渐地贫病老去，他不再保有凯旋的光荣，而是要面对荒芜的土地、丛生的杂草以及失去亲人的悲痛。渐渐地，他也老了，而此时传来了新教皇再次东征的神圣教旨，他什么也不说，静静地坐在山楂树下。也许在那一刻，他终于明白，东征圣战并非如当初宣扬的那般神圣与光荣，既不能把神的光辉洒满黑暗的角落，也不能改善欧洲各国人民的生活。它实质上就是一场宗教战争，背后的动机其实是欧洲内部教会和世俗势力的利益争夺。这个故事让我想到，我们奋斗的目的，应该是让人的物质生活更加舒适，让人的精神生活更加丰富。偏离了人的发展，背离了人的天性，无论什么崇高的目标和伟大的规划都是注定要失败的。从这个意义上讲，我认为一个坚持"让人更幸福"的社会原则，比预测未来趋势并找到最佳发展路径更深刻也更彻底，我们不能脱离人的发展去谈经济发展，不能忽视人的进步去谈国家进步。

任何社会的良性发展，都不能脱离"人"与"仁"：所谓"人"，就是这个社会中的成员要争取和捍卫自己的利益，谋求更好的生活和人的发展；所谓"仁"，就是不要施行酷政苛政，不能牺牲大多数社会成员的利益来满足一小部分人的舒适，要让社会各个阶层的人都能感受到温暖，都能感受到公平和正义。放在今天的社会来说，如果开名车、住别墅的人瞧不起那些每天一大早灰头土脸挤公交车、住公租房的人，就会破坏社会稳定的基石。

爱德华·威尔逊的《昆虫社会》一书解释了为什么在蚂蚁社会中会分化出兵蚁和工蚁，那些兵蚁时刻准备牺牲自己去保卫蚁巢。人类社会早期，部落里面也会进化出巫师和战士，他们放弃了自己繁衍后代的机会而全力维护部落的整体利益，这种牺牲的本能是为了让这个种族的基因在危机时刻可以延续下去。无论是蚂蚁、蜜蜂，还是原始部落，个体之间几乎是平等的。我在想，是否只有在一个贫富差距很小的社会里面才会进化出"雷锋"那样的道德模范呢？中国古语说，"货，恶其弃于地也，不必藏于己；力，恶其不出于身也，不必为己"，说的是否就是这样的社会呢？

暖之是在这个特定环境下进化出来的一个特殊的人，如果一个国家贫富差距扩大，经济繁荣而技术落后，经济运行效率下降而信贷杠杆上升，腐败扩散而改革停滞，就一定会产生类似暖之那样的人。他们愿意牺牲自己，他们愿意忍受冷落，他们愿意承担嘲讽，因为他们不愿意看到国家民族的命运走入歧途。

"宣室求贤访逐臣，贾生才调更无伦。可怜夜半虚前席，不问苍生问鬼神。"掩卷而卧，暖之胸怀之广阔、情意之深切仍然令我久久不能入眠。此时此刻，正是我国经济社会发展的关键时期，特别需要有利于发展的国际、国内环境。"可怜四海疮痍甚，抚髀应思颇牧功"，我不敢说暖之就是我们时代的廉颇、李牧，但我敢说他内心一定有效法前贤、捐躯报国的志向。和这番爱国热情相比，我们观点的对错和个人的进退都不那么重要了。我真心希望高参智囊们能从国家民族的利益出发，放下身段虚心求教于暖之，也不枉他的一腔热血与一片丹心。

十八届三中全会以后，改革开放重新扬帆起航，一个"逐日冰消鱼弄水，追风笔指雁浮云"的伟大时代到来了。我真心希望我们国家能够不畏艰难，砥砺前行，继续推进民族复兴的伟大事业，尽早实现广大人民的中国梦。正如暖之在书中所说，我们是一个立志实现伟大复兴的民族，我们能够站立起来以高贵的姿态，优雅而勇敢地傲视一切困难和挑战，并以充满温情的悲悯之心对同胞奉献关心和仁爱。一个有爱、有包容心、有尊严的群体，才能汇集、积聚力量，洗刷掉我们这个苦难民族一百多年屈辱历史中的斑斑血泪，迎来伟大复兴的梦想，并迎来荣耀、辉煌和尊重。

周洛华

当代著名金融学家、美国达特茅斯大学塔克商学院金融学博士后研究员。

文中提及的祖父是中国著名历史学家周谷城先生。

侠之大者，为国为民

收到时先生的作序之请时，我十分意外，能够为时先生的新书作序让我受宠若惊。而受宠若惊之余又备感压力，我担心自己不能彻底领悟时先生的理念，但盛情难却，希望我这一篇尽"绵薄之力"的序言，能够帮助和引导读者进入时先生的趋势研究世界。

读完初稿之后，我理解到，这是时先生倾注心血的趋势研究巨作。此书分析时局，判断详尽，不讲假话，不说大话，绝不空谈；知无不言，言无不尽。

曾有人引用南宋宰相文天祥在大都狱中写下的《正气歌》来评论时先生：时穷节乃见，一一垂丹青。在齐太史简，在晋董狐笔……清操厉冰雪。

称其为当代董狐，当之无愧。

我与时先生相识也算机缘巧合。最初，我也是时先生的普通读者。2013年年中，出差在北京机场，偶然间翻阅时先生的大作《时寒冰说：经济大棋局，我们怎么办》，随即被时先生的独特观点所吸引。

在我看来，内地学者名家众多，对于民生、社会、民族以及国家所存在的问题和面临的挑战都有目共睹，但有些人选择置若罔闻，有些人选择息事宁人，更有甚者出于自身利益而想方设法混淆视听……真正勇于直面问题、敢于说真话的人却少之又少，而时先生恰恰就是这么一位正义之士、侠之大者。

我作为一个从小受殖民地教育的地道香港人，对国家和民族的感情会更加深切，时先生拳拳爱国之心让人敬佩。回香港后，时先生的书一直放在身边，一有时间就潜心研读，也推荐给身边的朋友。

恰逢2013年度"港股一百强"典礼，我抱着试试看的心态，写信邀请时先生前来参加盛典，并且希望时先生能够作为发言嘉宾在当晚演讲。没想到时先生会爽快接受邀请，并且将应得的报酬由我们直接捐助给了他一直资助的贫困山区的孩子。在香港参加活动的三天时间里，虽然同时先生接触的时间有限，但时先生的个人魅力和一腔热情，深深地感染到我和我身边的很多同事。

做趋势研究，时先生结合了经济学、金融学、地缘政治学、历史学、军事学、战略学、能源学等多个学科的知识。很多人也许会简单地以为，趋势研究只是预测未来，但实际上，研究趋势更重要的是以史为鉴，研究人性。无论科技如何进步，无论社会如何发展，历史之所以不断重演，是因为人性不变，人类在一定的环境下到了一定的时机总会做出同样的选择。

因此，历史数据也就成为趋势研究的重要基础。为了这本《时寒冰说：未来二十年，经济大趋势》（包括"现实篇"和"未来篇"），时先生将所有的数据与原始出处一一核对，力求用最原始、最权威的数据作为分析基础。这种认真的态度不仅是对自己的研究负责，也是对读者负责。

过去30年，中国的改革开放带来了经济实力的突飞猛进，但同时社会矛盾越来越突出，辉煌的背后暗藏着诸多危机和隐患，深化改革迫在眉睫。作为正义之士，如查良镛先生所说"侠之大者，为国为民"，时先生首先关注的还是民生问题。对于现时中国老百姓来说，最关心的无外乎通货膨胀、抑制房价和增加收入等问题。时先生深入分析了造成目前各种社会问题的根本原因，并且将一些层次的经济学理论用通俗易懂的方式展示给读者。正如时先生所言，趋势的滚滚洪流无法阻挡，作为渺小的个体，我们无法去扭转趋势，只能顺势而为，保护好自己。

现今世界处于单级化的时代。美国作为唯一称霸世界的超级强权国家，对全球各地的政治、经济、军事影响深远。从两位前总统布什父子的两场战争，到奥巴马总统的"重返亚太"战略，都对中国的大战略乃至国运产生着直接影响。

对于美国来说，称霸世界仰仗的不仅仅是超级强大的军事力量，更有美元霸权这一最犀利的武器。时先生利用后半部的大多数篇幅，从中国的利益出发，阐述国际形势发展的大趋势。

未来，美国势必会利用强大的美元霸权和军事实力来打压和遏制新崛起的国家，以维护自己在世界上的主导地位。包括中国在内的新兴国家各自面临着种种棘手的问题；俄罗斯在复兴的道路上，也面临着与西方的严重冲突；欧洲则深陷债务危机，一体化面临严重挑战……这些，都将成为美国巩固霸权地位并继续扩张的机遇。美国势必借助大洗牌的机会，来强化自己的超级强权，以进一步延续它所主导的世界单极化的特点。

时先生对中国所面临的问题做了十分透彻的剖析。中国内部面临着货币超发严重、债务隐患严重、人口出生率不足、老龄化问题日趋严重、能源消耗量增大、严重依赖能源进口、耕地逐渐减少以致无法提供足够粮食供应等问题。在外部，中国与日本在东海的领土争端、与东南亚相关国家在南海的领土争端、与印度在领土和印度洋利益分配方面的分歧，以及和美国在非洲和南美洲的能源博弈，也是愈演愈烈。

激烈的博弈决定着未来的大趋势。时先生就这些问题落墨之文字和分析，读后感觉触目惊心。我中华民族复兴之路前途确实荆棘满地。时先生毫不掩饰地揭开这些呈现给读者，流露出他的良苦用心，流露出一个知识分子、一个为国为民大丈夫的忧虑和急于改变现实的紧迫感。

时先生之前的很多预测，都在一步步成真。时先生也和我说，之前有遗漏而获得的经验，可以更加完善他的理论。时先生近来潜心在家研究趋势理论，远离浮躁的社会，几乎回绝外界的所有邀约，踏踏实实地沉下心完成这本展望未来大趋势的大作，为求完美甚至不惜牺牲自己的健康。这一腔热情只为将自己多年的研究成果和感悟公布出来。

我希望更多的人能够认识进而了解并认可时先生的理论，我也希望时先生的理论会越来越精进，给我们在看清未来趋势上带来更多的指引。祝他幸福，安康。也希望所有读者能从此书中得到方向。

劳玉仪

中国香港财华社集团主席

2014年5月

感悟趋势之美

在全球化时代，国与国之间的博弈并没有随着融合的深入而削弱，而是恰恰相反，变得更加激烈、残酷，甚至血腥。

人们通过电视、网络、报刊等，可以清晰地感知到这一点。

但这些，只是流于表面的现象。到底是什么样的力量在造成这样的现象，并推动着大棋局的演变和未来趋势的发展、变化？未来的宏观大趋势将走向何方？我们该如何应对？未来的房价、大宗商品等将如何变化？我们该如何决策？

这些是许多人都希望知道答案的问题。

尤其是在一场正在悄悄展开的惨烈的全球大危机、大劫掠的前夜，我们更需要知道，未来将要发生什么；否则，此前辛辛苦苦、一点一滴创造的财富，可能在危机中灰飞烟灭。

当然，大危机并非仅仅是摧毁性的力量，它往往也带来非常大的机会。展望未来20年的大趋势，洞悉未来的风险与机会，正是我要在这本书中努力完成的目标。

这本书并非只简单地给出一个结论，而是有着详细的分析过程。很多时候，就如同带领读者一起分析，通过这些非专业人士也能看懂的专业数据、图表和大量研究专著中的资料，穿透层层迷雾，慢慢找到趋势的发展方向。

细读这本书的朋友，将不仅仅是在阅读一种趋势，而是沿着自己的思路，根据专业的数据、资料，自己推导未来的发展趋势——这是我极力追求的效果。书籍带给人的不应仅仅局限于知识,更应该是一种深入思考问题的方式。

美国一霸独强和全球化步伐的加快,使得任何一个国家的趋势演变都不再是孤立运行的。中国更是如此。要看清中国未来的大趋势,就必须站在大国博弈的战略高度,以全球化的视野去做分析。也正是由于没有基于这两点,导致很多专家对中国经济趋势的预测发生了严重错误。

在中国经济趋势的研究过程中,我一直围绕三条主线展开:第一条主线,中国自身——推动趋势发展的内在力量;第二条主线,美国——全球趋势的主导者;第三条主线,全球大国的能源角逐和地缘博弈等——大趋势的动态影响力量。

因此,本书的上部"现实篇",是从中国、美国两大并行的主线来做分析的,通过中美之间的"恐怖平衡",我们可以清晰地知道中国趋势演变甚至一些重大政策出台的深层次原因。而在本书的下部"未来篇",则加进去了全球大国博弈的主线。

这三条主线互相补充,并遥相呼应,清晰地为我们指明未来大趋势的演进路线。

我一直坚信,事物的运行是有规律可循的,未来的趋势演变也是可以提前感知到的。

这几年,我一直为复旦大学等高校的总裁班授课。四五年前所展望的今天的趋势,已经在变成现实。我此前反复强调2012年大转折之后,中国经济将告别辉煌,步入三年大纠结的过渡期,而后再步入一个漫长和痛苦的调整期。那些与大趋势背逆的行业的企业家开始接受我的建议,逐渐收缩规模,或者转向更符合大趋势发展方向的行业。从2013年下半年开始,我陆续收到他们的感谢信。他们成为知悉大趋势的受益者。

根据未来发展的大趋势做规划,至少不会犯大错。而违逆大趋势而行,则很容易滑入深渊。

复旦大学总裁班的学员所从事的行业,几乎涵盖了中国所有的领域。他们多次建议我写一本系统展望中国经济发展趋势的书。跟我学趋势分析的学生,也不断提出这样的建议。

最终,我决定凭借这些年来的积累和感悟,用心完成这本书。

在这本书的写作过程中,我尽可能地追求细致,这让《时寒冰说:未来二十年,经济大趋势》(包括"现实篇"和"未来篇")成了一部既厚又重的作品。在快餐文化流行的时代,阅读厚书的人越来越少,这可能意味着有被冷落的风险。尽管如此,我依然拒绝了出版界专家的建议,完全按照自己的既定计划来完成这本书。

　　我要写一本自己满意和喜欢的书，不会为了迎合而改变。在这个高度功利化的时代，我们要在心中留出一片容纳知识的净土，用这种更具个性化的方式，来捍卫知识最后的尊严与荣耀。

　　由于过于厚重，为了读者阅读的方便，不得不分为"现实篇"和"未来篇"两部。"现实篇"写到2015年，偏重于写原因、规律和战略布局。"未来篇"从2016年写到2034年，是由上部的"因"和战略布局引申出未来的"果"，是对2016～2034年中国、美国和全球大趋势，以及房价、大宗商品等走势的详细展望。"现实篇"和"未来篇"是一个整体。我强烈建议读者从本书的"现实篇"（上部）开始读起，沿着三条主线，最终找到未来趋势的发展方向。

　　趋势研究并不神秘。

　　它有内在的规律，或者说，它是在内在规律的作用下，按照可以感知的方向运行。每个人都能感知到趋势的运行脉络。我相信，通过这种系统的分析，将有越来越多的朋友掌握一些基本的分析思路和分析方法。

　　趋势研究并不抽象。

　　它可以随时运用到对宏大趋势和微观趋势的判断上，既可以洞悉大国的棋局以及知道全球大战略的演变，也可以指导做具体的投资。

　　宏观的趋势与微观的趋势是遥相呼应的。换句话说，宏观趋势的感知是可以在具体行为方面给予我们明确指导的，比如，在宏观大趋势之下做具体的投资。而微观的变化也可以对宏观的决策给予准确的预示，比如，从一些行业的变化推导出整个经济的发展趋势，进而为及时出台正确的决策提供参考。

　　趋势研究并不枯燥。

　　它是向未来延伸的柔美的线条。无论是辉煌还是悲情，一个热爱趋势研究并能潜心于其中的人，就能感受到其中妙不可言的美——趋势之美。

　　趋势是由多种因素推动的，而这些因素分布于不同的领域，需要具备许多学科的知识，把这些看似凌乱的碎片链接起来。这种跨领域、跨学科的融会贯通本身，就是巨大的挑战。

　　这些年来，我一直处于一种犹如备战高考时那样紧张忙碌的状态，读书、翻阅资料、查找和梳理数据……

　　为了安心做趋势研究，2012年，我做了人生中一个比较重要的决定——辞去工作，回归更为简单的状态。

　　我一直觉得，简单的生活才是距离生命、距离智慧、距离悟道最近的生活状态。

十几年前，70多岁的美国教师Mary Alice Meeks在中国教书，她用自己绝大部分收入资助中国上不起学的孩子读书，而自己的生活却简单得不能再简单。她改变了我的弟弟寒玉，弟弟后来成为一名基督徒、一名热心奉献社会的人。因为弟弟的缘故，我们有过多次交流，我的英文名字是她起的，她很认真地告诉我，名字源于《圣经》，是"先知"的意思。

趋势研究是为了预先知道未来，但研究者并非先知。而且，这也不是一个喜欢先知的时代，其中的悲壮、酸楚和无奈，几人知？几人懂？

这些年来，除了按时给复旦大学总裁班上课和带几位学趋势分析的学生，我绝大部分时间都处于读书、研究的状态。

每天工作14～15个小时，早已是常态。有的时候，已经非常疲惫，刚刚躺下，突然涌出一些很重要的灵感，怕忘记了，便赶忙爬起来，坐到电脑桌前记录下来。有时一夜之间，如此反复数次，犹如进入一种痴迷的状态。

悟道者，或许都要经历这种痴狂的过程。

趋势在规律中，规律在人的心中。

让心灵回归到简单的状态中，与智者对话，站在智者的肩膀上，遥望未来……

做趋势研究的过程，何尝不是修心的过程？

能够洞悉未来的，只能是隐藏于我们血肉之躯中的心灵，而我们的眼睛常常被蒙蔽。唯有心，可以轻易地穿越……

在这个高度功利化的时代，随心方能所欲，跟着心走方能找到生活的真谛。

我非常感谢乔良将军。作为兄长和同乡的他，一直给予我支持和鼓励，是我写作此书的重要动力。我们曾经数次长谈，他渊博的知识给我很多启发和帮助，让我终生难忘。我十分感谢他这次在百忙之中通览本书，提出宝贵的修改建议并倾情作序。

我非常感谢为本书作序并提出许多宝贵建议的周洛华先生。他是一位十分优秀的金融学家，在美国做金融学博士后时，其论文就曾两度获得全美最佳论文奖——"麦肯锡奖"提名。5月份，我们在他的家中把酒长谈，谈到国家的前途和命运，几多唏嘘，几多感慨。

我非常感谢为本书作序的劳玉仪女士。她是一位才华横溢而又充满爱心的人，她浓郁的人文情怀使她对祖国内地的发展有着令人感动的关注和期待。她领导的香港财华社集团飞速发展，已是大中华区最知名的财经媒体及财经信息供应商之一。她热情、执着、爱憎分明、凡事追求尽善尽美，乃是真正的"侠之大者"。

我要特别感谢上海财经大学出版社的社长黄磊先生、总编助理袁敏先生和编辑温涌女士，他们认真阅览稿件，提出许多重要的建议。正因为有了他们的努力，本书才得以如期与广大读者见面。

我非常感谢好友张志民博士，他两次通读全部书稿，认真校对，并根据他在基层工作多年的经验，给我很多宝贵的建议。

我非常感谢5100西藏冰川矿泉水营销策划顾问、广东汉腾经济发展有限公司的董事长李林峰先生。我们多次一起到豫西贫困山区做捐赠，他热情、宽容的个性，给我留下了深刻的印象。

我非常感谢新华社的孙时联大姐。她一直关心本书的写作，并通读书稿，给我很多宝贵的建议。

我非常感谢好友刘广元、黄锋夫妇。他们是最早建议并鼓励我写作此书的朋友，并认真校对书稿，提出了宝贵的建议。

我非常感谢中国智慧城市投资联合体副秘书长朱长征先生。他在特别忙的情况下，仍然通读全部书稿，并提出许多宝贵的建议。

我非常感谢忘年交秦维辉先生。在上海工作期间，他给予我许许多多的帮助。在这本书的写作过程中，他也提出了许多非常宝贵的建议。

我非常感谢书法家季长山（江山）老师，他为本书题写的书名我一直非常喜欢，他谦虚、热情的性格令我记忆犹新。

我非常感谢曾经给我提出过具体建议的复旦大学总裁班的同学：北京华芯科技有限公司总经理叶可盈女士、香港京华山一证券集团公司CEO陈其盛先生、台湾闽台农产有限公司副董事长王爱虹女士、洛阳众瑞汽车销售公司董事长杨玉良先生、上海鑫湖资产管理有限公司董事长张冰岩先生、上海文思海辉技术有限公司总监蔡新伟先生……

我非常感谢我的学生。他们在2014年3月和5月，先后两次参与书稿的集中校对：来健、张沛、郑龙冠、王勇、刘会君、富元博、宋毅平、夏斌、朱丽娟、陈胜鹏、崔大庆、韩广路、姜虹、帅永红等。同时，也非常感谢王洋、王东亮、王东阳、张磊、魏巍等朋友和华东师范大学法学系时慧洁同学对本书所做的校对。

我非常感谢亲朋好友刘冬波、周红权、王剑锋、张荣东、樊索莉、张学军、方红兵、高占勇、李继军、张莹、闫肖锋、周晓鸣、李三民、刘建新、王子恢、何建晔、严子龙、王洋、张智军、莫扬、白新亮、刘安、武彬、王学进、慕毅飞、余昭昭、程文兰、王增新、王阳、严建国等给予的诸多帮助。

我还要特别感谢北京磨铁图书有限公司的张庆丽女士和她的团队。由于她们夜以继日、加班加点的工作，才使本书得以顺利出版。她们认真、细致的工作态度，令我非常感动。

我还要特别感谢我的父母、妻子、陈随有大哥、弟弟寒玉、妹妹以及女儿给予我的关心、帮助和鼓励，让我能够全身心地投入到研究中去。

我还要特别感谢一直默默给予我支持和鼓励的博友们。无论何时，他们都给予我最真挚、最纯粹的支持与鼓励。他们一直是我前行的同伴，风风雨雨，未曾停下脚步。他们默默地站在身后，激励我，给我力量……

谨以此书献给生我养我的这片饱经沧桑和苦难的土地，和始终如一支持、鼓励我的亲人们！

时寒冰

2014年6月

第1章

大变革：1978～2002

引 子

趋势一旦走出来，就犹如狂奔的野马，人跟在它的后面，无论多么努力，都难以追上。只有走在前面，骑在马上，抓住缰绳，才能与之同行。

知道趋势的意义也在这一点上。

如果以前不关注未来的趋势演变，还能够在随波逐流中找到机会的话，那么在即将到来的全球巨变中，这种盲目的做法将导致无可挽回的错误。

在前所未有的巨变即将到来之际，我们需要知道未来的趋势，顺势而行，而不是眼睁睁地看着自己的财富在滚滚洪流中瞬间消失——人们终将理解这句话的真实含义。

在本书中，笔者将以权威的数据，对照经济学、金融学、地缘学等理论，通过与现实、历史的结合，通过跨学科、跨领域的贯通，展望国内与国际大趋势演变的必然方向。

本书详细地阐述了整个推导过程，所有的逻辑都是基于现象的真实源头与权威数据所代表的真实信息推导出来的，这对趋势爱好者或许会带来一些有益的参考——这一点是笔者努力追求的目标。

笔者希望，这本书能成为本人的一个突破，也成为对自己多年趋势研究感悟的一个总结。

本书中的所有数据，都找到原始出处进行了核对。国内经常出现数据以讹传讹的情况，只要报道某个数据的第一家媒体出错，此后这一错误数据便被普遍转引。这种不认真的态度在国内是如此普遍，因此，笔者所做的图和表中的全部数据都源于最原始、最权威的部门，并都一一进行了核对。

在这个浮躁的时代，厚重的书籍越来越不受人欢迎，但笔者抛弃了所有世俗和功利的建议，安安静静地沉下心来，以每天平均14个小时的工作强度，一点一点地把这个展示中国和世界未来大趋势的浩大工程做完。

希望这部心血之作，能够为尊敬的读者研判未来趋势提供一些思路和参考。

第一节
政策决定资源的流向

每一位国人，都常常会关注下面的一系列问题：

是什么导致了货币的持续超发？是什么导致了股市在经济增长时还持续下跌（遑论经济不景气之时）？是什么导致了中国房价连续数年的暴涨？房价会暴跌吗？转折点在哪一年？是什么导致了连续数年人民币对外升值而对内贬值，这种现象何时会发生改变？人民币会暴跌吗？是什么导致了中国制造业升级失败，沦为低附加值代名词的缺乏强大竞争力的初级阶段的加工厂？是什么导致了当代大学生群体找工作的艰难？是什么导致了不劳而获投机思想的蔓延？是什么导致了现在经济决策的进退两难？当下与未来的风险和机会在哪里？中国经济未来的大趋势将如何演变？面对未来的大趋势，投资者该如何做选择？企业家应该如何应对？

……

除了中国国内的问题，从全球范围来看，也有许多问题需要解答。普京为何一定要拿下克里米亚？美国将使用何种方法反击俄罗斯？美元未来的趋势如何演变，转折点在哪里？中美在中亚、非洲、拉美的石油博弈对全球趋势会产生什么样的影响？中日冲突是否会进一步升级？中印博弈将走向何方？欧元区最终将走向"统一"还是解体？中东的未来将走向何方？……

对于投资者而言，大家更关心大宗商品、汇率等的未来运行趋势。从全球来看，投资机会在哪里？值得关注的行业在哪里？

太多的疑问，太多的问题，我们都将在这本书中通过梳理逐一找出答案。

"硬着陆"与"软着陆"之谬

经济学理论如何运用，远比经济学本身要复杂得多，而且一些被视为"真理"的东西，往往是建立在错误基础之上的，或者其本身就是错误的。

比如，人们往往更容易恐惧"硬着陆"，而把实现"软着陆"作为目标之一。"软着陆"一定比"硬着陆"好吗？

美国从来不回避大的经济调整，也就是我们所谓的"硬着陆"。经济历史学家安格斯·麦迪逊（Angus Maddison）指出：1820～1952年，欧洲人的人均财富增长了4倍，而美国人的人均财富增长则高达8倍。值得注意的是，1945～2007年，美国先后经历了10次衰退，但其经济增量却增长了6倍，人均财富增长了3倍。相比之下，日本经济从二战后到20世纪90年代飞速增长。当日本的技术应用已经达到世界先进水平后，日本却开始犹豫不决：如果继续推动技术发展就需要淘汰旧产业，将资本和劳动力转移到新的产业，由此必然导致公司破产和裁员。日本逃避经济大调整的阵痛，却换来了漫长的经济衰退。而美国成为以互联网为基础的新一轮技术进步的引领者，并在20世纪90年代扩大了对日本经济的领先优势。[1]

日本选择"软着陆"的结果，虽然避免了短痛，却换来了长达20年（还将更长）的长痛。美国没有回避"硬着陆"，却总能在短痛中焕然一新，找到革新除旧的契机，为美国的发展找到更为强大的动力和更多新的发展机遇。

中国在20世纪90年代初，主动捅破海南房地产泡沫，以前所未有的勇气面对"硬着陆"，付出了千亿资金的代价（仅四大国有商业银行的坏账就高达300亿元），却把资源从投机热潮中重新引向了以制造业为代表的实体经济，从而为中国制造业的振兴营造了一个良好的环境，为中国制造走向世界打下了良好的基础。回想一下，中国现在家喻户晓的制造业品牌，不都是在那个时期迅速成长起来的吗？

再回想一下，2008年底，中国通过庞大的救市计划阻止了房地产的"硬着陆"，以至于产能过剩等问题不仅未得到解决，反而由于以新的过剩消化旧的过剩而使产能过剩问题进一步叠加，导致相关问题变得越来越棘手，解决难度也越来越大：中国经济主要靠投资拉动，产能过剩问题不解决，就无法恢复投资；而要通过投放货币等方式强行恢复投资，又会稀释民众的购买力、抑制消费，这又会导致库存增加，产能过剩进一步加剧……

这样看来，我们是否还应该恐惧"硬着陆"而竭尽全力地去追求"软着陆"？

因此，要看透一个问题，需要从多个角度看，综合分析和评估，当然，更需要找到源头——顺着源头往下看，才能找到登顶望岳、一览众山小的感觉。

在《时寒冰说：经济大棋局，我们怎么办》中，笔者是从货币的角度入手逐步进行剖析的。但从根源上来看，货币还不是最终的源头，仍然只是一个表象而已。

只有找到了源头，才能更彻底地看懂中国经济问题所在与未来的发展趋势；看懂中国在世界大棋局中所处的位置；洞悉即将到来的大风险、大机会；明白自己应该怎么做，才能保护自己的财富不被正在到来的危机洗劫一空。

在本章中，我们首先要明白中国经济结构失衡的原因及上述一系列问题的根源。

政策决定中国的经济周期

我们知道，政府出台的经济政策，往往都会牵一发而动全身，对大棋局产生重大的影响。出台政策就好比参加象棋大赛，走出的棋是不能反悔的，有时候一步走错，全盘皆输。

精通中国经济问题的美国经济学家巴里·诺顿教授指出，中国宏观经济清晰地呈现出一种宽泛的"政治—经济"周期特点。简言之，在宽松阶段，政府会放松对工业和金融体制的监管，扩张政策随之带来通货膨胀和其他宏观经济失衡的问题。这时候，体制改革会放缓，政府的经济政策会变得非常谨慎，通过实行紧缩政策，控制通货膨胀。当经济增长突然下降后，政策环境又会向有利于进一步改革和促进增长的方式转变。政策像钟摆一样左右摇摆，它推动着经济发展，又反过来受经济发展的影响。[2]

也就是说，政策直接决定着中国的经济周期波动。

经济政策为什么有如此重大的影响？

因为它直接左右着资源的配置，对资源的流向起到决定性的引领作用——对于中国这样的市场经济还不够成熟、制度还不够完善的国家而言，这一点体现得尤其明显。而资源的流向又直接决定着具体行业、区域经济的发展，当然，也对房价、股市、大宗商品产生着决定性的影响——要准确把握投资的机会，规避潜在的风险，了解这些方面的知识是极其重要和关键的。

有限的资源引向哪里，哪里就会因这种支持而得到更快的发展。

中国走的是政府主导的投资拉动经济的增长模式。政府主导的投资需要以大量基础货币的投放为前提，而基础货币的投放很容易引起人们对通货膨胀的担忧。在投资渠道极其有限的情况下，买房抗通胀便成为人们的本能，而房价的持续上涨又不断证明了这种选择的有效性——民众得出这样的结论是水到渠成的事情。这又引领新的资金源源不断地涌入楼市，从而导致中国大部分地方（鄂尔多斯、温州等少数地方除外），尤其是一线城市的房价，只有2008年出现过短期的调整，其余大部分时间都是在涨。

由此，中国的房价在相当长的时期内，呈现出持续上行的独有态势，而非发达国家常见的较为清晰的周期性特征。所谓中国房价只涨不跌"神话"的形成，乃是政府所主导的投资拉动经济增长模式的产物。

为什么那么多次调控房价都无功而返，甚至越调控涨得越厉害？

这是因为，一方面，以投资拉动为主导的经济增长模式并没有改变，通过海量货币维持庞大投资项目的现状没有改变——超发货币溢出涌向房地产领域，形成中国房价持续上涨的推动力。在调控房价的过程中，这个根源没有改变，房价上涨的轨迹也就没有改变。

另一方面，房地产是资本密集型行业，与银行联系极为紧密。一旦房价下跌，与房地产相关的收入大幅减少，银行就容易爆发系统性风险，而政府依赖投资拉动经济的增长模式也难以为继。

因此，房地产调控一直都在强调"抑制房价过快上涨"，而不是促使房价下跌。虽然仅仅几个字的差别，但其设定的目标和导致的结果却是截然不同的。

要洞悉中国的房价趋势，就必须找到问题的根源——投资拉动经济的发展模式变，则房价变，这是判断中国房价趋势转换的要点。

当这种经济增长模式走到尽头的时候，房价也就涨到了尽头。所谓"成也萧何，败也萧何"，最终粉碎这个"神话"的也将是这种经济增长模式。随着泡沫的累积，房地产将不再是中国经济的"发动机"，而是高悬在中国经济上空的巨大"堰塞湖"。

对读者而言，最关键的是找到这个转折点——后面的章节我们会做专题分析。

人民币外升内贬

那么，人民币多年来对外升值而对内贬值的奇特现象又是如何形成的呢？

我们知道，一方面，政府主导的投资是中国经济的引擎，需要庞大的货币供应来支撑，货币超发就会贬值。

另一方面，由于投资产生的供应无法与中国的实际需求形成对接（很多企业生产的产品本身就是专门供应国外市场的），就需要依赖国际市场，而资源型加劳动密集型出口产品所形成的价格竞争优势是其他很多国家所不具备的，由此形成的顺差往往是导致贸易壁垒的根源。西方国家由此逼迫人民币升值，以舒缓由于中国廉价商品大量涌入而对其制造业构成的威胁。

并且，要推动人民币国际化战略，人民币的稳定升值有利于增强人民币对于相关国家的吸引力，提升人民币的国际地位。在全球化逐渐深入的时代，为了确保经济的平稳运行，政府也需要确保外资对中国未来发展的信心。显然，币值的稳定，或者稳步升值而不是快速贬值，更有利于做到这一点。

此外，中国庞大的外汇储备是靠基础货币投放积累起来的——外汇储备越大，基础货币投放越大，其结果必然是本币购买力的下降。

在人民币汇率尚未市场化的情况下，由此便形成了人民币对外升值而对内贬值的独特现象：一面是人民币在过去几年对美元等货币持续升值，一面是国内物价的持续上涨。只有走出国门消费的时候，人们才能享受到人民币对外升值、对内贬值带来的好处——但这样的"福利"大多数人无缘分享。

中国股市为何回报低

为什么中国股市最近几年的投资回报率整体而言不如次贷危机后的美国和欧债危机后的欧洲呢？

其中一个因素是，欧美是消费拉动经济增长的模式，这种模式首先是要把资源集中到民众手中，简单说就是要让民众手里先有钱，包括通过证券市场赚钱——这是发达国家的股市能给投资者带来丰厚回报的根源之一，因为消费拉动经济增长模式，对应的是民富路线。

而政府所主导的投资拉动经济的前提是，资源要尽可能多地集中在政府手中，政府手里先要有钱，包括通过股市融资（圈钱）。这种增长模式下，只有当货币持续海量供应溢出到股市的时候，股市才能走好（比如2006年到2007年，2008年11月到2009年7月的股市），给投资者带来好的回报。所以，在中国股市投资，必须弄清楚股市在经济增长模式中所处的阶段；否则，就可能血本无归。

也就是说，在以消费拉动经济增长的模式下，股市具有天然的藏富于民的功能；而在以投资拉动经济增长的模式下，股市更多地体现出"输血"的功能。

而且，由于政府主要的投资需要以货币的超发为前提，在投资拉动经济增长的模式下，物价比消费拉动经济增长的模式更容易上涨。在这种情况下，股市在无形中被赋予了一种新的功能，即通过吸纳货币和股市下跌"蒸发"财富的方式来平抑物价。

这也正是中国股市在过去的20多年中，每当CPI低于1%甚至为负数的时候更容易上涨，而每当CPI接近或高于7%时就容易暴跌的根本原因。[3]

当然，问题并非如此简单。任何一个问题都是中国深邃的体制和复杂的经济体系所决定的。这需要我们从源头上一点点地剖析，展现出一个被遮掩的世界和未来的大趋势。

政策引领资源配置

要了解中国经济，首先必须明白的一点是：政策对资源的配置、引领作用巨大，无可替代。

中国东部沿海地区是最早实行对外开放的区域，经济发展最快，而西部在很长时期内经济发展缓慢，就与宏观政策布局的差异息息相关。

20世纪50年代，深圳一带的居民还靠捕鱼捞虾艰难度日，但2008年深圳人均GDP（即国内生产总值）就已达13153美元，成为内地首个人均GDP过万美元的城市。

深圳为什么能够从"一个荒凉的小渔村"，发展成"车水马龙、汇聚四方的现代化大都市"？这同样是政策所发挥的巨大的资源配置、引领作用促成的。

深圳是邓小平亲自倡导设立的中国第一个经济特区，一直被看作是中国改革开放的窗口。深圳率先按市场原则形成了资本、土地、劳动力、技术等生产要素市场……最终形成了以高新技术产业、现代物流业、金融服务业、文化产业这四大支柱产业为基础的内地经济最发达的城市之一。[4]

政策在资源配置方面的主导作用，把一个小渔村建设成了现代化的大城市——在感慨市场经济魅力的同时，千万不能忽略这一关键点。

政府对资源配置的引导，不仅能把乌鸦变成凤凰，也能把凤凰变成乌鸦。产能过剩就是政府使资源扭曲配置的结果，而这一现象与债务等问题合在一起，将成为中国从辉煌中转身的推动力量。

那么，政府对资源的引领作用，在未来十多年里，将把中国经济引向何方？

在展开分析之前，我们先了解一些基本的经济学原理。

经济学家这样定义资源：资源即投入，是用来生产满足人们需求的商品和劳务的生产要素。商品和劳务都是稀缺的，因为资源是稀缺的。资源主要可分为四类：劳动、资本、自然资源与企业家才能。[5]

由于资源是稀缺的，就面临着选择和配置的问题。因此，经济学研究的是我们社会中的个人、厂商、政府和其他社会组织如何进行选择，以及这些选择是如何决定社会资源使用的。[6]

这样，所有的国家都面临着同一个经济问题：如何分配有限的资源以满足消费者的需求和生产者的需求？而每种决策都会涉及采用何种方式来运用稀缺的资源以满足各种不同的需求。[7]

有的经济体（比如西方发达国家）主要是靠市场本身的力量来选择、配置有限的资源；而在有的国家，政府则是资源配置的主导者（主要靠政策干预来实现资源的配置）。但是"几乎所有的经济学家都认为政策干预会影响宏观经济的发展"。[8]

不同资源配置导致不同结果

下面我们就对照中国自改革开放以来的经济政策对中国资源配置的巨大引领作用，以及中国和美国在通过经济政策引领资源配置方面的重大差异——这不仅是导致中国股市和美国股市走势截然不同的根源所在，也是导致中国经济发展趋势与美国经济发展趋势在2012年后发生重大转折的根源，同时也是形成中国经济周期的决定性力量。

我们知道，在次贷危机爆发后，奥巴马政府几乎是完全听任房价的下跌，没有出台刺激房地产发展的政策，也没有把金融业复兴作为他的施政重点，而是提出了重振制造业发展的宏大目标，以实体经济的健康发展为虚拟经济的复苏奠定基础。

2009年12月，美国公布《重振美国制造业框架》。[9] 2010年初，奥巴马政府在"提振经济，重振制造业"这一目标下，首次提出五年出口倍增计划，并于9月份正式发布。[10]

2010年8月11日，奥巴马签署了《制造业促进法案》，旨在帮助制造业降低成本，恢复竞争力，创造更多就业岗位。[11]

奥巴马政府坚持不懈地发展制造业，是因为奥巴马已经认识到，制造业是实体经济的核心，是一国经济保持可持续发展的基础，把有限的资源引向制造业，不仅可以增加就业岗位，也有利于促使经济结构重新回归健康的状态。

更重要的是，实体经济的复苏能够大大增强人们对未来发展前景的信心，促进美国以金融为核心的虚拟经济的复苏，因为虚拟经济很大程度上也可以说是信心经济——信心是虚拟经济的灵魂。换句话说，以制造业为代表的实体经济的复苏对美国经济发展的意义远远超过制造业本身；或者说，制造业对美国经济信心的重塑比制造业本身所贡献的那些产值意义要大得多。这才是美国全力以赴拯救制造业的根本原因。

试想，假如奥巴马不重视实体经济的复苏，而是直接把有限的资源引向虚拟经济领域，重新吹大金融泡沫和房地产泡沫，就如同继续在沙滩上建造大厦，那么，美国经济还会有今天如此强劲和稳健的复苏吗？美国股市能够在次贷危机之后的2013年屡创历史新高吗？美联储还能够从2013年12月就开始削减购债规模吗？

重大政策的意义在于它的引领作用，即要把有限的资源引向哪里。

这种引领作用一定要稳健、理性、有远见；否则，就可能由于过于狂热的引领而迅速导致相关领域的过热，进而引发过剩等一系列恶果。因为市场本身就有一种天然的敏感性，即使没有政策的引导，也会发挥天然的调节作用。比如，当某种商品供不应求的时候，企业家就会本能地加大投入，积极生产，增加供给，随着商品供应的增加，价格会逐渐回归到合理的位置。

市场调节的力量是巨大的。

政策的引领作用一旦和市场本身的敏感性叠加，就会产生超乎想象的影响力——对市场自由度相对较差的经济体而言，这一特征尤其鲜明。

因此，政策的积极意义要得到恰如其分的发挥，首先要有正确的引领，其次要有对尺度的准确把握，二者缺一不可。而奥地利学派经济学家路德维希·冯·米塞斯等人，提出市场经济不受干预的强硬政策主张。这种看似激进的市场原教旨主义思想，其实包含着其对市场规律深刻而清醒的认识。研究表明，经济自由度每增加一个单位，一个国家的长期经济增长率就会增加1.5%。[12]

现在，让我们把中国经济自改革开放以来政策的引领方向、资源的配置和经济发展的脉络梳理一下，把中国经济运行的周期特点显现出来。笔者尽可能用简略的语言把几十年的经济历程浓缩后做个总结——本书的重点毕竟是展望未来，以便大家看清这个脉络，更深入地看透问题的本质，看清未来的发展趋势。

第二节
工业高速发展的阶段

本节对于一些读者而言，可能稍微显得有点枯燥，但要透彻地了解中国，这些知识是必须要知道的。历史的脉络可以帮助我们看清未来，因为历史的演进是有惯性的。

改革开放以来，中国经济经历了两个大的发展阶段：第一阶段就是1978～2002年的工农业尤其是工业高速发展的时期；第二阶段是2003年至今的以房地产为核心的虚拟经济高速发展的阶段。

其实，不用看数据，大家就能很清楚地感受到，从改革开放到2002年，资金、人才等都在涌向实体企业，企业雨后春笋般地发展起来。很多现在非常知名的企业就是在这个阶段从无到有，迅速成长、崛起、成名的。

为了更清楚地看清这个发展脉络，我们把这个大的阶段划分为几个小的阶段。

1978年12月到1984年10月的农村改革

"阶级斗争"的狂热和激情除了让整个民族蒙受屈辱和苦难，不能创造任何财富。

经过沉痛的反思和反省，1978年12月，党的十一届三中全会提出了新的战略决策，把注意力从以阶级斗争为纲转移到以经济建设为中心的社会主义现代化建设上来。关于经济工作，全会提出，要实行三个转变，即从上到下都把注意力转到生产建设和技术革命上来；从官僚主义的管理制度、管理方法转到按经济规律办事、把民主与集中很好地结合起来的科学管理轨道上来；从闭关自守状态转为积极引进国外先进技术、利用外资、大胆进入国际市场。[13]

这是中国经济发展的一个重大转折，即把全社会的资源向经济领域集中，而不是做无谓的消耗。

问题是，要实现这个转变，首先必须把一个非常重要的生产要素[14]给解放出来，或者说，把它激活。在经济发展水平相对落后的情况下，这个重要的生产要素就是劳动力！

首先要把广大农村丰富的劳动力资源给释放出来——这是推动中国经济向前发展的最重要的一步。只有把农村丰富的劳动力释放出来，才能使中国经济的发展得到人口红利的支持，也才能使城市工业的发展、外资企业的发展与中国低廉的劳动力要素实现对接，对外资形成足够的吸引力，鼓励他们到中国投资。

那么，如何激活农村的劳动力呢？

根据"拉尼斯—费景汉"模型[15]，农业生产率的提高所导致的农业剩余是农业劳动力流入工业部门的先决条件。

中国要想释放出大量的劳动力，就必须提高农民的生产积极性，提高农村的劳动生产效率。

1978年秋，安徽、四川等省的部分地区因遭受自然灾害，农民自发恢复了20世纪60年代初经济调整时期曾经出现过的包产到组、包产到户的生产责任制形式。这一现象启发了当时的决策者，他们便采取了从实际出发、尊重民众意愿的方针，因势利导，使农业生产责任制很快发展起来。

到1979年底，全国有一半以上的生产队实行包工到组，1/4的生产队实行包产到组。[16] 到1982年底，已有92%的生产队实行了多种形式的联产承包责任制。这种制度实行"统分结合、双层经营"的原则，极大地调动了农民的积极性，促进了农业的发展。1979~1984年，中国农业总产值翻了一番（见下图），其中粮食、棉花产量分别增长了1.9倍和1.3倍。农民年均消费水平在此期间增长了1倍多。[17]

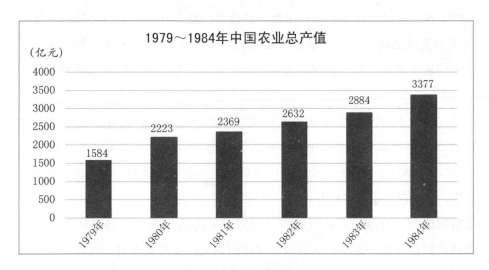

数据来源：《中国统计年鉴1985》。

1984年，中国的粮食产量迅速上升到4.07亿吨，这是中国第一次获取了足够用于流通的粮食。1985年，中国第一次成为自"大跃进"（1958~1960年）结束后的粮食净出口国。[18]

农业的较快增长，使得大量农村剩余劳动力进入乡镇工业部门成为可能。统计表明，乡镇企业吸收农业劳动力的程度与农业增长是密切相关的。如1984年以前，乡镇企业每年只吸收140多万人，而由于1984年农产品产量空前增长，使得1984年和1985年乡镇企业吸收劳动力年均增长近2000万人。[19]

农村承包制改革，造就了千千万万独立的商品生产者和经营者，为农村多种经营的发展、乡镇企业的崛起和城市经济体制改革提供了广阔的空间。国民经济开始全面快速增长，工业总产值在1982~1984年间分别比上年增长7.8%、11.2%、16.3%，GDP的增长速度从1981年的4.6%上升到1984年的14.7%。[20]

更重要的是，这个阶段的发展和收入分配最大限度地向农民倾斜，在释放出大量劳动力的同时，也大大提升了农村的购买力，为下一步的改革打下了良好的基础。

截至1985年，城市人均可支配收入达到651.2元，比改革开放初期翻了一番，农村人均纯收入则达到397.2元，是1979年133.6元的3倍。[21]

这个阶段的农村改革为什么如此成功呢？

从推动者的角度划分，中国历史上的改革大致可分为两种。

一种是弱权力者所推动的自下而上的改革。比如光绪变法，由于改革首先是削弱实权者的权力，因而无法得到实际掌权者慈禧的支持，阻力重重，最终走向失败。

一种是权力主导者所推动的自上而下的改革。比如齐桓公全力支持的管仲改革、秦孝公全力支持的商鞅变法，摧毁一切阻力，改革较为彻底，而且都取得了巨大成功。从中国历史来看，权力向改革主导者手中集中，几乎是确保改革顺利进行的最重要的基础。

1978年的农村改革，是在邓小平作为中国共产党第二代领导核心的地位确立以后展开的，许多经济学家把邓小平主导的改革称为"20世纪一系列历史转折点"之一。[22] 这场改革之所以能够成功，是因为得到了元老们的鼎力支持，改革遇到的阻力本来就小，更何况又是从农村开始。

在当时的历史背景下，农村的改革相对是单纯的，很少受到强势利益集团的干扰，而且农村改革是中国推动全面经济改革的试点，不敢有差错。因此，这种改革被确定为以农村居民的富裕为目标，政策保驾护航，资源向其倾斜，改革进展得非常顺利。

这是农村改革迅速取得成效的关键。

农村改革的成功，给决策层极大的鼓舞，决定把改革推向城市。

1984年10月到1992年1月的城市改革

1984年10月到1992年1月这个阶段，最明显的特征是，各种资源都向城市和企业集中，出现了农民工大量集中涌入城市、涌向工厂的现象。政策的引领作用再次把中国经济送上了一个新的发展轨道。

农村改革激活了农村的生产要素，但经济发展是一个整体，还必须做好两大块：

城市和外资。

首先就是把城市里的生产要素激活，形成更为强劲的发展力量。其基本思路是：先发展农业，解决好温饱问题；再发展乡镇企业，作为一个过渡，更好地实现农村经济改革与城市经济改革的对接；最后再走到核心改革层面——以城市经济为主体的改革和发展。[23]

很显然，这是一条求稳的改革路线。

在当时的条件下，这种思路是追求平衡与稳妥的选择。

1984年10月，中共十二届三中全会通过了《中共中央关于经济体制改革的决定》，把经济改革的重点由农村转入城市，把增强企业活力作为经济体制改革的中心环节。1987年又确立了"国家调节市场，市场引导企业"的新经济运行机制，从理论上确立了市场机制在经济发展中的中枢地位。

1988年4月，全国人大通过的《中华人民共和国宪法修正案》规定："私营经济是社会主义公有制的补充。国家保护私营经济的合法权利和利益，对私营经济实行引导、监督和管理。"这一年成了私营经济的黄金起步之年。我国乡镇企业单位数从1985年的1223万个增长到1992年的2092万个，营业收入从2566亿元增长到16390亿元，保持了持续增长。[24]

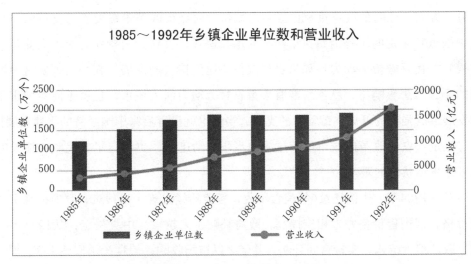

数据来源：《中国乡镇企业年鉴2005》。

但是，这个阶段政策的扶持重点从农村向城市转换得太快！

一方面，是决策层对城市改革的自信心不足。在某种程度上，通过牺牲农村来补贴城市的发展，即通过农业剩余向城市转移以促进工业的发展，使中国在国民收入水平较低的基础上实现了相对比较高的工业化水平。这导致"剪刀差"[25]现象持续多年，伤及农民的利益。

江苏省农调队课题组研究认为，1987年至20世纪90年代中前期，国家通过"剪刀差"从农业剩余中每年剪去上千亿元。[26]

李克强总理也在其论文中指出："我国工业化的进程是在农业生产率很低的条件下发动的，可以说，工业化程度的提高是用牺牲农业来实现的，或者说，采用了农业向工业增长支付费用的方式。在这段时间里，国家通过工农业产品的不等价交换和税收等形式，为工业化提供了大量的资金积累……在以农业支付工业增长方式的作用下，在高速度地建立和发展重工业方针的指引下，农业的负担必然更为沉重。这种以农业支付工业增长的方式使得农民的负担过重。结果是，农业生产率的增长极为缓慢，甚至出现负增长。"[27]

除了"剪刀差"，对农民乱收费、乱摊派、乱集资的情况也非常严重。在收费方面，搭车收费比较严重。在集资方面，地方政府向农民集资修建道路、兴修水利、电力等。地方政府还高估虚报农民人均纯收入，多提村提留和乡统筹等费用，变相加重了农民的负担。摊派非常严重，一些地方采取高估平摊的方法，按人头、田亩数向农民征收农业特产税等。[28]

另一方面，此时的改革重点已经转向城市，而城市改革最需要农村支持的不是消费（中国近年来走的不是消费拉动经济的增长模式，农村的消费能力更不会受到特别的重视），而是廉价劳动力！如果农村取得快速而持久的发展，在小富即安这种根深蒂固的小农思想影响下，就不可能有大量农村劳动力涌入城市，也就不能对城市制造业的发展形成强大的低成本劳动力的支持，当然也就没有后来中国经济的飞速发展！

这注定了农村改革向城市改革过渡的步伐非常迅速，也注定了农民收入增长的短暂和未来生活状态的艰辛。

1979～1984年，中国连续6年粮食丰收，各地陆续出现了卖粮难，政府提高了粮食收购价格，但销售价格并未相应提高，政府补贴越来越重。中央决定：从1985年4月1日起，取消粮食统购，实行合同订购，并辅之以市场收购，粮食统销措施不变。[29]

1986～2001年，国内粮食实际价格呈下降趋势。[30]因此，20世纪80年代中期之后，农村出现了"增产不增收"的单边恶化倾向，甚至出现了"既不增产也不增收"的双向恶化趋势。在农村补贴工业发展的过程中，农民为了增加收入，只能进城打工。1986～2003年，劳动力从粮食种植领域中流出的人数，从1986年的7521.9万上升到2003年的17712万。[31]

假如农民收入增长的缓慢是为城市带来丰富劳动力的源泉，那么，这其中包含着无以言状的悲凉。此后，农村经济的发展、农民收入的增长，很大程度上不是源于农村本身，而是靠农民进城打工的收入支撑的。也就是说，农村的发展乃是城市工业化道路或者城市改革延展的结果。

必须指出的是，农村的基础设施以及相关的公共产品，因财政投入过少，在长时期内处于非常落后、匮乏的状态，导致农民不得不自己出资弥补这些缺口。在后来工业发展逐渐成熟的情况下，决策应该转向，即走工业补贴农业的道路——这也是世界上大多数国家的必然历程。

研究表明，绝大部分国家在工商业发展到一定阶段，具备了相应的工业反哺农业的能力后，为协调产业发展速度，稳定国家的发展基础，政府都推出了补贴农业的政策。[32]

但中国在反哺农村方面，做得远远不够。从某种程度上来说，这是中国农村人口众多、市场巨大，但很难拉动起来的根源所在。由此埋下的隐患是，中国经济无法实现农村和城市的协调发展。其中透射出来的深层次原因，则是中国经济结构没有改变！无论是房地产业还是低端制造业，需要的都是廉价劳动力！

城市改革的第二大块是强化外商投资企业的带动作用。

在激活了劳动力因素之后，决策层认识到，在所有的生产要素中，中国最缺少的便是技术和资金，如果通过开放我们的市场来吸引外资，把它们先进的技术与中国廉价劳动力优势、人口庞大的消费市场等因素嫁接起来，将能更大地促进中国经济的发展。

1979年10月颁布的《中华人民共和国中外合资经营企业法》，标志着我国开始积极鼓励外商直接投资中国。随后，中央决定先在深圳、珠海试办出口特区。1980年，将出口特区改为经济特区，增加汕头和厦门两个经济特区。1984年，中央进一步开放天津、上海、大连等14个沿海港口城市。1985年2月，国务院决定把长江三角洲、珠江三角洲和闽南厦漳泉三角地区开辟为沿海开放区。1988年，国务院决定将胶东半岛、辽东半岛列为沿海经济开放地区。1988年3月，七届全国人大会议通过了设立海南省和建立海南经济特区的决议。1990年，中国决定开发和开放上海浦东。[33]

中国通过农村的率先改革，释放出大量廉价的劳动力，加之地方政府提供廉价甚至免费的土地供应[34]，廉价的自然资源供应，以及税收等方面的优惠政策、可以"灵活"的规则，对外商形成了一定的吸引力。许多外资企业来到中国投资，从而形成了土地、劳动力、资本、技术和信息等生产要素的对接。

这种对接进一步促进了中国经济的发展。1985～1992年，中国签订利用外资项目8.8万个，实际利用外资816.87亿美元，其中外商直接投资312.95亿美元。[35]

对外开放也促进了中国企业的快速成长和产品技术含量的提升。

从出口商品结构看，我国出口商品结构不断优化升级。1978年初级产品出口占总出口的53.5%，工业制成品出口占46.5%。到1985年，初级产品和工业制成品所占比重已近乎平分秋色，分别为50.5%和49.5%。到1986年，工业制成品出口比重大大超过初级产品，达到63.6%，初级产品出口比重下降到36.4%。

但是，1992年以前，我国利用外资主要是对外借款特别是政府贷款，外商直接投资一直偏小。1979～1991年，每年都是对外借款大于外商直接投资，13年间累计对外借款高达526亿美元，而外商直接投资仅为251亿美元。直到1992年，利用外商直接投资首次超过对外借款后，外商直接投资才逐年大幅度增长，成为我国利用外资的最主要形式。[36]

这个阶段最大的教训是，由于决策者没有充分认识到政策的巨大引领作用，导致固定资产投资增长过快过猛。一方面，当时中国的基础设施落后，的确需要大量投资予以改善。另一方面，在经济发展过程中，投资与相关利益集团的利益最为密切和直接，这种因素无疑会进一步推动投资的扩大。

1985年，全社会固定资产投资比1984年增长了38.7%，达到2543.19亿元，而1988年更是急剧增加到4496.54亿元。伴随着高速投资的，是货币和信贷的凶猛投放。1985～1988年，银行各项贷款平均每年增长24.3%。投资的膨胀和货币的过多投放，引起消费品和生产原材料供应紧张，导致物价快速上涨（当时缺少股市等吸纳超发货币的领域），并一度造成了抢购和挤兑潮。在认识到问题的严重性后，决策者迅速做了调整，压缩全社会的固定资产投资，控制消费需求过快增长，提高利率，实行财政金融双紧的政策，遏制了经济过热和通货膨胀。[37]

笔者对这个阶段的评价是：全社会资源和自然资源都在涌向实体经济，虽然有起落，但整体看依然是以制造业为基础的实体经济发展较为稳健的时期，经济的对外依存度处于合理的位置（我国外贸依存度从1985年的24.2%提高到1992年的38%[38]），经济结构相对也比较健康。

1992～2002年，实体经济发展逐步走向成型

从农村逐步发展到城市的改革所取得的成就，大大提升了决策者的信心，但有关

改革的各种争议也开始产生。决策者最终采取了一个最简单的办法结束争论：以持续快速的经济发展这种实用主义的逻辑，来化解来自理论上的质疑（这种做法后来逐渐发展成为一种执政经验——以经济增长回答一切质疑，消除一切疑虑）。

1992年，邓小平同志视察南方讲话，提出发展才是硬道理，要加快改革的步伐。同年10月，中共十四大提出改革的目标是建立社会主义市场经济体制。1993年11月，中共十四届三中全会通过了《中共中央关于建立社会主义市场经济体制改革若干问题的决定》，大踏步地进行财政、税收、金融、外汇、计划、国有企业、价格和投融资体制改革。

中国进一步拓宽了外商投资领域。过去明令禁止的商业、外贸、金融、保险、航空、律师、会计等行业，被允许开展试点投资。过去限制投资的土地开发、房地产、宾馆、饭店、信息咨询等行业被逐步放开。[39]

为什么说这个阶段是经济发展逐步走向成型的阶段？因为经济发展的决策思路已经成型，这种思路和做法后来被总结为中国模式。其核心就是投资+出口推动经济高速增长。

在中国当代经济史上，有一个十分常见的现象，即每当决策者决定以更大的决心做好某件事情的时候，就会导致经济快速走向过热。因为政府最能做也最喜欢做的就是投资，而经济政策具有的天然引领和放大作用，在很多时候没有得到充分认识，导致经济总是阶段性出现过热的现象。

1992~1994年，固定资产投资环比增长37.6%、50.6%和27.8%[40]，货币投放速度也相应地快速增长。到1995年，政府就已经提前完成中共十三大确定的到2000年实现国民生产总值比1980年翻两番的战略目标。

货币投放、信贷扩张所推动的经济过快增长往往伴随着较为严重的通货膨胀。因为这种扩张"将刺激消费，从而推高生产要素的价格，并带来消费品和服务价格更高比例的上涨"。[41]

从1993年下半年起，政府不得不实行紧缩政策治理通货膨胀。

但这种紧缩政策很快就被终止——在中国改革开放以来的经济发展过程中，紧缩政策所持续的时间往往都非常短暂，这也是政府所主导的投资拉动型经济增长模式的必然结果。

从1997年下半年开始，受亚洲金融危机等因素的影响，我国经济生活中出现了消费需求不振、固定资产投资放缓、价格总水平不断下降、经济增长速度趋缓等新情况，出现了改革开放以来的第一次通货紧缩。[42]

中国的经济政策有一个非常鲜明的特点：凡遇危机（无论源于内外）必扩大投资。

从1998年初开始，国家采取了增加投资、扩大内需的对策。当年，国民经济依然实现了较快增长。

这进一步强化了投资的万能性。投资被放到空前重要的位置，其实也是实用主义发展到一定阶段的结果。由此产生的影响不仅仅限于经济层面——当实用主义在后来逐渐成为共识的时候，精神、价值观、文化等方面的发展，远远滞后于经济的发展，从而留下了一块盲区。盲区本身不可怕，可怕的是这个盲区也被经济因素填充，使得整个社会的价值观产生了一定程度的扭曲。这种扭曲和精神的空虚形成共振，推动了炒房炒楼等不劳而获思想的蔓延。这种情况在2003年以后开始发生质变。

所幸的是，1992～2002年这个阶段，宏观政策的引领依然是较为理性的，因为它强化扶持和依托的重点依然是实体经济的发展。必须特别指出的是，这个阶段对房地产泡沫的抑制和打压具有极其重大的意义——这次打压对资源配置的引领作用，为中国制造业的持续发展和实体经济的稳步发展创造了良好的条件。

第三节
房地产泡沫破灭

经济政策从来都是牵一发而动全身的。资源是有限的，当有限的资源向某一领域过分集中的时候，必然导致其他领域的萎缩甚至萧条。比如，投机热会吸引大量资源向投机领域聚集，从而对实体经济造成抽血效应，制约实体经济的发展。关键是，能否及时发现问题并有足够的勇气和智慧解决问题，把资源的配置、流动重新引向正确的轨道。

也许，很多年轻的读者对20世纪90年代初期的房地产热没有什么印象，但是，那时的房地产热即使在今天看来，也依然显得那么触目惊心，不仅热得快，而且热得发烫！但这个泡沫很快就破灭了——是被政策强行刺穿的。

在中国经济发展史上，这是一个极其重要的带有标志性的事件。

我们从头来分析。

1988年8月23日，有"海角天涯"之称的海南岛从广东省脱离，成立中国第31个省级行政区。海口，这个原本人口不到23万、总面积不足300平方公里[43]的海滨小城一跃成为中国最大经济特区的首府，也成为了全国各地淘金者的"理想国"。1992年初，邓小平发表视察南方讲话。随后，中央向全国传达了《学习邓小平同志重要讲话的通知》，提出加快住房制度改革步伐。

海南建省和特区效应也因此得到全面释放。高峰时期，这座总人数不过160万的海岛上竟然出现了两万多家房地产公司，大部分是炒地皮的。

1992年，海南全省房地产投资达87亿元，占固定资产总投资的一半，仅海口一地的房地产开发面积就达800万平方米，地价由1991年的十几万元/亩飙升至600多万元/亩。同年，海口市经济增长率达到了惊人的83%，另一个热点城市三亚也达到了73.6%，海南全省财政收入的40%来源于房地产业。据《中国房地产市场年鉴1996》统计，1988年，海南商品房平均价格为1350元/平方米，1991年为1400元/平方米，1992年猛涨至5000元/平方米，1993年达到7500元/平方米的顶峰。短短3年，增长超过4倍。

与海南隔海相望的广西省北海市，房地产开发的火爆程度也毫不逊色。

1992年，这座原本只有10万人的小城冒出了1000多家房地产公司，全国各地驻扎在北海的炒家达50余万人。经过轮番倒手，政府以每亩几万元的价格批出去的土地能炒到100多万元/亩，当地政府一年批出去的土地就达80平方公里。

在这场空前豪赌中，政府、银行、开发商结成了紧密的铁三角。其中银行不仅充当了游戏的鼓手和输血机，自己也忍不住客串了一把玩家的角色。

泡沫生成期间，以四大国有商业银行为首的银行资金，国企、乡镇企业和民营企业的资本，通过各种渠道源源不断地涌入海南，总数不下千亿元。

几乎所有的开发商都成了银行的债务人。精明的开发商们纷纷把倒卖地皮或楼花赚到的钱装进自己的口袋，把还停留在图纸上的房子高价抵押给银行。由于投机性需求已经占到了市场的70%以上，一些房子甚至还停留在设计图纸阶段，就已经被卖了好几道手。每一个玩家都想在游戏结束前赶快把手中的"花"传给下一个人。[44]

我们不妨试想一下，如果这种快速成长的房地产泡沫延续下去会导致什么？

首先，身在其中，人们只看到借助泡沫带来的快速赚钱效应，而看不到泡沫本身。这种赚钱效应一旦形成，就会产生巨大的示范效应，不仅海南、北海，还将有更多的地方疯狂涌入这一领域，吹起更多的泡沫。

从经济学的角度来看，这种示范效应还意味着：信贷资源、人力资源等飞速地向房地产领域集中。1992年，尽管中国人民银行采取了宏观调控措施，加强货币供应量的控制，但各地投资迅猛，控制贷款规模的难度非常大。当年，M0、M1和M2分别增长36.4%、35.9%和31.3%，零售物价增长5%，GDP增长了14%。[45] 就全国而言也是如此，1992年，固定资产投资环比增长37.6%，1993年更是高达50.6%！[46]

下图为中国1986～1993年广义货币供应量（M2）。

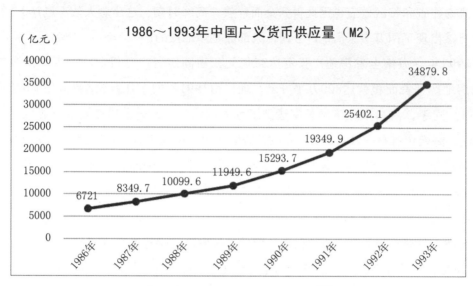

　　我们知道，所谓的"房地产热"在中国一直伴随着投机、炒作等狂热的符号。假如投机能够在很短的时间内牟取暴利，那么谁还愿意脚踏实地地经营实体企业，赚一点相比之下仅能称得上"蝇头小利"的利润？这将对刚刚起步的制造业、高科技产业等产生釜底抽薪的作用，从而导致对中国意义更为重大的制造业、高科技产业因相关资源流入的大幅度减少而夭折！

　　恶劣的影响不仅如此。

　　投机牟取暴利的最大恶果是：它告诉人们，通过投机取巧就能不劳而获，比踏踏实实付出辛勤劳动能赚更多的钱！这将彻底扭曲人们的价值观，使社会产生一种扭曲的激励机制，鼓励人们以更大的狂热进入投机领域。而那些获取暴利的人，由于并非源于自己的辛勤付出，不会有感恩意识。从某种意义上来说，中国暴富的群体常常充当为富不仁的角色，也与此密切相关。

　　显然，如果中国不尽快遏制房地产投机热，后果不堪设想。

　　但面对泡沫，面对飞速增长的亮丽数字，既得利益集团是很享受的，地方官员也是很享受的。在层层阻力之下，要捅破泡沫不仅需要大智慧，更需要大勇气。

　　幸运的是，中国此时遇到了敢于担当的领导。

　　1993年6月9日，时任国务院副总理的朱镕基主持召开国务院总理办公会议。他说："当前经济形势的走向有两个特点：一是经济发展速度越来越快；二是票子越发越多，物价涨幅越来越高……现在的问题是，不认真抓深化改革，抓企业的机制转换，抓经营管理、技术进步，抓质量、品种，抓扭亏增盈，而是成天在那里扩大投资规模，上基建项目，搞房地产、开发区，到国外招商。你说给钱就能把经济搞上去，我看未必……我们保企业的生产资金，但有的企业把生产资金拿去搞房地产了，而且还亏掉了，这怎么得了啊！这样的企业我们保得起吗?！"[48]

这番讲话中饱含着对地方政府重房地产而轻视实体经济发展的急功近利心态的忧虑、批评，即使在今天读来，依然充盈着高瞻远瞩的洞察力和坚决遏制投机的毫不动摇的决心。

1993年6月23日，朱镕基副总理发表讲话，宣布终止房地产公司上市、全面控制银行资金进入房地产业。次日，国务院发布《关于当前经济情况和加强宏观调控的意见》，其中的16条强力调控措施包括严格控制信贷总规模、提高存贷利率和国债利率、限期收回违章拆借资金、削减基建投资、清理所有在建项目等。银根全面紧缩，一路高歌猛进的海南房地产热顿时被釜底抽薪。

1994年1月8日，国务院总理办公会议讨论房地产业发展问题。朱镕基在送审稿《防止房地产业盲目发展》上批示："目前，盲目大上，重复布点，规模已超过承受能力，建成后也不可能充分利用，还债都会有困难。"这篇发表于《人民日报》的评论员文章严厉指出："目前，全国的基本建设规模仍居高不下，一些地方、部门和单位，不按国家有关规定，超越批准权限，有的甚至自行其是，盲目上项目。'房地产热'又有所抬头，给国民经济的发展和抑制通货膨胀带来极为不利的影响，必须引起我们的高度重视；今年要把防止房地产业盲目发展作为压缩固定资产投资规模、优化投资结构的重点，从年初开始就要抓紧抓好，抓出成效。"[49]

由于及时刹车，房地产调控迅速取得了效果。

这场调控的"遗产"，是给占全国0.6%总人口的海南省留下了占全国10%的积压商品房。全省"烂尾楼"高达600多栋、1600多万平方米，闲置土地18834公顷，积压资金800亿元，仅四大国有商业银行的坏账就高达300亿元。

一海之隔的北海，沉淀资金甚至高达200亿元，"烂尾楼"面积超过了三亚，被称为"中国的泡沫经济博物馆"。

开发商纷纷逃离或倒闭，银行顿时成为最大的发展商，不少银行的不良贷款率一度高达60%以上。当银行开始着手处置不良资产时，才发现很多抵押项目其实才挖了一个大坑，以天价抵押的楼盘不过是"空中楼阁"。更糟糕的是，不少楼盘还欠着大量的工程款，有的甚至先后抵押了多次。即使是已经建成的抵押项目，由于泡沫破裂，项目大幅贬值，其处置难度也超出想象。据统计，仅建设银行一家，先后处置的不良房地产项目就达267个，报建面积760万平方米，其中现房面积近8万平方米，占海南房地产存量的20%，现金回收比例不足20%。一些老牌券商如华夏证券、南方证券因在海南进行了大量房地产直接投资，同样损失惨重。为此，证监会不得不在2001年4月全面叫停券商直接投资。

1995年8月，海南省政府决定成立海南发展银行，以解决省内众多信托投资公司由于大量投资房地产而出现的资金困难问题。但是这一亡羊补牢之举并未奏效，仅仅2年零10个月后，海南发展银行就出现了挤兑风波。1998年6月21日，央行不得不宣布关闭海发行，这也是新中国首家因支付危机关闭的省级商业银行。从1999年开始，用了整整7年的时间，海南省处置积压房地产的工作才基本结束。截至2006年10月，全省累计处置闲置建设用地23353.87公顷，占闲置总量的98.17%，处置积压商品房444.82万平方米，占积压总量的97.6%。[50]

海南、北海房地产泡沫迅速成长、膨胀起来，而后又迅速被捅破，这对中国具有极其重要的意义。它向全社会传递了这样一个信号：中国不会容忍不劳而获的投机狂潮出现，在投机者因悖逆政策的指引而陷入悲惨的境地后，资源被重新引领到以制造业为代表的实体经济中。

第四节
把资源引向制造业

海南、北海的教训如此惨烈，以至于其他地方政府再也不敢在这方面动脑筋，而是老老实实地鼓励实体经济的发展。由此，给中国实体经济的健康发展换取了一个稳定、持续的空间，这才有了后来的"世界工厂""中国创造""中国模式"等名词出现。

政策的主导思想和巨大的引领作用，为这个阶段制造业的腾飞创造了良好的契机。

这个时期，中国的各种资源在政策的引领下流入制造业，而人民币对美元一路贬值（从1980年的1美元兑换1.4984元人民币，一直贬值到1994年的1美元兑换8.6187元人民币，见23页上图），大大提高了中国产品在价格方面的竞争力，促进了中国的出口。

这个时期，是以制造业为代表的实体经济成长最迅速的时期，主要表现就是制造

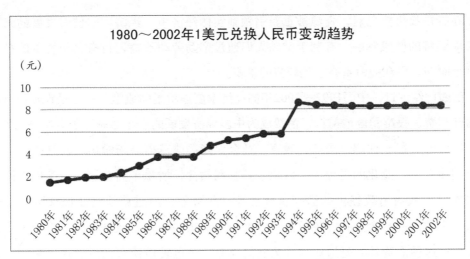

数据来源：《中国金融年鉴》。[51]

业对经济增长的贡献越来越大。1991～2001年，工业对经济增长的贡献基本都在50%以上，最高年份达到62.6%，大大超过第一、第三产业。[52]

中国制造业的崛起令世界刮目相看。

而且，经过中央对固定资产投资尤其是房地产开发热的抑制，使两者逐渐回归到理性的水平。这一点对于经济的健康可持续发展，意义重大。

数据来源：《中国金融年鉴2004》。

从上图中不难看出，房地产投资在最鼎盛的1993年，增速高达165%，全社会固定资产投资增速则高达53.2%，经过严厉调控，二者都逐步回归到正常的水平。这意味着，在打击投机热之后，资源被重新引领到实体经济中，经济回归健康发展的状态。而实体经济的健康发展，有利于鼓励人们通过辛勤劳动致富，也有利于物价的稳定。在这个时期，民众的财富有了比较快的累积。

前面已经讲过，中国1992～2002年的经济发展逐步走向成型，核心是投资和出口，但离开消费，很难稳健地前行，消费成为中国经济发展的一个瓶颈，怎么突破它？

从1992年起，住房、医疗、教育、社会保障等改革措施纷纷出台。其间，一些公共福利事业在产业化的过程中，淡化了其福利属性，增添了商业属性。简单来说，就是原本应由政府财政提供的医疗、教育等公共服务，通过产业化让民众购买。这样既减轻了政府的财政负担，使政府可以把资金更集中地用于经济发展，也刺激了消费增长——这种消费其实是通过公共福利的商业化角色转换所激活或者逼出来的，属于"恫吓式"消费。

从某种意义上来说，这同样形成了一种经验，一种特殊的促进消费增长的方式。这种经验的另一种常见表现，就是通过货币超发的方式逼迫消费，只是有时候掌握不好尺度，容易导致抢购风、挤兑潮等。

必须清醒地看到，与民生有关的领域假如向市场化转变，当然能够刺激消费——与民生相关的教育、医疗、住房等都是民众无论如何也摆脱不了的。但是，这种市场化的危险性也在于此，它会进一步降低民众的购买力，抑制民众的购买欲望，从而为下一步发展埋下隐患。

并且，即使从政府原定的改革方向来看，其在具体操作过程中也变了味。

比如教育产业化。什么是教育产业化呢？国内的做法，就是加大学校的基础设施建设，提高学费标准，把民众享受教育的权利部分变成购买教育的冰冷交易行为。教育产业化变成了教育商业化。

而在国外，教育产业化的实质是"科研生产一体化"。1951年，美国斯坦福大学开辟了学校工业园，使教学活动、科研成果与工业园的发展双向互动、彼此推进，最终形成了世界一流的技术和知识密集型工业开发园区——"硅谷"。针对这一成功案例，有人提出了教育产业化的概念。之后，美国的麻省理工学院、哈佛大学和英国的剑桥大学等也在20世纪80年代开始了教育产业化的尝试，开辟了一些既有社会效益、又有经济效益的研究项目，如新型材料的运用、制造业的技术革新、人工智能的研究和发展、生物化学的广泛应用等。从中可以看出，教育产业化是指教学科研成果与生产相结合，从而尽快转化为生产力的研发模式，确切地说，教育产业化应该叫作"科研生产一体化"。[53]

而中国的教育产业化只是提高收费标准和向商业化迈进，这与国际上所讲的教育产业化是截然不同的概念。

1999年夏召开的第三次全国教育工作会议的一个重要精神，就是要尽快改变我国现有的不合理的教育结构，通过加快教育产业的发展，扩大内需，低成本、高效率地扩大办学规模，使我国6万亿元居民储蓄中10%的教育投资得以实现。[54]

但随着教育产业化滋生出来一系列问题，有关部门慢慢改变了态度。

2004年1月6日，时任教育部部长周济在国务院新闻办举行的记者招待会上指出："中国政府从来没把教育产业化作为政策，一定要坚持社会公益事业的属性。"他指出，不能把教育同其他产业、教育同企业等同起来；如果政府提倡教育产业化，就会导致追求教育投资利润的最大化，会对教育社会功能产生负面影响，也会削弱政府的宏观调控和保证社会公平的作用。[55]

很显然，即便政府澄清反对教育产业化，提出的理由也跟国际上所说的教育产业化是完全不同的概念。教育产业化自始至终，都像一个闹剧，因为有关部门始终没有弄明白所谓"教育产业化"的真正含义。

除了教育产业化，医疗产业化等方面的改革，也都在不同程度上加重了民众的负担。2009年，当笔者到贵州贫困山区调研，了解到很多家庭因病变穷，或因家里供养学生变穷，而一些在高中读书的孩子每天只吃一顿饭时，忍不住落泪。从那时起，笔者开始与学生、朋友一起，资助贫困的孩子读书，但这种资助力量毕竟有限，更需要国家在社会保障方面加大投入。

事实上，社会保障缺位一直是导致改革缺少缓冲带的重要因素——至今依然存在这个缺陷。这使得那些在改革中失去工作的人，因无法与救助机制对接，而陷入无望的困境之中。这成为此后的改革变得越来越谨慎的重要原因之一。一方面，民众对改革的期盼越来越强烈，成为改革的推动力量；另一方面，社会保障所建立起来的缓冲带是如此脆弱，以至于某些领域的改革变得瞻前顾后、顾虑重重。

从1992年"破三铁"（"铁饭碗""铁工资"和"铁交椅"）开始的国企改革，由于步伐迈得太快，失业保障等措施未能同步到位，大量下岗、离岗职工的生活难以得到保障。而另一些人则钻了改革的空子，通过权力寻租等方式，以低廉的价格将国有资产据为己有。

由于涉及民生方面的改革走得过于激进，普通职工承受了太多、太重的悲苦。笔者曾经亲身做过调查，含泪写成《串在豆腐串上的希望——与下岗职工一起生活的日子》[56]和《他们在生活的底线上拼搏——下岗职工生存状况调查实录》[57]等报道，呼唤社会对他们不幸命运的重视、关爱。

但我们不能据此否定改革的意义。这个阶段的改革思路是：通过先让民众承担改革成本的方式，提升企业的效率，提高企业的竞争力；以此带动经济的健康发展，提供新的就业岗位，提高民众的收入水平，逐渐使民众从承担改革成本慢慢过渡到分享改革的成果。

事实上，正是这个阶段看起来显得激进的改革，奠定了此后中国经济高速发展的基础。需要指出的是，所谓的"激进"其实代表着推动改革者的决心，一种不达到改革目标绝不放弃的决心。在中国，往往只有看起来略显激进的改革才能真正产生改革的效果，因为既得利益集团对部分改革规划、政策的抵触和化解，使得激进的改革往往变成"正常"的改革。而"正常"的改革，在被抵制它的力量削弱后，往往无法达到预期效果。

因此，有时候，我们需要站在大历史的角度看待一个时期、一个人，只有当我们读懂了一个时期，才能理解那个时期的困境和艰难；只有读懂了一个人，才能理解他的智慧、果敢、勇气和忧伤。

不可否认的是，随着改革的深入，上述所提及的一系列与民生息息相关的问题亟须解决，因为，任何改革都只能在惠及民众的路线上顺利进行，而不能一直沿着眼泪前行。

对于解决方式的选择：一种是尽快改革财富分配制度，并尽快建立起社会保障机制；另一种是以更快的发展提供就业、增加收入，通过做大蛋糕把上述问题处理掉。

任何一种选择都将对中国未来的发展产生深远的影响。

随后，中国经济进入了第二大发展阶段，即2003～2011年的高速发展阶段。这个阶段的发展无论对中国还是世界，都具有极其重要的意义：演绎辉煌而又在辉煌中滋生着隐患，制造奇迹而又在奇迹中痛苦地面对调结构的转型之路。2012年后，展现在新一届领导人面前的，是更加复杂和棘手的局面，是史无前例的挑战。

注 释

[1]Greg Ip.The Little Book of Economics：How the Economy Works in the Real World[M].John Wiley & Sons，2010.

[2]Barry J.Naughton.The Chinese Economy：Transitions and Growth[M].Massachusetts：MIT Press，2006.

[3]中国股市暗藏着的这种独特的功能，使得股市的运行轨迹与CPI有着一定的同步性，即当CPI由低于1%的位置缓慢上行的时候，此时的股市也处于上涨轨道（如2006年3月到2007年11月的中国股市），而当CPI从高于7%的位置逐步下行的时候，股市也往往从高位步入下跌轨道（如2008年2月到2008年11月的中国股市）。当然，这只是判断股市运行趋势的参照指标之一，准确判断中国股市还需要借助更精确、更简单的分析工具和分析方法。

[4]彭勇.深圳：小渔村建成现代大都市[OL].新华网，http://news.xinhuanet.com/politics/2009/09/13/content_12044359.htm，2009-09-13.

[5]William A.McEachern.ECON for Macroeconomics 3[M].Cengage South—Western，2011.

[6]约瑟夫·E.斯蒂格利茨，卡尔·E.沃尔什.经济学[M].北京：中国人民大学出版社，2010.

[7]Joseph G.Nellis，David Parker.Principles of Macroeconomics[M].Financial Times Prentice Hall，2004.

[8]Bradley R.Schiller.The Macro Economy Today (11th Revised edition) [M].New York：McGraw Hill Higher Education，2007.

[9]A Framework for Revitalizing American Manufacturing[R].Executive Office of the President，http://www.whitehouse.gov/sites/default/files/microsites/20091216-maunfacturing-framework.pdf，2009-12-16.

[10]Report to the President on the National Export Initiative：the Export Promotion Cabinet's Plan for Doubling U.S.Exports in Five Years[R].National export initiative，http://www.whitehouse.gov/sites/default/files/nei_report_9-16-10_full.pdf，2010-09-11.

[11]Remarks by the President at the Signing of the Manufacturing Enhancement Act of 2010[OL].The White House Office of the Press Secretary，http://www.whitehouse.gov/the-press-office/2010/08/11/remarks-president-signing-manufacturing-enhancement-act-2010，2010-08-11.

[12]靳庆鲁，薛爽，郭春生.市场化进程影响公司的增长与清算价值吗？[J].经济学（季刊），2010年（4）.

[13]张宇，卢荻.当代中国经济[M].北京：中国人民大学出版社，2012.

[14]生产要素市场是在生产经营活动中利用的各种经济资源的统称，一般包括土地、劳动力、资本、技术和信息等。市场经济要求生产要素商品化，以商品的形式在市场上通过市场交易实现流动和配置，从而形成各种生产要素市场。生产要素市场有金融市场（资金市场）、劳动力市场、房地产市场、技术市场、信息市场、生产资料市场等。

[15]拉尼斯—费景汉模型（Ranis—Fei model）是一种从动态角度研究农业和工业均衡增长的二元结构理论。1961年，费景汉（John C.H.Fei）和古斯塔夫·拉尼斯（Gustav Ranis）认为，刘易斯模式有两大缺陷：一是没有足够重视农业在促进工业增长中的作用；二是没有注意到农业由于生产率的提高而出现剩余产品，应该是农业中的劳动力向工业流动的先决条件。于是，他们对刘易斯模型进行了改进，把农业生产率提高而出现农业剩余作为农业劳动力流入工业部门的先决条件。

[16]李文.再论我国20世纪80年代的农村经济体制改革[J].党史研究与教学，2009（4）.

[17]刘仲藜.新中国经济60年[M].北京：中国财政经济出版社，2009.

[18]Barry J.Naughton.The Chinese Economy：Transitions and Growth[M].Massachusetts：MIT Press，2006.Barry J.Naughton原文提到的是"自'大跃进'以来"，这种表述不够准确，在引述时，改成了"自'大跃进'结束以后"。因为，20世纪50年代初至1960年，中国一直对外净出口粮食。1950～1960年，中国每年净出口粮食230万吨左右。在1959～1961年的"三年暂时困难"时期，1959年和1960年依然出口了过多的粮食，加重了国内的灾情。1958年，中国粮食净出口量比1957年猛增73.1%，1959年又比1958年增加45.9%，相当于1957年的2.5倍。1960年在粮食收不抵支的情况下，仍净出口20亿斤。中国从1961年开始净进口粮食。详见：尚长风.三年困难时期中国粮食进口实情[J].百年潮，2010（4）；罗平汉.一九五八年至一九六二年粮食产销的几个问题[J].中共党史研究，2006（1）.

[19]厉以宁，孟晓苏，李源潮，李克强.走向繁荣的战略选择[M].北京：经济日报出版社，1991.

[20]国家统计局.中国工业经济统计年鉴1993[M].北京：中国统计出版社，1993.

[21]张宇，卢荻.当代中国经济[M].北京：中国人民大学出版社，2012.

[22]Vassilis K.Fouskas，Bulent Gokay.The Fall of the US Empire：Global Fault-Lines and the Shifting Imperial Order[M].Pluto Press，2012.

[23]此处仅就经济问题而言，未涉及政治体制等方面的问题。

[24]邹东涛，欧阳日辉.新中国经济发展60年（1949~2009）[M].北京：人民出版社，2009.

[25]"剪刀差"是指工农业产品交换时，工业品价格高于价值，农产品价格低于价值所出现的差额。因用图表表示呈剪刀张开形态而得名。它表明工农业产品价值的不等价交换。如果价格背离价值的差额越来越大，叫扩大剪刀差；反之，叫缩小剪刀差。

[26]江苏省农调队课题组.中国农村经济调研报告2003[R].北京：中国统计出版社，2003.

[27]厉以宁，孟晓苏，李源潮，李克强.走向繁荣的战略选择[M].北京：经济日报出版社，1991.

[28]汪海波.对党的经济纲领的历史考察[M].北京：中国社会科学出版社，2012.

[29]张宇，卢荻.当代中国经济[M].北京：中国人民大学出版社，2012.

[30]刘国栋.贸易条件、粮食价格和中国粮食保护水平——对1986~2008年中国粮食价格的实证分析[J].上海财经大学学报，2011（4）.

[31]高帆.中国经济发展中的粮食增产与农民增收：抑制抑或冲突[J].经济科学，2005（2）.

[32]基姆·安德森，速水佑次郎.农业保护的政治经济学：国际透视中的东亚经验[M].北京：中国农业出版社，1985.

[33]邹东涛，欧阳日辉.新中国经济发展60年（1949~2009）[M].北京：人民出版社，2009.

[34]地方政府向外资廉价出让土地的做法是导致后来中国房价上涨的原因之一。因为地方政府为了"弥补"这一缺口，就需要推高住宅用地价格，以此增加财政收入。

[35]国家统计局.中国经济统计年鉴1993[M].北京：中国统计出版社，1993.

[36]国家统计局.改革开放30年报告之二：从封闭半封闭到全方位开放的伟大历史转折[R].http://www.stats.gov.cn/tjfx/ztfx/jnggkf30n/t20081028_402512576.htm，2008-10-28.

[37]邹东涛，欧阳日辉.新中国经济发展60年（1949~2009）[M].北京：人民出版社，2009.

[38]董辅礽.中华人民共和国经济史[M].北京：经济科学出版社，1999.

[39]汪海波.对党的经济纲领的历史考察[M].北京：中国社会科学出版社，2012.

[40]刘仲藜.新中国经济60年[M].北京：中国财政经济出版社，2009。笔者对本书中的数据都做了逐一核对，发现这组数据与《中国金融年鉴2004》所列数据有出入：1992~1994年全社会固定资产投资按经济类型分，与上年相比的增速分别为：44.4%、61.8%和30.4%；全社会固定资产投资按管理渠道分，1992~1994年与上年相比，分别增长42.4%、53.2%和39.5%。

[41]Jesus Huerta de Soto.Money，Bank Credit，and Economic Cycles[M].Ludwig von Mises Institute，2009.

[42]刘仲藜.新中国经济60年[M].北京：中国财政经济出版社，2009.

[43]海口市建市之初面积不足300平方公里。2002年10月16日，国务院批复海口、琼山两市合并，成立新海口市，全市土地面积为2304.84平方公里。

[44]杨彬彬.20世纪90年代海南房地产泡沫警示[J].财经，2007-08-31.

[45]张国平.论如何提高我国货币政策的有效性[J].中国货币市场，2004（6）。在引用这组数据的时候，对照《中国金融年鉴2006》中公布的数据做了更正。

[46]刘仲藜.新中国经济60年[M].北京：中国财政经济出版社，2009.

[47]1986~1992年的数据，源自《中国金融年鉴1993》，1993年的数据源自《中国金融年鉴1996》。

[48]朱镕基.朱镕基讲话实录（第一卷）[M].北京：人民出版社，2011.

[49]朱镕基.朱镕基讲话实录（第一卷）[M].北京：人民出版社，2011.

[50]杨彬彬.20世纪90年代海南房地产泡沫警示[J].财经，2007-08-31.

[51]1979~1992年的数据源自《中国金融年鉴1993》，1993~2002年的数据分别源自各个年度的《中国金融年鉴》。

[52]张宇，卢荻.当代中国经济[M].北京：中国人民大学出版社，2012.

[53]王钦钦.＂教育产业化＂，真冤！[OL].人民网，http://www.people.com.cn/GB/guandian/1036/2322563.html，2004-02-06.

[54]杨连成.＂种下一粒种子＂——＂中大—珠海模式＂透视（上）[N].光明日报，2001-11-16.

[55]教育产业化并非国家政策[N].新京报，2004-01-07。

[56]时寒冰.串在豆腐串上的希望——与下岗职工一起生活的日子[N].华夏时报，2001-12-28.

[57]时寒冰.他们在生活的底线上拼搏——下岗职工生存状况调查实录[J].中国改革，2003（1）.

第2章
辉煌与危机：2003～2011

第一节
重要转折点

经过20多年的快速发展，中国民众手中逐步有了一定的积累，经济进一步向前发展的基础已经比较稳固。但是，从经济的角度来看，有三个遗留问题迫切需要解决：

一是投资在经济发展中占比过大的问题，或者说，是经济增长过于依赖投资的问题；

二是社会保障不完善的问题；

三是农村发展滞后、农民收入增长缓慢的问题。

显然，中国经济不仅到了要求走民富路线的阶段，也到了有基础和条件走民富路线的阶段。应该通过走民富路线，促进消费的增长，改善经济结构，大力治理环境，提升民众的幸福感。

那么，这三大问题解决了吗？

2006年3月5日，第十届全国人大四次会议正式宣布全国全面彻底取消农业税。这标志着，在中国实行了2600多年的"皇粮国税"从此退出历史舞台。

取消农业税与征税的成本过高有关。2011年6月，国家税务总局原副局长许善达接受记者采访时说："原来有些税种设计时就不计成本，比如屠宰税、农业税等。哪怕收1元钱的税，5毛钱甚至是8毛钱的成本也无所谓。最典型的例子是农业税。北京在废除农业税前，能收约8000万元农业税，征收直接成本就有6000万元，早就没有什么征收的价值了。"[1]

取消农业税针对的是三大遗留问题中农业发展滞后问题，有利于减轻农民负担。农业税取消以前，中央每年从农民手里收取大约300亿元农业税，而嫁接在农业税上的乱收费、乱摊派的总额数倍于农业税。[2]

问题在于，农用生产资料的价格从2003年起开始飞速上涨，不断加大农民的生产成本，在一定程度上"吞噬"了种粮直接补贴、降低农业税等国家优惠政策给农民带来的实惠[3]，农业补贴工业的状态并没有发生实质性的改变。

而另外两大遗留经济问题——经济增长过于依赖投资的问题和社会保障不完善的问题，在这个时期都未能得到彻底解决。

经济增长对投资过于依赖的问题反而加重了。

那么，在当时，决策者是如何看待、总结这20多年来经济发展的经验与教训的呢？

首先，投资对经济发展的万能功效已经深入人心，投资的惯性越来越强大。同时，一调控就灵、一调控就迅速收效的印象已经被作为经验。中国经济2003年以前在过热和调控的起伏中最终之所以能够找到平衡，根本原因在于领导人的调控力度空前强大，而非来自制度本身的保障。

而且，随着经济规模的迅速扩大和利益集团的崛起，调控的难度越来越大。还有很重要的一点是，经过20多年的发展，民众手中有了一定的财富积累，也产生了一些暴富的群体。众所周知，中国人的投资选择很少，缺乏稳定的投资渠道，这就意味着，一旦某一领域出现赚钱效应，投机热将被迅速点燃，资源很容易迅速向投机领域流动，非常容易失控。

其次，招商引资可以促进经济的高速发展——这又是一条被视为经典的经验。随着招商引资的深入，随着中国外向型经济[4]的发展，中国经济的对外依存度越来越高。

下图（见32页）为1988～2002年中国进出口总值在GDP中所占比例。可以明显看出，中国经济的对外依存度在上升。

这迫切需要走民富路线，激活国内市场的需求，减轻对国外市场的过度依赖。更重要的是：加大知识产权的保护力度，激励企业加大技术研发投入，全面提升中国制造业的水平，提升中国商品的技术含量和附加值。这就要求继续严厉地抑制投机，建立起正确的激励机制，把有限的资源引向以制造业为基础的实体经济。

但是，这个时候，始于2002年末的SARS在2003年3月以后突然恶化，与1997年亚洲金融危机相比，这次危机来得更迅速、更令人措手不及。

遇危机必扩大投资、刺激经济的思维，在中国已经逐渐形成并被认为是比较成熟

1988～2002年进出口总值在GDP所占比例

数据来源：《中国金融年鉴2004》。

的经验。

这时，一项重大的影响乃至改变了中国未来趋势和无数人命运的政策问世。

2003年8月12日，由当时的建设部起草的《关于促进房地产市场持续健康发展的通知》（简称"18号文"）获准通过。该通知第一条即对房地产进行了前所未有的定位："房地产业关联度高、带动力强，已经成为国民经济的支柱产业……实现房地产市场持续健康发展，对于全面建设小康社会、加快推进社会主义现代化具有十分重要的意义。"

这是中国经济史上第一次明确把房地产业作为"国民经济的支柱产业"，意味着中国在资源配置方面的引领发生了方向性的改变——从实体经济（以制造业为代表）为核心向虚拟经济（以房地产业、金融业为代表）为核心过渡，房地产热从此拉开序幕。[5]

《关于促进房地产市场持续健康发展的通知》中很重要的一点，是把经济适用房由1998年确定的"住房供应主体"换成了"具有保障性质的政策性商品住房"，落脚点在于"政策性商品住房"，意味着保障性住房被换成了市场化的商品房。商人的本性是逐利，把住房保障寄托在商人身上是一种严重的错位，以至于18号文公布后的几年中，保障房的身影几乎淡出人们的视野。直到决策者认识到这一问题，才采取措施进行修正。

房地产商们听闻18号文内容后欣喜若狂、弹冠相庆。某房地产商在接受媒体采访时喜形于色地说了一番意味深长的话："都是利好消息，只要读懂了这个通知，房地产开发商都会很高兴的。"

正是从18号文起，住房的公共产品特性被削弱，房价开始飞速上涨。根据中国社科院蓝皮书报告，1998～2003年全国商品住房每平方米的价格只增加了343元；而到了全面实施"促进房地产市场持续健康发展"的18号文的第一年——2004年，每平方米的房价就比上年暴涨了352元。[6]

早在2002年，朱镕基就指出："房地产业里面的弊端大得不得了，里面的门道可多了……现在房地产有点热，不敢说过热，不能再这么干下去了。"[7]

2003年，中国的房地产却唱起了主角，变得更热了，而且热得发烫。投资拉动经济增长的模式得到了进一步强化而非削弱。

2003年，全社会累计完成固定资产投资5.5万亿元，同比增长26.7%，远高于2001年12.1%和2002年16.1%的增长率，是1993年以来的最高水平。部分工业行业（尤其与房地产有关的行业）投资高速增长，钢铁投资增长96.6%，电解铝增长92.9%，水泥增长121.9%，煤炭增长52.3%，汽车增长87.2%。房地产开发投资达到1.1万亿元，比上年增长了29.7%，均达到了空前水平。[8] 2003年的投资率高达42.3%，成为改革开放26年来仅次于1993年的第二个高峰年。[9]

时任北京大学经济学院院长刘伟也撰文指出：自2003年以来，连续3年全社会固定资产投资需求增长率远远超过22.5%的上限。

与之形成鲜明对比的是消费需求增长乏力。从近年来消费品价格变化上看，消费需求并不活跃。消费品价格上升不到1%，消费品厂商存货在上升，资金周转速度降低，应收未收款在提高，偿债能力在下降，处于下游产品生产领域中的国营企业效益明显下降。

究其原因，一是在经济持续高速增长过程中，城乡发展差距不断扩大，聚集了绝大多数人的农村人均实际收入增长速度并不理想，有效的消费需求增长乏力；二是大城市居民不同阶层之间收入差距不断扩大，高收入阶层收入增长速度快于低收入者，而高收入阶层收入增量中用于现期消费的比例恰恰相对较低（消费倾向低），从而又进一步限制了消费需求的扩张；三是由于体制改革正在深入，具有多方面的不确定性，包括医疗服务、教育改革等方面，为尽可能减少未来体制变化不确定性带来的风险，低收入者不得不特别注重储蓄。[10]

2003年成为中国经济的一个分水岭——从实体经济主导向虚拟经济主导过渡。美国在虚拟经济发展的过程中，借助货币、金融等构筑起来的资本力量对外掠夺，谋求利益最大化，在某种程度上弥补了其实体经济相对衰弱的不足。而中国不仅缺少这种能力，还通过购债等方式成为对美国等国的资本输出者。

换句话说，美国虚拟经济是一种全球化良性循环体系，其结果是金融力量越来越强大。而中国的虚拟经济则是一种相对封闭的内循环体系，越来越依托房地产来维系，房地产泡沫当然也会越来越大。

2003年是中国经济的一个重要转折点。

中国的能源消耗也从此开始加快。数据显示，1980～2000年，中国的人均最终能源消耗量只有少量增长，而后人均能源消耗开始加速增长，年均增长率高达6%。[11] 中国经济也从此快速走向失衡。

在中国经济走向失衡的情况下，却让嫁接在房地产上的群体迅速暴富。

开发商凭借对房地产市场商品房开发和建房土地使用权的双重垄断，迅速成为一个暴富的群体。与西方国家集设计、建筑、装修等为一体的房地产商不同，我国的许多开发商连自有资金都非常少，他们中的相当大一部分人所扮演的往往只是一个"资源整合"的角色：规划由规划部门做，设计由设计单位负责，工程施工由建筑企业负责——就是这一不付出实质性劳动的群体，依靠双重垄断地位不断攫取财富，导致房价越来越成为民众不可承受之痛。

从经济学的角度看，开发商是批量生产，且更具有专业性，他建造房屋的成本应该远低于个人建房和单位建房的成本。然而，开发商建造的住房在同品质下房价却远远高于个人和单位建的房，其根源在于住房供应过分集中于开发商手中，形成了行业垄断，市场竞争的作用失灵。[12]

我们知道，政策对社会资源的配置和流向具有鲜明而重大的指引意义。自此以后，全社会的各种资源都开始涌向房地产领域，中国房地产热被点燃，房地产泡沫从此开始膨胀。

问题迅速暴露出来以后，决策者开始进行房地产调控，但这种泡沫绝非一般意义上的调控所能控制了的，因为政策的示范和引领效应已经定格，而一般意义上的调控根本无法改变资源的流向，这正是此后屡次调控都以失败告终的根源。

当资源涌向房地产领域，赚钱效应很快就蔓延开来，炒房热急剧升温，辛辛苦苦做实业一辈子赚的钱甚至都没有炒房一年赚的钱多。这种指引信号一旦发出，一些从事制造业、服务业的企业家开始关掉企业，拿资金炒楼炒房炒地皮，谁还有耐心并且愿意脚踏实地地在技术研发方面做进一步的投入？

2013年1月，国家行政学院决策咨询部副主任陈炳才指出："过去10年间，住房价格上涨了4～5倍，很多企业觉得辛苦做10年实业还不如做一年房地产，全社会的资金高度集中到房地产业，并推动其成为经济增长的动力。现在看来，这种模式的负面作用正在显现。"[13]

中国此后制造业的发展，基本都是在做大方面努力，而未能在做强方面更上一层楼。这导致中国企业开始在低附加值的产品上打价格战，自相残杀——通过价格战扼杀竞争对手，而不是通过技术、品质的提升超越对手。

中国的制造业从此错过了全面提升自己的历史机遇，中国的经济结构也由此发生了巨大变化。

2003年以前，中国被热捧的人是制造业的领军人物。2003年以后，被社会热捧的是从事虚拟经济的房地产商。

2003年，注定要成为中国经济的一个分水岭。

时光回到当下，当我们对调整、优化经济结构的名词耳熟能详，可曾想过这一系列问题的根源所在？

第二节
资源涌向房地产业

无论是房地产，还是与民生相关的其他行业，都不可以被投机因素左右，道理很简单：它们本身就是民生！投机在让一部分人获取暴利的同时，必然导致另一部分人被掠夺，从而恶化民生。

而2003年开启的这次房地产热，显然忽略了这一点。

我们知道，房地产业是资金密集型产业，需要大量的资金投入。我们回顾一下改革开放以来的经济发展脉络就能发现，凡是投资过热尤其是房地产投资最热的年份，往往容易发生较为严重的通货膨胀，因为房地产热本身就意味着资金需求和供给的加大。无论是开发商、炒地皮者、炒房者还是银行，都有强烈的追逐利益的冲动，而所有的利益都必须通过货币这个媒介来完成。

在房地产开发投资增速最迅速的1993年（165%），广义货币供应量（M2）的增速高达31.7%；1992年的房地产开发投资增速为117.5%，M2的增速达到31.3%；1988年的房地产开发投资增速为71.6%，当年的M2增速为21.2%（如36页图所示）。

2003年，当房地产被第一次确定为国民经济的支柱产业时，也意味着货币投放量的同比猛增，因为房地产业的发展首先需要巨量资金的支持，而巨量资金的持续投放必然加大通货膨胀压力。

20世纪80年代以前，我国现金年投放量一直没有超过100亿元，从80年代初现金投

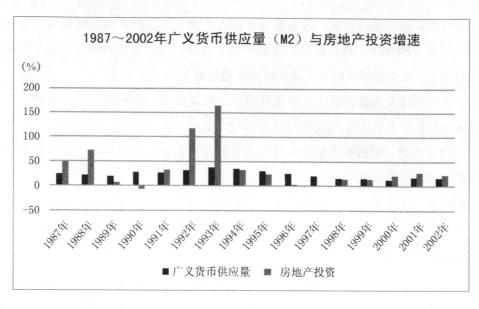

数据来源：综合相关年份的《中国金融年鉴》。

放量并始逐年增加。90年代初，我国现金投放迅速跃升到1000亿元左右。此后10多年来，我国年度现金投放一直保持在1000亿元左右。2003年，全国现金收支相抵，净投放2468亿元，同比多投879亿元，比国务院下达的年投放1500亿元的计划多968亿元，达到新中国成立以来的最高水平。[14] 2003年，中国资金流量规模达到10.65万亿元，比2002年增加3.26万亿元，增长44.2%，比当年实际GDP增速高34.9个百分点。[15]

1972年，美国斯坦福大学教授、当代金融发展理论奠基人罗纳德·I.麦金农教授（Ronald I.Mckinnon）提出了M2/GDP指标。[16] 此后，M2/GDP作为金融增长的衡量指标，被广泛用于分析一国的金融深化程度与金融发展状况。[17]

通常，M2/GDP的比值越大，说明经济货币化程度越高。货币化的关键之处在于它会引起对货币的额外需求。货币供给不仅要随着经济增长而增长，还要为新货币化的部门增加额外的货币。[18]

下图为2003年中国与其他国家货币化比率（M2/GDP）[19] 的比较。

从图中不难看出，无论是与美国、加拿大等发达国家相比，还是与印度等金砖国家相比，中国的货币超发程度都是非常严重的。有金融研究专家认为："我国货币化的比例不仅在世界上最高，而且，上升速度也最快。"[20]

中国货币化比率在全球的绝对领先地位，一直到2013年也没有改变。

中国的信贷投放一直高速增长。2003年，我国信贷资金投放27652亿元，同比多投放9177亿元，投放规模是历年（截至2003年）最大的，增长了21.1%。[21]

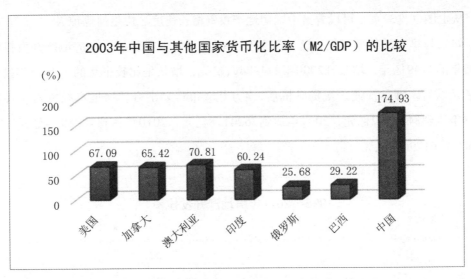

数据来源：《中国金融前沿问题研究》，中国金融出版社。

那么，当年的贷款流向是否与房地产相关呢？

《中国金融年鉴2004》的分析文章指出：如果将金融机构发放的个人住房贷款、房地产业贷款合并考察，2003年金融机构投放的房地产类贷款占到了21%，竟然超过了2003年金融机构全年发放的制造业贷款！这意味着房地产在资源流向方面悄然占据了第一的位置。

该分析不无忧虑地指出："鉴于上一个过热的经济周期中，由于房地产经营的盲目性引发的不良贷款保守估计在三成左右，因此，房地产类贷款大量增加的风险不容忽视。"[22]

但这仅仅是全社会资源集中流向房地产领域的开始。

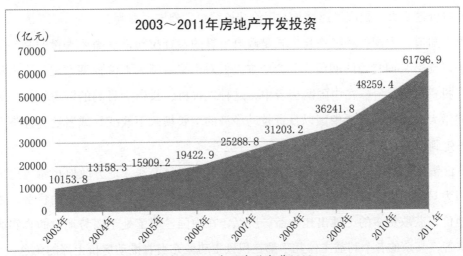

数据来源：《中国金融年鉴2012》。

从上图（见37页）可以看出中国房地产投资增长速度之快是何等惊人。

如果与早期的数据对比，这一现象更为明显（如下图所示）。房地产开发投资从1995年的3149亿元，增长到2000年的4984.1亿元，增长是比较平缓的。2003年投资过万亿元以后，猛然加速。次贷危机后，4万亿救市计划出台，房地产投资再次加速。2008年达到31203.2亿元，2009年达到36241.8亿元，2010年达到48259.4亿元，2011年则高达61796.9亿元。

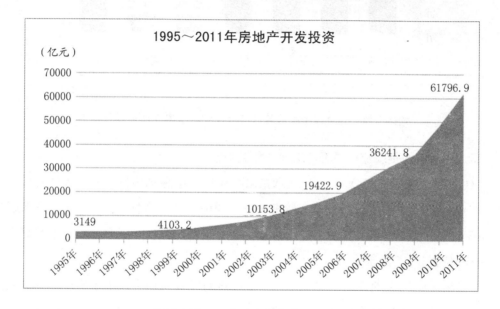

数据来源：《中国金融年鉴2012》。

社科院的研究表明：2006～2011年，商品住宅投资额年均增长26.6%。[23] 为什么房地产投资这么大，供应飞速增长，房价却持续更猛烈地上涨呢？

我们知道，中国的经济增长模式是政府主导的投资拉动，这需要大量的基础货币投放予以支持，而货币的汹涌投放会增强人们对通胀日渐加大的预期，滋生出大量投机性、投资性买房——在中国购房者中，这种以投机、投资为目的的购房行为一直占据着非常大的比例。只要中国以投资拉动经济的增长模式不改变，或者这种经济发展模式不走到山穷水尽的地步，房价就会一直上涨。

不仅银行、房地产开发商等既得利益群体希望房价上涨，地方政府也希望房价上涨，因为只有房价持续上涨，才能引发恐慌性购房行为，才能征收更多的税费，才能推高地价，获取更多的土地出让收益。所以，在中国，除了处于弱势地位的真实的住房需求者，其余的各个利益主体几乎都在积极主动地充当着推动房价上涨的角色。

因此，研究中国的房价应该看中国的经济增长模式是否改变——这直接决定了资源的配置和流向，而不能用国际上通用的方法进行分析。

中国房价持续上涨的另一个重要原因，是相当一部分住房被炒房、炒楼者囤积起来，在供应和真实需求之间设置了一道鸿沟。简单而言，相当一部分供给因被投机资金绑定而没有形成满足真实需求的有效供给。

同样被吸引到房地产领域中的，还有人才资源。虽然人数有限，但其代表的倾向性却值得思考。一知名房地产开发商在大学举行应届生专场招聘会，售楼岗位不到10个名额，却吸引40多名硕士研究生应聘。[24]

尽管人才求职纯属个人喜好和自由，但高学历人才竞相应聘售楼岗位，依然可以让人深切地感受到房地产行业的巨大诱惑力。

房地产业的发展本来无可非议。由于人们对居住的需求越来越大、品质要求越来越高，房地产业的发展有其时代的必然性。

但是，"投机和暴利不可能造就世界级的房地产企业"。美国排名第一的房地产开发商帕尔迪公司连续50年以上保持稳定盈利的纪录，它所遵循的是"终身客户"理念，从流程、材料、工艺、服务以及人员这五个维度，通过让客户参与到房屋建造的过程中来确保建造质量、合作伙伴质量、房屋质量和服务质量。

举个简单的例子，如果客户购买帕尔迪的房屋，帕尔迪会给出保证书，提供预约拜访、定期维修和紧急维修等多种服务。如果出现非人为以及自然气候造成的问题，帕尔迪将根据其住宅保障计划中制定的标准免费提供服务，服务范围包括从屋顶、外部漆、门窗、电器、水管到壁炉、烟囱、地毯、游泳池等23个项目，从而保证客户入住后，仍然能够享受到帕尔迪的全方位保护，使业主买得放心、住得安心，这使得高达47%的客户推荐与重复购买其住房。[25]

中国的地产商是怎么做的呢？

如同很多称谓一到中国就变味一样，房地产业在中国同样变异成了一种投机盛行的行业。

在中国，很多人把房地产业与建筑业混淆，其实，这是一种误解。中国的房地产开发企业，相当大一部分只炒地皮，并不真正做开发。

而做房地产开发的企业，经常是一无资金（通过银行贷款、房屋预售、集资等方式筹钱）；二无施工能力（常让建筑企业垫资为其盖房），至于设计环节，它同样找设计单位完成；三无人力。

以2010年为例。全国房地产开发企业从业人数为2091147人，全国房地产开发企业总共85218个，平均每1个房地产开发企业的就业人数仅为24.5人。而这些房地产开发公司2010年的主营业务收入却高达4.3万亿元，其中土地转让收入（其实质就是炒地皮所得）为519亿元。[26]

显然，中国的房地产开发行为，更像一种中介行为或皮包商行为，做各种资源的整合，借助各种力量完成自己的暴富之路。它本身所做的事情与以制造业为核心的实体经济相距甚远。尽管也有少量房地产开发企业有自己的建筑公司，但其利润依然是在资源整合环节获取的，而非在建筑环节所得。

在房地产开发中扮演着最重要角色的建筑企业，吸纳的就业人数众多，对社会的贡献很大，但在房地产链条中，分到的利润却最低！还经常被拖欠工程款，从而形成多年来的欠薪难题。顶严寒冒酷暑、踏踏实实付出辛勤汗水的建筑企业，在微薄的利润之下艰难地维持，而仅做资源整合的房地产开发企业，却在觥筹交错中庆祝自己不断暴增的财富。这不能说不是一种财富分配严重畸形的表现。

房地产导致的财富分配不公并不仅限于此。

房价的飞速上涨，还培养了一大批食利阶层。

不妨看一则报道：秦晓天（化名）第一次买房是在2003年底。当年在北京的郊区，她以5万元首付、总价不到24万元，买下一个121平方米的三居室。2008年出手时，卖了80多万元。秦晓天由此开启了炒房之路。近10年时间里，她买了近10套房子。买了卖、卖了又买，没有一笔投资失败过，少则赚几十万元，多则赚几百万元。算下来，自己投入的本金不超过300万元，但秦晓天目前拥有的房产价值已超过2000万元。[27]

由于资源大量向房地产领域流动，以及房地产热伴随着货币的大规模投放，在从2003年开启的这个阶段内，除了少数几个地区，炒房几乎成为只赚不赔、收益最大而风险最小的投机行为。

据经济学家调查，2009年下半年以来，出手买房的人中，80%都是为了投资。投资者都认为，钱放在银行里，总是要贬值的。[28]

炒房的收益有多大？

假如一套房子100万元，3年后200万元卖出，这套房子净赚了100万元，是否就意味着炒这套房子的净利润率就是1倍呢？

不！

因为在当时，这套房子首付10%就可以拿下来。也即，投入10万元，在3年后净赚了100万元，实际上是10倍的收益！

值得注意的是，职业炒房客很少把房子用于出租，只是为了赚取买卖房屋的差价。因此，这些炒房客手里囤积了大量住房而不能满足实际需求，实际上间接减少了住房的有效供给。这不仅成为推动房价持续上涨的动力，也是推动房屋租金上涨的重要力量！由于炒房者主要在一线城市炒房，因此，一线城市的房租上涨最快。

以北京为例。2009年2月到2010年2月，租金均价2461元，同比上涨11.5%；2010年2月到2011年2月，租金均价2892元，同比上涨17.5%。进入2012年后，北京市租金涨幅再次加速，不少区域以20%的速度上涨。北京燕莎新源里小区一套58平方米的小两居（无厅），2011年的租金也就两三千元，到了2012年就涨到了一个月4800元。[29]

这意味着，打工者的成本越来越高，这将严重制约人才的流动和社会资源的优化配置。无论多么优秀的人才，都只能沦为不劳而获的食利阶层的奴隶。不劳而获的开发商们在人们艳羡的啧啧声中成为明星，他们对社会价值观的引领产生了严重的扭曲和误导作用。

当追求金钱成瘾，人类的欲望是永远无法得到满足的。[30]

随着以房地产为代表的虚拟经济的快速发展，趋向虚拟经济的势头会越来越明显、越来越强劲。在虚拟经济中往往可以获得比实体经济更丰厚的利润，而且，这种获取利润的方式与从事生产劳动相比更为简易。这意味着，在社会中创造实实在在财富的人越来越少，而靠"以钱生钱"牟利的人越来越多。

有研究者指出，应该从制度层面限制通过虚拟经济获得利润的数量，或者更广泛地讲，应该限制一切不通过生产劳动就获得财富的行为。[31]

从历史上来看，凡是成功的改革，如商鞅变法等，都是尽可能地消除投机获利的渠道，而让人们通过实实在在的劳动，或者通过实实在在的战功获得财富和地位，鲜有鼓励投机的。

应该认识到，不包含投机与暴利的房地产业的发展，有利于改善民众住房质量，有利于推动经济增长。而充斥着投机与暴利的房地产业的火爆，则在加重民众生活负担的同时，加速整个国家资源配置的扭曲和经济结构的畸形。

地价上涨推动房价上涨，房价的上涨又带动起地价、租金的上涨[32]，这种恶性循环导致制造业的成本迅速上升，很多企业处于亏损的状态。一些企业不堪重负，被迫向东南亚迁移。持续上涨的房价成为将中国制造业置于困境的重要推手。

正因为房地产的暴利，吸引了全国的优质资源向房地产领域集中。

在涌向房地产业的众多企业中，人们甚至惊讶地发现了诸如兵器工业集团这样的央企的身影。2010年3月，国资委宣布除16家以房地产为主业的央企外，78家不以房地产为主业的央企，在完成自有土地开发和已实施项目等阶段性工作后退出房地产业务，兵器工业集团在退出名单之列。

2011年1月，媒体报道，兵器工业集团控股的深圳市鑫润投资有限公司通过上海联合产权交易所，公开转让其100%股权，从而揭开了兵工集团贯彻国资委"退出令"，全面退出房地产领域的序幕。但有关人士仍充满惋惜地说："如果没有退出令，兵工集团这个房地产项目是绝对不会转让的。"[33]

第三节
大学生就业难真相

现在，人们经常听到经济结构失衡、调整经济结构这样的字眼。经济失衡与我们的关系有多重要？

举个简单的例子。现在的大学生找工作为什么这么难？为什么苦读十几年，毕业后却被社会冷落？为什么经过十几年的努力后，好不容易找到一份工作，工资却比农民工还低？

我国高校毕业生的就业率近年来维持在72%左右。截至2008年底，我国有100多万大学生不能顺利实现就业。在求职过程中，相当多的待业大学生身心疲倦，情绪低落。57.1%的人感到很累，40.1%的人感觉找不到目标，22.6%的人对生活感到失望。在薪酬问题上，有48.5%的人愿意接受1001～2000元的工资收入，这远低于上海市发布的2009年毕业生指导工资。

"啃老族"是待业大学生最怕听到的称呼，他们的主要经济收入来源于家庭支持，但他们绝非有意"啃老"，而是普遍对"啃老"表现出了强烈的愧疚感。"父母都老了，可能会生病或者怎么样，我毕业了但没能赚钱，还要靠他们养，想想真是难过，欠父母的太多了……"这种愧疚感给他们带来了很大的心理压力。[34]

许多高校为了保证就业率，采取扣押毕业证等措施逼迫学生造假。早在2006年，安徽省教育厅就曾公开批评"一些高校采取扣押毕业证等方式，要求没就业的学生提供就业协议书，结果逼得学生造假，甚至跑到学校附近的小店盖个章冒充接收单位"。[35]

为什么曾为天之骄子的大学生沦落到如此地步？

有人说是高校扩招所致，大学生太多了。但是，查阅世界创新竞争力发展报告可以知道，中国高等教育毛入学率在2010年创新持续竞争力世界排名前100名的国家中，位居第70位，不仅远低于美国等发达国家，也远低于巴西（第57位）等发展中国家。[36]

问题出在哪里？

从经济角度来看，大学生就业难乃是中国经济结构严重失衡的必然结果。畸形的经济结构导致社会需要更多的农民工，而不是高学历的大学生！

那么，中国经济是怎么走向失衡甚至严重失衡的？

经济结构的失衡，乃是资源流向所致，再进一步说，是政策的不当引领所致。

我们回想一下，在2002年以前，大学生找工作比今天要容易得多。如果再往前推几年，莫说大学生，连大专生、中专生都很抢手。

为什么？

一方面，因为那个时期，中国发展最快的是制造业，是生产型企业，需要大量知识型、专业性人才，像企业管理、人力资源、会计、出纳、研发、设计、包装、营销、策划、公关、翻译、仓储、质检、维修等，还有种类繁多的行业的专业人员，需求量都非常大。而在2003年，房地产业的国民经济支柱地位被确立后，房地产业成了主角。这个领域远不像制造业那样渴求知识型人才，它更需要的是建筑施工工人等不需要高知识素养的劳动力。这使得大学生的就业难度越来越大，而建筑工人越来越抢手，并且，刚参加工作的大学生的工资收入水平甚至比不上一般的农民工。

另一方面，房地产热吸引了大量资源，房地产的暴利诱惑导致人们越来越不愿意在制造业领域进行大的投资，更不愿意再脚踏实地做技术研发（少数埋头苦干的优秀企业家永远值得我们尊敬）；而低端制造业需要的同样是农民工，而不是有知识的大学生。

必须指出的是，2001年12月11日，我国正式加入世界贸易组织（WTO），成为其第143个成员。而根据国际失业与就业委员会和中国国际人才发展交流协会的一项调查测算：中国加入世贸组织后，每年可增加1200万个就业机会。[37]在这种情况下，大学生就业依然变得日益紧张，恰好从一个侧面说明了中国经济结构发生的变化。

显然，从就业的角度来看，2003年其实也是一个分水岭。

更深层次的原因是：自2003年房地产被赋予国民经济支柱产业地位以后，各个行业的资源都在向房地产领域流动、聚集。而房地产业令人瞠目结舌的暴利，又散发着巨大的吸引力。这实际上等于在诱导企业把精力和资金不断投向房地产。

据《人民日报》（海外版）报道，一位浙江的制造业民企老板，在2006年时被朋友反复动员投资房地产，结果房子才卖到一半就盈利了。这位老板吃惊地说："一开始抱着帮朋友解决资金问题的心态进入这个行业。一个不大的楼盘开发下来，我才发现利润太惊人了，投入不到1亿元，两年后利润有1亿多元！制造企业再努力，再怎么辛苦经营都达不到这样的利润率。"

于是，很多制造企业由于觉得赚钱太慢，便转向收益率更高的房地产企业，有的干脆关厂去做房地产，或者加入炒房炒楼大军。由此导致"实体经济被冷落，大量资金流到了房地产等虚拟经济中"，抬高了房价、地价。[38]

与实体经济相比，虚拟经济更容易带来暴富的机会，虚拟经济的赚钱效应一旦形成，就会像一个巨大的吸铁石那样，把资源源源不断地吸纳进去。

资源是有限的。当资源向一个领域并且是容纳能力非常强大的领域高度集中时，势必对制造业等构成抽血效应，从而导致实体经济萎缩，经济结构严重失衡。

2003～2009年的7年里，中国城镇新增的固定资产中，有53%是第三产业新增的：房地产业新增的、大学校园里建筑物新增的、政府部门楼堂馆所新增的。而工业的新增固定资产只占到45%，上海在1999～2008年间，39%的新增固定资产是房地产业在提供，工业的新增固定资产只提供了35%！别忘了，上海是百年来远东最大、最有名的工业城市。[39]

房地产热，使得正处于技术升级阶段的中国制造业慢慢停下了脚步。

有人曾经发出感叹："七匹狼做地产、美的做地产、海尔做地产、雅戈尔做地产、苏宁做地产、国美做地产、苏泊尔做地产、格力做地产、格兰仕做地产、奥康做地产、娃哈哈做地产、喜之郎做地产、奥克斯做地产、长城床垫做地产、长虹电器做地产、五粮液、郎酒、水井坊、阿里巴巴都在做地产，神奇的地产啊！"[40]

这是房地产业亘古未有的辉煌时期。

我们知道，房地产开发企业在中国只是做资源整合的企业，在事实上扮演着皮包商的角色，准入门槛（尤其早期）其实是非常低的。因此，即使完全没有干过房地产业，或者对这个行业一窍不通的企业，也能很快进入角色，获取暴利。有趣的是，这些专业从事制造业的企业做起房地产开发来，所能达到的利润率甚至远远超过专业的房地产开发企业。

根据深圳证券信息有限公司数据中心提供的数据，在2010年的年报中，共有200多家非地产主业的上市公司的主营业务收入中包含房地产相关业务收入。虽然这些非专业的房地产开发企业所处的行业不同，但都获得了可观的利润——超过半数企业的房地产业务方面的毛利率超过40%，有的企业毛利率甚至接近100%。

笔者曾经就此现象专门咨询了地产界的朋友，答案是：这些非专业的房地产开发企业在隐藏利润方面不够专业。

　　既然做房地产能够轻易获取暴利，哪个制造企业还愿意在投入大、见效慢，并且面临着不确定性风险的技术研发领域踏踏实实地努力？所谓"中国制造向中国创造转变"的说法，成了一种不切实际的幻想或者奢望。因为任何一个领域的发展、提升，都需要资源的支持，都需要人们纯粹的敬业精神和热情而专注的全身心投入！

　　亚洲乃至全球经济增长的最基本动力在于三个基本要素：技术进步（全要素生产率增长）、劳动力增长和资本积累。[41]

　　房地产热改变了中国经济增长的基本要素。

　　事实上，中国制造之所以引起世界关注，主要在于它的规模大、价格低廉，而不是技术。2003年以后，由于资源大量向房地产领域倾注，中国的制造业只能拼规模、在量上取胜，而不是在质上占据主动。

　　以中国的机械工业为例（如下图所示）。1990年，中国机械工业的国际占有率仅为0.48%，2009年已经达到了14.07%，超过德国，位居世界第一。

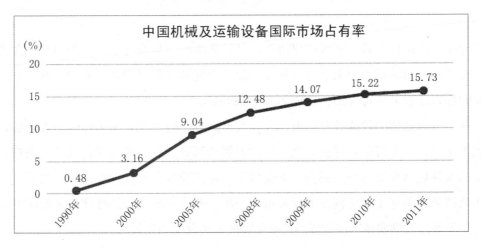

数据来源：《中国产业竞争力报告（2013）》，社会科学文献出版社。

　　尽管中国已经成为世界第一的机械产品生产大国和出口大国，但在产业内国际分工中处于生产和出口低端产品、进口高端产品的地位。中国机械工业在国际产品内分工中处于加工组装环节，即进口零部件、出口产成品。所以，2006年以后，中国机械产品进口额中，零部件所占比重从1995年的35%上升到60%以上。中国机械产品的零部件贸易同样是出口低端产品、进口高端产品。

　　换句话说，在全球机械行业的产业链分工中，中国进口了大量的中高端机械装备和中高端零部件，同时出口了更多的低端机械装备和金额相对较小的低端零部件。[42]

　　由于技术含量低，中国产品只能走低价路线。下图为2011年相关国家出口的车床平均价格对比。

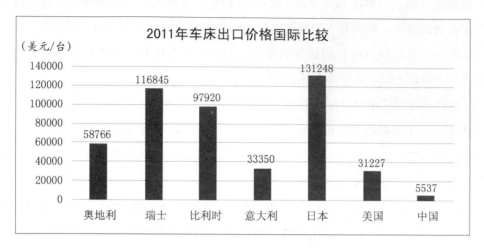

数据来源：《中国产业竞争力报告（2013）》。[43]

　　为什么会这样？除了资源向房地产领域过分倾斜、集中所致外，跟房地产业的需求也有关系。低端的产品就已经能够跟房地产业配套，满足房地产业的需求了！房地产业的标志性意义彻底改变了中国经济运行的路线。

　　对于中国这样的传统农业大国、人口大国而言，提供粮食安全保障的农业和以制造业为主体的工业经济，是保持其可持续发展的基础、核心和灵魂。提升以制造业为主体的实体经济发展水平、提高工业化程度，是实现我国经济发展的根本途径。先行工业化国家和新兴工业化国家的发展历史表明，若非土地或资源极度富余的国家，就不可能不通过发展实体经济、提高工业化程度来实现成功发展。[44]

　　没有制造业的强大，就不可能有第三产业[45]的兴旺。

　　发达国家在工业化发展过程中的经验表明：在人均GDP接近1000美元的时候，三次产业经济结构中，第三产业所占的比重就已经超过第二产业（如下表所示）。

	产业结构		劳动力结构	
	人均GDP1000美元	人均GDP2000美元	人均GDP1000美元	人均GDP2000美元
第一产业（%）	26.7	21.8	51.7	38.1
第二产业（%）	25.5	29	19.2	25.6
第三产业（%）	47.8	49.2	29.1	36.3

中国人均GDP在2001年超过1000美元，2006年超过2000美元，2008年超过3000美元，2010年达到4410美元，2011年达到5432美元。从劳动力结构来看，虽然中国的第三产业所占比重超过了第二产业，但从产业结构来看，第二产业依然占据主导地位（如下表所示）。经济结构仍然不合理，需要调整。

	产业结构		劳动力结构	
	2001年	2010年	2001年	2010年
第一产业（%）	14.4	10.1	50	36.7
第二产业（%）	45.1	46.8	22.3	28.7
第三产业（%）	40.5	43.1	27.7	34.6

数据来源：《中国统计年鉴2011》。[46]

从下图可以看出，中国第三产业在劳动力结构中的占比进入21世纪，尤其是2003年以后，上升势头趋于平缓。

1980～2011年第三产业经济活动人口占比

数据来源：《中国金融年鉴2012》。

为什么国际上在人均GDP达到2000美元的时候，第三产业在劳动力结构中的占比就已经达到36.3%，而中国在2011年人均GDP达到5432美元的情况下，第三产业在劳动力结构中的占比却依然低于国际上人均GDP在2000美元时的平均标准？

原因在于，中国的产业结构依然是第二产业占据主导，而第二产业的发展尤其增量部分主要是围绕房地产展开的，其结构因被房地产过度引领而走向畸形，无法对第三产业的发展构成强有力的支持。

不仅如此，在第三产业中，金融服务业等行业的发展与房地产紧密相连，一旦房地产泡沫出现破裂，房价下行，那么中国第三产业在产业结构中的占比有可能下降而不是上升！

因此，所谓"房地产的发展增加了多少就业"的说法是一个赤裸裸的谎言——它导致的经济结构失衡所减少的就业岗位远比它提供的就业岗位多得多！

试想一下，假如中国不是把房地产业推到"国民经济支柱产业"这一至高的地位，而是继续把资源引向制造业，通过加强知识产权保护，提供充足的信贷、科研等支持，全方位地鼓励以制造业为核心的实体经济和以高科技为基础的知识经济的发展，中国对高学历人才的需求就会大大提升。在这种情况下，经过十几年寒窗之苦的大学生的就业形势就不会如此严峻，他们的工资水平也不可能低于农民工。

除了上述原因，还有一个众所周知的原因导致大学生就业难，那就是中国对知识产权保护力度不够。而知识产权保护能带来的一个最直接的结果，就是民族创新动力的提升，这会为知识型人才带来大量的就业机会。

研究表明，加强知识产权保护对经济增长有正向的促进作用，能够促进资源在研发部门和生产部门更加有效、合理地分配，提高生产效率。同时，加强知识产权保护能够加快创新产品和生产资源在全球范围内的流动，有利于各国利用自己的比较优势。知识产权保护力度越大，国际贸易对经济增长的促进作用也越大。[47]

任何一项发明创造，只有得到严格的知识产权体系保护，才能让踏踏实实做事的人获得应有的回报；否则，他们在付出艰辛的劳动和资金投入后，将变得更加贫困。知识经济时代首先就要保护知识，提升知识的价值。

但是，由于中国知识产权保护力度较弱，中国在全球经济这个大的食物链中处于最底端，利润都被发达国家的企业拿走了，因为它们掌控着核心的专利技术等。这就形成了恶性循环，中国企业更不愿意冒风险去做研发，而是去抢夺食物链底端的那一点利润。这样，使得知识型人才越来越缺少就业岗位，倒是为盗版行业提供了一个新的就业机会——盗版产业吸纳的依然是农民工而非知识型人才，这也是导致中国知识型人才过剩而农民工显得"稀缺"的原因之一。

不重视知识产权保护的结果，是继续分享盗版带来的"福利"，而这点可怜的"福利"则让中国失去了培养自己的"微软"公司的机会。中国也只能游离于知识经济强国的边缘。

笔者在天津签名售书的时候，天津最大的新华书店负责人告诉我，他们每个星期卖出100本《时寒冰说：经济大棋局，我们怎么办》。而当笔者返回上海，在浦东一个很不起眼的小道上，一个盗版书摊一周就卖了40多本笔者的书。一个大城市，这样的盗版书摊有多少！

出版社的朋友说，在中国，2005年的时候，销量10万册以上的书叫畅销书，到2008年，这个标准降到了5万册，2013年的时候，销量超过3万册的就算畅销书了。而美国、日本每年畅销书的平均销量曾分别达到600万册和500万册，中国台湾地区也达到70万册（台湾在20世纪80年代盗版泛滥时，畅销书销量仅为几万册）。[48]

笔者2009年去美国访问的时候，吃一顿麦当劳套餐需要6美元，而买两本书花了近200美元。在中国，人们花费千元吃一顿饭兴致勃勃，买一本30多元钱的书却需要再三掂量。

读书的人也越来越少。我们经常看到老外在候机、休闲的时候拿着厚厚的一本书阅读，而国人基本上都在玩手机，读书的人寥寥无几。

这种巨大的差距从一个侧面反映出中国当下对知识产权保护的欠缺和人们心目中普遍存在的对知识的轻视态度。试想，当一个公司投入巨大的财力和人力研究出来一个软件，人们在街上几元钱就可以买一张盗版碟使用，或者直接从网上下载使用，谁还愿意冒风险去做这样的投入？知识产权保护的缺位，实际上就是对知识创新能力的扼杀。

因此，中国在相当长的一个时期内，"山寨"文化泛滥。成功的"山寨"和"山寨"的成功，不断激励后来者在"山寨"的路上坚定而执着地走着，那些尽管才华横溢却严格遵守游戏规则的人，却被无情地淘汰……

值得谴责的是，那些通过"山寨"起家的网站，在做大做强以后，仍继续利用网络平台干着剽窃他人知识产品和传播盗版的勾当，压制中国的创新精神，传播负能量。但这继续给他们带来更多的财富，让他们作为成功者的标尺，被人羡慕和追捧。

这样的环境只能鼓励人们通过盗窃的方式成为王者，却不会成为真正意义上的激励创新的力量。

知识产权保护力度不够，使得中国无法向知识型经济过渡，导致中国知识型人才找不到应有的工作岗位。大学生一毕业就失业，而没有太多知识储备的农民工却供不应求。

习近平指出："从全球范围看，科学技术越来越成为推动经济社会发展的主要力量，创新驱动是大势所趋。""我国经济发展要突破瓶颈、解决深层次矛盾和问题，根本出路在于创新，关键是要靠科技力量。"[49]

世界历史告诉我们，世界上的强国，有靠武力称霸的，有靠贸易富强的，有靠技术领先世界的，还没有哪一个国家是靠与民生有关的行业称雄世界的，更没有哪一个是靠房地产圆了富强之梦的。

2007年开始的次贷危机，给中国经济带来了诸多困难，但也给中国带来了一次调整经济结构的宝贵契机。遗憾的是，我们并没有抓住这次宝贵的机会。在2008年底的4万亿救市计划出台后，房地产业再次成为经济复苏的主力。这种下药猛、见效快的政策选择，在促进中国经济复苏的同时，也加剧了中国经济结构的失衡，并使以前固有的问题变得更加严重。

4万亿救市计划造成的直接影响是，再次强化了资源向虚拟经济的流通，进一步扭曲了生产要素的配置，阻止了整体生产率的恢复。

笔者当时就对这种拯救经济的方案提出质疑，但质疑的声音被淹没在热火朝天的大投资的号角声中。当今天很多人开始意识到2008年出台的庞大刺激经济计划的问题时，笔者在写这本书时对此只是一笔带过，因为中国经济的转折发生在2003年而不是2008年，2008年只是把投资拉动经济的思维做了一次更集中的展示而已。

理性地认识这一问题，是能否正确认识中国经济问题根源的前提。

第四节
产能过剩的根源

房地产业过热发展导致的另一个不良后果是产能过剩。

固定资产投资需求增长过快而消费需求增长乏力，导致国民经济运行中一系列失衡加剧：

一是加剧了投资成为拉动经济增长主要方式的失衡，使经济高速增长在更大程度上依赖于投资需求，而与消费需求脱节，促使经济增长的有效性下降，强化了为增长而增长的势头；

二是使得总需求疲软，加剧了经济不景气，消费的价格水平低迷，出现货币流动性陷阱迹象，货物流通运输等增速下降等；

三是加剧了宏观经济政策选择的困难，使宏观经济政策陷入既难以扩张也难以紧缩的两难境地；

四是加速产能过剩的矛盾形成，一方面是固定资产投资增长过快，从而基本建设和生产能力形成速度加快，另一方面是最终消费品市场需求不旺，必然使国民经济上下游产品生产严重脱节。[50]

如果说2003年把房地产定位为国民经济支柱产业是房地产大干快上的开始，那么，2008年4万亿救市计划的推出就是房地产业发展的第二次高潮。这次高潮使中国错失了通过市场力量挤压泡沫、进行结构调整的最关键时机，从此以后，中国饱受产能过剩的困扰。

2003年以后，中国整个工业结构中，重工业化的特征越来越明显：2009年与2000年相比，原煤产量增加了2.4倍，粗钢产量增加了4.4倍，采矿设备产量增加了11.2倍，发电设备产量增加了9.39倍。其中粗钢产量2009年达到5.68亿吨，占世界粗钢产量近一半。[51]

国家统计局2014年2月公布的数据显示，2013年全年，中国粗钢产量再创历史纪录，达到7.79亿吨（占全球总量的48.5%，同比提高1.8个百分点）。业内普遍预计，2014年，我国粗钢产量或将达到8亿吨左右。[52]

重工业为什么如此之强，以至于到了严重过剩的地步？

对比之下就会发现，这些重工业的发展与房地产业的火爆息息相关。房地产业的疯狂增长激发了对钢铁、水泥等的需求，带动了煤炭、采矿设备、发电设备行业的高速增长——而这是现在产能过剩的根源！

以钢铁为例。中国钢铁行业与建筑业的景气程度高度相关。其下游客户主要集中于建筑、机械、轻工、汽车等行业，其中建筑业是钢材消费增长的主要动力，占到钢材消费的49.5%，机械占18.5%，轻工业占6.3%，汽车约占5%。在房地产的建材成本中，钢材是最大的一块。以每平方米建材成本1300～1400元计算，钢材需要400元左右，水泥需要250元左右，其他则是各种辅料等。

在我国，汽车、船舶等高端钢材产品较少，但螺纹钢、线材等低端产能严重过剩，且难以快速淘汰，因为房地产业对这类建材用钢需求很大，房地产的快速增长提供了稳定的市场需求。[53]

显然，对房地产的过度依赖，不仅是中国钢铁产能过剩的根源，同时也是中国钢铁长期在低端路线徘徊、无法进行技术升级、无法进行产品质量和附加值提升的根源，因为房地产只需要低端的钢铁产品！这种需求等于为中国钢铁业的发展划了一条界限：符合房地产需求则生，不符合则死。中国钢铁业只能在国际市场这个大生物链的底端悲苦地挣扎。

自2003年以后，钢铁供应增速远远超过需求增速。房地产的投资过热，导致产能扩张速度远远超过需求增长的速度。2004～2008年，固定投资增长率在23.9%～26.6%之间，增长速度均保持在23%以上，而消费（社会消费品零售总额）增幅处于13.3%～21.6%之间，前者比后者快1倍左右。投资在当期为需求，到下一期则形成供给，供给能力持续地以快于需求（最终需求）1倍左右的速度增长，必然造成今后年份的产能过剩问题。[54]

下图为2003～2013年中国粗钢产量。

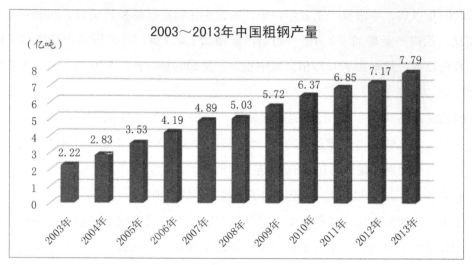

数据来源：国家统计局。

水泥产能同样严重过剩。2010年，我国水泥富余度达19%，但2011年我国仍有170条生产线投产，2012年又有216条在建生产线，富余程度超过30%。即使落后产能全部退出，我国水泥产能仍严重过剩。[55]

而早在2009年，国务院就明确要求严格控制新增水泥产能。但是，由于4万亿刺激计划在先（相当于树立了明确的引领旗帜），这一纸禁令反而引发了扩张热潮，为赶上"最后一班车"突击建水泥厂的情况比比皆是。截至2012年底，全国共新建了623条生产线，新增熟料产能7.07亿吨。[56]

下图（见53页）为2003～2013年中国水泥产量。

我们知道，房地产业是资金密集型产业，是虚拟经济的核心。当源源不断的货币为维持房地产市场的繁荣供应出来时，也就意味着民众财富被稀释，而民众购买力的下降又会进一步加剧产能的过剩。

不仅如此，房地产对资源具有强大的吸聚能力，导致流向以制造业为核心的实体经济的资金大幅度减少，对实体经济构成抽血效应，使得实体经济日益陷入困境。这不仅会进一步削弱实体经济的发展，也容易导致失业率的上升，从而使民众的消费动力遭到削弱。

这些因素，既是产能过剩的副产品，也是导致库存积压进一步严重的根源。

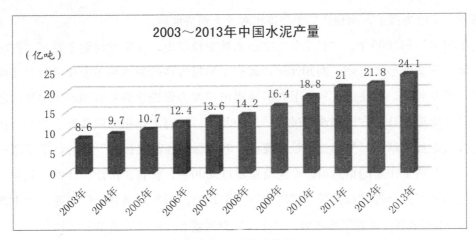

数据来源：国家统计局。

以家电市场为例，"生产出来的产品有一半卖不出去，仓库的存货是销售出去的产品的1.5～2倍"。销售疲软、库存高企、企业亏损，表明家电行业正在承受巨痛。而高库存所引起的资金链紧绷、仓储成本上升、产品老化的极大危害已成为高悬在家电业头上的"达摩克利斯之剑"。[57]

再以服装为例。仅从服装类上市公司最近几年的库存来看，2008～2012年三季度末的近5年时间里，服装类上市公司的存货几乎翻了一番，从2008年末的240亿元猛增到2012年三季度末的455亿元。[58] 库存迅速累积、原材料价格上涨等因素，导致相关企业利润直线下降。

房地产业的飞速发展导致产能过剩的情况日益严重，终于到了现在进退两难的地步。如何消化过剩的产能，几乎成为无解的难题，也成为中国经济头上高悬着的一把利刃。

非常具有讽刺意味的是，有专家呼吁推升商品房销量，以房地产之热解家电业等行业之困。房地产业原本就是抑制内需的因素之一，由它充当救世主，相当于继续在恶性循环中挣扎。毕竟，房地产不是永动机，把一厢情愿的幻想当成永动机的结果，就必然是让房地产迅速成为中国经济的"堰塞湖"。

第五节
地产热，民生苦

由于政府主导的投资是中国经济增长的主要推动力量，房地产领域既成为最大的受益者，又成为推手，而民生的关注度相对处于弱势地位。

在2004年和2005年，"民生"二字还未被单独提出，民生类议题主要以"改善人民生活"等文字形式出现。到2006年，政府工作报告在部署该年主要任务时开始明确提出"统筹兼顾，关注民生"，至2007年提出"着力促进社会发展和解决民生问题"以及"更加重视社会发展和改善民生"。2008年，政府工作报告颇具标志意义，民生问题首次单独成章。"更加注重社会建设，着力保障和改善民生"成为该年度政府着重抓好的九项工作里的第六项，论述篇幅超过3000字，教育、医疗、社保、就业、收入、住房等问题全部被归到民生议题之下。据介绍，国务院常务会议研究议题中涉及民生的有100多个，涵盖了从住房、医疗、教育到就业、社保等诸多方面。[59]

如果此时进行修正，及时转向民生，还不算太晚。不巧的是，次贷危机的恶化使中国再次竭尽全力保增长，全面解决民生问题的时机再次被推后了。

飞涨的房价只是有利于少数既得利益者，从宏观层面来看，它恶化了民生。

房价飞涨不仅带动了房租上涨，还带动了物价的整体上涨。

数据来源：《中国金融年鉴2012》。

从上图不难看出，1997～2002年，中国的居民消费价格指数处于相对平稳的状态，从2003年开始明显上行。

其实，用任何图表来说明物价的上涨情况都纯属多余——因为没有任何图表能够比老百姓自己的感受更明确、更直观。尽管总有些专家试图用老百姓看不懂的专业数据误导、改变老百姓的感受，但结果只能是徒劳的。

经济学家陈志武教授曾撰文指出：

"2000～2012年，中国物价累计涨31%左右，而美国物价同期累计涨36%。按照这些数据，应该是这些年美元的贬值程度比人民币更高，美元购买力应该下降更多才对。可是经常来往于两国之间的人都知道，你感觉不到美元的购买力在过去12年里下降了多少，但今天100元人民币能买的东西却远低于12年前，老百姓感受到的人民币通胀率不仅要远高于美国通胀率，而且也远高于官方公布的中国通胀率。

"1986年，我刚到美国留学时，在耶鲁大学周围吃一顿普通午餐要六七美元，一件像样的衬衣要20美元左右。26年后的今天，同样的餐馆里同样的午餐可能要花七八美元，衬衣还是20美元左右。这二十几年里，美国物价是有些上涨，但跟中国的实际物价涨幅没法比，是数量级上的差别，100元人民币今天能买的东西只是1986年时的零头。这些经历告诉我们：中国的官方通胀数据值得怀疑。"[60]

物价的上涨乃是货币超发最直接的反映。我们知道，房地产业是资金密集型产业，在很长的时间里，在中国，房子具有金融产品的明显特征。伴随着房地产热，货币的投放量也一路猛增。

2010年11月，中国社科院研究员刘煜辉撰文指出：2003年以来，中国进入了历史上货币最宽松的时期。2002～2009年，中国人民银行资产从5万亿元涨到24万亿元，广义货币从18万亿元涨到68万亿元（超过美国的8.8万亿美元，而中国当时的GDP只有美国的1/3），银行资产从23万亿元涨到88万亿元，而同期名义GDP只涨了1.83倍……尽管通胀压力的累积已经愈加严重，但"宽松货币政策"依然需要维持，这是因为宏观决策者不希望看到资产泡沫刚性破裂。[61]

金融数据更一目了然。

下图为1990～2013年中国广义货币供应量（M2）。

数据来源：中国人民银行。

从上图不难看出，中国的广义货币供应量（M2）在1990年为1.529万亿元。从2003年开始，中国的广义货币开始快速加大，当年的M2为22.12万亿元。5年后的2008年，在2003年的基础上增加了一倍多，达到47.52万亿元。仅仅过了一年时间，到了2009年迅速达到60.62万亿元，2010年达到72.59万亿元，到2011年又攀升到85.16万亿元，2013年达到110.65万亿元，相当于2003年时的5倍。

中国的广义货币增速，即使从世界范围内来看，也是非常罕见的。中国的广义货币供应量不仅增速远远超过了美国，在总量上也远远超过了美国。下表是笔者把人民币折算成美元后的比较：

国家	1990年M2（万亿美元）	2012年M2（万亿美元）	2013年M2（万亿美元）	净增长倍数（截至2012年）	净增长倍数（截至2013年）	2012年GDP（万亿美元）
美国	3.28	10.41	10.99	2.17	2.35	13.4
中国	0.29	15.51	18.29	52.48	62	8.23

用图对比更直观一些：

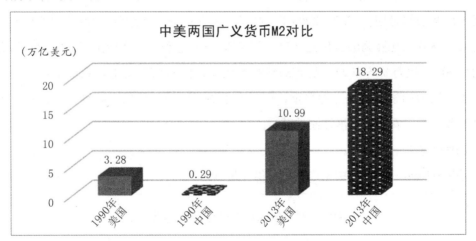

数据来源：Federal Reserve System、中国人民银行官网。[62]

截至2013年末，中国广义货币（M2）余额达到110.65万亿元（折合18.29万亿美元），同比增长13.6%。美联储2014年1月发布的数据显示，截至2013年12月末，美国的M2为10.99万亿美元，中国的M2是美国的166.4%，或者说，超过美国66.4%。而中国的经济规模远小于美国。以2012年为例，中国当年的GDP只相当于美国名义GDP的52.76%、美国实际GDP的61.42%。[63]

显然，中国的广义货币供应量增速远远快于美国。

当然，尽管中国货币供应量的三个层次，是按照国际货币基金组织的要求划分的[64]，但中国与美国在M2上的划分仍是有所区别的。下表为中国M2与美国的比较：

美国	M1	通货+旅行支票+活期存款+其他支票性存款
	M2	M1+小额定期存款+储蓄存款+货币市场存款账户+货币市场基金份额（非机构所有）+隔日回购协议+隔日欧洲美元+合并调整
	M3	M2+大面额定期存款+货币市场基金份额（机构所有）+定期回购协议+定期欧洲美元+合并调整
	L	M3+短期国库券+商业票据+储蓄债券+银行承兑票据
中国	M0	流通中的现金
	M1	M0+企业活期存款+机关、团体、部队存款+农村存款+个人持有的信用卡存款
	M2	M1+城乡居民储蓄存款+企业存款中具有定期性质的存款+信托类存款+其他存款
	M3	M2+金融债券+商业票据+大额可转让定期存单

可以看出，中美两国对于M2的界定，最明显的一点区别是，中国M2中的定期存款没有区分金额，而美国则区分为小额定期存款（金额10万美元以下的，计入M2）和大额定期存款（金额10万美元以上的，列入M3）。[65] 但是，也别忘了：

第一，美国人不喜欢储蓄，存款本来就比较少，定期存款更少，尤其在股价上涨的时候，美国的投资者会认为"储蓄已经失去意义"。他们所谓的储蓄方式，就是"连续投资，持有股票"，这也是大多数"市场中的专家所建议的储蓄方法"。[66]

2005年，美国个人储蓄率甚至是−0.5%，创下自1933年经济大萧条以来的新纪录。美国商务部报告说，美国人当年花光净收入不算，还借钱消费。[67] 一直到2014年初，美国储蓄率低的状况也未有大的改变。

第二，这些本来就少的存款中，大额定期存款更少。因为有钱人更喜欢把钱拿去投资债券、股票，而不是浪费在银行——美国存款的利率非常低，甚至很多年维持在接近0的水平。这也就意味着，单纯M2划分上的差异，并没有太大意义。

中国M2数据比较大，真正应该重视的是与美国的下列差异：中国储蓄率高、间接融资比例高、货币的外生性[68]强等。加之中国处于货币化进程中，货币需求量大等原因，使得统计出的M2数据要偏大一些。

但是，即使考虑到上述因素，中国货币超发问题依然算是严重的。

米尔顿·弗里德曼（Milton Friedman）认为，只要货币供应的增速超过真实经济的增速，物价就会上涨。[69]

货币超发不超发，一个最简单的标尺是看它的购买力是在上升还是在下降。尽管有专家根据CPI（消费物价指数）指标，认为中国的通货膨胀处于很低的水平，但一个不容否认的事实是，近年来，人民币对内一直在快速贬值，购买力一直在快速下降。民众的感受永远比数据更直接、更真实、更客观！因为数据可以造假，而民众的直接感受则是难以欺骗的。

事实上，许多知名学者对货币超发问题的公开批评一直不绝于耳。

著名经济学家吴敬琏说："现在通货膨胀，是货币超发的效应正在物价上表现出来。"[70]《人民日报》曾刊发央行货币政策委员会委员周其仁的观点：通胀是流通中的货币相对于生产供给增长过多。货币超发才是通胀根源。高物价背后总有钱多的影子。无论如何，离开了钱多的推动，不可能有高物价。钱多为源，才生出高价之水；钱多为本，才长出通胀之木。因此，如果仅仅大力打压高价，抑制通胀就难以期望取得好效果。[71]

全国人大财经委副主任吴晓灵也指出："过去那么多年出现货币超发的情况，存在央行调控不到位的问题。"[72]

而早在2010年，国家统计局总经济师姚景源就指出："改革开放的30年里，大型的通货膨胀出现了两次，其共同特点就是货币的超量发行、经济过热和农业减产。"央行货币政策委员会委员李稻葵也强调："我国货币存量已超过10万亿美元，居全球首位，货币存量与GDP的比重达到200%。货币供应量超速势必会带来潜在的系统性的金融风险。"

应对超发货币，周其仁教授给出的对策是：应当动员更多的资源进入市场（如增加供不应求的优质的教育与医疗服务的供给），以消化源源不断超发的货币；或减慢市场化改革的步伐，但必须严格控制货币的超发。这两个对策都有可取之处，而最糟糕的组合则是既听任货币被动超发，又在市场化改革方面畏首畏尾、裹足不前。[73]

遗憾的是，海量投放的货币，大部分并未流入实体经济。

2008年10月，随着次贷危机向全球蔓延，中国央行骤然加大了货币投放力度。这是继2003年之后，信贷大投放的第二个阶段，而且比第一阶段更为凶猛。

下图（见59页）为2008年10月到2009年6月新增信贷与同比增长。

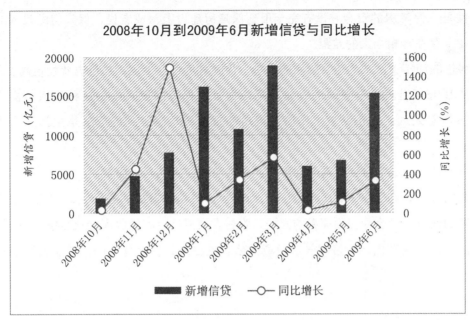

数据来源：中国人民银行。

中国社科院研究报告称：许多货币和信贷并没有进入实体经济，而是流向楼市、股市以及其他资本市场。这是2009年房价出人意料高涨的原因。进入实体经济的货币供应大概只有1/3，并表现为经济增长，而其余的大部分货币与贷款在实体经济外寻找投资机会，房地产市场和股市恰恰是这些"游资"的最佳去处。在中国股市存在制度性设计缺陷、世界经济处于衰退大周期、美国率先实施量化宽松政策的多重背景下，人民币的流动性被锁定在了较为安全的房地产领域，这就是2010年伊始，中国房价涨势难以遏制的原因。

在中国房价持续上涨的同时，中国的社会收入差距不断扩大。西南财经大学2010年的研究报告显示，中国当年的基尼系数已高达0.61，而国际警戒水平是0.4。低迷经济周期中的全球平均水平是0.44，美国是0.37，欧盟国家普遍在0.3～0.35之间。[74]

从收入分布来看，城镇居民10%的最高收入户与10%的最低收入户的平均收入相比较，收入差距呈扩大趋势：1996年前者是后者的3.91倍，2005年前者是后者的9.18倍。[75]

政府认识到了问题的严重性，从2009年开始加大保障房建设。保障房面积的增长应该拉动市场对建筑材料的持续旺盛，然而，A股中的保障房概念的股票，尤其建材类股票，不仅没有跑赢大盘，反而被大盘击败。[76] 研究者认为，建筑材料的质量存在问题。但笔者认为，仅仅建筑材料的质量问题，不足以形成如此之大的反差，更大的可能性是，保障房的资金并没有完全用到保障房建设上，或者说，保障房的投入与中央的要求存在着相当大的差距。

房价的连年上涨成为通货膨胀的推手。伴随着房价的上涨，物价也持续走高。

从2003年开始，尽管政府开始不断加大社会保障的投入，但这种投入与需求相比依然相差太远，又不断被上涨的物价所冲抵，民众感觉到的依然是生活压力不断增大。

房地产热也成为社会财富分配不公、贫富差距拉大的一大因素。

我们知道，在2003～2011年的这个周期内，最亟须解决的就是经济增长对投资过于依赖的问题，社会保障不完善的问题，农村发展滞后、农民收入增长缓慢的问题。

但在这个周期内，经济增长对投资的依赖性更大，社会保障的问题反而变得更加棘手。

注　释

[1]徐瑷.国税总局原副局长曝中国废除农业税真相[J].南风窗，2011-06-26.

[2]冯光明.提防免税实惠被"掏走"[N].上海证券报，2005-12-26.

[3]冯光明.提防免税实惠被"掏走"[N].上海证券报，2005-12-26.

[4]外向型经济是"内向型经济"的对应概念，指与国际市场紧密联系的某国或某地区的经济体系。外向型经济分广义和狭义两种。广义的外向型经济是指在世界范围内进行贸易、资本、技术、劳动力等方面的经济交流活动。狭义的外向型经济是指以国际市场为导向，以出口创汇为主要目标的经济活动。此处指的是狭义的外向型经济。

[5]经济学上这样定义实体经济和虚拟经济：实体经济是指人通过思想使用工具在地球上创造的经济，包括物质的、精神的产品和服务的生产、流通等经济活动。包括农业、工业、交通通信业、商业服务业、建筑业、文化产业等物质生产和服务部门，也包括教育、文化、知识、信息、艺术、体育等精神产品的生产和服务部门。实体经济始终是人类社会赖以生存和发展的基础。虚拟经济是相对实体经济而言的，是经济虚拟化或金融深化的必然产物，它从具有信用关系的虚拟资本衍生出来，并随着信用经济的高度发展而发展。广义地讲，虚拟经济除了目前研究较为集中的金融业、房地产业，还包括体育经济、博彩业、收藏业等。

[6]沈晓杰.房地产业成"暴富制造器"，八年房改催生社会不公[J].瞭望东方周刊，2007-03-01.

[7]朱镕基.朱镕基讲话实录（第四卷）[M].北京：人民出版社，2011.

[8]徐联初.中国金融前沿问题研究（2005）[M].北京：中国金融出版社，2006.

[9]张静.中国金融前沿问题研究（2008）[M].北京：中国金融出版社，2009.

[10]刘伟.需求结构不对称，国民经济运行失衡加剧[N].新京报，2006-04-25.

[11]国务院发展研究中心，壳牌国际有限公司.中国中长期能源发展战略研究[M].北京：中国发展出版社，2013.

[12]时寒冰.应对房地产开发商模式进行全面反思[N].上海证券报，2007-03-29.

[13]陈冉.房地产危机悄然来袭，钢铁产能过剩被批罪魁祸首[OL].和讯网，http：//house.hexun.com/2013-01-05/149767876.html，2013-01-05.

[14]中国金融年鉴2004[M].北京：人民出版社，2004.

[15]中国金融年鉴2005[M].北京：人民出版社，2005.

[16]罗纳德·I.麦金农.经济发展中的货币与资本[M].上海：上海人民出版社，1997.

[17]吴紫燕.M2／GDP影响银行体系脆弱性机理探析[J].上海：现代商贸工业，2010（1）.

[18]袁瑛.我国货币化成因的分析[J].科学教育家，2008（5）.

[19]国内不少学者用M2/GDP来比较货币投放情况，但同时也有一部分学者认为M2与GDP并不可比。其理由如下。第一：广义货币M2是一个存量概念，而GDP是流量概念（认为M2/GDP具有参考价值的研究者，则反驳说流量毕竟是来源于存量，每年新增的GDP如果没有长时间积累起来的货币存量支撑，就不可能有增长。因此，以一年为单位，通胀水平、经济增速、失业率和国际收支等指标，都直接或间接地与M2存量有巨大的关系）。第二，不同国家居民的储蓄偏好不一样，储蓄率高的M2也高。由于大量资金被储蓄起来并未投入实体经济，就需要额外供给更多货币。另外，我国私人投资不足，使得过高的储蓄无法转化成GDP，导致M2/GDP显得比较高。这需要优化投资环境，使私人投资树立信心，鼓励私人投资。更重要的是强化社会保障体系，让民众有能力消费、敢于消费。第三，不同国家M2的统计口径存在差异。第四，中国以间接融资为主，而间接融资以银行为载体，商业银行创造出来的存款货币也计入M2。第五，人民币升值预期、外汇储备的增加等因素，使得外国投机资本大量流入，导致M2/GDP呈现上升趋势。而且，中国处于市场经济不断深化、货币化程度逐步加深的进程中，对货币量需求也大。M2/GDP的演进轨迹一般是先加速上升，然后增速逐渐减缓，最终趋于稳定状态。但是，中国的这个指标却一直呈现上涨态势。即使从反对M2/GDP科学性的专家的观点中，我们依然可以感受到M2/GDP的价值，这个比值的居高不下告诉我们：中国的经济环境并没有发生根本性的变化。

[20]张静.中国金融前沿问题研究（2008）[M].北京：中国金融出版社，2009.

[21]张红地.2003年全国现金超常投放值得关注[M].中国金融年鉴2004.北京：人民出版社，2004.

[22]2003年贷款投向结构分析[M].中国金融年鉴2004.北京：人民出版社，2004.

[23]魏后凯，李景国.中国房地产发展报告NO.10[M].北京：社会科学文献出版社，2013.

[24]涂明.硕士生争当售楼小姐[N].海峡都市报，2011-12-09.

[25]彭剑锋，伍婷，刘冰清.帕尔迪：梦想由建筑开始[M].北京：机械工业出版社，2010.

[26]国家统计局，中国指数研究院.中国房地产统计年鉴2011[M].北京：中国统计出版社，2011.

[27]普通投资者的炒房之路：十年从300万元炒到2000万元[N].21世纪经济报道，2012-12-24.

[28]罗兰."全民炒房"扼杀经济创新力[N].人民日报海外版，2013-04-27.

[29]北京中关村一居室月租金涨到5800元[N].燕赵都市报，2012-12-07.

[30]Thomas Lewis，Fari Amini，Richard Lannon.A General Theory of Love[M].Vintage，2007.

[31]唐纪宇.欧债危机新进展及其影响[M]//国际关系学院国际战略与安全研究中心.中国国家安全概览2012.北京：时事出版社，2013.

[32]虽然地价经常是房价中最重要的一部分，但研究表明，房价对地价的影响远远超过地价对房价的影响，高房价才是导致地价上涨进而推动中国企业成本上升的根源。即先有"高房价"这只鸡，而后才有"高地价"这只蛋。抑制"房价惯性上涨"是抑制高房价、高地价的关键。可参见：黄居林.我国房价与地价、竣工房屋造价及销竣比的关系[J].西部论坛，2013（5）。

[33]孙玉.兵器工业集团悄然退出房地产业[N].证券时报，2011-01-06.

[34]徐敏.全国百万大学生不能顺利就业，最怕被称啃老族——华东师大学生在沪调研其生存状态[N].解放日报，2009-11-15.

[35]谭人玮.毕业生发帖揭虚假就业真相，被就业成网络流行语[N].南方都市报，2009-07-17.

[36]李建平，李闽榕，赵新力.世界创新竞争力发展报告（2001～2012）[M].北京：社会科学文献出版社，2013.

[37]张艳.入世——中国老百姓的机遇和挑战[N].文汇报，2001-11-11.

[38]罗兰."全民炒房"扼杀经济创新力[N].人民日报海外版，2013-04-27.

[39]王炼利.中国房地产之厄[M].香港：天行健出版社，2011.

[40]张金娜.七匹狼、美的、雅戈尔等圈外巨头涉足房地产[N].信息时报，2011-07-22.

[41]Homi Kharas.Asia in the Global Economy 2011-2050: Main Drivers of the Asian Century[M]//Harinder S Kohli, Ashok Sharma, Anil Sood.Asia 2050: Realizing the Asian Century.SAGE Publications Pvt.Ltd，2011.

[42]张其仔，郭朝先，原磊.中国产业竞争力报告（2013）[M].社会科学文献出版社，2013.

[43]笔者原来打算选用联合国商品贸易统计数据库（United Nations Statistics Division-Commodity Trade Statistics Database）中的最新数据，后来发现，有关各国车床的最新数据统计，有的单位是台，有的是千克，没有统一。因此，仍然沿用了这组数据，其表达出来的意思与最新数据是一样的。

[44]兰建平.发展实体经济是第一要务[J].浙江经济，2012（5）.

[45]第三产业（tertiary industry），又称"第三次产业"，指不生产物质产品的行业，即服务业，是英国经济学家、新西兰奥塔哥大学教授费希尔于1935年首先提出来的。第一产业是指以利用自然力为主，生产不必经过深度加工就可消费的产品或工业原料的部门。其范围各国不尽相同。一般包括农业、林业、渔业、畜牧业和采集业。第二产业是指对初级产品进行再加工的部门。在我国包括工业（采掘业、制造业、电力、煤气及水的生产和供应业）和建筑业。

[46]孙建国，村上直树，陈文举.中日工业化进程比较[M].社会科学文献出版社，2013。原书中2009年的钢铁产量写的是5.68亿吨，引用时根据与国家统计局发布的权威数据对比，改成了5.72亿吨。

[47]吴凯，蔡虹.知识产权保护对经济增长的作用研究[J].管理科学，2012，25（3）.

[48]中新社.台湾业者预计大陆畅销书年销量会超2400万册[OL].中国网，http://www.china.com.cn/chinese/TCC/haixia/96132.htm，2002-01-11.

[49]戚义明.十八大以来习近平同志关于经济工作的重要论述[J].瞭望，2014-02-22.

[50]刘伟：需求结构不对称，国民经济运行失衡加剧[N].新京报，2006-04-25.

[51]孙建国，村上直树，陈文举.中日工业化进程比较[M].社会科学文献出版社，2013.

[52]2013年钢铁工业经济运行情况[EB/OL].中国工业和信息化部，http://www.miit.gov.cn/n11293472/n11293832/n11294132/n12858402/n12858492/15891265.html，2014-02-21.

[53]王洁.中国钢铁业被动求变房地产减速或致产能过剩[N].21世纪经济报道，2010-06-28.

[54]常河山.产能过剩，钢铁链上的包袱[N].现代物流报，2010-08-09.

[55]郑晓波.水泥产能严重过剩，官方表态将加强调控[N].证券时报，2012-03-30.

[56]左娅.2012年全国水泥产能过剩30%，新建项目仍屡禁不止[N].人民日报，2013-05-13.

[57]刘莉.天量库存下家电业路在何方？[N].信息时报，2012-08-03.

[58]陈彦芳.服装行业困局：库存455亿元，5年已翻番[J].投资者报，2013（11）.

[59]证券时报两会报道组.政府工作报告十年简谱[N].证券时报，2013-03-06.

[60]陈志武."越过越穷"不只是幻觉[OL].财新网，http://blog.caijing.com.cn/expert_article-151473-48976.shtml，2013-03-13.

[61]刘煜辉.2012年中国M2将突破100万亿，中国面临长期严重通胀[J].新世纪，2010-11-15.

[62]1990年的美元与人民币汇率以5.22计算，2012年的美元与人民币汇率以6.28计算，2013年12月的美元与人民币汇率以6.05计算。

[63]2012年，中国的GDP为51.93万亿元，以当年人民币对美元平均汇率中间价6.3125计算，折合8.23万亿美元，而美国商务部2013年6月公布的数据显示：美国2012年的名义GDP为15.6万亿美元，实际GDP为13.4万亿

美元。

[64]黄达.金融学[M].中国人民大学出版社，2004.

[65]2005年11月10日，美联储宣布：鉴于M3没有提供比M2更多的经济活动的信息，而且多年以来对货币政策没有影响，所以收集和发布这些信息的费用超过了它所能带来的益处，因而自2006年3月23日起将停止公布M3货币供应数据。这种理由非常牵强，著名金融学家古德哈特（Charles Goodhart）就指出，M3提前预警了2006~2007年的经济泡沫，是非常重要的数据指标。美国停止公布M3实际上是为了掩盖其货币扩张的进展及货币膨胀的严重程度。参见：Money Stock Measures: Discontinuance of M3[OL].Federal Reserve Statistical Release，http://www.federalreserve.gov/releases/h6/discm3.htm，2005-11-10.

[66]Warren Brussee.The Great Depression of Debt: Survival Techniques for Every Investor[M].Wiley，2009.

[67]Douglas Pizac.U.S.savings rate hits lowest level since 1933: Consumers depleting savings to buy cars, other big-ticket items[OL].NBC News，http://www.nbcnews.com/id/11098797/ns/business-stocks_and_economy/t/us-savings-rate-hits-lowest-level/#.Uys51_mSwjk，2006-01-30.

[68]货币的外生性是指货币供给是由中央银行控制的外生变量。现代货币主义也即货币外生论的代表弗里德曼和施瓦茨认为，货币供应量由央行、商业银行系统和社会公众三个部门的共同行为所决定。在这三者之中，基础货币完全由央行所控制，并且央行通过直接决定基础货币，从而对存款准备比率和存款通货比率产生决定性影响，进而控制货币供应量，即货币供应量是外生变量。具体来讲，人民币没有完全实现自由兑换，投放的基础货币都在国内，并且贸易顺差和外国投资带来的大量外汇储备也需要用人民币兑换后投入国内市场，从而导致国内人民币供应量增加。而欧美等国则可以利用国际货币的优势，通过国际贸易、对外投资等方式，使货币流向其他国家，从而减少货币在国内的积存。说得再简单点，就是欧美发达国家发行的货币可以转嫁给其他国家，中国发行的货币只能自我消化。

[69]Charles R.Morris.The Trillion Dollar Meltdown: Easy Money, High Rollers, and the Great Credit Crash[M].PublicAffairs，2008.

[70]韩玮.吴敬琏：通胀是货币超发体现 现在紧缩货币已来不及[N].时代周报，2010-12-23.

[71]罗彦.央行货币政策委员会委员周其仁：货币超发才是通胀根源[N].人民日报，2011-07-19.

[72]谈佳隆.央行超发43万亿人民币引发通胀[J].中国经济周刊，2010-11-02.

[73]苏曼丽，刘兰兰，李稻葵：货币超发将形成资产泡沫[N].新京报，2010-11-03.

[74]基尼系数（Gini coefficient），是意大利经济学家基尼（Corrado Gini，1884—1965）于1922年提出的，定量测定收入分配差异程度。其值在0和1之间。越接近0就表明收入分配越是趋向平等，反之，收入分配越是趋向不平等。按照国际一般标准，0.4以上的基尼系数表示收入差距较大，当基尼系数达到0.6以上时，则表示收入差距很大。

[75]张平，刘霞辉.中国经济增长报告（2009~2010）[M].社会科学文献出版社，2010.

[76]魏后凯，李景国.中国房地产发展报告NO.10[M].北京：社会科学文献出版社，2013.

第3章
美国的2003～2011

第一节
油价暴涨根源

从国际视野来看，全球是一盘大棋局，不仅政治、经济、军事等是大棋局的组成部分，就连股市、汇率、大宗商品的走势也都是大棋局中的一部分——对于喜欢趋势研究的投资者而言，这或许为判断长期趋势提供了一种新的参考思路。

一个国家的经济发展，并不仅仅取决于它自身的政策，还经常受到外部力量的影响乃至操纵。因此，需要把中国的政策走向放在全球大视野中才能看得更为分明。

同样，股市、汇率、大宗商品的走势，也只有放在大棋局中，才能洞察秋毫。

为什么石油、铜、铁矿石等大宗商品从2003年开始的这个周期内，涨势如此凶猛？这正是中国因素（需求层面的影响）和美国因素（定价权层面的影响）共同促成的结果。

在本节中，我们首先了解一些背景，这有利于我们下一步的分析。

2001年1月20日[1]，小布什（乔治·沃克·布什）宣誓就职美国第54届总统，正式入主白宫，成为继美利坚合众国第6任总统约翰·昆西·亚当斯之后第二位踏着父亲的足迹当选的总统。小布什的父亲老布什（乔治·赫伯特·沃克·布什）于1989年1月20日到1993年1月20日任美国总统。

有意思的是，正是这父子两任总统，发动了两场针对伊拉克的战争：老布什于1991年发动的海湾战争和小布什于2003年发动的伊拉克战争（美伊战争）。

　　众所周知的是，布什家族与石油集团、军火集团有着非常密切的联系，理解了这一点，就不难理解油价从2001的每桶不到20美元一口气上涨到2008年7月的超过148美元这一大牛市的利益根源了（小布什任期即将结束之时也恰是油价下跌之时），而这个阶段正好与中国大规模的投资形成契合。下图为美原油期货（10月合约）2001年1月到2008年7月的月K线走势图（油价从2001年11月20日的19.35美元/桶上涨到2008年7月11日的148.13美元/桶）。

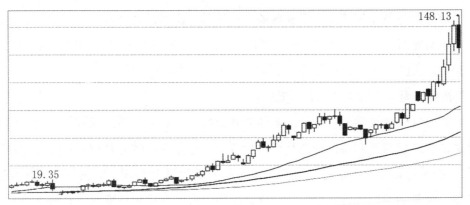

　　小布什内阁成员，即副总统切尼、国防部长拉姆斯菲尔德、国务卿鲍威尔、国家安全事务助理赖斯等重要高层都是老布什的原班人马。这些人都有很深的石油背景：切尼曾经是世界最大的地质和石油服务公司哈利伯顿公司的首席执行官，赖斯曾是雪佛龙石油公司的董事，小布什本人在石油行业里有着丰富的经历，商务部长埃文斯也是石油商人。一句话，与美国近代史上的任何一届政府相比，2001年1月入主白宫的小布什政府，与石油和能源产业的联系之深是前所未有的。这也就意味着，石油和地缘政治重新回到了华盛顿政治舞台的中心。[2]

　　2000年起，克林顿动用战略石油储备平抑油价，小布什对此一直持批评态度，他认为战略石油储备的动用不应为抑制油价，而是为防备美国石油供应的中断。正是在小布什执政时期，小布什政府不理会高油价，继续增加战略石油储备，将其战略石油储备水平推升到历史最高水平。小布什政府持续补充战略石油储备的做法，在一定程度上占去了部分美国市场上的原油供给，从而助长了油市投机商的供给紧缩预期，对油价飙升起到推波助澜的作用。[3]

　　小布什政府比任何一届政府都有动力推动油价上涨，而战争一直是推动油价上涨的重要力量。

　　战争与军火息息相关。

　　巧的是，布什家族还与军火商集团关系密切。小布什的父亲老布什是凯雷集团的合伙人之一，曾在凯雷集团任职。美国民间监督机构"司法观察"[4]曾对政府内部的浪费和腐败进行调查，指责老布什和凯雷集团之间的关系，"现任总统小布什应当命令（而不仅是要求）他父亲辞去凯雷集团的职务。"[5]

国人对凯雷的大名如雷贯耳，源于它在中国的收购行动。2004年，凯雷欲收购中国徐工集团（凯雷先期支付2.55亿美元获得约82%的股权，根据收购中的对赌协议，徐工机械如果能完成某经营目标，则注入1.2亿美元，如未完成，则注入6000万美元），被质疑危及中国产业安全和收购定价过低，掀起巨大波澜。三一重工执行总裁向文波就明确指出，一个年销售额达到170亿元的公司、中国最大的工程机械类公司，仅以20亿元人民币（2.55亿美元）卖掉，的确是太便宜了。[6]

凯雷到底是一个什么样的公司呢？

美国第41任总统乔治·布什、前国务卿詹姆斯·贝克、英国前首相约翰·梅杰、菲律宾前总统拉莫斯和泰国前总理潘雅拉春……这些名人政要都曾在凯雷工作过。凯雷是美国历史上最成功也是最富有争议的私募股权基金公司。它网罗了众多前总统和政要，被称为"总统俱乐部"；它曾是美国最大的军火供应商之一，被外界诟病为"五角大楼公司"；它管理和投资的规模超过900亿美元，投资回报率超过30%。

与华尔街诸多私人股权投资公司相比，凯雷应算迟到者——1987年才组建。1989年，美国前国防部长弗兰克·卡路西加盟凯雷，帮助凯雷从美国陆军那里赢得了200亿美元的军火合同，凯雷从此走上了军工之路。整个20世纪90年代，凯雷集中收购了一批拥有五角大楼订单的军火企业，其中甚至包括与中情局相关联的世界上最大且最为成功的国防咨询公司BDM。20世纪90年代也是凯雷规模迅速扩张的时期，乔治·索罗斯成为凯雷的有限责任合伙人。在他的号召下，筹集资金突然变得令人惊奇地容易。布什家族、沙特王室及华盛顿无数权威人士均成为凯雷的客户，仅1996年一年，凯雷的筹资额就达到了130亿美元。[7]

众所周知，战争有利于促进美国经济增长。

美国是全球最大的军事大国、强国，全美国约1/3的企业与军工生产有着千丝万缕的联系。作为美国经济龙头的军工企业，当然与美国政治有着剪不断理还乱的关系。美国的军工部门、国防部和国会之间形成了一种封闭的铁三角关系。

无论是在美国政府还是国会，都有不少代表军工利益集团的政治人物或关系。美国前国防部长拉姆斯菲尔德之所以大张旗鼓地推行耗资巨大的导弹防御计划，就是因为他曾担任过洛克希德-马丁公司系统的智库——兰德公司的董事长。而美国前副总统切尼的夫人也曾是洛克希德-马丁公司的高管。有了这样炙手可热的关键人物，军工企业当然不愁没有订单。[8]

老布什和小布什两任总统发动的战争，受益者首先就是军火商和石油商——即使仅从私利的角度来看，父子两任政府也有充足的动力发动战争。

下图为2001～2014财年美国国防预算支出。

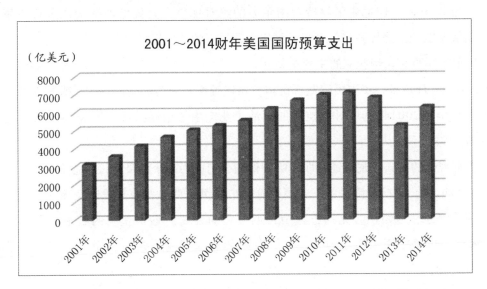

数据来源：The Congressional Budget Office和U.S.Department of the Treasury。

从上图可以清晰地看出，从小布什就职美国总统开始，美国国防预算支出一直呈高速、大幅度增长态势。而在奥巴马接任以后则开始下降。

当石油、军火两大集团的利益结合起来时，不仅油价的上涨变得水到渠成，战争也成为必然。

我们不妨通过下面这个副总统切尼（曾在世界最大的油田服务公司哈利伯顿担任首席执行官）的案例，更清楚地了解这一点。

美国副总统的首要工作就是做好准备，在总统死亡、失去行为能力、被解职或辞职时继任总统。[9] 但绝大部分副总统都没有等来这样的机遇。因此，在美国总统制的历史上，副总统仅仅是一个象征，在大多数时候是不惹人注目的。但切尼赋予副总统职位以实权，从而对未来的总统制构成挑战。[10] 事实上，切尼是美国历史上最有实权的副总统，他一直不动声色地安排亲信进入政府。[11]

早在老布什执政时，切尼就出任国防部长，帮助老布什打赢了海湾战争。1993年1月，老布什下台，切尼转入商界，进入哈利伯顿担任首席执行官（至2000年）。在其领导下，公司业绩突飞猛进，切尼也受益匪浅。1999年，科索沃战争刚一结束，切尼担任CEO的哈利伯顿公司就得到了价值3360万美元的工程合同。[12]

2000年，切尼成为小布什的搭档竞选副总统。2001年1月20日，切尼就任美国副总统。

切尼推崇"里根主义"的鹰派外交和军事哲学，曾是"星球大战"计划的积极倡导者。在军事上，切尼主张保持美国军力的绝对优势，大幅增加军费，进行军事改革，加快发展和部署导弹防御系统，强化美领导下的"单极世界"。[13]

切尼是军事打击伊拉克的主要策划者。

2003年7月17日，美国民间监督机构"司法观察"公布的文件表明，切尼领导的能源工作组早在2001年初就对伊拉克的石油工业产生了浓厚兴趣，并搜集了大量的有关资料。[14]

不可否认的是，切尼曾经供职的哈利伯顿公司成为战争的最直接受益者。

2004年初，在扫清障碍后，美国政府宣布在伊拉克的石油开采以及重建工作只会分给那些曾经在占领伊拉克的过程中帮助过它的公司。最早获利的石油公司是雪佛龙－德士古（赖斯原来所在的公司）、英国的英国石油、壳牌公司，还有切尼的哈利伯顿公司。[15]

哈利伯顿公司在伊拉克取得多宗大型合同，其中部分合同甚至无须通过竞标就能获得。如果再往前追溯，早在伊拉克战争打响之前，哈利伯顿公司就成了五角大楼的主要后勤服务机构，至少为50处美军驻地提供膳食。但美国国防部2004年2月公布的一份报告显示，哈利伯顿公司对科威特境内的一处美军基地凭空多收了1600万美元的餐费。另外，审计部门还发现，哈利伯顿在其他4个美军驻地多收了1140万美元的餐费。

伊拉克战争期间，哈利伯顿还负责从科威特向伊拉克运送石油产品。事后，五角大楼审计官发现，哈利伯顿向美军收取的佣金无缘无故多出了6100万美元。哈利伯顿的一家子公司哈利伯顿产品和服务公司，据悉曾从2000年2月开始，向伊朗销售了4000万美元的石油业服务。由于伊朗被美国列入受制裁国家，任何美国公司与伊朗做生意都属于违法的行为。[16]

但是，尽管布什家族及其内阁背后的石油、军火集团由于战争获利丰厚，笔者仍然认为，这点私利只能算是小利。美国的棋局首要的是服务于其国家利益，追逐国家利益最大化；否则，小布什也不可能获得那么高的威望："9·11"事件后，小布什凭借反恐战争中的"战时总统"形象，一度获得民众高达82%的支持率，被舆论誉为"美国历史上少有的强势总统"。不仅在美国最伟大的总统排名中名列"亚军"（2002年，在"最伟大的美国总统"的排名中，林肯第一，小布什和肯尼迪并列第二），而且当选"美国最受欢迎的共和党总统"。在2004年总统大选中，美国民众再次选择了小布什，使他以52%的得票率成为自1988年来美国首次赢得超过半数普选票的当选总统。共和党也创下美国选举史上104年未曾出现的"辉煌"：一党同时保住白宫、国会和州长的优势地位。[17]

2005年6月，在由探索频道和美国在线组织的"谁是最伟大美国人"的投票活动中，小布什高居第六位，位居他的前任克林顿总统（排名第七位）之前。这对于小布什而言，是民众给予的无上荣耀。[18]

事实上，美国军方和能源利益集团都服从美国国内政治和大战略。[19]假如小布什和他的内阁仅仅是为自己的私利而战，在美国这样一个舆论监督无所不在的民主国家，他怎么可能赢得民众的支持？莫说纯粹为了私利，即使是取得的成就不足以完全盖住私利的暗影，小布什也不可能受到美国民众如此之高的评价。事实正是如此，小布什的大战略改变了美国，也改变了世界。

第二节
小布什的大战略

任何一个国家都有自己的核心利益。美国的国家利益是从全球的角度加以定义的：冷战结束之后，美国全球战略的总体目标，是防止出现任何国家或国家集团挑战美国的全球主导地位。[20]

但是，美国的这种全球主导地位在1999年和2001年受到了严峻挑战。

一是货币层面，欧元对美国的最核心利益——美元发起挑战。1999年1月1日起，欧元正式在法国、德国、意大利等国使用，美元的全球主导地位开始受到欧元的影响。

我们知道，美元霸权是美国未来保持全球支配地位的关键，甚至比它处于绝对强势地位的军事力量更为重要。[21]

美国绝不会容忍任何力量对美元的挑战。

美国的对策非常简单：在欧元区家门口狂轰滥炸。

1999年3月24日，以美国为首的北约开始对南联盟进行长达78天的轰炸。美国在欧元区家门口的军事行动，间接打击了欧元，让人们知道，欧元赖以存在的环境具有巨大的不确定性，而这对货币有非常直接的伤害——世界上没有哪个国家的货币在动荡尤其是战争（哪怕是周边的战争）的环境下还能保持强势。

欧元诞生后，未能侵蚀以美元为基础的货币体系[22]，与这场战争以及欧元区自身存在的诸多问题不无关系。

下图为欧元兑美元1998年8月到2001年12月的月K线图。

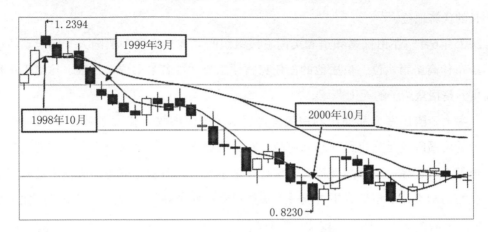

从图中可以看出，从1998年10月科索沃局势急剧恶化，西方开始进行干预起，欧元兑美元就开始步入下跌轨道。1999年3月科索沃战争打响后，加速了欧元的下跌，一直到2000年10月欧元才慢慢企稳。

二是"9·11"恐怖袭击事件给美国安全体系带来的重创。

人们相信美元的价值，是因为相信美元所依赖的基础——美国强大的军事、金融、经济实力和美国无懈可击、牢不可破的安全体系。

但是，这一基础在2001年受到冲击。

2001年9月11日，恐怖分子劫持美国四架民航客机，其中两架撞塌了纽约世贸中心"双子大厦"，一架撞毁华盛顿五角大楼的一角，另一架坠毁。这一系列袭击导致3000多人死亡，给美国人留下巨大的伤痛。

"9·11"恐怖袭击事件宣告了美国本土不受攻击神话的破灭。美国本土天然的地缘优势使得一战和二战的战火没能蔓延到北美大陆，即使在二战期间，美国受到的唯一次军事攻击也是在远离北美大陆的夏威夷珍珠港。[23]

一个连本土安全都不能保障的国家，还谈什么全球主导地位？不仅美元的霸主地位将因此而动摇，甚至连国民内心的恐惧感都会变成挥之不去的噩梦！

对于刚刚就职不足一年的小布什而言，这是史无前例的挑战。小布什必须尽快找到对美国发动恐怖袭击的敌人，并迅速予以毁灭性打击，把国民从痛苦的创伤中唤回，重新回到自信的状态。同时，重建美国在全球的绝对主导地位，让美元的霸主地位更加稳固。

行动必须迅速再迅速！

2001年9月14日，小布什发表演讲："我们的历史责任非常明确，就是对这些袭击予以还击，将邪恶从这个世界上根除……"

2001年9月20日，小布什宣布：美国将开展一场对付恐怖主义的全面战争，并建立以美国为领导的全球反恐联盟。2001年10月7日，美国开始对阿富汗实施军事打击。11月13日，美国支持下的北方联盟部队[24]占领喀布尔市，标志着塔利班政权的瓦解。

阿富汗战争的胜利，给美国人巨大的鼓舞，力量驱散了恐惧。信心的重建无论对个人还是一个国家都具有极其重要的意义。

2001年第四季度，美国经济实际增长速度令人吃惊地达到了2.7%，并且各种经济指标在12月份都显示出经济增长非常强劲。到2002年第三季度，美国的经济增速已达3%。[25]

阿富汗战争后，全球油价一路攀升，大大提升了全球对美元的需求。同时，中国经济自2003年开始向虚拟经济的转型，带动了对大宗商品的需求，大宗商品价格一路暴涨，同样增加了对美元的需求，提升了美元的地位，巩固了美元的基础。

很显然，无论是从小布什内阁成员所代表的石油商、军火商的利益来看，还是从美国的国家利益来看，都有发动阿富汗战争、伊拉克战争的充足理由。同时，战争也从这两个方面满足了其利益最大化的诉求。

下图为2001年8月23日到2002年1月30日的美元指数日K线图，小布什的反恐战争让美元重回强势地位，2002年1月28日达到120.51的高点。

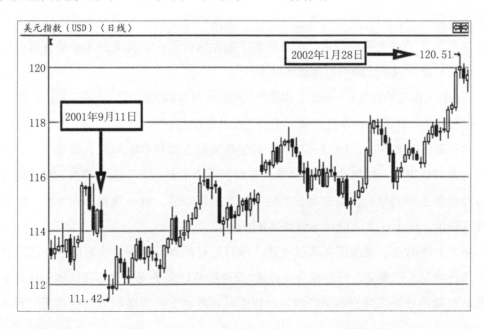

对比苏联在阿富汗的战局，我们更能理解美国这场战争胜利的意义。

1979年12月末，苏联入侵阿富汗的战争持续长达10年。苏军参战军人先后达到62万人，其中近1.5万名官兵阵亡，受伤人数为5.38万人（其中不少人成为残废）。阿富汗战争还引发苏联严重的制度危机：1991年12月，苏联解体；1992年，作为苏联帝国的延伸物，亲苏的阿富汗纳吉布拉政权也迅速倒台。[26]

苏联少将利亚霍夫斯基总结道："在向进攻目标推进和进攻的过程中，连和排一级的指挥失灵，不能充分利用炮兵和空中打击成果，不善于巩固阵地、组织防御，以及脱离战争和撤离……电子战、通信和侦察机构技术装备严重落后的问题凸显。"[27]

如果说2001年美国发动的阿富汗战争的最大胜利是重建了国民的信心，那么随即发动的伊拉克战争则进一步打击了欧元，重新恢复了美元强势地位的基础——对伊拉克发动战争的多国部队组成中（美国、英国、澳大利亚、丹麦、波兰等）没有一个是已经加入欧元区的国家，欧元区国家对美国的战略意图显然是心知肚明的。[28]

我们知道，美元强势地位的确立与石油是紧密相连的。

美国和沙特经由外交手段在1972~1974年间达成了一系列协议，将石油销售与美元挂钩，这就是所谓的"石油美元体系"。从经济层面，协议规定欧佩克（石油输出国组织，OPEC）的石油销售只能用美元计价。这样一来，布雷顿森林体系中的所有工业发达国家从欧佩克或规模较小的石油生产商购买石油，只能以美元进行。由此，美元成了必备的储备货币，美元的需求被人为地提高。

石油美元体系的建立为美国提供了双重好处：一方面，美国可以制定国际石油贸易的条件；另一方面，美元的价值上升，不受国内货币政策和经济政策的束缚。石油美元体系制造了对美元的需求，需求决定了美元的价值，因此美国不必放弃其他商品和服务，只需印制美元购买石油就可以了。[29]

从沙特人因石油致富那一刻起，渴望与他们分享财富的美国人的愿望得以实现了。[30]

在石油美元体系下，油价上涨，美国也能从中受益。

国外有研究者认为，1973~1974年石油危机的主谋并非欧佩克，而是以英美为代表的金融利益集团。如果油价上涨4倍，有利于阻止美元不断下跌的势头，稳定美元在国际金融体系中的地位，而这场危机的主谋就是基辛格。这一观点得到沙特石油部长的高度评价，认为这才是1974年油价飙升的真相。[31]

除了上述两点，美国还有其他收益。1973年石油禁运期间，当时的沙特国王法伊沙尔率沙特加入欧佩克，并将油价从每桶3美元涨至11多美元。"石油武器"使几十亿美元从石油消费国流向石油生产国，沙特变得异常富有，而美国人则在这笔"石油美元"中发现了可以弥补美国财政赤字的方法。美国人感兴趣的是如何使这笔钱重新流入美国，当然，方法很简单：让沙特人购买美国国债。

事情的发展也确实如此。石油生产国流入西方国家银行中的巨资并非是实力的保证，而是脆弱的象征。一旦突发重大国际危机，这些财产将立刻被冻结。另外，沙特王国是一个食利国家，其财富（超过1500亿美元的收入）来得非常容易。美国方面不断迫使沙特购买军用设备、波音飞机或由业界巨头柏克德（Bechtel）公司承建基础设施工程。而沙特要求美方给付至少5%的回扣，通常这些佣金会支付给沙特王国的8000位亲王。[32]

像沙特这样的国家把石油美元投向美国的股票和债券，为美国的经常账户和收支平衡提供了融资，包括资助美国的军事行动。[33]

因此，美国要确保美元的全球主导地位，就需要进一步加大对中东的影响力——无论是从美国的国家利益，还是从小布什家族及其内阁成员所代表的集团利益来看，都是如此。

我们已经知道，在石油美元体系之下，油价上涨导致的最直接结果就是对美元的需求上升，这有利于巩固美元的霸权地位。

事实上，早在"9·11"恐怖袭击事件刚刚发生后，小布什政府就迫不及待地要把中东产油大国伊拉克作为军事打击目标。这样做既可以威慑盘踞在中东的恐怖组织，又可以加强对石油的控制，强化石油美元的基础。

英国前驻美大使克里斯多弗·梅耶尔曾透露，小布什于2001年9月20日（"9·11"恐怖袭击事件发生后的第9天）在白宫与布莱尔等人的一次晚宴上表示，他将发动对伊拉克的战争。梅耶尔也参加了这次宴会。梅耶尔称，小布什已被指将"9·11"事件作为发动对伊战争的借口。[34]

事实上，美国把伊拉克作为军事打击目标是早已决定了的。

美国原中央司令部副司令迈克·德龙中将在其著作中，回忆了"9·11"事件发生后召开的紧急会议的情景：

……与会的有总统小布什、副总统迪克·切尼、国务卿科林·鲍威尔、国防部长唐纳德·拉姆斯菲尔德、中央情报局局长乔治·特纳特、国家安全顾问肯多莉莎·赖斯以及整个国家安全委员会的其他人员。总统希望简要地了解一下是谁发动了恐怖袭击、我们都采取了哪些措施以及（我方）可以采取哪些行动。

"我认为这毫无疑问是基地组织干的。"特纳特说。他特别提到了最近截获的基地组织成员谈话的通信记录……

拉姆斯菲尔德突然插了一句："这次需要采取军事行动。既然是一次军事行动，就必须由军方来负责，而不是中情局。我甚至还不能断定选择从阿富汗开战是否正确。如果和伊拉克也有关系呢？"

"你这是什么意思？"鲍威尔说，"我们要对付的是基地组织。如果和伊拉克有关，我们知道他们肯定也参与了，但如果那么说的话，他们就也成了我们的一部分作战对象。我们现在能确定的是，这是基地组织干的——而他们在阿富汗。"[35]

拉姆斯菲尔德会后不久便给我们打来电话，参谋长联席会议主席休·谢尔顿也同时在线。

"伊朗呢？"拉姆斯菲尔德问道。

弗兰克斯答道："我需要收集我们手头所有的、尽可能多的情报，不管是谁，只要我们认为它可能参与了此事，不管是阿富汗、伊拉克、伊朗还是其他什么国家，我都要查个清楚。认定了基地组织不等于说他们没有和其他某个国家勾结起来。在我们查清事实之前，我不想排除任何可能性。"[36]

拉姆斯菲尔德非常明显地倾向于把伊拉克、伊朗和阿富汗统统列入军事打击目标。2003年3月20日，以英美军队为主的联合部队发动了对伊拉克的军事打击行动。

美国的全球主导地位、石油美元体系和美元的霸主地位，都重新得到了巩固。小布什政府之于美国的重要贡献也在这里。

消除了后顾之忧的美国，开始在经济上下一盘更大的棋，这给美国带来了不计其数的利益（见本书第4章）。

第三节
中美对接

2001年的阿富汗战争和2003年的伊拉克战争，重新确立了美国的全球主导地位，石油美元体系得到了强化——这一点对于石油色彩浓郁的小布什内阁而言意义重大。

诚如前面所总结的：美国可以印美元换石油和其他商品，而不用担心美元的地位被欧元取代；美国可以制定国际石油贸易的条件；石油美元体系制造了对美元的需求，油价越高，对美元的需求越多！

铁矿石、铜等大宗商品也一样，因为国际大宗商品基本上都是以美元计价的。

对于小布什内阁而言，不仅美国的国家利益同其内阁的私利完美地结合在了一起，而且其国家大战略与中国的政策转换也完美对接在了一起。正因为借助了中国这一新生力量，美国重新从"9·11"的阴影中走到阳光下。

伊拉克战争开打的同时，也开启了石油长达5年多的大牛市。而2003年恰好是中国投资拉动经济进一步扩大的时间点，两大周期融合在了一起。这正是2003年以后，国际大宗商品价格汹涌上涨的根源。

而且，为了推波助澜，为了更好地与中国向以房地产为核心的虚拟经济转型同步，美国通过提供充足的流动性，推升大宗商品价格，制造大泡沫，转移中国人辛辛苦苦创造的财富。同时，美国也强化了对自身虚拟经济前所未有的支持。

从2001年起，格林斯潘领衔的美联储连续降息，使利率降至超低水平。低利率刺激了抵押贷款和过度消费，造成了美国股市的繁荣和房地产泡沫的膨胀。[37] 这不仅让美国人有能力应对通货膨胀，而且还有充足的资本消费来自全球物美价廉的商品。

格林斯潘说话时总是喜欢使用谨慎、空洞而且模棱两可的句子，就像是一位极其聪明的语言杂技演员。[38] 但格林斯潘推出的货币政策所带来的后果，慢慢就被人看懂了。

超低利率延续到2004年6月，一些负面影响开始显现出来。外国投资者在他们的投资组合中进一步增加美元资产比例的意愿降低，甚至不能完全排除外国投资者的态度突然逆转，导致美元汇率有快速下跌的风险，美元崩溃的可能性很容易被夸大。[39]

于是，从2004年6月开始，美联储又开始了加息，但加息进程犹如蜗牛爬一样缓慢，实际上使超低利率继续维持，直到后期才加速。不少研究者认为，正是格林斯潘的超低利率，成为引发次贷危机的巨大隐患。如果从美国国家利益的角度来看，这其实毫不奇怪。

下图为美国新建房屋数量。

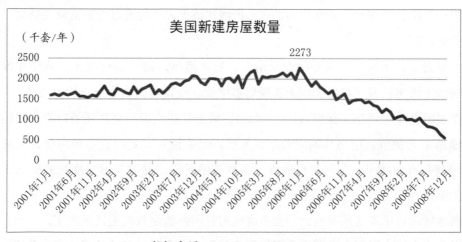

数据来源：U.S.Census Bureau。

美联储极度宽松的货币政策推动了美国新建房屋的增长，这种增长一直持续到了2006年，并在当年的1月达到高点，而后才慢慢下降。

下图为标准普尔公司发布的标普/凯斯-希勒（S&P/CS）20城市房价指数。[40]

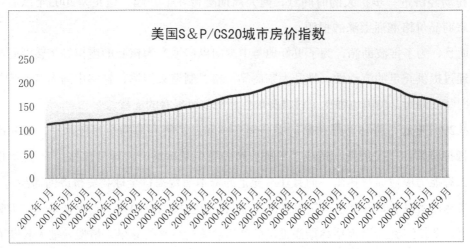

数据来源：Standard & Poor's Index Committee。

从上图可以看出，2001年以后，美国房价持续上涨，直到2006年7月见顶。面对房地产市场的空前繁荣，研究房地产周期的耶鲁大学教授罗伯特·希勒（Robert Shiller）认为，人类历史上最宏大的不动产泡沫已经形成。[41]

比房地产泡沫更大的是次级债泡沫。

华尔街以住房为基础，构筑起包括次级债券在内的庞大的衍生品体系，吸引全球的资金涌入美国，进入到这个巨大的骗局当中。但格林斯潘对次贷领域中的掠夺性行为根本就视若无睹。[42] 最终，意料之内的房地产泡沫破灭，不计其数的财富灰飞烟灭。

重回主题。

不难看出，美国的政策路线非常清晰：制造泡沫，而又通过给民众减税并推动股市、房价上涨等途径，帮助美国人实现财富增长，使得美国成为泡沫的受益者。

美国国会议员罗恩·保罗（Ron Paul）博士曾经当面与格林斯潘辩论，他抱怨美国的储蓄率为负值。但格林斯潘却不以为然，回答说："是的，不过房价在上涨，这样人们就会有储蓄了。"保罗反驳说，格林斯潘混淆了储蓄与通货膨胀的概念，尽管名义上房价在涨，但它并非储蓄，房价也有跌的时候。[43]

格林斯潘近乎荒唐的回答，却把美联储的意图淋漓尽致地表述出来了。

因此，在这个时期，美国完全不用担心油价上涨会导致石油的消费需求下降。

　　而当奥巴马在2009年1月从小布什手中接过权力魔棒的时候，中国刚刚推出的4万亿救市计划，再次为美国走出次贷危机阴影提供了一个天然的契机。美国再次借助中国的力量，找回昔日的辉煌。

　　笔者此前曾撰文预言，从2011年9月开始，美国房价步入上涨轨道。

　　因为，当加拿大和澳大利亚等国纷纷提高移民门槛的时候，美国却延续降低门槛的政策。2009年10月29日，奥巴马签署通过"EB-5经济特区项目延长3年"议案，吸引投资移民。这不仅为美国带去了大量投资资金，创造出了更多的就业机会，更重要的是，美国是一个消费拉动经济发展型国家，有消费实力的富人大量移民美国，将重启美国消费时代的辉煌，让美国从危机的阴霾中走出来，重新成为引领世界经济发展的火车头。至于美国的房地产，也将慢慢走向良性复苏。[44]

　　值得一提的是，美国房价的上涨，也与中国富人移民美国后习惯性的炒房行为有关。也难怪北美媒体不断爆炒中国人炒房推高其房价的新闻了。

　　2003～2011年，中国与美国一直在一种紧密的联系中前行，而这种紧密联系是通过恐怖平衡来完成的。

　　中国和美国之间的恐怖平衡是这样形成的：

　　中国产能过剩，需要依托海外市场销售产品，低价卖给美国。而美国的制造业向外转移，本国经济主要靠消费拉动，需要廉价的商品来满足国内市场的需求，同时压低自己的通货膨胀。

　　于是，美国印美元购买中国的产品。美国得到了产品，而中国得到了美元。

　　但同时，美国赤字严重，需要发行国债来填补财政缺口。

　　于是，中国把卖产品得到的美元，又换成了美国的国债。美国得到了发展所需的资金，或者说，美国发的货币又通过发债回到了美国手里。而中国把产品和卖产品的钱都重新交给了美国，得到的是迅速飙升的美元储备。中国以此维持人民币与美元汇率的稳定，以及出口市场的稳定。

　　但中国也需要引进外资，促进中国经济的发展。

　　于是，中国各地政府出台非常优惠的政策，招商引资，吸引外资企业来中国。外资享受比内资高得多的优惠政策，当然也得到了更高的回报。外资企业生产的产品出口到美国，产生顺差，这笔账也算到中国头上，导致中国不得不再买美国的国债来平息美方的愤怒。

　　现在，我们具体看看这个恐怖平衡的形成原因、背景和过程。我们把这些了解清楚，未来的趋势脉络也将慢慢变得有迹可循。

我们知道，20世纪70年代，德国的社会市场体系帮助战后的德国创造了经济奇迹，而80年代属于日本——日本的经济增长速度让世界羡慕。到了90年代，美国创造了一种以"新经济计划"为基础的新型经济。发达国家迅速从非熟练的蓝领劳动力密集型产业转向服务业，在制造业以及经济生活其他方面都主要依靠有技术的劳动力。

在传统的制造业方面，发达国家的一些优势渐渐消失。正如同罗斯·佩罗特和帕特里克·布坎南提出的观点：一个美国工人每小时赚20美元以上，怎么可能与几十亿每小时工资低于0.2美元的中国人、印度人和孟加拉国人竞争！

由此，必然促进美国制造业的转移：生产和资本从传统的工业国和地区（美国、西欧和日本）流向亚太、拉美以及迅速发展工业化的相关国家。那么，美国需要的商品从哪里来？主要靠进口。美国进口商品额在1970年只占本国全部产品的5%，到1995年仅仅增加到13%而已。[45] 但随着制造业从美国本土向外转移，美国进口商品额所占比例也开始上升。

中国对美国出口的商品大部分是物美价廉的日用消费品，这帮助美国缓解了通货膨胀的压力，并有利于促进美国产业结构调整和经济发展。据摩根士丹利统计，1996~2003年，中国对美国贸易顺差2291.8亿美元，而这些物美价廉的商品让美国消费者节省了6000多亿美元，并使美国制造商降低成本，帮助美国控制通货膨胀。[46]

下图为2000~2012年美国CPI走势。

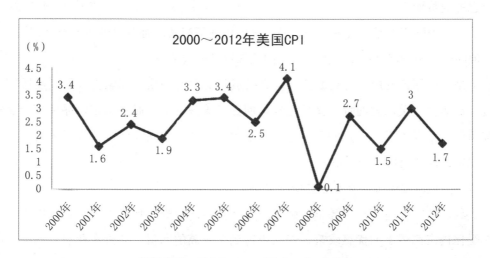

数据来源：U.S.Bureau of Labor Statistics。

从图中不难看出，美国CPI相对是比较低的，考虑到2001年起美国货币发行量的加大和美元贬值的因素，美国的CPI能保持这个状态已经非常难得。如果与发展中国家相比更是难得。根据IMF统计，1995～2002年，发展中国家的通货膨胀率年均为12.8%。[47] 美国物价的稳定与中国向其出口的低廉商品有直接关系。

虽然中国对美国有很大的贸易顺差，但大部分利润却被美国企业获得。

苹果公司开发的iPad，每台售价是299美元。苹果公司没有生产线，在中国组装，美国获得的专利设计营销收入是163美元，中国企业一共拿4美元，其中加工费用是3美元，约占每台售价的1%。但是，根据原产地规则，中国向美国出口一台iPad，中国的贸易顺差就增加150美元。[48]

值得说明的是，中国获得的利润也不完全属于中国，因为中国企业大部分属于再加工类型，中国已经成为亚洲出口国的一个过渡性的组装"中心"或"渠道"，中国与美国、欧盟的经常账户盈余也反映了与亚洲其他经济体的间接盈余。换句话说，美国与中国的贸易赤字，事实上也是美国与东亚的贸易赤字。[49]

而且，中国一直在高价使用美国等发达国家的技术、知识产权，这部分成本在整个产品定价中所占比例相当高。算上这一部分，中国的实际贸易顺差就更小了。

那么，美国人靠什么来购买商品呢？也就是说，他们的盈利渠道在哪里呢？美国又靠什么来发展呢？

2000年小布什竞选总统成功之时，正是美国经济发展降速之时：股市下挫、国际投资不振、失业率居高不下、贸易赤字高企。小布什政府实施了减税政策，美联储实施了连续降息政策，试图以财政和货币政策的双扩张来推动经济的恢复和增长。在技术创新和政府政策的双重作用下，美国经济从2003年第二季度开始呈现出强劲的复苏势头。

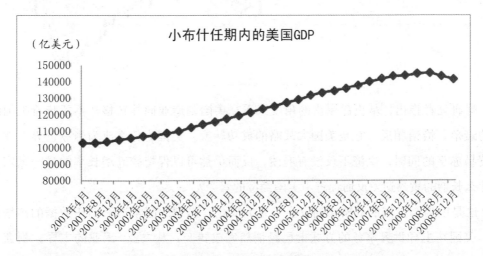

数据来源：United States Department of Commerce。

美国劳动生产率也处于高增长水平。2001～2006年，美国劳动生产率年均增长
3.1%，远高于1995～2000年年均增速2.5%，而劳动生产率高增长有利于抑制通货膨
胀，提高国际竞争力和家庭生活水平。

经济开放对美国经济的贡献也非常大，国际贸易和投资的不断开放给经济带来了
巨大的好处。近年来，贸易和投资自由化每年为美国经济带来1.5万亿美元的回报，
占其GDP的11.3%。贸易自由化对经济的贡献率年均达7500亿美元，使人均收入增加
2500美元。外商直接投资（FDI）对美国经济的增长也起了重要作用。据统计，美国对
外投资每增加1美元，可促进美国国内投资增长3.5美元。

而且，小布什政府在确保美元的地位得到巩固后，促使美元贬值，以增加出口部
门的就业，为经济的进一步增长创造了条件。[50]

下图为2001年1月到2009年1月美元指数月K线图，美元指数从最高点121.02
（2001年7月）下跌到最低点70.68（2008年3月）。

有研究者指出，从更深层次的角度来看，美国制造业向外转移并不意味着美国经
济的衰落；恰恰相反，它是美国大战略的成功转换。美国为什么成为当今世界上在长
期贸易赤字的同时，经济不仅没有崩溃，反而仍然可以保持较高增长率的唯一国家？
为什么长期的贸易逆差反而促进了美国经济的繁荣？

这是因为，美国的战略布局发生了重大变化。当别的国家追求GDP数据的高增长
时，美国在主导世界事务的方式上已经悄然完成转变：从农业＋工业的主导，到商业
主导，再到现在的金融主导。这样，一个国家支配其他国家经济生活的主要力量就表

现在金融而不是工业生产领域，也不是在进出口贸易的数量或比例方面。这种权力优势，不仅可以实现经济、政治和军事力量之间的相互转换，甚至还可以长时期打破经济规律，以提供世界上最大的单一市场代替提供更多的产品，以金融工具代替传统经济掠夺的职能，维持强权的延续。[51]

一些人认为，制造业的向外迁移导致了美国产业的空心化，使美国经济基础变得更加脆弱。这种观点是没有认清美国经济角色已经发生重大转换这一本质，而是沿着传统的观点静态地看待已经发生巨变的美国。

以外包企业为例。所谓"外包"就是人力资源比较缺乏的地区，把非核心的加工部分外包给人力资源比较富余的地区。美国苹果公司就是一个典型的例子，它只有自己的领导、管理、研发团队，没有自己独立的生产线，靠供应商来解决。苹果公司公布的2012年的供应商就多达156家，涵盖材料、生产、代工等领域。但苹果公司却获取了极其丰厚的利润。比如，苹果2012财年（截至9月30日）创造了超过410亿美元的净收益和500亿美元的运营现金流。[52]

相比之下，2012年1～9月，我国大中型钢铁企业累计实现销售收入同比下降6.49%。亏损企业亏损额为267.26亿元，同比增长41.5倍，亏损面达45%。中国直接从事钢铁生产的就业人数超过350万，却还不如一个苹果公司创造的利润多。[53]

这种情况一直到2014年都没有根本性改变。2014年第一季度，国内钢铁业整体亏损23亿元，其中钢铁主业亏损41亿元。业内人士表示，整体亏损意味着钢铁业进入真正的严冬，未来将有一批钢厂陆续退出这个行业。[54]

这就是差距。企业产品不在于它在本国生产还是外包到国外生产，关键在于谁掌握着核心技术和品牌，谁得到利润的大头！

苹果公司之所以能够在较长的时期内持续获得超额利润，关键在于：它推出的产品通过在技术、性能和时尚方面的领先，保持一定的垄断能力，获得高于平均利润的超额利润。等其他生产者竞相推出类似产品或者模仿推出自己的产品时，苹果新一代的产品又被推出，被模仿的苹果产品被更优秀的苹果产品替代，因此，苹果始终可以保持获得超额利润。[55]

很显然，美国企业的外包行为导致的所谓"空心化现象"，并非美国走向衰弱的表现，反而恰恰是它由于创新的加快变得更加强大的表现，因为只有掌握着核心技术和品牌的企业才能够轻视生产环节的微薄利润，而获取更加丰厚的利润。而且，这种外包等于把环境污染、生产事故、劳资纠纷等风险全部转嫁了出去，却坐收暴利，美国企业何乐而不为呢？

　　最令人悲哀的是，我国制造业在刚刚起步的时候，在污染着我们的环境、耗费着我们的资源，并且依靠压低工人工资来保持竞争优势，过早地满足自己制造环节的利润，而不愿意在研发上做更大的投入，因为大投入做研发有失败的风险；而房地产热引发的资源畸形流动，又起了釜底抽薪的作用，让中国制造业实现腾飞的梦想仅仅停留在梦想本身的层面。

　　明白了这些，我们就可以很清晰地把中国和美国恐怖平衡的建立过程弄清楚了。由于这个恐怖平衡与中美两国的趋势息息相关，对它的建立过程和未来分离后的巨大影响，我们都要进行详细的分析。

注　释

[1]1933年以前，美国总统就职的日期是3月4日，1933年通过的美国宪法修正案将美国总统的就职日期由3月4日改成了1月20日。

[2]William Engdahl.A Century of War：Anglo-American Oil Politics and the New World Order[M].London：Pluto press，2004.

[3]中国驻美国使馆.从美国原油生产和储备变动看小布什油价策略[OL].中国外交部，http://www.fmprc.gov.cn/zl/wzzt/ywzt/2007/jjywj/t169212.html，2004-10-26.

[4]即Judicial Watch，是美国一家民间监督机构，是专门监督美国政府贪污腐败现象的保守派团体。

[5]艾里克·罗朗.布什家族的战争[M].北京：世界知识出版社，2003.

[6]马韬.凯雷并购徐工波澜再起[N].南方周末，2006-06-30.

[7]银华基金.凯雷：总统俱乐部[N].上海证券报，2010-05-17.

[8]阮宗泽.美国亚太"再平衡"：军工复合体及构建美国太平洋世纪[M]//黄平，倪峰.美国问题研究报告（2013）：构建中美新型大国关系.北京：社会科学文献出版社，2013.

[9]Jones.The American Presidency：A Very Short Introduction[M].Oxford university press，2007.

[10]Alan Axelrod.The Complete Idiot's Guide to the American Presidency[M].Penguin Group US，2009.

[11]John Nichols.Dick：The Man who is President[M].New Press，2004.

[12]Vassilis K.Fouskas，Bulent Gokay.The Fall of the US Empire：Global Fault-Lines and the Shifting Imperial Order[M].Pluto Press，2012.

[13]钱立伟.美国副总统切尼的内外政策主张与中国观[OL].新华网，http://news.xinhuanet.com/taiwan/2004-04/13/content_1416066.htm，2004-04-13.

[14]新华社.切尼早就垂涎伊拉克石油[N].南方都市报，2003-07-20.

[15]William Engdahl.A Century of War：Anglo-American Oil Politics and the New World Order[M].London：Pluto press，2004.

[16]哈利伯顿公司还有3大丑闻[N].新闻晨报，2004-06-21.

[17]张焱宇."民心思变"，美国人不喜欢布什了[N].环球时报，2008-10-15.

[18]Reagan Voted "Greatest American"：Former U.S.President Ronald Reagan Has Been Voted the "Greatest American" of all Time by His Fellow Citizens[OL].BBC News，http://news.bbc.co.uk/1/hi/world/

americas/4631421.stm, 2005-06-28.

[19]Vassilis K.Fouskas, Bulent Gokay.The Fall of the US Empire：Global Fault-Lines and the Shifting Imperial Order[M].Pluto Press, 2012.

[20]倪世雄，刘永涛.美国问题研究（第六辑）[M].北京：时事出版社，2007.

[21]Vassilis K. Fouskas,Bulent Gokay.The Fall of the US Empire：Global Fault-Lines and the Shifting Imperial Order Paperback[M].Pluto Press,2012.

[22]Ronald I.McKinnon.The Unloved Dollar Standard：From Bretton Woods to the Rise of China[M].Oxford University Press, 2012.

[23]樊吉社.美国的反恐怖战争与当前国际形势[OL].中国社会科学院美国研究所，http://ias.cass.cn/show/show_project_ls.asp? id=269, 2001-11-15.

[24]即拯救阿富汗全国统一伊斯兰阵线，是一个由阿富汗伊斯兰国建立的军事政治联盟组织。它在美国的支持下，将阿富汗很多互相敌对的军事派别联合了起来，共同抵抗塔利班政权。

[25]Laurence H.Meyer.A Term at the Fed[M].HarperCollins e-books, 2009.

[26]邢媛媛.苏联入侵阿富汗：帝国的最后一场战争[J].南风窗，2011-05-11.

[27]A.利亚霍夫斯基.阿富汗战争的悲剧[M].北京：社会科学文献出版社，2004.

[28]时寒冰.时寒冰说：欧债真相警示中国[M].北京：机械工业出版社，2012.

[29]比伦特·格卡伊，达雷尔·惠特曼.战后国际金融体系演变三个阶段和全球经济危机[J].国外理论动态，2011（1）。原文：Bulent Gokay，Darrell Whitman.Mapping the Faultlines：A Historical Perspective on the 2008-2009 World Economic Crisis[J].Marxist Theory& Practice，(12).2009.1.

[30]Robert G.Kaiser, David Ottaway.Oil For Security Fueled Close Ties[N].The Washington Post, 2002-02-11.

[31]刘悦.大国能源决策[M].北京：社会科学文献出版社，2013；威廉·恩道尔.石油战争：石油政治决定世界新秩序[M].北京：知识产权出版社，2008.

[32]艾里克·罗朗.布什家族的战争[M].北京：世界知识出版社，2003.

[33]Vassilis K.Fouskas, Bulent Gokay.The Fall of the US Empire：Global Fault-Lines and the Shifting Imperial Order[M].Pluto Press, 2012.

[34]"9·11"后第9天：布什明确告知布莱尔要发动伊战[OL].中新网，http://www.chinanews.com/n/2004-04-05/26/421687.html, 2004-04-05.

[35]鲍威尔起初反对打击伊拉克，但从2003年1月末开始，鲍威尔在对伊战争问题上来了个180°大转弯，突然强硬起来。在当年2月5日的安理会会议上，鲍威尔向联合国安理会呈交了有关证据，证明伊拉克拥有大规模杀伤性武器，希望得到更多国家支持其对伊拉克采取军事行动。鲍威尔的这一惊人变化，国际上公认的观点是因为他看到小布什总统已下定了决心，要采取军事行动解除萨达姆的大规模杀伤性武器。

[36]迈克·德龙.我在指挥中央司令部：阿富汗和伊拉克战争真相[M].北京：东方出版社，2006.

[37]William Fleckenstein, Frederick Sheehan.Greenspan's Bubbles：The Age of Ignorance at the Federal Reserve[M].McGraw-Hill, 2008.

[38]马克斯·奥特.崩溃已经来临[M].天津：天津教育出版社，2009.

[39]Alan Greenspan.The Age of Turbulence：Adventures in a New World[M].Penguin, 2008.

[40]标普/凯斯-希勒房价指数（S&P/CS）是由标准普尔公司编制的、反映美国住房价格的指数，是若干个大城市房价在报告期内的数值与上期初数值的比率。它包括一个全美房屋价格指数（national home price index）、一个20城综合指数（20-city composite index）、一个10城综合指数（10-city composite index），以及20个单独的都会房价指数（metro area indices）。该指数的编制基于独户住宅的重复销售数据。其方法由经济学家卡尔·凯斯、罗伯特·希勒和艾伦·韦斯在20世纪80年代共同发展完成。

[41]Charles R.Morris.The Trillion Dollar Meltdown：Easy Money, High Rollers, and the Great Credit

Crash[M].PublicAffairs，2008.

[42]Charles R.Morris.The Trillion Dollar Meltdown：Easy Money，High Rollers，and the Great Credit Crash[M].PublicAffairs，2008.

[43]Addison Wiggin，Kate Incontrera，David Walker.I.O.U.S.A.：One Nation.Under Stress.In Debt[M].Wiley，2008.

[44]时寒冰.时寒冰说：经济大棋局，我们怎么办[M].上海：上海财经大学出版社，2011.

[45]Robert Gilpin.Global Political Economy：Understanding the International Economic Order[M].Princeton University Press，2001.

[46]Posts Tagged International Trade Theory：Must Re-establish International Trade Theory and Trade Evaluation System[OL].China Manufacturer Factory Blog，http://chinamanufacturerfactory.wordpress.com/tag/international-trade-theory/，2011-3-25.

[47]IMF：World Economic Outlook 2005[R].Table44.Summary of World Medium — Term Baseline Scenario

[48]李长久.中美贸易：苦涩的顺差[N].经济参考报，2010-11-25.

[49]Stockholm International Peace Research Institute.SIPRI Yearbook 2012：Armaments，Disarmament and International Security[M].Oxford University Press，2012.

[50]张毓诗.世纪之初的国际关系[M].时事出版社，2007.

[51]倪世雄，刘永涛.美国问题研究（第六辑）[M].北京：时事出版社，2007.

[52]苹果2012财年净利润增61％，营收增45％[OL].凤凰科技，http://tech.ifeng.com/it/detail_2012_10/26/18578806_0.shtml？_from_ralated，2012-10-26.

[53]张辛欣，王敏.钢铁行业亏损加剧，亏损企业亏损额增长41.5倍[N].人民日报，2012-11-15.

[54]何欣荣.一季度钢铁业亏损23亿元[N].人民日报，2014-04-21.

[55]吴珊.苹果公司盈利分析及经验借鉴[J].营销策略，2012（2）.

第4章

中美恐怖平衡：2003～2011

第一节
举债和购债的恐怖平衡

2004年，时任哈佛大学校长的萨默斯（Lawrence Summers）提出了"金融恐怖平衡"的概念。一方面，美国巨额的资本输出和双赤字成就了美国作为世界最大市场的地位；另一方面，庞大的商品出口使新兴国家的外汇储备急剧增大。在美元主导的国际货币体系下，这些外汇储备又被迫流回美国回购美元资产，弥补了美国财政与经常项目赤字，支持着美国经济的持续稳定发展。在这种格局下，美国和中国等新兴国家相互需要、相互牵连和相互制约，称为"金融恐怖平衡"。[1]

美国是一个消费占主体的国家，必须有强大的消费需求，才有稳健的经济增长。要想保持较高的消费水平，就必须走民富路线。道理非常简单，民众手里有钱才能消费！那么，如何让老百姓手里有钱？有趣的是，美国政府试图解决钱的问题时，也恰是中美恐怖平衡建立之时。

小布什民富路线的第一步就是减税。

我们知道，给企业减税，把更多的利润留给企业，企业就有更多的资金做研发，有更多的资金提高职工的待遇，有更多的资产扩大投资，提供更多的就业机会，创造更多的财富。而对个人减税，把更多的利润留给个人，民众就更有能力去消费。

因此，小布什就职之后就立即大规模地减税。

美国的减税规模是非常庞大而且慷慨的。

2001年1月，刚刚就职的小布什总统马上力主大力减税。2003年8月到2006年初，减税共创造了520万个就业机会。减税法案刺激了经济的增长，使得纳税人的口袋里在过去5年间至少多了8800亿美元。

2006年5月17日，小布什再次签署新减税法案，决定此后5年内减税700亿美元。2008年1月18日，小布什要求实施金额达1450亿美元的减税方案，以刺激经济增长，避免发生经济衰退。2008年10月4日，小布什签署了7000亿美元的经过修改的新版金融救助计划，新法案加进了为期10年、总规模1520亿美元的个人和企业一系列减税计划。[2]

小布什的思路非常明确，把财政结余还到纳税人的手中。美国公司的确从减税中得到了很大好处。小布什政府第一个四年任期，公司税后利润从2000年的5527亿美元上升到2004年的8903亿美元，年均增长12.8%；未分配利润（连同库存价值和资本折旧调整）从1748亿美元上升到3765亿美元，年均增长21.3%。[3]

问题是，如果实行规模较大的减税，政府财政赤字必然会在短期内加大，如何弥补这个庞大的资金缺口？

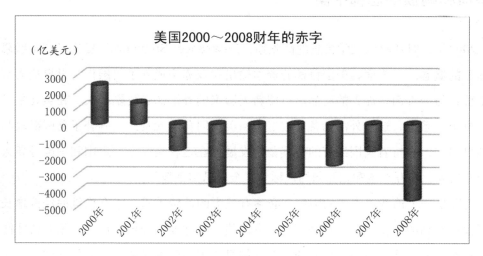

数据来源：U.S.Department of the Treasury。

从图中不难看出，2000财年[4]时，美国政府的财政盈余高达2360多亿美元，小布什接任的当年（2001年）财政盈余大幅缩小，2002年开始变成赤字。

美国有两个解决办法：一个是美联储加大货币发行量，另一个就是向其他国家举债！而中国成为美国举债的最主要目标之一。

举债是发达国家对发展中国家掠夺的有效方式。之所以称其为"有效方式"，是因为发展中国家在经济结构、财富分配等方面存在着缺陷，这种缺陷使得宝贵的资本不是在本国最大限度地发挥作用、创造效益、创造社会价值，而是为发达国家所用。

这就是所谓的经济增长较快而相对贫困的国家（特别是中国）为美国、英国等富裕国家提供融资的奇怪的经济系统。[5] 美国著名经济学家麦金农的表述是："最富裕的国家攫取了较为贫困的国家可能用于经济发展的大部分国际资本。"[6]

这意味着什么？

从本质上讲，资本是资本主义生产的起点和终点，而资本本身的起点则是货币。在资本主义生产方式下，科学技术本身也被纳入资本范畴，尤其是在20世纪中叶，由于资本的推动，人类科学技术的进步使社会生产力的发展成果超过了以往人类发展史上的总和。对于像中国这样的发展中国家而言，制约经济发展最重要的因素就是资本物品的短缺，因此才把引进外国资本，尤其是引进外国直接投资作为经济起飞的重要国策。[7]

美国举债能够如愿以偿的根本原因在于，全球性的储蓄膨胀已经把许多发展中国家从净借款国转变为净贷款国，从而改变了资金的国际流向。[8]

中国一方面以各种远远高于内资企业的优惠政策吸引外资，一方面又把宝贵的资本通过购买美国等国的债券廉价地交给外国政府使用，帮助它们提升技术研发水平、国民福利待遇，也帮助它们创造更多的财富。

这样的好事，美国等国当然是求之不得的。

而且，在现代金融体系内，中国等新兴国家投资美国，导致了美元需求量大幅增加，避免了美元的大幅度贬值。[9]

自小布什政府开始，美国政要一直积极地向中国推销美国国债。

单纯购买美国国债是美国政府最为欢迎的融资模式，同时也是对债权国收益最小的模式。因为购买美国国债所形成的仅仅是债权关系，即对其内部资金运作与收益无干预权力。国际货币基金组织在对主要危机国家提供贷款时曾附加苛刻的政治经济条款，相较之下，中国的做法似乎"过于仁慈"。[10]

尽管流动性和安全性比较好，但与其他投资方式相比，中国购买美国国债的收益率并不高。[11]

除了美国国债，中国还持有机构债、企业债和股权。加上这些数据，中国为美国输入的资金还要多（如88页两图所示）。

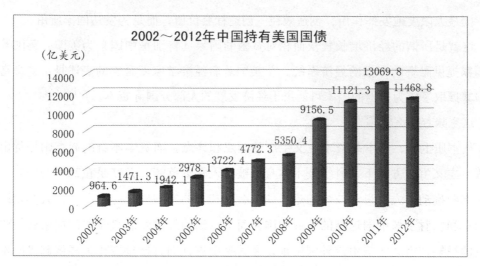

数据来源：U.S.Department of the Treasury，Federal Reserve Board。[12]

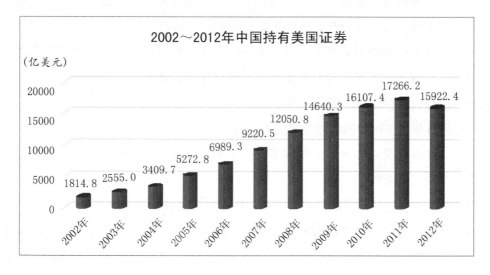

数据来源：U.S.Department of the Treasury，Federal Reserve Board。[13]

但是，这并非全部。

美国传统基金会亚洲研究中心研究员史剑道（Derek Scissors）指出："美国财政部采取的统计方法，是只根据交易发生地来判断购买者的国别。中国看似对美国国债失去兴趣的同时，来自英国和中国香港的交易却在翻番。来自这两地如此大幅度的交易增额，从投资角度而言，说不通。2009年12月份，中国持有美国国债的数额一下增加了1400亿美元，大部分来自英国，原先算在英国名下的部分现在被划归到中国账上了。我认为目前中国香港持有的美国国债中仍有很大一部分来自中国内地，之所以只调整了英国的部分，是因为英国的数据显然比中国香港更方便查证。"[14]

麻省理工学院的经济学教授约翰逊也持同样的观点，他认为中国也可能通过英国这条路线来购买美国债券，美国财政部公布的数据几乎可以肯定是低估了中国持有的政府债券。[15]

显然，很多研究者都认为，如果加上通过其他渠道购买的美国国债，中国持有美债的数额还要大。那么，美国缺钱，中国就一定有必要"借给"美国吗？

从政治的角度来看，是基于维护中美关系的考虑。国际社会学派第一代领军人物马丁·怀特指出，大国之间的关系能否超越势力政治，主要是看大国在多大程度上可以具有共同利益。[16]

而中国和美国在价值观、国家利益等方面，存在着非常大的差异，如何让两者"具有共同利益"？

投其所好便成为选择之一。因此，每当中美在汇率、贸易等方面发生摩擦，中国总会通过到美国大批量采购的方式（比如批量购买波音客机），予以化解。对于美国而言，还有什么比购买其国债更让它兴奋的事情呢？因此，中国购买美国国债有政治上的考虑。同样有这种考虑的还有日本。

从经济的角度来看，又有四个方面的原因。

其一，与中国经济结构畸形、内需不振有直接关系。

包括中国在内的发展中国家，由于消费低迷，过于依赖美国这个大市场，要保持对美国的出口，就要拼命防止自己的货币相对于美元升值。因此，包括中国在内的亚洲国家购进了数亿美元以及美国国债，以支撑美元，并让自己货币的汇率钉住美元。[17]"这些行为附带的补偿是，亚洲国家能够继续以极富竞争力的汇率卖给美国人货物，而美国则可以借越来越多的债为这些货物付款——亚洲各国的中央银行助人为乐地为之埋单。"[18]

中国虽然认识到了向内需拉动型增长模式转变的必要性，但这个过程需要漫长的时间，中国将继续积累大量外汇储备。虽然，原则上看，可以把美元兑换成其他可兑换货币，比如欧元或是瑞士法郎，但是，任何大规模抛售美元的举动，都可能会加速美元贬值，进而导致中国央行持有的美债贬值。[19]这实际上导致中国与美元捆绑在了一起，中国被迫继续投资美债。[20]

好不容易赚的外汇，并没有在中国转化成财富和力量，反而重新回到了美国，在美国人手中发挥更大的财富创造力，给美国人提供了更多的就业机会和增加收入的途径——美国是用钱生钱，把资本的潜能发挥到极致的国家。这等于加大了中国内需不振的畸形状态，这种状态又进一步增加了对美国市场的依赖。奇怪的是，为什么不深入反思，而一直在被绑架的路上兴致勃勃地走着，不知疲倦，不知停息？

其二，与中美贸易的畸形接轨有关。美国可以从中国进口它所需要的商品，而中国则不可以，这使得中美贸易存在着结构上的不平衡和机会上的不平等。

哈佛大学商学研究院教授迈克尔·波特指出：没有哪一个国家能在每个产业中都能保持领先优势，每个国家的人力与资源都存在一定的局限性，理想的状态是把资源应用在最有生产力的领域，让有竞争力的产业在出口中获益。[21]

中国由于科技落后，有竞争力的出口产品多为劳动密集型产品，而美国的优势是高科技产品，但美国恰恰在高科技产品上对中国进行封杀。这就意味着，美国可以利用中国廉价的商品压低其物价水平，为货币政策、财政政策拓展出更大的空间，而中国则无法通过国际贸易从美国得到自己亟须的商品或服务。

在这种情况下，中国大量的贸易顺差沉淀下来，成为外汇储备，其中相当一部分被用于购买美国的国债。这就等于出口的商品和出口商品获取的收益，双双掌控在美国手中。

其三，与中国现行的汇率制度有关。

美国传统基金会亚洲研究中心研究员史剑道认为："中国现行汇率制度决定了外汇储备不能兑换成本币用于国内支出，只能投资海外。正因为如此，投资回报率高低并不重要，打比方说，假如美国国债有20%的回报率，但那又怎么样呢？情况变成了中国有3万亿美元无法在国内使用的资金，然后变成4万亿、5万亿……一直持续下去。只要中国现行的汇率制度不变，这些钱就一直无法在国内使用，谈投资回报率没有任何意义。" [22]

史剑道所言的"中国现行汇率制度"，是指从1994年1月1日起，我国实行的有管理的浮动汇率制度——以结售汇制度取代了外汇留成制度。企业将外汇收入按当日汇率卖给外汇指定银行，获得相应的人民币收入。当企业需要外汇时，只需凭有效凭证和商业单据，即可到外汇指定银行购汇。[23]

说得通俗一点，就是央行通过在国内印钞票把外汇"购买"进来作为储备，这样一来，储备的外汇越大，在国内投放的基础货币量也就越大，货币的乘数效应也就越高。但这一结果对政府显然是有利的。

其四，为了缓解人民币的升值压力。美国研究者在给国会写的研究报告指出：中国央行之所以成为美国债券的主要购买者，主要是为了缓解人民币对美元的升值压力，这促使中国必须去购买美元资产（主要是美国国债）。[24]

除了上述原因，一些学者也提出了另外的理由——尽管这些理由在笔者看来根本站不住脚，但它们的确在一定程度上影响了国家的决策。

比如，有研究者认为："不购买美国国债将面临外汇储备存量的大幅度缩水。美国是中国商品的最大进口国，中国是美国最大的债权国。美国可以维持中国的出口增长，中国可以维持美国的超前消费。我们停止购买或者抛售美国国债，会导致美国国债收益率大增和价格暴跌，从而给中国带来巨大的账面损失。一旦我国减持美国国债，美国就会印刷更多的美元救市，于是美元贬值，将导致我国外汇储备缩水，我国就会进一步减持美国国债，如此下去便陷入了恶性循环。因此，通过购买美国国债的方式来维护美国金融市场的稳定，有助于减少我国外汇储备在金融危机中的损失。"

而且，该研究者进一步认为："增持美国国债有利于提升我国的国际地位……历史表明，全球经济危机或是金融危机之后，全世界都会建立新的国际秩序。这次金融危机后，不论欧洲、中国，还是日本，都没有一个经济体能取代美国的角色。我国增持美国国债，将从旁协助美国救市，有利于中美两国建立起良好的国际关系，提升我国的经济实力和国际地位。"[25]

这种观点是把中国放在美国救世主的位置上来看问题的。其实，中国外汇储备集中在有关部门手中本身就是一个非常大的弊端和风险。如果实行藏汇于民的政策，企业用外汇在国际市场上及时购买中国所需要的资源、技术，上述问题就能从根源上迎刃而解。中国的风险和问题就在于外汇储备过大，然后再通过加大外汇储备来防范外汇储备缩水的风险，其实是在进一步加大风险，让自己更加被动，这样还有尽头吗？

打一个不好听的比方，一个姑娘被歹徒强奸了，姑娘应该通过法律手段将犯罪分子绳之以法，让恶人加倍受到惩罚。而不是因为被强奸而嫁给这个歹徒，把自己一生都葬送在黑暗当中！

2013年10月，耶鲁大学经济学家、摩根士丹利亚洲区前主席兼首席经济学家罗奇（Stephen Roach）说："事实上，中国完全可以让储蓄转而支持本国经济发展，而不是投资到美国，支持美国的经济发展。"[26]

尽管"中国及其稳定的美元汇率是维系以美元为基础的全球货币体系的关键"[27]，但中国更应该实行藏汇于民的政策来化解给自身带来的日渐累积的风险。

外汇拿在国家手里跟藏汇于民是完全不同的。

我们知道，美国一直封堵对中国的高科技等方面的出口，限制得非常严格。美国之所以不遗余力地这样做，原因在于：一方面，压制中国的技术升级，让中国保持着低端、低附加值产品的生产，为美国提供廉价商品，拉低其物价；另一方面，中国庞大的外汇储备的用途受到了严格限制，只能去购买美国国债、机构债、股权等。而中国相关部门一向青睐货币、债券储备而轻视实物储备，投资领域非常狭窄。在这种情况下，即使投资有收益，也只能继续做这种机械的购买。这就成了史剑道所说的"机械运动"。

问题在于，假如外汇在民间手里，企业和居民总有办法将其换成有价值的资产——中国民间的外交智慧是令世界都不敢小觑的。事实上，外国政府对中国的限制，主要是针对中国央企、国企的，民间资本总有办法突破这些阻力，将金钱转化成宝贵的资源或者技术。

第二节
发货币与储备货币的恐怖平衡

对掌握着全球货币主导权的美国而言，再没有比发货币更简单、更便捷的解决资金不足的办法了。但美国政府并不能直接发货币，美国的货币发行权掌握在美联储手中——1913年的美国《联邦储备法案》规定，美元的发行权归美联储所有。

美国的货币发行实行的是发行抵押制度，即联邦储备银行的货币发行必须提供100%合格抵押品，以及附加担保品。可充作抵押品的有：金证券[28]、政府债券、合格的商业票据、抵押票据、银行承兑票据，合格的州和地方政府的债券。

这种发行机制用一个例子来说明就一目了然了：美联储通过相应渠道购买美国财政部发行的国债，比如，2000亿美元，相对应的，通常，美联储就发行2000亿美元基础货币。

从美国货币发行程序不难看出，中国购买美国国债，实际上等于帮助美国注入流动性，最终流入美国经济体中——中国相当于在自己承担成本和风险的情况下扮演了美国印钞工具的角色，从而帮助美国的经济发展。美国由此获得的收益远远超过支付给中国的债券利息。

而且，中国大量购买美国国债，压低了美国的利率，降低了美国举债的成本。[29]

美国研究者指出，包括中国在内的东亚中央银行的外汇储备"成了美国经济福祉的金融支柱"。[30]

发货币与储备货币这个恐怖平衡的形成，与中美贸易的失衡有着直接的关系。

1979年的时候，中国对美贸易还是逆差8.62亿美元。原因很简单，从美国进口的商品多，而出口到美国的商品少。进入20世纪80年代后，中国对美贸易依然是逆差。这一局面在1989年发生改变。1989年后，美国对华实施贸易制裁和技术禁运，加强了对华高科技产品出口管制，这些限制措施加剧了中美贸易失衡。[31]

这意味着，中国卖给美国商品获得的美元，不能用于从美国购买中国所需要的商品，那么中国所获取的美元实际上在某种程度上被屏蔽了！中国就把这些美元都储备起来，或者拿出其中的一部分买美国国债，买美国国债赚的一点利息（根本抵不上美元贬值所造成的损失）再储备，或者再用于买美国国债。从而，中国就陷入了史剑道所形容的"简单机械运动"。

中国对美国的贸易顺差越大，中国的外汇储备也就越大——因为无法通过正常的中美贸易为美元找到更好的出口。不仅对美国，1989年后，欧洲也对华采取了包括武器在内的禁运。因此，1989年以后，中国的对外贸易顺差不断扩大，中国出口商品换取的美元和欧元问世后换取的欧元，相当一部分成了中国的外汇储备，这其中又有一部分购买美债、欧债。这让两大经济体尝尽了甜头，所以，它们联手在对华高科技产品出口方面，设置层层阻碍，实际上是把中国彻底逼到购债这条路上，使中国人用血汗换取的外汇再回流到它们手中。中国购买的债券，欧美再通过货币的贬值进行稀释，进一步对中国展开掠夺。中国原本可以通过加大科技投入，自力更生，发愤图强，全方位提升自己的创新能力，破解这一困局，然而，2003年以后的资源错配使中国错失了这一机会。

下图为2000～2012年中国进出口总额与顺差。

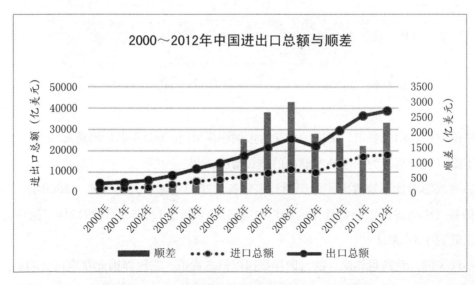

数据来源：国家统计局。

从图中不难看出，2000年以后，中国的贸易顺差在逐步加大，在2008年达到2981.2亿美元的高点。把每年的贸易顺差累加起来，是一个非常惊人的数字。

这么大的贸易顺差意味着什么？

意味着中国在出口自己用血汗生产的产品以后，并不能用获得的外汇对等地购买我们所需要的科技含量高的产品，只能储备起来，或者购买美债、欧债。

这同时也意味着，美、欧可以通过发货币的方式继续换取我们耗费资源和血汗生产的产品！

因此，伴随着中国贸易顺差的扩大，美欧的货币发行量也在加大。

我们可以通过美国广义货币M2的增长情况，与中国外汇储备的增长数据进行对比，来感受两者之间的内在联系。

下图为美国2000～2012年广义货币M2的增长趋势图。

美国2000～2012年广义货币M2

（万亿美元）

数据来源：The Board of Governors of The Federal Reserve System。

从图中可以明显看出，美国的广义货币供应量M2在2003年以后增速加快。

下图（见95页）为中国外汇储备的增长情况。[32]

通过两图对比不难看出，中国的外汇储备从2003年增长开始加速，2000年，中国外汇储备（未考虑外汇储备具体构成）占美国M2余额的3.37%，到2012年，这个比例已经上升到了31.8%！[33]

不仅美国，欧洲也如此。欧元同样是国际储备货币，它同样因此获取巨大利益。

如果把美欧发行货币比喻成放水，那么中国就成了美国廉价的蓄水池，帮助美欧

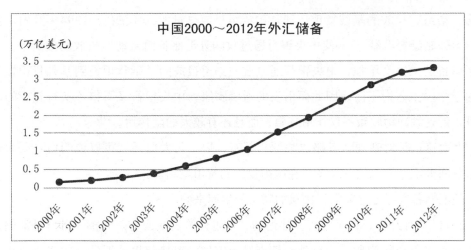

数据来源：中国外管局。

化解了货币投放可能导致的通货膨胀风险，这个风险由谁来承担？

中国人！

我们已经知道，中国外汇储备实际上是靠在国内投放基础货币来完成的，储备的外汇越多，也就意味着在国内投放的相对应的人民币越多，国内民众的财富被稀释的越多，国内的通货膨胀压力就越大！

简单认识一下我国基础货币投放的一点常识：

我们现在使用的货币属于信用货币。目前，世界各国发行的货币，基本上都属于"信用货币"。所谓"信用货币"，是以信用作为保证，通过一定信用程序发行、充当流通手段和支付手段的货币形态。信用货币实际上是一种信用工具或债权债务凭证，除了纸张和印制费用外，它本身没有内在价值。在现代经济中，信用货币存在的形式主要是现金和存款。[34]

从信用关系的角度来看，人民银行发行人民币就形成了一种负债，人民币持有人是债权人。

说简单点，就是央行发行的货币实际上是对民众的负债。

我国中央银行投放基础货币的渠道主要有三个：一是对商业银行等金融机构的再贷款；二是对政府部门（主要是财政部）的贷款；三是收购外汇、黄金、白银等储备资产投放的货币。银行收购外汇资产而相应投放的本国货币即为外汇占款。[35]

说简单点，就是商业银行发放贷款、财政部发放的贷款和储备外汇资产，都会增加基础货币投放。

1993年以前，我国中央银行投放基础货币的主要渠道是对商业银行的再贷款。通过这一渠道，投放的基础货币达到基础货币投放总量的80%左右。1994年开始，我国实行了强制结售汇制[36]，使中央银行通过收购外汇储备而被动地投放基础货币。随着外汇储备的大幅度增加，中央银行通过这一渠道投放的基础货币占到基础货币投放总量的一半以上。为了防止因此而引发的通货膨胀，中央银行又不得不实行相应的冲销政策，但这种冲销政策不仅作用有限，而且还有较大的副作用。[37]

上面这段话对普通读者略显晦涩。其实，用一句大白话就可以说明白：要通过印钱来收购外汇，外汇储备越多，在国内投放的货币就越多！

外汇储备实际上是靠稀释民众的财富积累起来的。

2011年7月26日，针对市场上热论的"可否分给民众或者是剥离一部分外汇储备成立主权养老基金"问题，国家外汇管理局回应称，免费使用外汇储备，实质上相当于中央银行随意印钞票，无节制地扩大货币发行，会造成通货膨胀等严重后果。[38]

事实上，国家在进行外汇储备的过程中，就已经在不断"扩大货币发行"。按照外管局的说法，在人民银行买入外汇的时候，已经向原外汇持有人支付了相应的人民币。外汇储备形成过程中，企业和个人不是把外汇无偿交给国家，而是卖给了国家，并获得了等值的人民币。这些交易都是出于等价和自愿的原则，企业和个人的经济利益在外汇和人民币兑换时已经实现。[39]

如果国家用这些外汇刺激国内经济，就要再兑换一次人民币，那等于是让老百姓人民币财富贬值，有引发流动性过剩的可能性，同时也会降低国内需求。[40]

关键之处在于，国家用以购买外汇时的等值人民币是印出来的，而并非像其他一些国家一样是通过发行基金等方式筹集资金，或直接通过财政支付来购买外汇——这些方式不会导致基础货币投放的增加。

由于中国的外汇储备就是靠印钱、靠对民众负债积累起来的，外汇储备理所当然属于全体民众。但由于这部分外汇储备对应着已经投放的基础货币，当然不能无偿使用，而应由民众购买使用。外汇在企业、个人手中发挥的作用，取得的经济效益，一般都会好于储备在国家手中。既然如此，国家保持适度外汇储备即可，何不从早就开始实行藏汇于民的政策呢？

或许，这一点正是中国储备外汇和购买美债的根源之一。政府储备外汇的同时，在国内投放基础货币——这当然是任何政府都喜欢做的事情。同时，再把外汇拿去购买美国国债，获取部分收益。如果单纯从政府的角度来看，中国庞大的外汇储备以及由此外汇储备而在国内投放基础货币，恰恰实现了其自身利益的最大化。

英国有资深财经记者指出，中国储备美元的过程中，通过压低人民币币值，使中国的出口商得以以更低廉的价格出口商品，这种做法极大地促进了中国的经济增长，却降低了中国工人的实际生活水平——他们以人民币发放的工资实际上是被人为贬值了。而且，世界银行发布的报告表明，中国经济虽然在增长，但用于工资支出的收入占比在过去10年间逐步减少，到2008年下降到了GDP的48%。相比之下，美国用于工资的支出占GDP的64%、欧盟为64%、日本为62%。[41]

那么，中国庞大的外汇储备与美国经济利益的对接，意味着什么呢？

众所周知，外汇储备存在一个"帕累托最优"[42]的状态。过多的外汇储备会产生一些负面的影响，如资源浪费、基础货币扩张等。

下图为中美两国外汇储备对比。

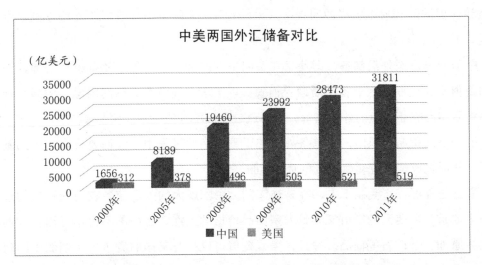

数据来源：The International Monetary Fund和《中国统计年鉴2012》。

我们将出口所得的货币收入（主要是美元），通过中央银行公开市场购买等形式转化为外汇储备。鉴于美元的重要地位，相当大一部分的外汇储备以回报率较低的美国政府债券的形式持有。美国将海外资金的一部分用来从事利润率较高的研究和开发以及销售和服务，提升本土的竞争实力；另外一部分则以回报率要求比较高的投资资本的形式又返回到中国等东亚国家。通过这个过程，美国获取了可观的经济利益，但东亚国家却遭受了经济安全与经济利益的双重损失。

正是由于美国和包括中国在内的东亚国家之间这种独特的循环链，约翰·霍金斯大学的约瑟夫·昆兰宣称"亚洲是美国人事实上的银行"。美国的研发费用和海外投资中的相当大一部分来自东亚的贡献。[43]

中国外汇储备与美国货币发行的对接，也即与美国国家利益最大化所保持的平衡，对中国有着深深的伤害。

第一就是经济利益损失。包括机会成本和直接损失。美国国债的年收益率在3%～6%之间，远低于投资者投资于股票指数或进行直接投资所能带来的平均收益率。[44]

美元贬值对于储备巨额美元资产的国家而言，是非常直接的损失。美国研究者指出，1860年的4美元就相当于2007年的100美元。[45] 由于美元对其他货币贬值，中国持有的美元资产毫无疑问已经贬值。[46] 美元与其他国家的货币相比，尽管仍然算是比较稳定的，但整体趋势却是贬值的——这是任何纸币都具备的特点。

更大的经济损失是：东亚国家将外汇储备投资于收益率较低（大约为5%）的美元债券，但同时却要以较高的回报率（大约15%）来吸引海外投资，支持本国的经济发展。

中国积累巨额外汇储备，即使是在负回报率的情况下，外汇储备也在增加，而美元的贬值则让这些外汇储备不断遭受损失。以至于有经济学家感到困惑，中国为什么宁愿积累实际收益为负的外汇储备，而不通过人民币升值来减少贸易顺差？[47]

第二是通货膨胀风险。在储备外汇和干预汇率的过程中，我们要投入相应的基础货币，从而造成国内流动性泛滥和通货膨胀。

第三是外汇资产受制于人，容易被宰割。中国庞大的外汇储备在美元贬值的过程中缩水严重，而美元的贬值又导致大宗商品价格的上涨，让中国不得不付出更大的代价购买原油、铁矿石等商品。并且，美元贬值可以提升美国的竞争力，削弱中国商品的竞争力，加大中国出口企业的困难。

第四，中国的货币政策陷入困境。如果美国通过货币贬值来消除贸易赤字，或者通过提高利率等方式抑制需求、削减财政赤字，势必对包括中国在内的亚洲经济的稳步发展造成威胁。如果中国为抑制通货膨胀提高利率，而美国反向操作，即降低利率以防止自身陷入衰退，则中国的流动性过剩会加大，通货膨胀风险也将加大。当美元升值、美国加息的时候，资金又会迅速逃离，从而导致流动性紧张。事实上，时任美联储主席的伯南克在2013年6月19日仅仅表态称"如果经济前景状况符合预期，那么美联储将考虑在年内开始缩减购债规模"，许多国家就感受到了巨大压力，中国发生的钱荒现象也与之有一定的内在联系。

这其实意味着令人担忧的金融风险。一旦市场对本币升值预期发生逆转，或经济出现波动，一些居民、企业、银行等就可能竞相将手中的本币换成外币，从而可能酿成新的金融危机或金融风险。[48] 换句话说，中国的金融安全也受制于美国。

中美恐怖平衡，让美国从中国获取了不计其数的财富，成为实实在在的受益者。这个恐怖平衡，可以简单分成几步来看。

第一步：美国印钱换中国实实在在的产品，赚走了中国的劳动成果，而中国得到了美元。

第二步：美元贬值，中国通过贸易赚的美元购买力下降，而购买的美国国债也大幅度缩水，等于中国人的部分财富被悄悄转移到美国人手中。

第三步：美国卖给中国债券，让中国的美元重新流回美国，美国将这些钱换成人民币投资中国，然后，再迫使人民币升值。人民币升值，美国赚了。美国投资中国的资金年利润高达33%。[49]

第四步：美国在人民币升值到一定程度的时候，重新换回美元——可以换更多的美元，又赚了一笔。

第五步：美国打压人民币，使其大幅度贬值，然后，用美元廉价收购中国的优质资产——这一步，是美国在2014年以后开始逐步实施的战略。

第三节
先进技术与落后生产力的恐怖平衡

综观世界经济发展史和技术发展史，无论是早期的手工技术，还是后来的机械技术、自动化技术，或是现代飞速发展的信息化技术、生物工程技术，都极大地改变了生产中的劳动手段和方式，极大地推进了经济的发展。可以说，每一轮技术革命都引发了新兴产业的形成和发展，世界经济就在这种周而复始的运动中走向繁荣。技术进步是经济发展的重要条件和手段，对经济发展产生着巨大的推动作用。[50]

技术进步是推动生产关系发展、提高经济效益的根本途径，也是决定经济活动、推动经济结构变革的主导因素。

要想在货币发行加快的情况下，依然保持较低的通胀水平和较快的经济发展速度，就必须做到两点：一是依靠低廉的进口商品来压低国内商品的价格；二是在国际贸易中占据主动权，分享更多的利润。

要同时做到这两点是非常困难的，而美国做到了——通过其先进的技术与中国落后的生产力的对接，同时达到了这两个目标。

我们知道，制造业是国民经济发展的重要物质基础，从美国、欧洲等发达国家的工业化进程看，制造业都曾达到GDP的1/3以上，其主导地位和基础作用是其他产业所无法替代的。20世纪90年代以来，信息化浪潮带动制造业升级，美国、欧盟等发达国家纷纷制订各种发展计划或战略，促进制造业向先进制造业转变，积极发展知识密集型、以先进制造技术为核心的制造业，从而提高了产业的国际竞争力。比如，美国政府于1990年、1993年和1997年分别实施了"先进技术计划""先进制造技术计划"和"下一代制造——行动框架"，以推动美国制造业的进一步发展。[51]

在经济飞速发展的时代，科学技术毫无疑问是起决定性作用的竞争力量。谁占据了科技的制高点，谁就在全球竞争和财富分配中占据主导地位。

理解了这一点，就不难理解，中国实际利用的外商投资中，为何主要是劳动力密集型[52]投资（2001年的数据高达70.3%）的原因了。

在国际贸易中，商品中所包含的自主技术的含量决定着一国在全球财富分配中所占的份额。

当技术落后的时候，中国就会对国外的先进技术产生依赖，而这种依赖的代价是非常昂贵的。它意味着，在全球的利润、财富分配过程中，中国处于食物链的最底端，在付出艰苦的劳动之后，常常只能获得一点点微不足道的加工费。

创新能力差、科技水平落后的国家为创新能力强、科技水平高的国家打工，早已成为常态。

以电脑为例。个人电脑是我国比较大的出口项目。据国际贸易账目，用基于电脑出口价格与进口配件及软件的成本之间的差额来计算，中国从电脑出口中积累了大量顺差。但由于外国企业在供应的关键部件上享有较高的利润率，因而从中国的出口中获利丰厚。

在电脑的所有部件中，利润率最高的是软件，而软件是由微软公司及其他应用软件公司（大多数是美国公司）研发的。其次是电脑芯片，一枚芯片的总利润中的80%或超过80%被英特尔公司（Intel）或超微公司（AMD）等获得。所以，在生产一台电脑所产生的全部利润中，至少有3/4被开发软件、设计芯片和经销整机的各家美国公司瓜分，只有不到5%的微薄利润留给中国企业。这种"贸易逆差"使得逆差国（这里指美国）更富裕而非更贫穷。[53]

这正是美国在长期贸易逆差情况下，依然能够促进自身经济繁荣的根源。正如美国卡托研究所的丹尼尔·格里斯沃德所言：美国贸易赤字对美国经济是有利而无害的，它与不公正的外国贸易没有直接关系，也不代表美国工业没有竞争力，更没有损害就业状况。[54]

美国凭什么做到了这一点？

先进的技术！

在国际贸易中，顺差未必是好事，关键在于，你在利润分配中所占的份额，而这种利润分配的主导因素正是技术！

美国是全球先进技术的领导者。以"三维（3D）打印"为例，这是代表着制造业发展新趋势的崭新技术。美国《时代周刊》将3D打印产业列为"美国十大增长最快的工业"，英国《经济学人》杂志则认为它将与其他数字化生产模式一起推动实现新的工业革命。

所谓的"3D打印机"与普通打印机工作原理基本相同，只是打印材料有些不同。普通打印机的打印材料是墨水和纸张，而3D打印机内装有金属、陶瓷、塑料、砂等不同的"打印材料"，是实实在在的原材料。打印机与电脑连接后，通过电脑控制可以把"打印材料"一层层叠加起来，最终把计算机上的蓝图变成实物。这项打印技术称为"3D立体打印技术"。

这项伟大的技术革新依然源于幻想。美国科幻作家罗伯特·希克利曾经描写过关于"万能制造机"的场景。故事的主人公之一阿诺尔德站在一台奇特的大机器前，按下按钮，对它响亮而清楚地说："我要硬铝螺帽，直径为4英寸。"接到指令，机器发出低沉的轰鸣声，灯光闪烁，闸板缓缓打开，眼前赫然出现了一颗闪光发亮已经制好的螺帽。如今，一台3D打印机可以将罗伯特书中的幻境变为现实。[55]

对比一下，美国的电视、电影中，科幻题材占据相当大的比例，而我们的影视作品多是历史题材的，而且，基本都是以宫廷斗争为主题。

中国人活在已经消失得无影无踪的过去的辉煌中，在辉煌中寻找互相倾轧的宫廷斗争经验；而美国人活在未来。

以房地产为代表的投机热，在疯狂十几年后，已经摧毁了许多人的幻想和未来，使他们变得极度现实乃至庸俗。

重回本文的主题。

当美国的先进技术与中国落后的生产水平相对接的时候，就出现了令人痛心疾首的一幕：环境污染在中国，资源消耗在中国，拿着低廉工资辛苦劳作的是中国人，而绝大部分利润却被美国人拿走。

如果把高科技比喻为一条绳索，那么，拥有先进技术的国家，就掌控着这条绳索，而技术落后的国家，则是被捆绑着遭受掠夺的一方。

这是中美之间形成的另一种恐怖平衡。

这种状况一直到现在都没有大的变化。中国海关发布的统计数据显示，2012年，我国计算机产品出口2208亿美元，其中，高达1959亿美元属于"加工贸易"，高附加值部分仍然与中国无缘。

我们知道，美国是一个消费拉动型的国家，消费在其经济增长中，占比一直高达70%以上。法国学者杰拉尔德·杜梅尼尔和多米尼克·列维指出：在美国公司的利润构成中，从世界其他国家获得的收入占有重要的地位——占其总利润的50%以上……如果美国的统治地位不复存在，这样一个消费热潮将不能维持，或者，它将导致低积累率、美元的贬值，进而使美国相对衰落。

那么，美国靠什么来维持这一局面呢？

一是靠从其他国家争夺智力资源，以刺激美国的创新能力，改变美国的技术变革条件。[56]

二是靠军事力量。通过阿富汗战争和伊拉克战争，美国在全球的军事力量布控已经没有空白点。[57] 美国已在世界45个国家建有395个大型军事基地和大量小型基地，部署了25万军队。[58]

但美国的军事力量之所以强大，依然靠的是超强的创新能力和遥遥领先的先进技术。事实上，强国都重视这一点。笔者连续数年研究普京，普京在俄罗斯最困难的时候，也努力优先考虑研发资金的投入，以确保俄罗斯在科技领域的优势。以军事领域为例，虽然起初俄罗斯没有经济实力立即把高科技武器配置给军队，但普京竭尽全力确保研发的顺利进行，一旦经济发展跟上来，马上就可以把技术领先优势转化成强大的军事力量。

在"全球创新投入竞争力"排名中位居前20名的国家，有19个是发达国家。发达国家在科技领域的投入一直保持着非常高的比例。

美国、日本、德国、英国、法国等国的研究与开发费用在20世纪80年代就已占国民生产总值的2.3%～2.8%，而大部分发展中国家由于经济发展水平的制约，这一比例在1%以下。[59]

中国在改革开放之初，想通过市场换技术，其实这是一种不切实际的幻想。西方企业在占据市场之后，依然牢牢地把持着技术不放手。谁都明白，技术就是灵魂，掌控着技术，就能在市场中占据强势地位，就能坐享暴利。一旦先进技术让中国企业掌握，中国企业就能借助技术的力量逐渐赶超上来，蚕食它们的利润空间。

在这种情况下，谁愿意把技术拱手相让？

不仅如此，美国在对华高科技产品出口方面一直严加管制。

下图为2003～2007年美国对中国高科技产品[60]进出口比较。

数据来源：United States Census Bureau。

从上图不难看出，2003～2007年，美国对华高科技进口持续大于对华出口。5年累计的结果是：美国这个高科技强国对中国总共出口679.75亿美元的高科技产品，而从中国进口的高科技产品却达到了2950.29亿美元！

显然，指望美国这样的发达国家向中国出口高科技产品，让中国引进它们先进的技术，毫无疑问就是幻想。中国只能踏踏实实地做自己的研发，提高自己的创新水平，逐渐掌握核心技术。这是一条充满艰辛却非常务实、非常现实的道路。

但是，中国在GDP飞速增长中却忽略了科技能力的提升——尽管科技进步时常被提起，但它常常被淹没在包括GDP在内的美丽数字和炒房、炒楼的热火朝天的洪流中。很多人以为有了经济的高速发展就拥有了一切，先把经济搞上去，就具备了搞科技创新的经济基础。

无论说这是自负、短视，还是浮躁，都阻碍了中国在科技领域的发展。中国在科技领域的高度功利化、高度浪费的现象和腐败问题，成为阻碍中国科技发展更重要的障碍。

据报道，全国科研经费大概只有40%是真正用于科技研发的，而60%都用于开会、出差等。[61]

很多所谓的"科研项目"，只是为了抢食财政资金，而不是真正为了做研究。以广东为例，广东积极出台扶持LED产业发展的政策，计划在"十二五"期间，财政每年投入4.5亿元设立LED产业发展专项资金。"不少LED企业为了争专项补助资金，把

精力放在了拿项目上面，几乎放弃了对科技的研发，这几乎成了行业普遍现象。" [62]

这种情况其实非常具有代表性。莫说企业，不少研究机构也是如此，借助项目拿钱，钱到手后应付了事，真正踏踏实实做研究的少之又少。

必须认识到，技术的差距与其他领域的差距不同，技术差距会越拉越大。尽管我们看到自己在很多领域的技术研发水平正快速提高，但我们更应该看到，发达国家在技术领域的发展速度更令人震撼。

这一点，可以从世界创新竞争力[63]的排名中看出来。中国在2001年全球100个国家创新持续竞争力的排位中位居第71位，到2010年排名第47位。中国的确在进步，但依然在第二梯队（31～70位）。而同为金砖国家的巴西进步更快，2001年它的排名是83位，到2010年已经排到第30位，进入了第一梯队（1～30位）。而美国常年保持在世界第一的位置上，没有动摇过。

中国的创新能力为什么相对依然落后？我们不妨对中国、巴西、美国的2010年一些指标进行对比，具体如下表所示。

	创新持续竞争力世界排名	公共教育支出总额占GDP比重世界排名	人均公共教育支出额世界排名	高等教育毛入学率世界排名
美国	1	34	10	5
巴西	30	26	40	57
中国	47	62	68	70

数据来源：《世界创新竞争力发展报告》。

长期来看，一个国家只有长久保持创新，不断增强其创新竞争力，才能在激烈的国际竞争中始终保持优势，而且，这种优势是其他国家无法在短时间内轻易获得和超越的。实践证明，发达国家之所以具有很强的国际竞争力，主要就在于它们具有很强的国家创新竞争力，能够持续保持创新潜力。[64]

而且，技术的进步只能靠自己。中国曾经幻想靠引进外资提高自己的技术，但是，首先，来中国做得最成功的是像肯德基、麦当劳、沃尔玛等吃喝玩乐型的企业；其次，即使技术型的外资企业到中国投资，留给中国的也只是生产环节，他们对技术是严格保密的。

中国要想打破中美之间形成的不利于中国的这种恐怖平衡，必须从制度上进行改革，创造出良好的创新环境，从制度、资金投入、资源配置等方面鼓励创新。

注　释

[1]巴曙松.从"金融恐怖平衡"到"再平衡"[N].广州日报，2009-05-12；Xiaobing Wang and Bernard Wlaters.The Real Origin of Global Financial Imbalance[R].Second Annual ESRC Development Economics Conference：The Effects of the Financial Crises on Developing Countries，http：//www.sed.manchester.ac.uk/research/events/conferences/developmenteconomics/papers/Wang_Walters.pdf，2010-01-10.

[2]时寒冰.时寒冰说：经济大棋局，我们怎么办[M].上海：上海财经大学出版社，2011.

[3]中国美国经济学会，浦东美国经济研究中心.全球经济失衡与中美经贸关系[M].上海：上海社会科学出版社，2007.

[4]美国政府的财年是从10月1日到次年的9月30日。

[5]Robert Peston，Laurence Knight.How Do We Fix This Mess：The Economic Price of Having It All and the Route to Lasting Prosperity[M].Hodder & Stoughton，2014.

[6]Ronald I.McKinnon.The Unloved Dollar Standard：From Bretton Woods to the Rise of China[M].Oxford University Press，2012.

[7]郭小鲁.现实生产力中的第一要素——资本[J].生产力研究，2003（2）.

[8]Leo M.Tilman，Edmund Phelps.Financial Darwinism：Create Value or Self-Destruct in a World of Risk [M].Wiley，2008.

[9]Mahmoud A.El-Gamal，Amy Myers Jaffe.Oil，Dollars，Debt，and Crises：The Global Curse of Black Gold[M].Cambridge University Press，2009.

[10]陆志明.中国买美国国债如何确保利益最大化[N].东方早报，2009-02-24.

[11]Suhejla Hoti，Esfandiar Maasoumi，Michael McAleer，Daniel Slottje.Measuring the Volatility in U.S.Treasury Benchmarks and Debt Instruments[R].Australian Research Council，http：//www.econ.canterbury.ac.nz/downloads/hoti_nzesg.pdf，October 2005.

[12]这是美国财政部和联邦储备委员会于2013年4月30日发布的数据。该数据是由Short-Term中的Treasury和Long-Term中的Treasury加总获得。有关中国持有美国国债的数据不包括我国香港、澳门和台湾。

[13]这是美国财政部和联邦储备委员会于2013年4月30日发布的数据。中国持有的美国国债和政府机构债券在美国公布的全部国外投资者持有的金融资产中占据非常高的比例，而股权和公司债券持有比例相对非常低。

[14]刘莉.中国购买美国国债只是简单机械运动——专访美国传统基金会亚洲研究中心研究员史剑道[N].东方早报，2010-03-12.

[15]China May Be Hiding U.S.Treasury Bonds：Experts[OL].Terra Daily，http：//www.terradaily.com/reports/China_may_be_hiding_US_Treasury_bond_purchases_experts_999.html，2010-02-25.

[16]Martin Wight.Power Politics[M].Bloomsbury Academic，2002.

[17]钉住汇率制指一国使本币同某外国货币或一篮子货币保持固定比价的汇率制度。在钉住汇率制之下，一国货币与其他某一种或某一篮子货币之间保持比较稳定的比价，即钉住所选择的货币。本国货币随所选货币的波动而波动，但相互之间的比价相对固定或只在小范围内浮动，一般幅度不超过1%。被钉住的一般是主要工业国家的货币（如美元）或IMF的特别提款权。大部分发展中国家实行的是钉住汇率制。按照钉住货币

的不同，钉住汇率制可分为钉住单一货币和钉住一篮子货币。除钉住汇率制外的其他汇率制度，包括浮动汇率制，统称为弹性汇率制。

[18]埃曼纽·托德.美帝国的衰落[M].北京：世界知识出版社，2003.

[19]Menzie D.Chinn.American Debt，Chinese Anxiety[N].The New York Times，2013-10-20.

[20]Chris Buckley.As China Mocks U.S.Debt Fight，Its Loyalty to Treasuries Remains[N].The New York Times，2013-10-17.

[21]Michael E.Porter.Competitive Strategy：Techniques for Analyzing Industries and Competitors[M].Free Press，1998.

[22]刘莉.中国购买美国国债只是简单机械运动——专访美国传统基金会亚洲研究中心研究员史剑道[N].东方早报，2010-03-12.

[23]2008年，修订后的《外汇管理条例》明确企业和个人可以按规定保留外汇或者将外汇卖给银行，强制结售汇制度从理论上退出了历史舞台，但在相当长的时间里，强制结汇实际上依然在实施。2012年4月16日，国家外汇局表示，随着涉外经济的发展，外汇管理部门适时调整并废止强制结售汇制度，企业和个人可自主保留外汇收入。

[24]Wayne M.Morrison，Marc Labonte.China's Holdings of U.S.Securities：Implications for the U.S.Economy[EB/OL].Congressional Research Service Report，http://www.fas.org/sgp/crs/row/RL34314.pdf，2009-01-13.

[25]姜莉莉.我国持有美国国债的必然性和风险分析[J].中国财政，2010（12）.

[26]Stephen S.Roach.China's Wake-Up Call From Washington[OL].Project Syndicate，http://www.project-syndicate.org/commentary/stephen-s-roachon-what-the-us-debt-ceiling-fiasco-should-teach-its-largest-foreign-creditor，2013-10-21.

[27]Ronald I.McKinnon.The Unloved Dollar Standard：From Bretton Woods to the Rise of China[M].Oxford University Press，2012.

[28]亦称黄金券或金券。美国财政部在南北战争结束后，以百分之百的黄金做准备而发行的一种足额的有价证券。1933年前在美国各家银行均可自由兑换黄金，曾作为美国的一种货币在市场上流通。1933年4月后，美国财政部开始逐步收回。从此以后，黄金证券逐步在美国金融市场上消失。

[29]Wayne M.Morrison，Marc Labonte.China's Holdings of U.S.Securities：Implications for the U.S.Economy[EB/OL].Congressional Research Service Report，http://www.fas.org/sgp/crs/row/RL34314.pdf，2009-01-13.

[30]David Hale，Lyric Hughes Hale.China Takes Off[J].Foreign Affairs，November/December，2003.

[31]沈国兵.美国出口管制与中美贸易平衡问题[J].世界经济与政治，2006（3）.

[32]由于中国外汇储备的具体构成不公开，因此，无法区分美元资产、欧元资产及其他资产的比例，但可以肯定的是，美元资产位居绝对的第一位。如果把外汇储备中美元资产的部分提出来计算，得出的结果显然要小于本图中的数据。这里只做相对宏观的大致对比。

[33]如前一个注释所解释的，这里的比较是假设外汇储备全部为美元资产，由于中国外汇储备的具体构成不公开，我们无法通过剔除欧元资产、日元资产等部分，仅用确定的美元资产来做学术意义上的严格对比。本对比仅做一个直观上的量化，便于普通读者理解。

[34]戴国强.货币金融学（第三版）[M].上海：上海财经大学出版社，2012.

[35]在查阅数据的时候要注意，狭义的外汇占款对应在货币当局资产负债表中国外资产项目下的"外汇"部分，广义的外汇占款对应在金融机构人民币信贷收支表中的"外汇占款"部分。广义外汇占款和狭义外汇占款的差额则对应在其他存款性公司资产负债表中的"国外资产部分"。"外汇占款"导致基础货币的增加量体现在央行向商业银行收购外汇资产时投出的本币。

[36]2012年4月中旬，国家外汇管理局发文，对外宣布：国家不再实行强制结售汇的做法，企业和个人可以自主保留外汇收入。但是，由于外管局在交易中出价最高，结果并没有多大改变，中国还因此屡屡被指责人为操纵人民币汇率。

[37]戴国强.货币金融学（第三版）[M].上海：上海财经大学出版社，2012.

[38]苏曼丽.外管局：外储不宜分给民众[N].新京报，2011-07-27.

[39]董伟.3万亿外汇储备能否直接分给百姓[N].中国青年报，2011-07-28.

[40]刘华.金融危机背景下中国外汇储备管理战略探析[J].特区经济，（5）.2010.

[41]Robert Peston, Laurence Knight.How Do We Fix This Mess: The Economic Price of Having It All and the Route to Lasting Prosperity[M].Hodder & Stoughton，2014.

[42]帕累托最优（Pareto Optimality），也称为"帕累托效率"（Pareto efficiency），是以意大利经济学家维尔弗雷多·帕累托的名字命名的。他在关于经济效率和收入分配的研究中最早使用了这个概念。帕累托最优是指资源分配的一种理想状态，假定固有的一群人和可分配的资源，从一种分配状态到另一种状态的变化中，在没有使任何人境况变坏的前提下，使得至少一个人变得更好。帕累托最优状态就是不可能再有更多的帕累托改进的余地，是达到帕累托最优的路径和方法。帕累托最优状态又称作"经济效率"，满足帕累托最优状态是最具有经济效率的。一般来说，达到帕累托最优时，会同时满足以下3个条件：交换的最优条件；生产的最优条件；交换和生产的最优条件。

[43]陈雨露.亚洲是美国人事实上的银行[N].21世纪经济报道，2006-03-26.

[44]国际关系学院国际战略与安全研究中心.中国国家安全概览2012[M].北京：时事出版社，2013.

[45]Steven M.Gorelick.Oil Panic and the Global Crisis: Predictions and Myths[M].Wiley-Blackwell，2009.

[46]Addison Wiggin, Kate Incontrera, David Walker.I.O.U.S.A.: One Nation Under Stress.In Debt[M].Wiley，2008.

[47]Xiaobing Wang, Bernard Walters.The Real Origin of Global Financial Imbalances[J].Journal of International Development，Vol.25.2013(8).

[48]王三兴.亚洲的超额外汇储备——成因与风险[M].北京：中国人民大学出版社，2011.

[49]李慎明，张宇燕.全球政治与安全报告[M].北京：社会科学文献出版社，2014.

[50]刘秋华.技术经济学[M].机械工业出版社，2010.

[51]郑江绥，董书礼.美国、欧盟发展制造业的经验及其对我国的启示[J].中国科技论坛，2006（3）.

[52]这类投资主要是为了利用当地的廉价劳动力，完成劳动密集型产品的生产，然后将产品出口。

[53]Arthur Kroeber.Rich Nations Shouldn't fear China Trade Surplus[OL].The Financial Times.2005-05-09.

[54]倪世雄，刘永涛.美国问题研究第六辑[M].时事出版社，2007.

[55]徐丽莉.它使"万能制造机"成真，它推动一场新的工业革命——你所不知的"3D打印"[N].人民日报海外版，2012-09-17.

[56]杰拉尔德·杜梅尼尔，多米尼克·列维.世纪之交的美帝国主义经济学[J].国外理论动态，2004（7）；Gerard Dumenil and Dominique Levy.The Economics of U.S.Imperialism at the Turn of the 21st Century[J].Review of International Political Economy，(11)4.October 2004.

[57]中国现代国际关系研究院美国研究所.中美战略关系新论[M].北京：时事出版社，2005.

[58]高祖贵.美国与伊斯兰世界[M].北京：时事出版社，2005.

[59]郎宏文，王悦，郝红军.技术经济学[M].北京：科学出版社，2009.

[60]美国普查局将高科技产品分为10类：01.生物技术；02.生命科学；03.光电技术；04.信息与通信；05.电子产品；06.柔性制造品；07.高新材料；08.航空航天；09.武器；10.核技术。

[61]张林.广州副市长：全国科研经费约60%用于开会出差[N].羊城晚报，2013-08-01.

[62]赵杨.广东科技厅厅长被查，3天前回应广州科技系统腐败案[N].南方日报，2013-07-27.

[63]世界创新竞争力涵盖了创新基础、创新环境、创新投入、创新产出和创新持续等五个方面的内容。这五个方面的因素是影响世界创新竞争力的重要环节，它们以提高劳动生产率、降低资源消耗和生产成本、实现经济社会的可持续发展为目的，优化配置科技创新资源，促进创新能力提升，综合反映了国家创新竞争力。

[64]李建平，李闽榕，赵新力.世界创新竞争力发展报告（2001～2012）[M].社会科学文献出版社，2013.

第5章

大转折：中国的2012

第一节
投资的临界点（上）

2012年，有关世界末日即将到来的传闻甚嚣尘上。据说，2012年是美洲玛雅文明中的玛雅历长达5126年周期的结束之年，地球、世界和人类社会将在公元2012年12月21日前后数天之内发生全球性的灾难性变化。但是，2012年安然过去了，世界末日的预言不攻自破，并很快被人忘记。玛雅古历记录的周期结束以后，又将开始一个新的周期。

这有点像经济的发展规律。

在一个周期向另一个周期过渡的时候，总有一些重要的标志，就如同2003年是中国大投资之路开启之年一样。

没有恒久不变的趋势。就如同人有生老病死一样，经济也有它的周期性。一个经济周期一般要经过繁荣、衰退、萧条和复苏四个阶段（另一种说法是衰退、谷底、扩张和顶峰四个阶段）。

2012年，是中国经济在大投资驱动下快速发展的顶峰之年——笔者在《时寒冰说：经济大棋局，我们怎么办》提到的一个非常重要的时间节点。

在人类发展漫长的历史长河中，一个转折点犹如一颗一闪而过划过夜空的流星，甚至没有留下清晰的痕迹。但在全球化日益深入、各国经济融合日益密切的今天，这个转折点却显得意义重大。就像雨水持续地滴落在岩石上，岩石终会留有痕迹一样，

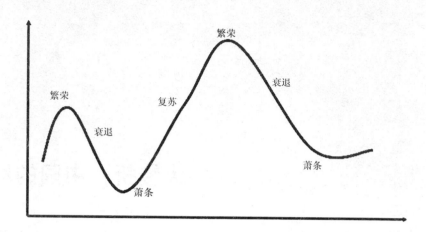

岁月的流逝也将让这个时间点变得日益清晰、明确和重要。

具体到中国经济，人们习惯于通过投资、出口、消费等的划分，来分析经济的运行。这种在中国经济学研究者看来习以为常的分析方法有其局限性。因为中国的经济运行与政策的关联度非常高，努力的方向又是市场化，这使得中国经济的运行有着更复杂的特征。

传统的经济学，无论是源于市场经济（如美欧加澳等）还是源于计划经济（苏联等），其理论基础都是建立在相对单纯的经济形态上的，而中国的经济形态则同时具有两者的某些特征。换句话说，中国走的是一条有着鲜明"中国特色"的不同的经济发展之路。因此，国内外的研究者，在分析中国经济运行规律的时候，都常常偏离根本而被表象的东西误导。

比如，中国可以通过持续的政府主导的投资，制造出对钢筋、水泥等的需求，创造出相应的就业岗位，维持经济的高增长态势。而这种刺激必然伴随着货币源源不断的供应，货币的供应又很容易引发人们对通货膨胀的担忧。在投资渠道少的情况下，相当多的资源就被引领到房地产领域，成为推动民众购房的强大动力。这种循环导致中国2013年之前的房价呈现出明显而持续的上涨态势，而缺乏西方发达国家那样较为鲜明的周期性特征。

因此，笔者首先用国人熟悉的传统分析方式，从投资、出口、消费等角度对中国经济的问题进行分析——这也是决策者制定政策的依据，只有很好地明晰这一点，才能明晰此后政策的出发点和政策目标，也才能更容易理解未来趋势的演变。接下来的章节，我们再从根源上做进一步的分析。

我们知道，投资的目的是为了形成供应，为了满足社会的需求。在任何社会中，社会总投资都是由政府投资和非政府投资两大部分构成的。一般而言，经济发达的市场经济国家，政府投资所占比重相对较小，非政府投资所占的比重相对较大。而经济欠发达的实行计划经济的国家，或者经济相对落后的国家，政府投资所占的比重相对较大，非政府投资所占的比重相对较小。

长期以来，中国形成了以政府主导、投资驱动为主要特征的经济增长方式和与其相适应的产业结构。从"十一五"（2006～2010年）期间GDP的构成来看，投资占GDP的比重在逐年上升，2006年占50.9%，2010年上升到69.3%；资本形成率2006年为41.8%，2010年上升到48.6%。从投资增长速度来看，"十一五"期间投资平均实际增长21.9%，远高于GDP平均11.2%的增速。从对经济增长的贡献率来看，2006年投资对经济增长的贡献率为43.6%，2010年则达到52.9%，其中2009年甚至高达87.6%。[1]

从全球范围来看，发展中国家、发达国家的投资占GDP的比重分别平均在20%～30%、15%～20%。中国投资占GDP的比重显然已经是不可思议也不可持续之高！

早在2006年，时任德意志银行大中华区首席经济学家马骏撰文说，投资过快增长，正在诱发经济风险。马骏认为中国投资占GDP的比重已经是可获得数据中的全球最高值。"目前的投资增速无论是在理论上还是实践上，都是不可持续的。"在理论上，假设今后每年固定资产投资以25%的速度增长，名义GDP以每年12%的速度增长，则投资占GDP的比例将在2012年前超过100%。"那时整个经济全部是投资，没有消费。显然，这种经济体是不可能存在的。"[2]

亚洲金融危机的经验证明，一个国家持续多年将投资占GDP比重保持在40%的水平，必然导致生产能力过剩、利润水平下降、银行坏账增加，并可能引发经济和金融危机。中国如果不立即采取措施把投资增速在一年左右内压下来，几年之内问题积累到一定程度后，微观机制本身（利润下降、银行坏账飙升、企业和外国投资突然中断）可能会导致投资和消费突然大幅下滑，对就业、金融体系造成巨大冲击，后果将难以设想。这是亚洲金融危机给我们的沉痛教训。[3]

2008年次贷危机的恶化，在某种程度上，也为中国调整经济结构提供了一个契机。这种来自外部的倒逼力量，将促使中国调整经济结构。

但是，中国投资占GDP的比重不仅没有在2008年压缩下来，反而在2009年达到更惊人的水平！4万亿救市计划的出台导致了这样的结果。据国家统计局的测算，2003～2011年，固定资产投资实际平均增长21.7%，比GDP实际平均增速高11个百分点。

4万亿救市计划的出台，把中国经济重新置入投资拉动的快车道，而这些主要是靠信贷扩张推动、维持的——中央和地方两级政府所增加的支出都主要来自国有大型商业银行信贷供给的大幅度增长。地方政府由此背负着2008～2009年扩张政策遗留下来的巨额未偿还债务。[4]

我们知道，经济增长率=投资率（指总投资额占国内生产总值的比率）×投资效率。[5] 在投资效率不变或者下降的情况下，持续加大投资总额占国内生产总值的比率，亦可提高经济增长率。

问题也在这里。

经济学家指出，信贷扩张对生产结构产生的主要影响，最终必然是：信贷扩张使得不同经济主体的行为无法调和，并最终引发危机，来修正此前所犯的错误。[6]

2010年6月，李克强在《求是》杂志撰文指出："我国作为一个大国，长期主要依赖投资、外需拉动经济增长，会加大经济的不稳定性，不利于国民经济良性循环。"[7]

而且，投资把硬件搞上去了，服务可能依然很差。以河南郑州新郑国际机场为例，笔者在复旦大学总裁班授课的时候，有几位总裁告诉我，他们曾经计划到郑州投资，前往郑州考察投资环境的时候，一下飞机便大失所望。新郑机场这样一个国际机场，竟然有黑车车主不停地询问是否用车；排队等候的所谓正规出租车不仅不打表，还漫天要价，而且中途把他们"转"给别的车。凡是到过郑州新郑机场打过出租车的人都知道这种情况是十分常见的——自这个机场建成使用的十几年里，一直如此。笔者在2014年3月还遇到过一次。一位著名企业家对笔者说，国际机场出租车管理如此混乱的情况，即使在世界范围内来看，也是极其罕见的。该机场对河南形象造成的负面影响几乎是毁灭性的。可见，硬件遮掩不了落后的管理水平。

就如同很多人所担忧的那样，到了2012年，投资驱动下的中国经济走到了临界点。

下图为1995～2013年全社会固定资产投资、GDP及全社会固定资产投资占GDP的比例。

数据来源：国家统计局。

　　从上图可以看出，全社会固定资产投资占GDP的比例，1995～2002年基本保持在32%～34%，最高的2002年也才36%。但2003年以后，全社会固定资产投资加速增长，占GDP的比例越来越大，在2012年竟然突破了70%，达到惊人的72%！并且还在继续上升。尽管投资加速增长，但经济增长速度却开始下降，这意味着，庞大的投资对经济增长的拉动作用变得越来越力不从心。因此，2012年成为中国经济一个醒目的转折点。

　　当一个国家的GDP主要靠投资拉动时，经济结构就已经彻底地失衡和畸形了。

　　许多投资是为了GDP的增长，并没有充分考虑到社会的实际需求，甚至有的是通过损耗财富的方式来保持增长。就好比一座大桥，原本设计使用60年，结果6年不到就拆掉重建。在这个过程中，GDP的确是在增长，但财富不仅没有相应增长，反而在这种增长中烟消云散，如果再算上大桥原本可以贡献的财富创造机会，就更加令人痛心。

　　有英国记者指出：中国与英国或美国相比，有很多经济活动虽然推高了GDP，却造成了很多危害——特别是在工程建设方面。[8]

　　不仅中国，许多国家的政府都喜欢投资，只是很多受到制度的约束，无法如愿而已。为什么？因为政府主导的庞大投资，同时也是投放货币的依据或理由。一方面，投放货币稀释了民众的财富，或者说，把民众的财富通过通货膨胀等方式悄悄转移到政府手中。另一方面，政府通过投放基础货币建设的收费公路等，实际上是把民众的财富转换成了国有资产，而且，还可以继续对公众收取费用。通过发行货币建设大型企业、做矿产投资等，都是如此。政府成为货币超发的最大受益者——这一点对于世界上的任何国家而言，都是如此。这是经济学中基本的原理。

　　理论上，通过发货币、透支资源的方式，就可以继续维持增长，尤其是对那些国民储蓄庞大的国家而言，吸纳新货币的能力更强，因为超发货币引起的通胀担忧会成为老百姓增加储蓄抵御不确定性风险的动力，这又帮助化解了超发货币可能导致的通货膨胀隐忧。

　　但是，没有任何做法是取之不尽、用之不竭的。一旦投资到达临界点，就可能面临着步入大崩溃、大萧条的危险。

第二节
投资的临界点（下）

　　投资盲目扩大的结果对内是严重的产能过剩，对外则是受制于人，被人牵着鼻子走，使国家的经济安全受到严重威胁。

以光伏产业为例——这个原本最不应该过剩的行业。太阳能光伏发电技术是利用半导体材料的光生伏特效应将光能直接转换成电能的技术。多晶硅制备位于整条产业链的上游，受技术和成本的限制，对光伏产业的发展起决定性作用。

中国对于光伏发电产业属于后知后觉者。

全球光伏市场的转移存在三个阶段。

第一阶段（1996年之前）：美国光伏市场占全球市场的份额高达32.1%，当之无愧地成为世界光伏市场的中心。

第二阶段（1996~2002年）：日本光伏市场保持了35%的平均增长，一跃成为光伏市场最大的消费国。

第三阶段（2003年至今）：欧盟成为绝对的市场主力。这得益于德国和西班牙国内的光伏补贴政策，它快速刺激了欧盟市场中心的形成。我国近85%的光伏产品出口到欧盟地区。

随着光伏产业的高速发展，多晶硅处于供不应求的状态，价格最高时曾一度占到太阳能电池总成本的60%，多晶硅制备行业的毛利率也一度高达70%~90%。多晶硅的产量和价格直接决定了整个太阳能光伏产业的发展。[9]

外部需求和高额利润，对中国产业产生了巨大的诱惑力。但可惜的是，人们看到的不是针对中国传统能源不足和对传统能源依赖性过大的缺陷来发展光伏发电，成为新能源的推广、普及者，而是只看到了外部需求所带来的高额利润的巨大诱惑。于是，在自己的需求市场没有启动的情况下，中国企业选择了能够短期获利的低端的高耗能、高污染的多晶硅的生产！

而且，企业的这种急功近利只注重短期利益的选择得到了政策的大力扶持。这种扶持所起到的巨大引领作用又迅速引来更多的追随者，从而导致中国在光伏的低端生产环节进入最晚却成长最快，以至于中国还没有来得及反应过来，产品严重过剩和多晶硅价格暴跌的事实就已经血淋淋地展现出来。

下表为2009年和2012年两会政府工作报告对新能源的政策变化。

2009年两会《政府工作报告》	"积极发展核电、风电、太阳能发电等清洁能源。"
2012年两会《政府工作报告》	"制止太阳能、风电等产业盲目扩张。"

仅仅隔了两年，就从"积极发展"变为"制止"，这种急剧变化说明宏观政策在

对微观层面的把握上缺乏更长远的认识。换一个角度来看，也说明政策从宏观层面的鼓励对资源的配置会产生巨大的推动力，从而使相关行业迅速发展到过剩的阶段。从这一点来看，宏观政策在发挥引领作用时，也应当慎之又慎。

全国很多地方政府都一拥而上，鼓励、扶持本地光伏生产企业的发展。无锡尚德曾是中国最大的光伏电池生产商，这家企业从成立之初就得到了无锡市政府的大力支持。位于江西省新余市的赛维，其崛起也同样出于地方政府之手：在赛维面临融资困境时，财政年收入仅为18亿元的新余市就给彭小峰提供了2亿元贷款作为项目启动资金。

这些企业很快给地方政府带来了丰厚的回报。尚德一度成为无锡这座老工业城市转型新能源的标志，而赛维也曾一度占据江西省出口总额的1/6。尚德与赛维的成功，让地方政府看到了光伏造富的机会与美好的前景，各地开始纷纷仿效，上马光伏产业。江苏、河北、浙江、河南、安徽等多地政府都在力推光伏，全国建立了几十个光伏产业园。在政府的推动下，一些地方老牌企业和上市公司也开始纷纷转型为光伏制造，整个行业一片热浪滚滚。

地方政府都在简单地复制尚德模式，同质化竞争严重，一味求大，不求销量，只为规模，进一步催生了光伏产业的泡沫，成为光伏产业过剩的根源。[10]

在政府的扶持下，国内一些主营业务为汽车、饲料等的上市企业纷纷跨行进入光伏领域，导致产能迅速扩张。2007年，我国太阳能光伏产量跃居全球第一后，至2011年的5年间继续翻倍增长。[11] 2006～2010年，我国光伏组件产量增加了1593%。数据显示，2011年，全球光伏总安装量为27GW[12]，而国内已经量产，加上在建的光伏产能却达到了50GW！[13] 产能的过剩程度已经到了令人瞠目结舌的地步！

但中国决策者显然低估了政策引领信号发出后的扩大效应，2009年还鼓励发展的项目，在2012年不得不"制止"，但为时已晚。无论是欧盟还是美国，都非常清楚，中国庞大的光伏产品在国内的需求量很小——2010年我国太阳能光伏系统新增装机仅为0.5GW，严重依赖于国际市场——中国光伏产业95%的市场都在国外。于是，欧美就联手对中国进行压榨，不断提起反补贴、反倾销的贸易诉讼，一直把中国相关产品的价格压低到成本以内！

"海量的中国政府支持生产的太阳能电池和电池板"大量涌入，最终导致美国市场价格崩溃。[14] 当然，这也意味着全球市场价格的崩溃。

2008年9月，多晶硅的价格是每公斤接近500美元[15]，到2012年12月初，已经跌到了每公斤110元人民币（以当时的汇率计算折合仅17.7美元）！而国内生产企业的成本就高达每公斤200～300元，这意味着每卖出一公斤多晶硅就得亏损100元。[16]

这等于是让外国人白用中国的产品发展自己的光伏发电！欧美国家在改善自己的能源结构、使环境更清洁的同时，把污染和痛苦都留给了中国。

更可悲的一点是，相关地方政府不愿意看到自己扶持的光伏企业倒闭，继续通过补贴等方式帮助企业苟延残喘，这种做法等于严重破坏了市场的自我调节功能，而财政补贴的成本无疑都将由纳税人来分担！在总是由纳税人为政府错误决策埋单的情况下，政府又怎么可能汲取教训呢？

2012年10月19日，有江西新余国资背景的江西恒瑞新能源有限公司购买赛维19.9%的股份，江西省政府还为赛维提供了20亿元的"赛维稳定发展基金"，但江西赛维依然难逃债务违约的命运。2013年4月，江西赛维宣布，由于公司现金流短缺，将无法向公司债权持有人全额支付2013年4月15日到期的高级可转债。这部分债券票面利率为4.75%，加上利息总额达到2379.3万美元。债务违约问题不可避免地出现了。[17]

2013年3月20日，无锡市中级人民法院依据《破产法》规定，正式裁定对中国光伏巨头无锡尚德太阳能电力有限公司实施破产重整。[18]

地方政府不得不吞下盲目扩张的苦果，而由此增加的负担，最终还将转嫁到纳税人身上。

笔者一直建议中国大力推广光伏发电，实现产能的自我消化，而不是用低于成本的价格为欧美发展新能源做嫁衣。

正如美国前副总统戈尔所说："我们从太阳和风中获取的能量越多，价格就越低廉；我们从石油和煤炭中获取的能量越多，价格就越昂贵。"在德国，2012年的一段时间里，超过一半的电力是从可再生能源中获取的。到下一个10年的中期，全球新增发电量将会有一半来自光伏发电。[19]

其实，中国比任何国家都需要发展可再生能源。在世界前十大能源消费国中（2004年数据），中国的煤炭和石油加总起来占能源总消费的91%，而其他能源消费大国在能源消费结构上则呈现出多样化的特征。[20]

下图（见117页）为1990~2011年中国煤炭消费量和进口量。

从图中可以看出，中国的煤炭消费量一直在持续攀升。

2012年，中国的煤炭消费量居然超过了全球煤炭总消费量的50%[21]，进口量更是在2008年后飞速增长。中国的煤炭消费量超过美国、欧洲、印度与俄罗斯的总和，而报告储量不到美国的一半，这样的速度显然是不可持续的。[22]

研究表明，到2020年，中国的煤炭需求量为32.5亿吨标准煤，相应的原煤需求量为45.5亿吨。[23]

数据来源：综合《中国统计年鉴2013》和国家统计局官网。

煤炭是最便宜的化石燃料，煤炭的价格很便宜，但使用它的代价却非常沉重：煤炭消费造成了普遍的空气和水污染、酸雨、呼吸道疾病、矿难死亡、碳排放等问题。[24]

因此，美国一直在用天然气替代煤炭发电，以降低煤炭在能源消费中的占比。2000年，美国16%的电力是天然气发电。[25]到2016年末，美国的天然气发电量将超过煤炭的发电量。[26]

关键之处在于，煤炭也不是取之不尽的。一个不得不面对的事实是，全球大部分煤炭（煤炭产量的85%）都是在原产国消耗，仅有15%供出口。给全球经济提供动力的资源正在日渐枯竭。[27]

更令人担忧的是，美国等煤炭大国，呼吁政府限制煤炭出口的声音从未停止。理由是，煤炭属于宝贵的公共财产，把受到补贴的煤炭运往亚洲国家，会帮助那里的工厂相对美国保持价格优势。而且，烧煤加剧气候变暖，给全球带来更大负担。[28]

显然，中国的这种能源消费模式，无论是从环境污染还是从煤炭储量来看，都是不可持续的。国外研究者早已指出："为了净化城市的空气，中国巨大的煤炭需求迟早要更换为天然气。"[29]

再看看原油。

美国研究者预测，到2025年，中国汽车的石油消耗量将需要1～2个沙特的石油产量。如果中国努力把汽车工业作为支柱产业，那么，就需要快速提高能源使用效率，提升能源安全，避免陷入美国式的石油依赖。[30]

中国早在2009年，石油对海外的依存度就超过了国际规定的50%的警戒线，预计到2020年，我国石油需求量就将超过5亿吨，对外依存度将达到70%左右。

但是，我国最重要的海外能源供应地海湾地区与非洲地区的局势动荡，我们无力掌控。同时，我国海外能源进口90%依赖海上运输，运输通道单一，80%以上的原油进口通过马六甲海峡。而对于印度洋航线和马六甲海峡，我们缺乏有效的军事保障。

英国之所以成为历史上第一个工业大国，是因为它实际上是一个煤岛，充足而低廉的煤炭为工业革命提供了巨大的推动力。随着煤炭时代让位给石油时代，作为世界上第一个煤炭超级大国的英国，让位给世界上第一个石油超级大国的美国。没有充足的能源，就不可能有发展，更谈不上全面崛起。[31]

中国也有储量丰富的页岩资源，但缺少开发的设备、经验和提取页岩油气资源必不可少的水。[32]

要特别强调的是，随着传统能源的日渐枯竭，未来的超级大国将站在新能源之上！

显然，中国更需要发展光伏发电！自己不大力推广使用，反而以极低的价格出口欧美，遭受反倾销报复，承受产能过剩之苦，何其悲哉？

产能过剩给中国带来的巨大痛苦，是难以承受之重，而从2012年步入新的周期后，这个难题依然是最棘手、最迫切需要化解的。

《2012年中国实体经济发展报告》指出：

从实体经济20大行业的运行情况来看，受基础设施和房地产投资萎缩等因素影响，包括钢铁、有色金属、建材和化工在内的原材料工业生产形势低迷，产能过剩问题凸显，部分行业处在行业性整体亏损边缘；而受设备投资周期和出口萎缩等因素的影响，装备制造业经济运行进入前所未有的低迷状态，主要产品中有多达1/3的产品产量同比出现不同程度的下降……

上市公司的情况更具代表性。2012年，中国实体经济上市公司总体财务安全快速下降趋势明显，其下降量级和呈现的风险程度前所未见，是自2008年国际金融危机以来中国实体经济上市公司总体财务安全最差的一年。

2012年出现风险和高风险（ST和退市风险）的中国上市公司，占总体上市公司的28.12%，上市公司异常指标大量出现，总体财务安全状况非常严峻，也反映了我国实体经济总体财务安全状况下滑严重。[33]

中国实体经济的困境，乃是经济结构畸形发展的结果。如果我们不愿意被动地接受这个转折点，而想凤凰涅槃、浴火重生，那么，2013年之后，尽快以前所未有的力度调整经济结构就显得空前紧迫和重要。

第三节
消费的临界点

投资极限和消费极限反映的问题不同，但都具有趋势性的指标意义。

投资极限代表着政府主导经济的行为高度扩张所能达到的临界点，而消费极限则代表着民众消费能力和消费动力持续萎缩后所达到的临界点。

这两个极限交织在一起的时候，形成的隐患是巨大的。

要激活消费，首先必须让民众有钱。西方国家通过增加就业、减税、红火的股市等渠道，给民众带来稳定的收益，但中国人增加收入的渠道相对有限。

很多人把钱存进银行，能够获得的利息收入远不足以弥补物价的上涨，尤其是食品价格的持续上涨。自2004年以来，中央银行确定的一年期储蓄存款的利率平均为2.75%，而同期的通货膨胀率平均为3.25%，民众的储蓄一直在被不断上涨的物价所吞噬。[34]

投资的目的是为了产生供应，而供应必须针对实际的消费需求。

投资的扩张意味着供给的持续增长，如果消费也以同样的速度扩张，就不至于导致很严重的问题。最怕的就是投资持续扩张的同时，而消费却持续萎缩，这意味着持续增加的供给并不能被消费所吸收和消化。更何况，政府主导的投资项目相当一部分都偏离民众的实际需求，是为政绩而投资，为GDP数据的动人而投资。在这种情况下，产能过剩的危险性就逐渐增大，从而埋下了巨大的隐患。

应该认识到，生产的目的是为了满足消费，不断创新、不断扩大的消费需求是经济增长的主要动力。只有保持一定的消费率，增加居民的最终消费，才能刺激投资增加，推动经济增长。换句话说，消费需求带动的投资增长才是最健康的、可持续的。

中国面临的问题是常年内需不振，需要压缩投资，走民富路线，把消费激活，促使中国经济慢慢步入良性发展的轨道。但2003年后，走的却是更加依赖投资来推动经济增长的路线。

如果说中国经济过去一直是投资唱主角的话，那么，到2003年后，几乎是由投资唱独角戏了。为了投资而投资，就是为了GDP数据的累积而投资，这样的投资必然与实际需求脱节，会造成大量的无效投入，造成社会资源的畸形配置，产生大量的浪费。

根据经济的发展规律，当经济发展到一定水平后，投资率会逐步下降，消费率逐步上升，而经济增长也逐渐由投资拉动为主转变为以消费拉动为主，消费率的提高同时又可以刺激生产的扩大，从而形成良性的循环。

这实际上意味着经济主导角色的转换。在初始阶段，由于基础设施不完善，政府需要加大这方面的投资。等基础设施逐渐完善以后，政府逐渐收缩对经济的干预，而把主角让给市场，通过市场把投资、生产和消费等有机地连接起来，在市场内在力量的影响下，步入良性发展的轨道。

要提高消费，就必须在财富分配过程中逐渐向民众倾斜，让民众有财富积累，唯有如此，他们才有能力消费。但在我国，政府投资的主导作用原本在2003年就应该调整，结果一直高速运转到现在！投资始终占据主导地位，意味着消费被挤压。

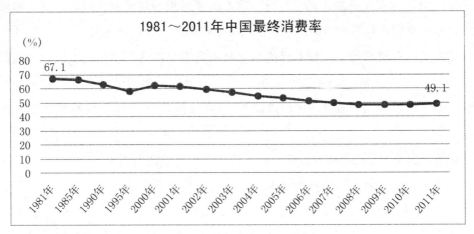

数据来源：《中国金融年鉴2012》。

从上图中可以看出，中国的最终消费率[35]在1981年的时候还在67.1%，然后慢慢下降，1995~2000年又逐步从58.1%上升到62.3%，从2000年开始下降，2003年以后加速下降，到2008年以后基本都在49%以下。

而根据国际货币基金组织的统计，美国在1951~1999年的49年中，最终消费支出占GDP的比例都在80%以上。近年来，发达国家消费率平均保持在80%左右，发展中国家平均约为74%。[36]

工信部研究员指出，我国居民最终消费率长期停留在50%以下，并呈现逐年下降的趋势。2000~2011年间，我国居民最终消费率从46.4%下降到35.5%[37]，不仅降速快，降幅也很大。

从消费的经济贡献看，"短板效应"日益显著。2000~2011年期间，消费需求对

GDP的贡献率由65.1%降至55.5%，而投资对GDP的贡献率由22.4%提高至48.8%。[38]

消费低迷的一个非常重要的因素，是超发的货币在大量投入到投资项目的同时，也稀释了民众的购买力。

超发的货币是流淌着的滚烫的开水，流到哪里哪里发烫、哪里起泡。

下图为2012年主要国家和地区新增广义货币量的分布情况。

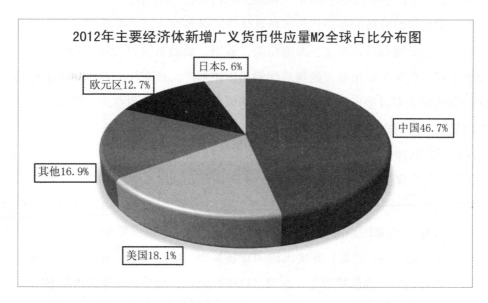

数据来源：World Bank。

清华大学中国与世界经济研究中心主任李稻葵是"中国货币超发严重"观点的支持者。李稻葵介绍，从纵向历史数据比较，中国M2从2002年初的约2.28万亿美元，增长到2012年的15.85万亿美元，10多年里增长近7倍；从横向比较来看，目前中国M2位居世界第一，排名第二的美国的货币供应量为9万多亿美元。

而中国M2余额是在2009年底才超越美国的，当时，正是国际金融危机后中国实施4万亿经济刺激计划的时期。中国M2在短短四五年内如此快速地增长，是超发的结果。即使在2012年，中国适度收紧货币的年份，货币增长依然很大，新增M2高达1.95万亿美元，在全球新增M2中占比达46.7%。"中国拥有如此大的货币存量，就如同头上顶着一个"堰塞湖"。规模过大的货币存量会带来相应的风险，比如高通胀、资产价格泡沫或资金外流。"

国家信息中心经济预测部主任祝宝良表示，中国M2与GDP的比值常年增长，无论与同期国际上其他国家比较，还是和本国历史数据比较，都显示出中国的货币的确在大量增发。货币超发使得中国在经济增长中付出的代价太大，特别是普通百姓付出的代价太高：高物价和高房价使得民众从经济较快增长中享受到的红利被吞噬殆尽。[39]

面对消费下降的严峻现实，一些研究者不正视问题，反而提出掩耳盗铃的建议，要改变现有的统计方法，把购房纳入消费，这样消费就上来了，并且举例说，美国就是把购房纳入消费的。这是一种令人啼笑皆非的无知和自欺欺人。

事实上，无论是美国还是中国，都是把购房列入投资中的。

联合国制定的《1993年国民经济核算体系》是各国遵循的统计国际标准，其中明确规定："包括用作住户主要住所的船舶、驳船、活动房屋和大篷车在内的一切住宅以及汽车库等任何与住宅有关的构筑物都是固定资产。自有住房者作为从事他们自己最终消费的住房服务生产的企业主处理，所以住房不是耐用消费品。"显然，居民购房支出就属于"固定资本形成总额"。

这样规定的理由主要有两点：

第一，住房属于固定资产。

第二，居民购房是对房地产业的投资。联合国制定的《1993年国民经济核算体系》对居民住房核算的规定得到了世界各国和有关国际组织的普遍执行。经济合作与发展组织（OECD）规定：在支出法GDP核算中，固定资本形成总额包括民用建筑物，其中包含住房。国际货币基金组织（IMF）规定：成员国在国民经济核算中，将居民购买的住房作为固定资本形成处理。美国、日本、德国、英国、法国、澳大利亚、加拿大、印度等主要国家均执行这一标准。[40]

联合国制定的核算标准，我国同样遵循。

2006年6月28日，在有关购房属于投资还是消费的问题上，国家统计局综合司明确回答：联合国制定的《1993年国民经济核算体系》是各国遵循的统计国际标准。对于住房来说，不论是建造还是购买，不论是用来自住还是出租都属于固定资产投资的范围。把住房和所有房屋投资纳入固定资产投资统计，是符合经济理论和国际通行做法的。尽管当前社会上对购置住房支出作为投资有不同意见，但在世界各国的统计工作中，购房支出作为投资统计是基本一致的。

从理论上讲，房地产开发商并不是最后的投资者，最后的投资者是住房资产的购买者，房地产开发商只是房屋建造阶段的投资者。[41]

购房行为对消费的影响是多重的。

有研究者指出，从长期来看，居民购房投资会促进消费增长。居民大量购买住房，就意味着相应的住房服务随之增加。居民购房还会带动装饰、装修、家具、家电等方面的消费，这个影响力度不可低估。从住房投资率来看，我国居民住房投资的影响始终保持在8个百分点左右。这表明，我国近年来投资率持续上升与居民住房投资关系不大。[42]

下图为我国和其他一些国家投资率和住房投资率的比较。

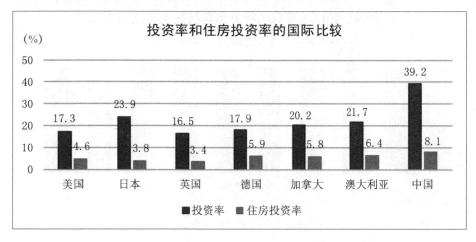

数据来源：《中国统计》。[43]

从上图可以明显看出，中国的投资率和住房投资率都远远高于其他国家。

但是，笔者并不赞同研究者的上述说法。房价高企对中国消费的影响，应该分为三部分来看才更客观。

第一部分是富人购房、炒房、囤房的行为。富人的资金庞大，这种炒房行为不会影响其消费，但他们用炒房赚来的钱继续炒房，会进一步推高通货膨胀。

第二部分是中等收入者的炒房行为。早期炒房者获取的暴利，在某种程度上促进了这部分人的消费。

真正影响消费的是第三部分，即人数最多的工薪阶层。他们拿省吃俭用积攒下来的钱买房，买后不得不压缩其他方面的消费来应对还债压力。而这部分人群才是中国消费的主体力量。

研究表明，2007年以后，房地产转移了城镇居民40%以上的可支配收入，如果考虑二手房交易，房地产对居民收入和财富的转移规模更大。在住房购买中，贷款只占一手房交易的20%，这说明，居民的存量金融资产也在源源不断地流入房地产领域。[44]

显然，持续上涨的房价对消费是有抑制效应的，而对消费的抑制作用有多大，取决于贫富分化的程度有多大。

因此，中国应该反思消费降低的根本原因，而非简单地在统计方式上做文章。

　　必须指出的是，即使在如此之低的最终消费中，还包括政府消费支出，而2006年以来，政府消费支出在我国最终消费支出中所占比例高达27%以上！

　　下图为2003～2012年政府消费支出与居民消费支出占比。

数据来源：国家统计局。

　　政府支出包括政府消费、转移性支出和政府投资三个部分。政府消费和转移性支出对居民消费都有直接影响，特别是与公共服务相关的政府消费和转移性支出对居民消费的影响尤为明显。

　　国际经验表明，政府在教育、医疗卫生、社会保障等公共服务方面支出的增加，不仅可以部分替代居民在这方面的消费、间接增加居民收入，而且还会减少居民对未来不确定性的担心，进而增加其他消费。

　　因此，学界的共识是：教育、医疗卫生、社会保障支出对居民消费是促进的。因此，政府支出结构调整对居民消费结构、消费水平都会产生重要影响。尽管在2002年以后，政府对教育、医疗卫生和社会保障的支出有较快增长，但其在财政总支出中的比重没有明显变化。2007年，我国教育、医疗卫生和社会保障三项公共服务支出占财政总支出的比重只有29.2%，与人均GDP3000美元以下国家相比低13.5%，与人均GDP3000～6000美元的国家相比低24.8%。

　　政府在教育、医疗卫生、社会保障等领域的投资不足，导致居民在教育、医疗等方面的支出比重不断上升，这是我国居民储蓄连年增长、消费倾向持续走低的重要原因。[45]

　　其实，不需要用专业的数据进行分析，仅从直观的感受上，就可以很清楚地理解这个问题。要走消费拉动经济之路，必须有两个前提：

其一，民众手中必须有钱，有钱才能去消费。这就要求：一国的政策出发点，必须以民富为核心，通过打造小政府，尽可能节约行政管理成本，提升行政服务效率；必须尽可能地减税，把财富留在民众和企业手中，既有利于刺激消费，也有利于鼓励企业投资的积极性，提供更多的就业岗位。同时，还必须为民众提供更多的能带来稳定收益的投资渠道。对照一下欧美等发达国家的情况，就不难发现其共性：减税、小政府、给民众带来回报的资本市场。

但中国的减税之路极其艰难。

我们知道，在美国，富人是国家税收的主要来源。以个人所得税为例。2008年，美国1%收入最高的人，所交个税占联邦政府所征收个税总额的38.02%。如果把高收入的范围扩大到50%，那么，他们所交个税占联邦所收个税的97.30%，而其余50%的人只负担了2.7%的个税。

应该说，这种税收结构是非常合理的，有利于调节贫富差距，也有利于社会保障体系的建立和完善。而在中国，个人所得税在矫正贫富差距方面的作用一直饱受质疑，因为全国城镇单位在岗职工月平均工资都远高于个税免征额。这意味着，城镇单位在岗职工基本上都要缴纳个税。这使得工薪阶层成为个税的纳税主体，占比高达60%以上。

尽管中国的个人免征额已经连续几次提高，但工薪阶层作为纳税主体的状况丝毫没有发生改变，因为免征额仍然比较低。我们可以对比一下：1981年，职工平均工资约为每月60元，而个税免征额为800元，大约为月工资的13.3倍。如果比照1981年的比例，现行的个税免征额最起码应该在2.5万元以上。这样，富人才能成为个税的纳税主体。

富人多纳税，以此建立和完善社会保障体系，不仅有利于缩小贫富差距，有利于社会的和谐与稳定，也有利于低收入者通过创业摆脱贫困。[46] 也只有这样，才能让内需真正地启动起来，成为改善经济结构的重要力量。

其二，健全社会保障制度，消除民众的后顾之忧。在美国等发达国家中，为什么消费一直是推动经济增长的主导力量，甚至出现了过度消费的问题？根本原因之一就在于，社会保障健全，民众没有后顾之忧。中国要想让消费成为推动经济增长的重要力量，就必须加大社会保障投入。同时，严把商品质量关，让民众敢消费、放心消费。

英国研究者指出，中国能否最终取得成功，取决于中国能否扩大内需，摆脱对美国和欧洲消费者的依赖。[47]

消费不足体现出来的是一系列深层次的矛盾，这种矛盾包含着可能导致经济危机的隐患。正如马克思在分析危机的原因时所说：一切现实的危机的最终原因，总是民众的贫穷和他们的消费受到限制。[48]

这句话正好点出了内需不足的两个要点：一是民众收入不足以激活消费；二是社会保障不足等问题，制约了民众的消费欲望与消费能力。

诺贝尔经济学奖得主约瑟夫·E.斯蒂格利茨指出，如果中国将更多的资源用来弥补医疗和教育领域投入的不足，中国人的生活水平必将因此得到改善。在这些方面，政府应该扮演主导角色。[49]

简而言之，此时，中国特别需要追求包容性增长，即每个人都参与到经济增长的过程中，都能平等地分享增长的成果。包容性增长意味着参与和利益的分享。没有利益分享的参与会造成增长不公，而没有参与的利益分享则无法实现理想的福利目标。[50]

第四节
财政收入的临界点

经济发展的目的，是提高国民收入水平，增强国民的消费能力，增加民众的幸福感。但是，在中国经济快速增长的过程中，始终伴随着内需不振的问题。

为什么？

一个最简单的原因是，经济飞速增长的背后，隐含着粗放式、损耗式、浪费式、收入分配不够合理的经济发展，未能带来国民收入相应的飞速增长。中国1990年时的GDP位居全球第11位，2000年位居全球第6位，到2010年时已经位居第2位。但是，人均国民总收入，中国1990年的时候位居全球178位，2000年的时候位居141位，2010年的时候位居114位，排名依然在100名之外。[51]

消费不振的另一个重要因素，是投资在拉动经济增长的同时，不断挤压消费。最终，在产能过剩的重压之下，中国的回旋余地越来越小。

我们知道，政府所主导的投资，一定要有充沛的资金来源，这种资金主要是靠发行货币、税收、发债、卖地等筹集。发行货币如果过多，会稀释民众的购买力，进一步抑制消费。这是一个非常简单的常识。

通过前面的分析，我们已经知道，中国的广义货币供应量余额截至2013年末，就已经高达110.65万亿元，折合18.29万亿美元，是美国（10.99万亿美元）的166.4%，或者说，超过美国66.4%。

货币工具已经被严重透支，无法维持！

从税收、财政收入的角度来看，在这个阶段内，二者的增速都非常快。

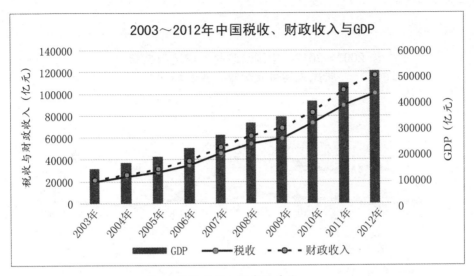

数据来源：国家统计局。

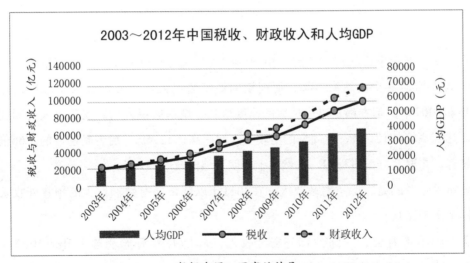

数据来源：国家统计局。

从税收来看，2012年的税收是2003年的502.57%；从财政收入情况来看，2012年的财政收入是2003年的539.76%，而且还在加速增长。同期的GDP，2012年是2003年的384.75%；人均GDP，2012年是2003年的363.82%。

很显然，我国财政收入和税收的增速，都远远快于GDP的增速，更快于人均GDP的增速。即使在次贷危机恶化的2008年，税收的增长速度也没有停下来。这是一种充满危险的增长，因为世界上再没有第二个国家能够做到税收增速持续高于GDP的增速。

最直观的比较，还应该是把财政收入的增速与城镇居民人均可支配收入的实际增长速度进行比较。

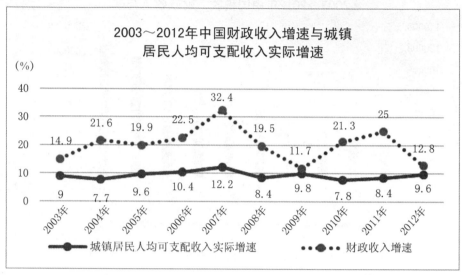

数据来源：《国民经济和社会发展统计公报》。[52]

从上图不难看出，从2003年起，中国的财政收入每年以两位数的速度增长，2007年财政收入增速甚至高达32.4%，而同期的城镇居民人均可支配收入实际增速除了2006年和2007年，基本都是以一位数的速度增长。城镇居民人均可支配收入实际增速2007年达到高峰的12.2%，但同期的财政收入增速高达32.4%，后者是前者的2.66倍！这意味着，在财富分配过程中，依然在十分明显地向政府倾斜。

必须要强调的是，除了财政收入，在2011年以前，还有数额巨大的预算外收入，这同样来源于民众。

从下图不难看出，中国预算外资金收入，从1993年开始稳步上升，2007年达到顶峰。别小看了这些预算外资金收入，如果加总起来也是一个非常可观的数字。1993～2010年的预算外资金收入加起来高达7.84万亿元！

按照经济学基本原理，税收随着经济的增长而增加，经济增长减慢则税收增长会减慢，相应地，国家财政收入增速也会放缓。但是我国却存在税收指标问题，即每年初，由上级向下级下达税收指标，一般分为政府和系统内两个指标，而且全部是增长性指标，一层层往下追加任务。

作为衡量税收征管水平的一项重要指标，税收综合征收率已经由1994年的50%左右

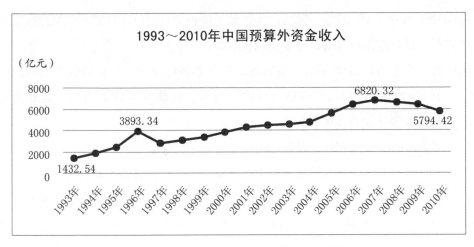

1993～2010年中国预算外资金收入

数据来源：《中国金融年鉴2012》。[53]

提升至2003年的70%以上。在10年间，提升了20个百分点。具体到第一大税种的增值税，其征收率则已由1994年的57.45%提升到了2004年的85.73%。随着金税工程以及税收信息化的全面推进，这项征管指标在最近几年中，又得到进一步提高。税收综合征收率的大幅度提升，不仅表明税务机关征管空间的潜力巨大，更意味着国家财政获得了持续增长的原动力。[54]

国家财政如此高速增长是很难持续的。

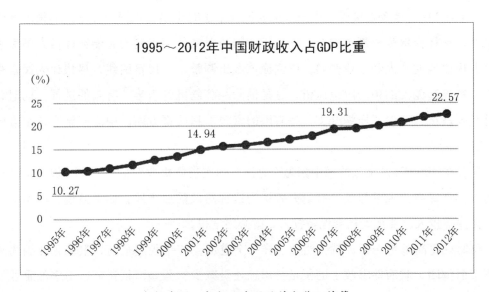

1995～2012年中国财政收入占GDP比重

数据来源：根据《中国统计年鉴》计算。

从上图不难看出，中国的财政收入占GDP的比重逐年上升，1995年的时候财政收入占GDP的比例为10.27%，到2012年时就已经占到GDP的22.57%。如此高速的增长，即使在全世界范围内来看，也是绝无仅有的。

现在回过头来看，2008年的次贷危机，实际上是促使中国经济进行结构调整的最佳时机：通过外部的推动，加速挤压房地产泡沫，促使资源转而向以制造业为核心的、以技术升级为导向的实体经济流动。

这种调整虽然要经过阵痛，却是经济发展的必然规律。

但在当时，笔者与一些有识之士提出这一观点的时候，并没有被接受。

经济周期的典型特征就是：在经济活动的繁荣时期之后，紧跟着就是经济活动减少的衰退时期。一个繁荣周期一旦开始，通常就会持续一段时间，在这个过程中促进繁荣的力量会自我强化。同样，一旦衰退到来，在相当长一段时间内，它就会滋生出进一步衰退的力量。[55]

假如我们能够尊重经济规律，就不会把房价重新从调整的轨道中拯救出来，继续把泡沫维持下去，甚至鼓励泡沫进一步膨胀。

在危机重压之下，几乎所有的国家都在减税，因为减税更有利于经济复苏。对企业减税，把更多利润留在企业，企业才有扩大投入的资本，这样可以增加更多就业；企业利润增加，可以给职工发放更多工资和奖金，有利于增强消费者的消费能力；对个人减税，同样可以更好地藏富于民，鼓励消费。

2009年2月，笔者在接受《中国报道》记者采访时指出：中国内需不振的根本原因是民穷，是社会保障机制不健全。它缘于中国的财富分配机制没有能够像西方国家那样，大规模地向个人和企业倾斜。中国应该做出调整，走民富路线，尽快让人民富裕起来，培养起庞大的中产阶级队伍，这是消除经济危机隐患唯一有效的选择。同时，政府必须裁员、节俭，压缩开支，将有限的资源用到民富方面。中国应该在这个方向上多努力。[56]

笔者在2009年1月出版的《中国怎么办——当次贷危机改变世界》中，提出了减税和加大社会保障投入的建议。有研究者认为这种建议前后矛盾：如果减税，就不能加大社会保障投入；要加大社会保障投入，就必须增税。

我们只要简单想一下，就会明白这样一个道理：如果税率很高，很多企业因为承受不了而倒闭，政府能够收上的税是会增加还是减少？假如降低税率，更多的企业发展起来，做大做强，政府收的税是增加还是减少？

这是因为税收不仅跟税率有关，还跟税源[57]密切相关。其基本原理是：税源越丰裕，税收收入量越大。

　　显然，减税未必就一定导致税收总量的减少，反而可能由于增加了税源，导致政府的税收收入提高。因此，我们需要找到最优税率点。

　　有经济学家专门研究过这个问题。1974年，经济学家阿瑟·拉弗（Arthur Laffer）认为，税率越高，不一定意味着税收会越多；相反，还将使可能征取的税收数量下降。具体来说，他认为，在一定范围内对征税对象多赚到的收入提高税率，国家的确可以多征到税。但税率提高一旦突破某个限度，人们工作的积极性会下降，主动纳税的热情不高，偷税漏税动机会增强，由此导致税基下降，国家能征到的税反而减少。如果国家将税率提高到更高的程度，企业将因为利润下降而出现投资积极性下降，甚至可能因为不堪重负而倒闭，税基进一步下降，从而国家能征到的税也进一步下降。如果税率达到100%，即将经济人所得全部征为税收，国家总税收收入将降为零：此时人都活不下去，还交得起税吗？

　　拉弗的思想启发了罗纳德·里根，他一主政，就大力推行减税政策。[58]

　　在任期的第一年里，里根开始了美国历史上最大规模的减税计划。在3年里，减税额占税收总额的25%，个人所得税税率的最高点从70%降至28%。

　　这导致了赤字的增加。

　　里根的前经济顾问威廉·尼斯坎南认为："（里根政府）国防开支的剧增和美联储的货币紧缩政策是导致赤字的主要原因。"但从另一个角度看，大量的国防开支将苏联拉入军备竞赛的旋涡，拖垮了苏联的经济，从而使得冷战结束。[59]

　　里根减税的积极意义在于，它以莫大的勇气承受着改革的巨大代价，而为后来的经济繁荣奠定了良好的基础——里根的政策释放了美国的经济潜能，给之后的美国带来了20年的相对繁荣时期。

　　中国实施减税政策的难度会更大，因为中国的投资规模过大，而投资需要得到税收的支持，很难给中国一个能够安然承受的阵痛期！因此，中国经济要想对畸形的发展模式进行调整，要想保持经济的可持续增长，必须压低投资规模，给未来的经济调整留下空间。否则，中国要面对的不是阵痛，而是更猛烈和持久、更难以承受的长痛。

第五节
债务的临界点

　　尽管中国货币供应量飞速增长，尽管中国财政收入的增长速度远远高于城镇居民人均可支配收入的实际增长速度, 但无论是中央还是地方, 依然感觉到钱不够用。财政收入依然无法满足财政支出的需求, 财政赤字不断扩大。

查《中国统计年鉴》可知, 自1979年以来, 中国绝大部分年份是财政支出大于财政收入。只有1981年有37.38亿元、1985年有0.57亿元、2007年有1540.43亿元的财政盈余 (当年财政收入增速高达32.4%, 所以才有盈余), 其余年份全部为赤字。1997~2012年的财政赤字加总起来 (减去盈余) 达到4.8万亿元 (见下图)。

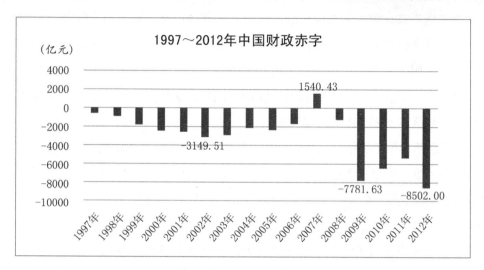

数据来源: 国家统计局。

中央财政支出大于收入, 导致中央财政债务余额逐年增加, 下图为2005~2012年中央财政债务余额情况。

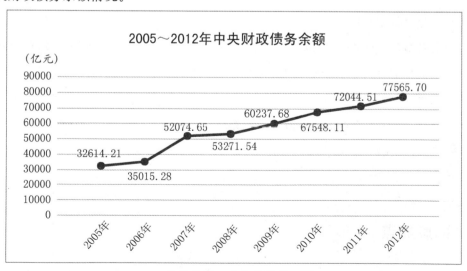

数据来源: 国家统计局。[60]

　　相对而言，中央政府的债务是比较透明的、容易掌控的，而地方政府的负债情况要复杂得多。地方政府对资金的焦渴更为强烈，他们"筹集"资金的渠道庞杂而且缺少透明度，负债更难以掌控。

　　因为在相当长的时期里，中国主要是以政绩考核官员，所谓政绩的标准是用具体数字来量化的，主要就是GDP，它是指在一定时期内（一个季度或一年），一个国家或地区的经济中所生产出的全部最终产品和劳务的价值。

　　在我们的经济学教科书中，GDP被认为是"衡量国家经济状况的最佳指标，可以反映一国的国力与财富"。但事实上，GDP在中国被严重神化了。米什金就指出："许多政府开始承认，GDP是一个虽然很有用但并不适当的福利衡量指标。"[61]事实上，美国直到1992年才加入世界其他国家的行列，把GDP作为其国民经济核算体系的主要指标。[62]

　　GDP有着显而易见的缺陷。一些虽然被算作增加GDP的活动，却由于造成了环境污染和破坏，应该从GDP中剔除。这个问题在发展中国家尤其严重。比如，一项对印度尼西亚的研究就认为，该国近年来计算出来的经济增长率由于对环境的破坏而应减去3%[63]，这显然是一个令人惊讶的结果。中国的GDP中，如果剔除环境污染这种破坏性的经济活动，增长率无疑也将大大降低。

　　更具有讽刺意味的是，消耗已有财富治理环境污染，同样会推升GDP。这有点像劣质建筑物，由于质量太差，几年后就要拆掉重建。从建到拆再到建这样的经济活动，不断推动GDP增长，而财富却在不断被浪费、消耗。

　　经济学家赫尔曼·戴利指出："我们没有把污染成本作为负面的影响减去，却把治理污染的价值作为正面影响加上，这是不对称的核算。"[64]

　　GDP是以货币来计量的。如果货币贬值、物价上涨，以货币计量的GDP就会快速上升，因此，在统计的时候要剔除通胀因素来计算实际GDP。问题是，通货膨胀数据常常是被压缩了的，因此，GDP存在着泡沫因素也就在所难免。

　　更何况，在以GDP考核政绩的标准之下，还有数据人为造假的现象。

　　曾荣获诺贝尔奖的经济学家约瑟夫·E.斯蒂格利茨和阿马蒂亚·森等学者认为，为追求GDP增长，最终可能造成一个使国民生活状况更为糟糕的社会。许多发展中国家一直在走自然资源开发私有化的道路，这意味着大量利润流向海外。采矿活动将使GDP增长，但GNP[65]可能并没有同步增长。如果再考虑资源消耗和对健康、环境造成的损害，那么，这个国家的国民生活质量实际上可能变得更差了；如果贫富差距的扩大比人均GDP的增长更快，那么，即使平均收入增加了，大多数人的生活状况也可能变差。[66]

显然，经济发展追求的不应该是简单的GDP增长，而应该是实实在在的经济发展。经济发展是指人均可以得到的商品和劳务总量的增加。比如，假设商品和劳务每年增加3%，而人口增加1%，则经济发展的速度为2%。经济增长与经济发展并不是等同的。[67]

但是，对于地方政府而言，在很短的任期内干出政绩，是获得升迁机会的必经之路。尽管中央政府再三强调，不再以GDP考核干部，但这并不能减弱地方官员对GDP的追求。在选举缺位的情况下，政绩几乎是能够对干部进行量化的唯一标准。更何况，投资过程中还伴随着众多的暗箱操作、权力寻租等诱人的机会。

新加坡国立大学房地产研究院院长邓永恒教授等人，对中国283个中小城市的市委书记和市长10年的政绩和升迁结果进行了研究分析。结果显示，中国的绿色官员升迁难。如果市委书记和市长任期内的GDP增速比上一任提高0.3%的话，升职概率将高于8%；如果任期内长期把钱花在民生和环保上，那么他升官的概率是负值。对此，邓永恒教授建议，中国应该改变干部考核体制。

新加坡国立大学东亚研究所所长郑永年说，GDP应当使人幸福，但异化了的GDP使社会异化。异化的GDP很难促成中国人的梦想。因为没有毒奶粉、毒食物，癌症村不见了，环境变好了，人们才可以安然地做起"中国梦"来。世界上大部分发达国家和发展中国家，衡量官员的政绩好坏，环保和民生始终是重要标准。那些绿色官员，升迁和连任往往很畅顺，甚至GDP是负值，同样会得到民众的支持。[68]

期望是期望，现实是现实。期望很美好，现实很残酷。

当GDP成为官员们追求的目标时，他们努力的方向在哪里是不言而喻的。

在投资、消费、出口这些能够推动GDP增长的因素中，政府最能做的，也最喜欢做的，就是投资。投资就需要钱，在所有的筹集资金的渠道中，银行信贷无疑是条捷径。

政府想贷款，就要搭建一个平台，这个平台就是地方政府融资平台。[69]

地方政府为融资平台做担保，融资平台通过贷款等方式为地方政府提供资金，地方政府则大力做投资。由此，拉开了地方政府债务迅速扩张的序幕。中国国家审计署公布的数字显示，2009年和2010年，地方政府直接或者通过其下属机构获得的借款总额相当于中国GDP的27%。[70]

在政绩感召之下，地方债务像滚雪球一样，越滚越大。

那么，中国的债务问题到底有多严重？

不知道！

因为最关键的一个问题是：我们现在还无法弄清政府债务的确切数据。

有关政府债务的情况，大致有以下几个版本。

1.审计署版。2011年6月，审计署披露，截至2010年底，全国省、市、县三级地方政府性债务余额共计10.72万亿元。[71] 2013年12月30日，审计署公布的《全国政府性债务审计结果》显示：各级政府负有偿还责任的债务为206988.65亿元，负有担保责任的债务为29256.49亿元，可能承担一定救助责任的债务为66504.56亿元。其中，地方政府负有偿还责任的债务108859.17亿元。[72]

2.国家审计署副审计长董大胜版。2013年两会上，国家审计署副审计长董大胜称，考虑到部分地方债存在一定浮动性，估计目前各级政府总债务规模在15万亿～18万亿元。[73]

3.财政部原部长项怀诚版。2013年4月6日，财政部原部长项怀诚估计，目前，中国地方政府债务可能超过20万亿元。[74]

4.国内研究机构的测算。许多研究机构对中国的债务量进行测算，结论虽然差异很大，但依然可以为我们提供一个参照。如《财经国家周刊》2012年4月报道的上海证券做的研究结果：截至2010年末，中央政府显性负债为6.75万亿元，隐性负债[75]规模约为10.94万亿元。地方政府显性负债规模达6.7万亿元，隐性负债规模达4万亿元。[76] 按照上海证券的测算，截至2010年末，中国的政府负债已达28.39万亿元。

有关地方债务规模总额，银河证券的估算是：截至2013年6月底，地方债、城投债和地方政府融资平台债务约13.48万亿元。长江证券发布的研究报告则称，"考虑近两年新增基建信托3200亿元、城投债9000亿元，再假定平台贷款违约不变，则目前地方债务可能增长20%，至12万亿元"。平安证券则估算总规模达到了14.5万亿～15.5万亿元。[77] 很显然，在地方债务规模方面，这几家研究机构的估算都要高于上海证券的测算，如果加上中央政府的负债，负债规模还要大得多。

5.国外相关研究机构或相关组织的测算。2013年5月，IMF第一副总裁大卫·利普顿（David Lipton）在北京表示，中国地方政府债务已经占到GDP的50%。另外，渣打银行认为中国主权债务已经占到GDP的50%，巴克莱的预估为62%。[78]

我们知道，中国2012年的GDP为51.93万亿元，如果按50%的比例计算，地方政府的债务也已高达25.97万亿元。

为了更直观地了解中国地方债务的规模，把上述数据做成如下图（其中，审计署和上海证券的数据，为截至2010年末的数据）。

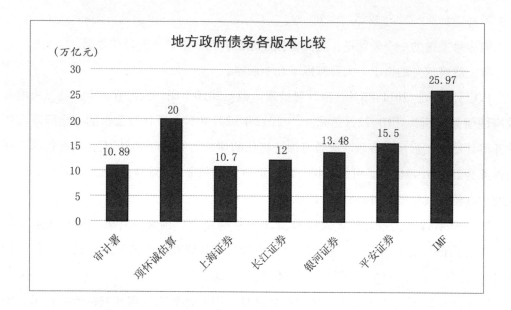

那么地方政府怎么还债呢？

主要靠卖地！

审计署的报告给出了答案：地方的债务偿还对土地出让收入依赖较大，至2010年底，地方负有偿还责任的债务余额中，承诺用土地出让收入作为偿债来源的债务余额约2.55万亿元，涉及12个省级、307个市级和1131个县级政府。

在地方融资平台最旺盛的地区，土地作为地方政府最重要的资产，被大量收储并注入融资平台公司，目前这些地方恰恰就是资金最吃紧的地方。地方融资平台贷款大部分是土地抵押贷款，很多还款主要依靠土地出让收入。如果土地市场继续低迷，地方的土地出让收益继续缩水，会使土地抵押贷款的债务开始恶化。一些地方的"铁公基"项目渐露违约苗头。[79]

地方债务持续扩张而不至于爆发债务危机的重要保障是：政府手中掌握足够多的土地，并且，这些土地保持着持续的升值态势。

问题是：一旦地价下跌，债务问题迅速浮出水面，地方政府如何应对呢？

令人担忧的是：地方政府债务还在快速增长。

2013年6月10日，审计署发布了36个地方政府本级政府性债务审计结果公告。公告显示，截至2012年底，36个地方政府本级政府性债务余额达3.85万亿元，比2010年增长了12.94%，有9个省会城市本级政府负有偿还责任的债务率已超过100%，最高达189%。债务偿还过度依赖土地收入，高速公路、政府还贷二级公路债务规模增长快、偿债压力大、借新还旧率高，债务风险凸显。审计署的报告还显示，2012年底，36个地方政府本级的223家融资平台公司中，有151家当年收入不足以偿还当年到期债务本息。审计署的结论是：部分融资平台公司资产质量较差，偿债能力不强。[80]

笔者在《时寒冰说：经济大棋局，我们怎么办》中，特别强调：

债务危机是一个驱之不散的梦魇，也是一个魔咒，它既与权力融合在一起，又与金融融合在一起。可怕之处正在这里！

尽管很多人在忽略甚至无视这种危险状况的存在，却并不影响它在未来爆发出巨大的破坏性——它的力量正在决定和改变着未来的大趋势，并且这种力量是其他力量难以抑制或阻止的……债务危机具有终结性，它将引发全球经济的集体转向，能够逃过这种危机的，只是极个别的。尤其对于非市场经济体而言，市场经济毕竟还有一定的自我修复能力。[81]

面对快速扩张的地方债务——这种扩张到现在不仅没有止步的迹象，反而由于基数的扩大而变得更加可怕。

更重要的是，很多负债源于缺乏经济效益甚至也缺乏社会效益的投资项目。这意味着，这种负债难以通过投资项目本身所创造的收入来偿还。

虽然不知道地方债务的确切数据，但我们不能不担心的是，地方债务如果按照这种速度膨胀下去，将成为未来引爆经济危机的一个巨大隐患或者导火索。中国必须有足够的忧患意识，及早消除隐患，防患于未然。

注　释

[1]陈佳贵，李扬.2013年中国经济形势分析与预测[M].社会科学出版社，2012.

[2]定军.中国投资占GDP比例全球最高，经济发展面临两难[N].21世纪经济报道，2006-05-20.

[3]马骏：宏观调控宜行"三紧政策"[OL].财经网，http://www.caijing.com.cn/2006-05-15/10008230.html，2006-05-15.

[4]Ronald I.McKinnon.The Unloved Dollar Standard：From Bretton Woods to the Rise of China[M].Oxford University Press，2012.

[5]汪海波.对党的经济纲领的历史考察[M].北京：中国社会科学出版社，2012.

[6]Jesus Huerta de Soto.Money，Bank Credit，and Economic Cycles[M].Ludwig von Mises Institute，2009.

[7]李克强.关于调整经济结构促进持续发展的几个问题[J].求是，2010（11）.

[8]Robert Peston，Laurence Knight.How Do We Fix This Mess：The Economic Price of Having It All and the Route to Lasting Prosperity[M].Hodder & Stoughton，2014.

[9]李孟刚.中国新能源产业发展与安全报告[M].社会科学文献出版社，2012.

[10]叶文添.光伏产业过剩背后的政府之手[N].中国经营报，2012-07-06.

[11]孙洪磊，王坤，郭强，叶超.光伏双重依赖症：企业全指望政府，产品依赖海外[N].经济参考报，2012-11-19.

[12]GW是gigawatt的缩写，常用来表示发电装机容量，代表十亿瓦特，1GW=1000兆瓦=100万千瓦。

[13]叶文添.光伏产业过剩背后的政府之手[N].中国经营报，2012-07-06.

[14]Donald L.Barlett，James B.Steele.The Betrayal of the American Dream[M].PublicAffairs，2012.

[15]汪华峰.晶硅价格暴跌"后遗症"，光伏企业挣扎中求生[N].中国经营报，2009-06-28.

[16]王璐，叶超.光伏产能过剩成本倒挂，国内九成多晶硅企业停产[N].经济参考报，2012-12-12.

[17]王璐.赛维2379.3万美元可转债违约，债务危局难解[N].经济参考报，2013-04-17.

[18]叶超，邓华宁，王珏玢.巨头无锡尚德破产重整，中国光伏产业困境中前行[OL].新华网，http://news.xinhuanet.com/2013-03/20/c_115099519.htm，2013-03-20.

[19]Al Gore.The Future：Six Drivers of Global Change[M].New York：Random House，2013.

[20]Barry J.Naughton.The Chinese Economy：Transitions and Growth[M].Massachusetts：MIT Press，2006.

[21]BP Statistical Review of World Energy June 2012[R].BP，http://www.bp.com/assets/bp_internet/globalbp/globalbp_uk_english/reports_and_publications/statistical_energy_review_2011/STAGING/local_assets/pdf/statistical_review_of_world_energy_full_report_2012.pdf，2012.

[22]Scott L.Montgomery.The Powers That Be：Global Energy for the Twenty—first Century and Beyond [M].University of Chicago Press，2010.

[23]国务院发展研究中心，壳牌国际有限公司.中国中长期能源发展战略研究[M].北京：中国发展出版社，2013.

[24]Scott L.Montgomery.The Powers That Be：Global Energy for the Twenty—First Century and Beyond[M].Illinois：University of Chicago Press，2010.

[25]Amory B.Lovins，E.Kyle Datta，Odd—Even Bustnes.Winning the Oil Endgame[M].Rocky Mountain Institute，2004.

[26]Annual Energy Outlook 2013：with Projections to 2040[R].U.S.Energy Information Administration，http://www.eia.gov/forecasts/aeo/pdf/0383(2013).pdf，April 2013.

[27]Jeff Rubin.The End of Growth[M].Random House Canada，2012.

[28]Michael Riordan.Don't Sell Cheap U.S.Coal to Asia[N].The New York Times，2014-02-12.

[29]菲利普·赛比耶—洛佩兹.石油地缘政治[M].北京：社会科学文献出版社，2008.

[30]Amory B.Lovins，E.Kyle Datta，Odd—Even Bustnes.Winning the Oil Endgame[M].Rocky Mountain Institute，2004.

[31]国际关系学院国际战略与安全研究中心.中国国家安全概览2012[M].北京：时事出版社，2013.

[32]National Intelligence Council.Global Trends 2030：Alternative Worlds[M].CreateSpace Independent Publishing Platform，2012.

[33]郭芳，蒲小雷.2012年中国实体经济发展报告[J].中国经济周刊，2012-12-20.

[34]Robert Peston，Laurence Knight.How Do We Fix This Mess：The Economic Price of Having It All and the Route to Lasting Prosperity[M].Hodder & Stoughton，2014.

[35]最终消费率又称"消费率"，是指一个国家或地区在一定时期内（通常为1年）的最终消费（用于居民个人消费和社会消费的总额）占当年GDP的比率。它反映了一个国家生产的产品用于最终消费的比重，是衡量国民经济中消费比重的重要指标。一般按现行价格计算，其公式为：消费率=消费基金/GDP×100%。其中，消费基金包括居民消费和政府消费。

[36]张宇，卢荻.当代中国经济[M].北京：中国人民大学出版社，2012.

[37]《中国金融年鉴2012》中的数据是，2011年最终消费为49.1%，这里的GDP是指支出法计算的国内生

产总值。在核对数据的过程中，笔者发现国内研究者在最终消费率上引用的数字差异非常大，可能是所选取数据的统计方法或计算方法不同所致。比如，GDP核算用生产法和支出法得出的结果是不同的，而有的则是由于混淆了居民消费率和最终消费率的概念所致。其实，很多数据远没有人们的直观感受明确和直接。

[38]代晓霞.中国居民消费率逐年下降，需调整收入分配制度[J].瞭望，2013-01-15.

[39]兰辛珍.中国货币是否超发？[N].北京周报，2013-04-04.

[40]张冬佑，郑学工.居民购房应算投资还是消费[N].中国信息报，中国社会科学院金融研究所，http://ifb.cass.cn/show_news.asp？id=6099.

[41]国家统计局综合司.关于固定资产投资和房地产开发统计中的若干问题——国家统计局固定资产投资司负责人答记者问[OL].国家统计局，http://www.stats.gov.cn/tjdt/zygg/t20060628_402333520.htm，2006-06-28.

[42]张冬佑，郑学工.居民购房应算投资还是消费[J].中国统计，2006（1）.

[43]张冬佑，郑学工.居民购房应算投资还是消费[J].中国统计，2006（1），表中的数据以2002年的数据为准测算。

[44]陈勇，姜超.居民资产负债与房地产[R].海通证券，2013-06-04.

[45]金三林.政府支出对我国居民消费的影响[N].学习时报，2009-11-17.

[46]时寒冰."巴菲特税"的感慨[N].上海证券报，2011-09-22.

[47]Vassilis K.Fouskas，Bulent Gokay.The Fall of the US Empire：Global Fault-Lines and the Shifting Imperial Order[M].Pluto Press，2012.

[48]Andrew Kliman.The Failure of Capitalist Production：Underlying Causes of the Great Recession[M].Pluto Press，2011.

[49]Joseph E.Stiglitz.Reforming China's State-Market Balance[OL].Project Syndicate，http://www.project-syndicate.org/commentary/joseph-e-stiglitz-asks-what-role-government-should-play-as-economic-restructuring-proceeds，2014-04-02.

[50]Jayant Menon，Sabyasachi Mitra，Drew Arnold.Realizing the Asian Century：Inclusion and Equity[M]//Harinder S Kohli，Ashok Sharma，Anil Sood.Asia 2050：Realizing the Asian Century.SAGE Publications Pvt.Ltd，2011.

[51]中国统计年鉴2012[M].北京：中国统计出版社，2012.

[52]2003～2007年的数据，来源于《2007年国民经济和社会发展统计公报》，2008～2012年的数据，来源于《2012年国民经济和社会发展统计公报》。

[53]财政部在2010年6月1日，下发《关于将按预算外资金管理的收入纳入预算管理的通知》，决定从2011年1月1日起，把按预算外资金管理的收入（不含教育收费），全部纳入预算管理。所以，预算外资金收入的数据只公布到2010年。

[54]吴睿鸫.财政收入增速高于GDP增速是如何形成的[N].羊城晚报，2011-01-26.

[55]Peter Birch Sørensen，Hans Jørgen Whitta-Jacobsen.Introducing Advanced Macroeconomics：Growth and Business Cycles[M].New York ：McGraw-Hill Higher Education，2010.

[56]刘梦羽."民富"是中国的唯一出路[J].中国报道，2009（3）.

[57]即经济税源，它主要是指国民经济各个部门当年创造的国民收入或往年累积的国民收入。经济税源作为税收收入的经济来源，其丰裕程度决定着税收收入量的规模，税收收入随着国民经济的发展和国民收入的增加不断地增长。

[58]梁小民.中国古人的经济学智慧[N].中华读书报，2005-01-31.

[59]刘波.里根的经济遗产[N].世纪经济报道，2004-06-09.

[60]这里的财政债务余额主要是国债。

[61]Frederic S.Mishkin.Macroeconomics：Policy and Practice（Pearson Series in Economics）[M].Prentice

Hall，2011.

[62]Peter Kennedy.Macroeconomic Essentials：Understanding Economics in the News[M].MIT Press Ltd，2000.

[63]Rudiger Dornbusch，Stanley Fischer，Richard Startz.Macroeconomics[M].New York：McGraw-Hill Higher Education，2008.

[64]Al Gore.The Future：Six Drivers of Global Change[M].New York：Random House，2013.

[65]GNP是Gross National Product的简称，即国民生产总值。它是指一个国家（或地区）的国民经济在一定时期（一般一年）内以货币表现的全部最终产品（含货物和服务）价值的总和，是一国拥有的生产要素所生产的最终产品价值，是一个国民概念。GNP是按国民原则核算的，只要是本国（或地区）居民，无论是否在本国境内（或地区内）居住，其生产和经营活动新创造的增加值都应该计算在内。GDP是指一个国家（或地区）在一定时期内所有常住单位生产经营活动的全部最终成果。GDP是按国土原则核算的生产经营的最终成果。比方说，美国企业在中国境内创造的增加值计算在中国的GDP中，而计算在美国的GNP中，中国的GDP大于GNP，而美国的GNP大于GDP。

[66]Joseph E.Stiglit，Amartya Sen，Jean-Paul Fitoussi.Mismeasuring Our Lives：Why GDP Doesn't Add Up[M].New Press，2010.

[67]Harold G.Halcrow.Economics of Agriculture[M].Mcgraw-Hill College，1980.

[68]张田勘.调查显示中国绿色官员升迁难 欧美绿色官员仕途顺[N].羊城晚报，2013-06-15.

[69]地方政府融资平台是由地方政府及其部门和机构、所属事业单位等通过财政拨款或注入土地、股权等资产设立，具有政府公益性项目融资功能，并拥有独立企业法人资格的经济实体。它包括各类综合性投资公司，如建设投资公司、建设开发公司、投资开发公司、投资控股公司、投资发展公司、投资集团公司、国有资产运营公司、国有资本经营管理中心等，以及行业性投资公司，如交通投资公司等。

[70]Carl Walter，Fraser Howie.Red Capitalism：The Fragile Financial Foundation of China's Extraordinary Rise[M].Wiley，2012.

[71]毕晓哲.应为土地市场急降温准备预案[N].证券时报，2011-07-21.

[72]梁士斌.我国政府债务底数首次摸清 各级政府债务20万亿[N].法制日报，2013-12-31.

[73]周小苑.地方债务规模或超20万亿[N].人民日报海外版，2013-04-19.

[74]周小苑.地方债务规模或超20万亿[N].人民日报海外版，2013-04-19.

[75]政府隐性债务包括政府负有担保责任或者是在出现违约情况下政府不得不使用财政资金进行最后"兜底"的各类型债务。在一定的条件下，这些隐性债务会通过违约的方式实现显性化，对银行体系造成冲击，所以仍然需要评估其对经济的潜在威胁。根据这样的定义，原铁道部负债、社保基金缺口、政策性银行负债、国有银行和非银行金融机构不良资产均为典型的政府隐性负债。

[76]上海证券.中国政府有多少债？[J].财经国家周刊，2012-04-13.

[77]戴曼曼.中国地方债规模如迷雾，不同口径相差近10万亿[N].羊城晚报，2013-07-30.

[78]戴曼曼.中国地方债规模如迷雾，不同口径相差近10万亿[N].羊城晚报，2013-07-30.

[79]万晶.地方财政压力骤增，调控政策难言放松[N].中国证券报，2011-06-29.

[80]王珂.审计署：36个地方政府性债务余额已达3.85万亿元[N].人民日报，2013-06-11.

[81]时寒冰.时寒冰说：经济大棋局，我们怎么办[M].上海：上海财经大学出版社，2011.

第6章

大转折：美国的2012

第一节
制造业回归

在当今的大棋局中，美国一直占据着强势主导地位。

这种主导地位不仅源于其强大的军事力量、强大的国际货币掌控权、遥遥领先的创新能力和高科技优势，还源于其超前的战略布局，所谓"谋定而后动，知止而有得"。

笔者用这种表述不是什么媚外，而是努力树立一种理性的认识：只有清楚地看到对手强大的地方，才能洞悉其弱点所在。只有学习其长处，才能看透棋局的走向，找到应对的策略。国人习惯于贬低对手，就如同抗战影视剧中对日军的丑化。如果曾经给中华民族带来深重灾难的日本军人是那样愚蠢和不堪一击的话，我们如何去审视那段苦难而悲壮的历史和那些为抗战英勇献身的先烈？我们又该以怎样的态度面对未来的危机与风险？

近年来，有关美国衰退的说法甚嚣尘上。美国在衰退吗？

即使认为欧洲的挑战正在使美国全球主导地位逐渐丧失的查尔斯·库普乾博士，在其著作中，也做了如此表述：

全球体系的唯一界定因素是实力的分配，不是民主、文化、全球化或者任何其他东西。我们现在生活在一个单极世界，一个只有一个权力之极的世界，它是美国的单极世界。

今天的美国拥有比历史上任何其他国家都更强大的能力来塑造国际政治的未来。美国享有压倒性的军事、经济、技术和文化主导地位。美国军事对所有潜在挑战者都具有毋庸置疑的优势。美元的实力和美国经济的规模使美国的跨国公司事实上可以渗透到所有市场。信息革命在美国硅谷地区以及其他高科技中心孕育生长，使美国公司、媒体和文化得以在史无前例的范围内发挥影响。在全球的每一个角落，政府还有普通市民，都依赖于华盛顿做出的各种决策。[1]

在单极条件下，由于受霸权威胁的国家即使结盟也构不成有效抗衡霸权的能力，就会出现只与霸权结盟而无反霸权结盟的现象。[2] 这就是所谓的"强者恒强"。

但是，美国也有陷入迷茫、步入调整的时候，只不过是瘦死的骆驼比马大，其强大的实力依然令人望而生畏。

下图为2012年世界GDP前10名国家。

数据来源：《中国统计年鉴2013》。

从图中不难看出，美国的GDP依然以绝对优势位居世界第一，超过排名第二、第三的中国和日本的总和。而且，美国的GDP很大一部分是高科技推动的，含金量非常之高。更重要的是，美国的GNP远大于GDP，其财富创造能力依然是世界最强大的。

必须认识到，当美国公布的一个数据，或者美联储主席有关货币政策的一句话，就足以在全球资本市场掀起轩然大波的时候，我们不得不承认，这个强大的国家依然是全球无可替代的主导者。

2012年是至关重要的一年。这一年之后，就是3年大布局，是布什么样的局？为什么是那样的布局？我们接下来会做详细解读。

笔者此前反复强调：债务是一条带血的主线！

全球大的经济体都或多或少地面临着债务问题。在这种情况下，谁能推迟债务危机的爆发，谁就跑赢了债务危机。推迟债务危机的爆发，在全球化时代就意味着变得安全了，而不计其数的资金总是向安全、收益稳定的地方流动，充沛的资金反过来又会成为化解债务危机的帮手。而那些较早爆发债务危机的国家，则成为资金大量抽逃的受害者，甚至可能如同多米诺骨牌一样倒塌。

那么，如何跑赢债务危机，并在这场你死我活的角逐中取胜？

一个家庭的债务是否成为问题，关键在于它创造新财富的能力，只要创造的财富能够逐渐超越债务，负债问题便迎刃而解。

对于一个国家来说，同样如此。

一个国家创造财富的能力，源于企业、个人创造财富的能力，这种创造财富的能力分为两块：一块是实体经济领域的财富创造能力——实体经济始终是人类社会赖以生存和发展的基础；另一块是虚拟经济领域的财富创造能力，它必须以前者为基础，否则，即使达到某种程度的繁荣也难以持续，典型的例子如冰岛。

次贷危机爆发后，美国也开始反思自身存在的问题。反思的结论之一，就是虚拟经济脱离实体经济过度繁荣所导致的经济基础的脆弱性。

2009年4月14日，奥巴马在华盛顿乔治敦大学演讲时引述《圣经》中的比喻说，"建在沙上的房子会倒掉，建在岩石上的却依然屹立"，因此，"我们不能在沙上重建经济，我们必须在岩石上重建房屋"。[3]

这里所说的"岩石"，实际就是实体经济。

英国研究者指出，从历史上看，帝国扩张权力的时候，都是以其在工业生产领域的领先地位为基础的，单靠金融化不能有效恢复帝国的全球领先地位。[4]

美国是世界制造业大国和强国，强大的制造业使美国在20世纪的绝大多数时间里保持了经济的繁荣。但从20世纪80年代开始，美国一度把制造业视为"夕阳工业"，力图将经济发展的重心由制造业转向以服务业为主的第三产业，结果美国制造业的国际竞争力严重削弱，在汽车、半导体等重要领域迅速被日本超过，甚至连美国武器系统的核心部分也不得不用日本的关键零部件或半导体芯片。[5]

进入21世纪，美国由于过度依赖以金融业、房地产业为代表的虚拟经济，实行"去工业化"的发展道路，其制造业继续走下坡路。制造业的就业岗位，从1998年的1760万个下降到了2010年底的1160万个，其占美国总就业的比例下降到1/10。[6] 美国经济学家麦金农给出的数据是：20世纪60年代中期，美国制造业产出约占国民生产总值的27%，创造的就业份额为24%；到2004年，这两个份额分别下降到13.8%

和10.1%。[7]

美国金融与经济危机起因调查委员会发布的最终报告指出：金融业的发展过头了。从20世纪80年代初开始的大约20年的时间里，金融部门远比其他经济部门增长得快——从占GDP约5%增长到21世纪初的约8%。1980年，金融部门的利润约占企业利润的15%，到2003年，这一比例已经达到了33%！在2006年金融危机爆发前夕，这一比例仍位居27%的高位。

大型金融机构的规模飞速扩张。1998～2007年，美国银行、花旗集团、摩根大通、美联银行和富国银行五大美国银行的总资产从2.02万亿美元上升到6.8万亿美元，增长了3倍多。

房地产热得烫手，是虚拟经济过度繁荣的另一表现。从2001年1月3日开始，美联储为了刺激借贷消费，将联邦基准利率（即商业银行间隔夜拆借利率）下调了0.5%。随着联邦基准利率下调到40年来的最低水平，越来越多的人开始贷款买房，次级贷款飞速增长，房价持续上涨，房地产市场迅速繁荣起来。住房自有率稳步上升，在2004年达到69.2%的顶点。由于很多家庭都从升值的房产中获益，家庭财富达到其收入的6倍。美国前副财长约翰·泰勒指出：房地产的发展本来不该如此火爆，房地产泡沫的破裂也本不该如此惨烈。[8]

下图为1996～2008年美国次级抵押贷款在贷款市场中所占比例。

数据来源：Inside Mortgage Finance。

世界上没有不破灭的泡沫——即使像美国这样的超级经济强国也不例外。

次贷危机的爆发，完成了对包括中国在内的买入大量次级债券国家的一次洗劫。

但这次危机，也让美国认识到了自身所存在的缺陷：脱离实体经济的支撑，虚拟经济的辉煌无法持久。

美国随即便启动纠错机制，重振制造业的发展，通过实体经济的增长，为美国经济的下一步发展打好基础。

必须强调的是，这里所说的虚拟经济的过度发展，是与以制造业为基础的实体经济的发展相对而言的。只是相对于虚拟经济的迅猛发展，制造业的发展显得落后了。比如，在2008年金融危机发生之前，美国制造业对于GDP的贡献只有10%，而与此相比，美国金融业对于GDP贡献度超过了30%，房地产业超过了13%。[9]

但从整个国际层面来看，美国在制造业上依然占据着技术优势。

劳动生产率决定着一个企业的竞争力，也决定着一个国家的竞争力。美国的劳动生产率在主要发达国家中一直处于领先地位。1973～1996年，如果以1973年美国制造业的劳动生产率为100%来算，则日本相当于它的55%，德国为73%，法国为66%，英国为52%，荷兰为77%，瑞典为66%。到1996年，仍以美国的劳动生产率为100%来算，则日本是其74%，德国为82%，法国为84%，英国为67%，荷兰为97%，瑞典为90%。

这说明，美国同其他主要竞争对手的差距虽然有所缩小，但仍然处于领先地位。1995～2008年间，美国非农业部门的劳动生产率年平均增长2.1%，领先优势依然明显。

此外，美国研究与开发支出的总额占世界的40%[10]；70%的诺贝尔奖获得者在美国受聘；在全球引用最多的出版物中，美国占63%。[11]

从这些显得枯燥的数字中，我们可以看到一个被表面危机所遮掩的超级科技强国的形象。

事实上，即使在制造业较受"冷遇"的时期，美国制造业依然在前行。我们通常所说的美国制造业的衰退，主要是与美国虚拟经济的高速发展相比较而言的。如果放在全球范围内来看，美国制造业的基础依然非常雄厚。这是因为，美国一直是全球科技进步的引领者，依托先进的科学技术，美国制造业的起点就令世界绝大多数国家自叹不如。

2008年是美国次贷危机最严重的一年。据美国国家科学基金会公布的数据，当年美国企业投入的研发经费依然高达3330亿美元，其中，制造业的研发经费为2330亿美元，占全部研发经费的71%。[12]

美国制造业在全球的排名一直位列前四名之内。这里所谓的"重振美国制造业"，确切地说，应该包含两个方面的内容：

一是促进美国制造业更快地发展，追赶上虚拟经济的发展步伐；

二是促使制造业从海外向美国回归，让美国制造业的产业链更加完整，以帮助美国提高就业，使国民获得稳定的收入，提高美国经济的可持续增长能力。

2009年1月，奥巴马就任美国总统后，把重点放在了重振制造业方面。奥巴马政府推出的7800亿美元的一揽子投资计划，特别强调制造业和出口。2009年11月2日，奥巴马在美国经济复苏咨询委员会上表示，要增加美国的出口，降低美国金融业的比例，发展包括中低端传统产业和制造业在内的各种经济类型，从而使美国经济建立在岩石上而不是在沙滩上。

奥巴马总统曾和苹果公司总裁乔布斯进行过一次对话，奥巴马希望苹果产品在全球的几十万个工作岗位能够回归美国。当时，乔布斯回答说："如果您能够马上给我3万名工程师，还有几十万个能够接受高于中国工人工资水平一倍的美国人，那么我可以把几十万个就业岗位重新带回美国。"[13]

但是，需要看到的是，美国重振制造业的优势也是非常明显的。

2010年5月出版的美国《财富》杂志英文版刊登了海尔美国工厂生产线的巨幅照片，并以"美国制造、中国拥有"为题，对海尔在美国投资建厂，以及为当地创造就业机会的情况进行了报道。报道称，按照中国的标准，海尔将工厂搬到美国会得到很多实惠。在美国南卡罗来纳州一些地区购买土地的价格仅为上海或东莞的1/4。同时，这里的电也更便宜：在中国，用电高峰时工厂用电每度价格为14美分，而在南卡罗来纳州只要4美分，而且这里不会出现限制用电的情况。"中国和美国之间的生产成本差距正在缩小。"[14]

中国房地产泡沫的日渐累积，尤其在错过2008年那次挤压泡沫的机会之后更快地膨胀，已经成为提高中国经济运行成本、加大经济风险的毒瘤。当海尔在美国投资建厂的成本优于国内时，它显露出来的信息实在太值得我们警醒了！

美国政府一直在全力以赴地推动制造业的复苏。

2009年1月28日，美国国会众议院表决通过的总额为8190亿美元的新经济刺激方案中规定，但凡政府经济刺激方案下属工程，建筑所用钢铁必须为国内出产的"美国货"。提交参议院表决的方案则进一步加强了"买国货"条款，规定：除非一项工程"所用钢材和其他制成品全部来自美国制造"，否则不得使用经济刺激方案拨款。[15]

2010年8月11日，奥巴马签署了《美国制造业促进法案》，希望通过暂时取消或削减美国制造业在进口原材料过程中需付的关税，来重振制造业竞争力并恢复在过去10年中失去的560万个就业岗位。在该法案签署之前，美国制造业已实现连续6个月的扩张。[16]

2011年6月24日，奥巴马宣布了一项超过5亿美元的"先进制造业伙伴关系"计划

（AMP），以期通过政府、高校及企业的合作来强化美国制造业。"先进制造业伙伴关系"计划主要包括四个子计划：一、提高美国国家安全相关行业的制造业水平；二、缩短先进材料的开发和应用周期；三、投资下一代机器人技术；四、开发创新的、能源高效利用的制造工艺。[17]

由于美国制造业主要分布在美国东部和中西部五大湖区，这些地区不仅因人口稠密导致该地区众议院选区密集，而且，因为州的数量多，也使该地区在参议院占有众多席位。因产业地理的关系，使主要分布在该地区的制造业有望在国会中获得众多两院议员的支持。[18]这意味着美国政府对制造业的支持力度将会越来越大。

不仅美国联邦政府大力鼓励、支持制造业的发展，美国地方政府同样在这样做。以美国南部密西西比州为例，该州出台了一系列的多重鼓励项目，包括贷款、资助、债券和减免税收，可按照各企业的特殊需要提供合适的优惠条件。州政府、地方政府和海外代表处通力合作，与新企业密切沟通，量身定做项目计划书，并由专人协调进行一站式审批，以确保项目如期在预算内交付使用。[19]

密西西比州在由斯塔克维尔（Starkville）、哥伦布（Columbus）和西点（West Point）构成的金三角地带积聚了许多工作岗位并获得了大量投资。欧洲宇航防务集团（EADS）的两家工厂、空中客车（Airbus）的母公司，以及俄罗斯钢铁生产商谢韦尔公司（Severstal）的一家工厂都在这个区域。密西西比州正在成为一个"大多由非工会企业所构成的制造业中心"。[20]

显然，美国不仅在鼓励本土制造业企业回归，也开始采取务实的行动，以吸引各国在美国投资制造业。

除了这些因素，美国制造业在人工成本等方面与中国越来越接近。这意味着，中国的优势日益消退，而美国的优势日益上升；意味着，美国制造业正在重新找回昔日的辉煌与荣耀。当它重新拥抱这份自信，也意味着美国实体经济走向涅槃重生之路。

2011年8月25日，波士顿咨询公司在其发表的研究报告中指出：到2015年前后，面向北美消费者的大多数商品在美国部分地区生产将会变得与在中国生产一样划算。因为：

一、中国原有的低于美国低成本州劳动力的优势，将从现在的55%骤然下降到2015年的39%，而美国工人还拥有更高的生产效率。由此外包给中国的许多产品所节省的制造成本，将降至个位数。

二、对于许多商品而言，运输、关税、供应链风险、工业地产和其他相关费用如果都考虑进去，那么在未来的5年中，与美国的一些州相比，中国工厂制造成本的节约空间将会变得非常之小。

三、即使采用生产自动化和其他相关措施来改进生产率，也不足以继续维持中国的成本优势。事实上，廉价劳动力优势的丧失，正在削弱客户同中国开展外包业务的吸引力。

四、鉴于中国和亚洲其他发展中地区收入水平的提高，跨国公司有可能将在中国生产的产品大部分供应给中国国内和亚洲其他市场，因此，它们将会把部分制造业转移到美国，用于生产满足北美市场的商品。某些产品的生产将从中国转移到劳动力成本更低的国家，如越南、印度尼西亚、墨西哥等。

下图为波士顿咨询公司所做的关于制造业成本的一项节省测算。

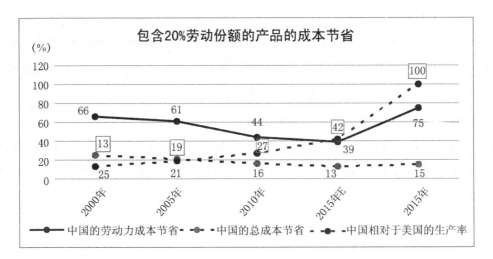

需要说明的是，图中最右边的2015年数据，是假定中国的生产率与美国相等，剔除供应链成本后的总成本节省。我们看到，在这种情况下，中国的总成本节省与美国相比只能节省15%。如果考虑到中国的生产率水平与美国的差距，中国的总成本节省还要小得多。这意味着，到2015年，中国制造业的成本优势与美国相比，几乎不复存在。

报告认为：劳动力工资和运输成本的上升，地价的上涨和人民币持续的升值，正在快速蚕食掉中国制造业的优势；而美国工资仅仅小幅上涨甚至是微降，美元贬值，劳动者的适应能力越来越强，生产效率越来越高，这使美国的制造成本变得越来越低廉。在未来的5年中，在中国沿海投资建厂生产销往北美市场的商品，只能比在美国部分地区生产降低10%～15%的总成本。这意味着，在美国投资建厂将是最佳选择。[21]

在众多因素的带动之下，美国企业在最近一段时间纷纷踏上了"回家"之路。

2012年，通用电气在位于路易斯维尔市的工业园区新增数条生产电冰箱、热水器以及洗衣机的装配流水线，将以往外包至中国以及墨西哥等地的工作岗位回迁到美国本土。苹果公司宣布2013年投资1亿美元，把部分电脑生产线移回美国。惠而浦公司（Whirlpool Corporation）也在美国田纳西州的克里弗兰投资2亿美元开设了新的工厂。

此外，沃尔玛宣布加入"美国制造运动"，表示今后10年将采购约500亿美元的美国制造产品。卡特彼勒也宣布了更多在美国国内采购零部件的计划。

波士顿咨询集团的一项调查显示，总部设在美国的制造业高管有超过1/3的人计划将生产从中国转回美国，或正在考虑这种做法。

与此同时，美国制造业的"第二春"仰仗的不仅仅是美国本土的企业，海外企业也开始不断在美国建厂。西门子早在2011年就在美国新建了燃气涡轮工厂，三星电子计划斥资40亿美元扩建位于得克萨斯州的芯片厂，空中客车也在阿拉巴马州投资6亿美元兴建一座组装厂。

美国国家经济委员会负责人劳拉·泰森（Laura Tyson）指出，经过2008~2009年周期性的放缓，制造业的工业产值自2010年1月起增长了逾10%。2007~2011年间，美国制造业生产率的增长速度超过了所有发达国家。美国工业制成品的出口占其商品和服务总出口的60%，它支撑着68%的商业研究和开发，是创新的主要来源。美国制成品最终销售的每1美元，对其他产业的产出贡献值达到1.34美元，是所有行业中最高的。[22]

在奥巴马鼓励制造业回归的政策吸引下，相当多的总部在美国本土的跨国公司，开始将一部分制造业从中国这样的发展中国家，回归到南部一些成本相对较低的州。2012年2月29日，美联储主席伯南克在国会做报告时指出，由于汽车供应链的恢复和企业投资出口持续增加，制造业产值比经济衰退时的低谷增长了15%。2010年，美国的出口是1.48万亿美元，制造业出口了1.27万亿美元，占整个货物贸易的86%。从2009年起，美国的制造业增加了30万~40万个就业岗位。[23]

下图（见150页）为2007年12月到2012年12月美国ISM制造业指数。[24]

从图中不难看出，美国ISM制造业指数在2008年逐步降低，2008年12月降到32.4的最低点，而后稳步回升；2009年8月起，开始稳步回升到50以上，现在已经稳定回升到美国次贷危机恶化前的上方水平。

从世界银行提供的数据来看，美国依然是世界制造业第一大国。2011年，美国出口增幅最大的部门集中在制造业部门，主要是高科技产品、资本密集型产品和原材料产品。2009年上半年到2011年上半年，美国汽车出口增长了260亿美元（83%），发动机、仪器和通用机械的出口增长了250亿美元（35%），机电产品的出口增长了190亿美元（33%），塑料、有机化学产品和钢铁产品的出口增长率分别达到53%、57%和78%。

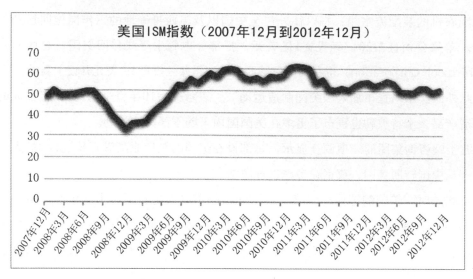

数据来源：The Institute for Supply Management。

下表为1990～2010年美国与其他制造业大国劳动生产率变化比较（年均复合变化率%），可以看出美国的小时产出明显高于其他几个制造业大国。

时间 国家	1990～2000年	2000～2007年	2007～2010年
美国小时产出	4.3	6	3.3
英国小时产出	2.9	4.2	0.2
德国小时产出	3.3	3.7	−2.5
法国小时产出	3.9	3.3	0.7
意大利小时产出	2.6	0.3	−0.9
日本小时产出	3.4	3.8	2.2

数据来源：Bureau of Labor Statistics。

美国制造业劳动生产率的大幅增长主要有几个原因。其一，制造商在技术，主要是自动化等技术方面上的大量投资，传统的流水线生产工作岗位因此大量消失。目前，在美国制造业企业中直接从事生产的工人所占比例不到40%，大约30%的雇员从事的是管理和专业工作。其二，美国制造业雇员教育水平迅速提高，目前约28%的制造业雇员接受过高等教育。其三，劳动生产率极高的某些制造业领域的快速增长。如仪器制造，其产出2000～2010年间增长了28%，航空制造产出同期增长了21%。[25]

制造业的复苏，对美国而言，它在金融领域去杠杆化的过程中，逐渐找回了另一个确保经济稳健发展的基础。这意味着美国在经济安全层面自我保护能力的增强，也意味着它对外狙击能力的增强。

2012年，对美国注定是一个转折之年：页岩革命一方面大大加速了美国制造业复苏的步伐，另一方面也大大加快了美国能源独立的步伐。而这一切，都将对未来的世界经济格局和未来趋势的演变产生重大的影响。

第二节
恐怖的能源大帝国

越来越多的人将开始认识到这样一个事实：美国正在飞速成为一个可怕的能源大帝国。美国能源署估计，美国有超过1万亿桶的石油资源，其中包括4300亿桶完全常规液体状态的石油。[26]

我们知道，石油分为常规石油和非常规石油。非常规石油主要有三个来源：重油、油砂和油页岩。这三种的数量都非常巨大。重油和油砂的总量可能接近于已被证实的常规石油储量的9～10倍，其中有10%～20%是可以开采的。[27]

笔者在2011年出版的《时寒冰说：经济大棋局，我们怎么办》中，分析了油页岩开发对美国、对世界能源格局的影响：

全球油页岩的储量不逊于油砂，保守估计可开采石油2.8万亿桶。大部分已经探明的油页岩分布于美国，如果算上油页岩储量，美国将是世界上名副其实的石油大国。我要强调的是：一旦美国对传统石油的依赖度降低，对油价上涨的痛感就会下降。这意味着，华尔街可以更有效地利用石油武器牟取暴利：想打击产油国，就打压油价；想打击中国等石油消费大国，就哄抬油价。从美国政府的角度来看，它也能部分分享油价上涨的好处——美国只有在新能源领域进行庞大的投入，才能换取更优厚的回报；美国的新能源技术，才能以更高的价格与市场实现对接。[28]

当时，油页岩开采还不是太为普通读者所关注。

但仅仅到了2012年，美国突飞猛进的油页岩开采量，就迅速为公众所熟知。美国在油页岩开发方面取得的巨大成就，日益令世人震惊。

美国的页岩革命包括两大部分：页岩气、页岩油（致密油）。

先说页岩气。随着水力压裂技术和水平钻井技术在20世纪八九十年代取得突破，相关技术和设施进一步完善。从2006年开始，页岩气开始成为美国天然气市场上决定性的参与者：

美国干燥页岩气产量从2006年的1万亿立方英尺增长到2010年的4.8万亿立方英尺，占到当年美国干燥天然气总产量（21.6万亿立方英尺）的23%；2011年达到8.5万亿立方英尺，占到全部天然气总产量的30%。而仅仅10年前的2000年，页岩气仅占美国天然气总产量的2%。

由于页岩气产量迅速增加，从2005年开始，美国天然气总产量结束下滑的趋势，开始逐渐增加，并在2009年一度超过俄罗斯。至此，美国迎来了一场天然气革命。到2012年，页岩气产量已经占到美国天然气总产量的37%。

而且，美国天然气的储量可能高达2744万亿立方英尺，远远超过俄罗斯（目前天然气储量位居世界第一）的1680万亿立方英尺。[29]

全球性能源咨询服务商HIS副董事长丹尼尔·耶金指出："美国目前拥有世界上最高增长速度的原油生产能力。很难想象，石油和天然气在几年前还严重依赖进口的美国，正在依靠非常规石油和天然气能力的增长，打造一个新的自给自足的能源神话。这将为美国提供全新的就业机会，并为经济增长提供重要的动力。" [30]

下图为美国近年来的天然气产量。页岩气的开采量不仅阻止了美国天然气产量下滑的势头，并且使美国天然气总产量快速上升。

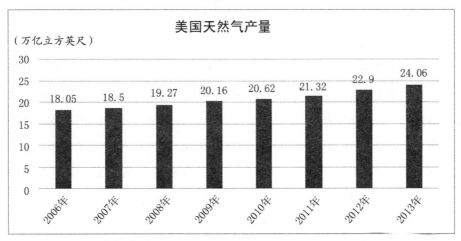

数据来源：U.S.Energy Information Administration。

美国页岩革命的成果令人震惊。在过去10年，美国页岩气产量增加了12倍，被誉为"黑天鹅革命"。美国国内天然气价格自2008年以来降幅已经超过80%。奥巴马在演讲中把美国比作天然气界的沙特阿拉伯。一些专家预计，美国将在2020年成为世界头号能源生产国，北美也因此成为世界能源供应版图中正在隆起的板块。[31]

2014年1月，美国能源信息署发布的研究显示，自2005年以来，美国天然气产量几乎持续增长了两倍，经合组织国家的产量则逐步下降，但1995～2005年，经合组织欧洲国家的天然气消费以每年2%的速度增长。[32]

这意味着，在与欧洲的竞争中，美国正在占据着强大的能源优势。

页岩革命的另一组成部分是页岩油。

由于页岩气开发技术同样可用在页岩油的开发上，加之页岩气产量的大量增加引发美国天然气的价格下降，许多美国生产商转向伴生或共生的页岩油的生产——他们更有动力开采页岩油来获取更大利润。

美国页岩油的产量迅速增加。

国际能源署在2012年11月发布的年度报告中预测：美国将在2015年超越俄罗斯，成为世界最大的天然气生产国；在2017年将超过沙特阿拉伯，成为世界第一大产油国。2013年11月，国际能源署又对这一预测做了修正：美国将在2015年超越沙特阿拉伯，成为全球最大的产油国，把时间提早了2年。[33]

到2020年，美国的石油产量将达到1100万桶/日，增加的部分几乎全部来自页岩油产量的增加。比较而言，沙特阿拉伯的石油产量到2020年也只能达到1060万桶/日。[34]

美国能源信息署预测认为：随着美国原油产量的逐渐增加，美国原油的净进口份额将下降到2019年的34%，远低于2005年的60%。美国有可能会成为一个液体燃油的净出口国。[35] 2013年6月10日，美国能源信息署把美国页岩油储量从320亿桶上调到580亿桶。[36]

2014年1月中旬，英国石油公司（BP）也在其发布的《世界能源展望2014》中预言：美国不仅正在走向能源自给自足，而且将成为能源净出口国——美国最早将于2018年成为能源净出口国。[37]

美国国家情报委员会则预测，到2020年，美国有望成为主要的能源出口国。[38]

美国页岩革命会产生哪些重大影响呢？

第一，它将彻底改变世界能源格局。

国际能源署IEA预测，美国的石油繁荣将加速国际石油贸易的转向，预计到2035年，中东生产的石油约90%都将流向亚洲。

这是否可以理解为，中国未来将买到便宜的石油，或者，中国的石油安全更有保障了呢？

不！

页岩油开采只有在国际油价上涨的时候才更有利可图，因此，油价低的时候，页岩油的开采量将快速下滑，而美国将加大原油进口，从而对国际油价产生强支撑。

从石油战争（假设这种可能性存在）的角度来看，美国在确保自己能源安全的情况下，减少了对传统石油的依赖。它对油价上涨的痛感大大降低，反而更容易挥起石油大棒，对像中国这样原油严重依赖进口的国家进行威慑。尤其是，一旦叙利亚、伊朗两个劲敌从世界版图上改变颜色，美国对中东原油的控制能力将进一步加强。

居安思危是非常有必要的。

北美石油产量上升，使得美国2012年从欧佩克国家的石油进口降至15年来最低位。沙特王子、亿万富翁阿尔瓦利德·本·塔拉尔(Prince Alwaleed Talal)警告称，由于美国页岩革命的冲击，该国单纯依靠石油的经济增长模式变得愈加脆弱。

阿尔瓦利德王子在给该国石油部长Ali Naimi的一封公开信中呼吁，希望政府降低对原油的依赖，并使本国的收入来源多样化："全球对沙特等欧佩克国家的石油依赖正逐渐下降，我们的国家正在面临危险，因为我们的收入几乎完全依靠石油。"石油收入约占沙特阿拉伯预算的92%，并占该国出口总收入的近90%。阿尔瓦利德王子表示，沙特阿拉伯严重依靠石油，这是其担忧之源，沙特需要采取迅速的措施以使经济多样化。[39]

第二，它将大大促进美国制造业的复苏，增加美国的就业。

美国正如凤凰涅槃般浴火重生，今后美国将在能源上自给自足而不再依赖中东，美国制造业也将在关键领域缩小与中国的差距，21世纪或许仍是美国的世纪。这不仅表现在世界20强大学中美国大学就占16所的事实上。美国可以说是总和生育率超过2.0[40]，且能够控制债务增长的唯一经济大国，这与日本、中国、韩国、德国、意大利和俄罗斯面临的人口老龄化形成了鲜明对比。而且，页岩革命已使美国超过俄罗斯，成为世界头号天然气生产国。美国目前的石油自给率已经达到72%，而10年前约为50%。这种变化会对地缘政治、能源保障、军事联盟和经济活动产生非常巨大的影响。[41]

全球性能源咨询服务商HIS在其发布的一份研究美国新能源未来的报告中指出，非常规石油和天然气部门将支持超过170万个就业岗位，并且其工资标准高于平均水平。这一数字到2035年预计将增加到250万。[42]

2012年2月，美国白宫重申要在2015年前把美国的出口提高1倍，同时大力吸引美国跨国公司重返美国设厂。而美国页岩革命及其附带效应是促进美国制造业复兴的重要因素之一。

美国页岩革命大大提升了美国制造业的竞争优势。美国国内能源价格走低和自给率提高，以及国际油价上涨导致国际间运输成本升高，这两个因素降低了美国制造业的成本，相对提高了美国的产业竞争力，推动了部分制造业回流美国。

一方面，美国国内能源产能提高，带动了就业增长和居民及政府财政收入增长；另一方面，对进口的依赖下降，有利于削减贸易赤字，同时使美国在处理中东问题和其他地缘政治热点问题时有了更大余地。此外，稳定而价廉的能源供应，增强了美国制造业的竞争力。因此，奥巴马才有底气称美国制造业的回归是"鼓舞人心的趋势"。[43]

第三，中国的相关产业未来将受到严重冲击。

最典型的当属石化、化工等行业。一个原油严重依赖进口的国家，怎么可能在这些行业与能源供给越来越充足、价格越来越低廉的国家竞争呢？这意味着，一些行业将来可能由于受到美国建立在低廉成本基础上的强大竞争而陷入困境。

页岩革命降低了美国天然气价格，为化工行业提供了更为低廉的乙烷供应，导致美国乙烷的供应量增加了25%，而乙烷是美国化工行业中最重要的原材料。仅仅2012年初到年末，美国乙烷的价格就已经从每加仑80美分下降到23美分，进而带来了对化工行业的新投资的增加和化工产品产量的增加。自从2010年以来，低成本的原料和能源供应已经使美国工业产值增加了12%。此外，成本下降还使美国化工行业及供应和其他相关行业就业岗位得以增加，进而增加了联邦、州和地方的税收。[44]

这对相关行业的发展意义重大。

比如，在石油化工中，乙烯是最重要的一种化工产品，无论是塑料瓶、建筑材料还是洗发水，基于乙烯的产品在我们的日常生活中无处不在。相对于主要使用石脑油作为乙烯生产原料的欧亚地区，采用低价天然气中获得的乙烷来制造乙烯，为美国的化学品制造商提供了更多的成本优势。

根据美国极视智库化学品部门（CAMI）的统计，美国用乙烷制成乙烯的成本略大于400美元/吨，而欧洲和亚洲采用石脑油的成本则接近1300美元/吨。

美国基础化工行业的竞争力在2008～2009年间几乎从全球最差，开工率不到60%，正是借助成本上的优势，提升到目前的全球最强，全行业平均开工率超过93%。盈利水平甚至超过了中东的初级能源加工企业。

在过去的10多年中，美国的石化厂商几乎没有增加新的生产能力。而现在美国石化生产商沉寂10多年后，开始投资建设新的产能，包括重新开启已经关闭的生产装置。比如，伊士曼化工、陶氏化学、埃克森美孚、壳牌、康菲，甚至一些印度和日本的石化公司也纷纷计划在美国兴建新的乙烯裂解工厂。[45]

中国的相关行业，能够及早地发现正在飞速逼近的危机吗？

事实上，莫说中国，就连沙特化工行业面临来自美国的竞争都感受到压力越来越大。2013年7月，沙特国家商业银行（NCB）发布的一份报告指出，日益激烈的国际竞争以及沙特阿拉伯国内不断上升的原料成本正威胁沙特石化行业发展。未来沙特石化行业发展可能面临更大挑战。[46]

沙特石化生产商一直依靠政府补贴获得低成本原料天然气。但随着北美地区页岩的大规模商业化开发和利用，北美地区石化产品的竞争力大幅提升，这对沙特石化业构成一定威胁。此外，全球经济放缓以及亚洲和中东其他国家石化生产能力的增长，也将对沙特石化产业盈利形成压力。[47]

当世界第一石油出口大国的沙特都感受到越来越大的压力时，中国许多以石油、天然气为基础的化工企业在未来所面临的将首先是生存问题。如果再说明白一点：很多企业将破产倒闭——并且，这一趋势难以逆转。

而且，页岩革命深深地影响了国际能源政治。美国在国际能源市场中的战略地位得到进一步提升，逐渐占据国际能源市场的定价权和战略主动权。[48] 页岩革命为美国强化自己第一强国的地位提供了更为重要的保障。

值得一提的是，美国依然在竭尽全力节约对能源的消耗。美国所消耗的石油中，1/8被用于合成其他物质，比如沥青。美国的经济学家、工程师以及材料学家经过研究发现，可以把旧轮胎的橡胶粉碎掺入沥青中。这项技术已经得到了实践验证。假如到2025年能够充分推广应用这项技术，那么，将能节约多达60%的铺路用沥青，将能够每天节约0.36兆桶石油消耗。[49]

另外，不仅页岩革命，美国对风能等清洁能源的利用也在飞速发展。1999年，美国能源部预测，美国的风能将会在2010年达到十千兆瓦。事实上，2006年，美国就完成了这个目标，并且，到目前为止已经超过4倍。[50]

不知不觉中，一个空前强大的新的能源大国已经崛起。

但是，在本书做最后的校对时，2014年5月，美国能源信息署（EIA）将此前对美国蒙特利页岩油基地可采储量预测值从154亿桶调降至6亿桶。[51] 据此，有人称"美国页岩革命及能源的新黄金时代神话濒临破灭"。

笔者查阅大量资料后认为，这一预测值下调的影响非常有限，更不足以证明美国页岩革命的终结。

其一，蒙特利（位于加利福尼亚州）只不过是美国三大页岩油田地区之一，其开发速度与开发成本方面，都不如其他两个主要页岩油田地区贝肯（Bakken，位于北达科他州）、鹰福特（Eagle Ford，位于得克萨斯州）。它的唯一亮点是储量大。[52]

2011年以后的短短2年内，美国许多新的页岩油田被开发出来，蒙特利地区页岩油储量所占比重持续下降。像科罗拉多州、俄克拉何马州、新墨西哥州的页岩油都是最新开发出来的，这意味着蒙特利的影响在未来有可能进一步缩小。

事实上，从2008年开始，墨西哥湾、阿拉斯加州、加利福尼亚州的原油产量占比已从50%跌至不到2013年的1/3。蒙特利页岩油田的开采难度与开采成本业界早已知晓，即使其可采储量下调也属于符合预期。[53]

其二，虽然此前预测储量较大，但蒙特利地区及其所在的加利福尼亚州在美国原油产量中所占比例较小。

据美国能源信息署统计，2013年全年，美国最大产油州是得克萨斯州，其原油产量占全美国原油产量的35%，其次为北达科他州，占全美原油产量的12%，而加利福尼亚州所占比例仅为7%。[54]

加利福尼亚在过去30年间更专注的是原油精炼而非原油开采与生产。从统计数据来看，加利福尼亚的原油产量从1985年到2011年，持续下跌至50%，仅在2012年有轻微的上涨。[55]

在页岩革命开始后的2013年，美国原油产量上涨15%，达到740万桶/天。其中，得克萨斯州和北达科他州贡献了29%的产量。2010～2013年，北达科他州原油产量增长177%，得克萨斯州增长119%，其他原油产量增速在20%以上的三个州分别为：科罗拉多州（Niobrara页岩油田）增长93%，俄克拉何马州（Woodford页岩油田）增长62%，新墨西哥州（Permian盆地页岩油田）增长51%。蒙特利页岩油田所在的加利福尼亚州并不在其中。[56]

其三，美国能源信息署隶属美国能源部，虽然是独立部门，但是它的主要原始数据来自地方的独立原油调查公司或者原油公司，因此，数据方面有被误导的可能。[57]

其四，油页岩的可采储量预测值是不断调整的。在美国不同的地区，有的在上调，有的在下调，即使同一地区，也在不断调整。因为从技术角度看，可采储量是可变指标，其将随着新开采技术的发展和原油价格波动而变化。进一步的钻探将会提供蒙特利真实的储量数据。

美国能源信息署的统计缺陷在于：它在统计原油储量时不考虑当地地质差异，仅考虑开采技术和生产能力。换句话说，蒙特利地区的页岩油田区还在那里，只要页岩油田开采技术不断精进，美国能源信息署自然会重新提高页岩油田区的可开采储量。正如业内人士所言："只要技术日益精进，潜在储量和原油生产力终将出现大幅增长。"[58]

而且，蒙特利页岩油基地可采储量预测值虽然大幅度下调，但蒙特利的预估石油产能却在上升。根据预测，2010～2040年期间，蒙特利平均每天的石油产能已经增至

57000桶，而2013年的预估仅为平均每天14000桶。[59]

显然，美国的页岩革命仍在快速推进中。

第三节
房地产业稳步复苏

房地产的稳定与否、房价的起伏，对于经济的可持续发展意义重大。

在《中国怎么办——当次贷危机改变世界》中，笔者分析了次贷危机的形成根源。其中提到，在美国银行业手中，有大量抵押的房产。这些房子是在次贷危机恶化最严重的时候，被贷款者放弃而"落入"银行手中的。

在美国银行业的术语中，有一个专有名词"止赎"。在国外，贷款买房后，房子抵押给了银行，贷款者需要通过还贷来赎回自己的房子。一旦贷款人无力还款，银行强行收回其房子，就称为"止赎"。[60]这些被收回的房子，银行会择机拍卖。

在次贷危机最黑暗的日子里，银行手中迅速"积聚"了大量房产。我们不需要看专业的数据，仅通过几则新闻就可以了解这种情况是何等"壮观"。

2007年9月18日，美国房地产市场研究企业Realty Trac公司的研究显示，当年8月，美国因购房者无法继续偿还贷款而被银行没收的房屋数量为24.4万套。[61]

据美国《新闻周刊》2008年9月报道，美国房地产跟踪公司统计发现，美国被银行回收的房产已达到82万套。该公司高级副总裁里克·沙尔加预计，到2008年底，银行回收的房产可能达到120万套，占美国待售房产总数的1/3。并且，银行回收房产的速度在短期内不会放慢。[62]

一直到2011年4月，也即距离笔者曾经推导出的美国房价正式步入上涨轨道时间仅半年多的时候，美国的"止赎"潮还没有停止。当年一季度，美国共有68.1153万幢住房收到了违约、拍卖或已被银行收回的通知。美国官方发布的数据显示，当时次级贷还款超过60天的拖欠率已逾15%，预计将有220万尝试次级贷赚钱梦的人最终将被银行扫地出门。[63]

通过这几则新闻，我们不难得知一个重要信息：银行手中"被迫"积聚了大量房产！一旦美国房价重新步入上涨轨道，这些房产将迅速升值，美国金融业的资产状况也会立即好转，笼罩在美国经济上空的沉重的雾霾也将迅速消散。

理解了这一点，就很容易理解房地产复苏对于美国经济的重要意义：一方面，它的好转将促使金融业的状况迅速好转；另一方面，房地产的复苏可以带动60个左右的行业复苏。这对美国虚拟经济和实体经济的重要性都是不言而喻的。

房价能否上涨，最终取决于民众的实际购买力。

为了促进房地产业的复苏，奥巴马政府采取了多重措施。

其一，通过减税等政策，促进以制造业为代表的实体经济的复苏，增加就业岗位，增加民众收入，提高民众的购买力。

减税对于实体经济的最大促进作用不仅在于促使企业加大生产，提供新的就业岗位，增加工人工资；也不仅限于增加民众收入，提高其购买力。减税还能给美国带来更多益处。

日本、加拿大和英国等国都避免对本国企业的海外获利征税，而美国却与之不同，它是全球主要经济体中唯一执行对本国企业全球收入课税制度的国家。这样，就导致美国企业在海外的盈利不愿汇回国内，以避免高额的税负。而美国的税法同时也有"延迟缴税"的规定，即美国公司可以把在海外赚到的钱继续留在当地投资且免交相应的公司税，只有在把盈利带回美国国内的情况下才需向政府纳税。但美国公司如果把海外盈利保留在海外，那么它们就可以无限期地延迟纳税。

有批评者称，美国这项政策鼓励企业加强其海外业务，而不是回国创造就业机会。

美国企业海外的资金量，从下面两个数据就可见一斑。第一，据美国国会估计，每年都有高达1000亿美元的资金，原本该进入美国国库，却流入那些"避税天堂"。2009年美国财政部给出的数据显示，2004年美国跨国公司的境外7000亿美元资产仅交税160亿美元。第二，JP摩根证券的研究显示，在标准普尔500大企业（金融业除外）持有的近1万亿美元现金中，高达30%～40%存放在美国以外地区。[64]

假如美国政府继续大幅度减税，就会鼓励美国的跨国公司加快回归美国本土的步伐，这不仅会加速美国制造业等实体经济的复苏，增加新的就业机会，也能给美国政府带来更多税收——这又会成为美国进一步减税的底气。当然，也会对其他经济体（包括中国）产生抽血效应，而这一点正是特别值得我们关注的。

当美国要加速本国跨国公司回归美国本土的步伐时，就可能比较大幅度地降低公司税税率——可以把这一点作为判断美国战略大调整的一个明确信号。

其二，促进民众信心的恢复，推动股市等上涨，增加民众的收入。

西方发达国家在经济政策方面基本都是走民富路线，因为只有这样才能赢得选民的支持，否则，就根本掌握不了权力。这种源于制度本身的力量，决定了政府的政策选择，是如何全方位地提高民众的收入水平。

　　股市的好转是多重因素交织影响的结果，但像奥巴马那样明确"号召"民众买股票的情况，的确是不多见的。2009年3月3日，奥巴马在华盛顿表示：从上市公司的盈利数据看，现在是入市买股票的好时机。政府正努力使信贷市场流通顺畅，企业投资趋于正常，失业率等数据回到正常范围之内。[65] 几天后的3月6日，美国股市在6470.11点筑底，之后稳步上涨，并在后来屡创历史新高。

　　也许，美国股市筑底与奥巴马的表态仅仅是一个巧合，但奥巴马的明确态度所带来的激励作用却是显而易见的。

　　下图为奥巴马建议民众买股票之后的美国道琼斯指数月K线图。奥巴马提出建议的时候，的确"是入市买股票的好时机"。美国道琼斯指数从2009年3月的6470.11点，上涨到2013年12月的16586.65点，屡创历史新高。

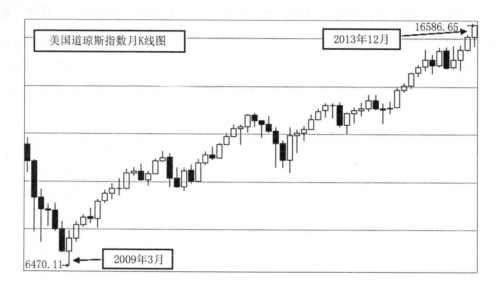

　　其三，继续鼓励移民。

　　美国没有像澳大利亚、加拿大那样，抬高移民门槛，而是继续采取优惠措施吸引移民。

　　移民的涌入"不仅为美国带去了大量投资资金，创造出了更多的就业机会，更重要的是，美国是一个消费拉动经济发展型国家，有消费实力的富人大量移民美国，将重启美国消费时代的辉煌，让美国从危机的阴霾中走出来，重新成为引领世界经济发展的火车头。至于美国的房地产，也将慢慢走向良性复苏。奥巴马曲线救市，不能说不智慧"。[66]

　　移民，尤其是来自中国的移民，对美国房价的止跌上涨具有重要意义。美国全国地产经纪商协会发布的一份报告显示，2011年3月到2012年3月，国际买家在美国购买房产的总金额为825亿美元，其中中国买家占11%，约为90亿美元，仅次于加拿大购房者。而2009年，中国买家的比重只有5%。[67]

美国白宫数据显示，2000～2010年间，全国约40%的新业主是移民；加利福尼亚州逾80%的新增业主是移民；在纽约，这个数字超过2/3；在南部各州，超过1/4的房子也落在移民名下。

南加州大学发布的报告称，未来10年中，新移民购房需求增长主要来自6个州：加利福尼亚州、纽约州、新泽西州、马萨诸塞州、康涅狄格州和密歇根州。以加州为例，未来10年，移民购房者将增长71%。[68]

移民帮助推高美国房价，而房价过低正是目前美国房地产行业低迷，继而造成经济增长乏力的重要原因。奥巴马援引最近的一份报告指出，仅移民这一因素，一般业主已看到他们的房屋价值上升数千美元。白宫房屋政策委员会主任穆诺兹表示，移民改革将令房价大幅上升是不争的事实。[69]

为了让更多人买得起房，奥巴马政府降低门槛，确保负责任的房主能够节省再融资抵押贷款的成本。奥巴马还提出了改革住房金融体系，确保公众能够获得安全的负责任的抵押贷款。[70]

奥巴马政府的改革促进了房地产的复苏。

下图为2012年标普/凯斯-希勒房价指数（S&P/CS）经季节调整后的数据。

数据来源：Standard & Poor's index committee。

从上图不难看出，美国房价在2011年底开始筑底，2012年稳步上涨。综合标准普尔和美国其他机构发布的房地产数据来看，美国的这次房价上涨与2009年5月以后在刺激政策推动下的上涨不同。那次上涨缺乏实际需求的支持，因而不能持续，很快又回落，甚至创出了次贷危机爆发后的新低。而始于2011年底和2012年初的这次上涨，则更多的是需求推动，显得更加稳健。

2013年1月，美国房地产资讯网站Trulia发布的报告显示，在接受调查的100个主要都会区[71]中，82个在2012年出现年度增长，数量远多过2011年的12个。房价在2012年加速上涨，价格上升有助于推动新屋兴建，也鼓励屋主出售房屋，对缓解房屋库存短缺问题有所帮助。

Trulia发布的报告指出，2012年全年住宅供应量短缺，是房市改善缓慢的因素之一。在众多都会城市中，拉斯维加斯的房价较一年前涨幅超过16%，而2011年同期，当地房价下降超过11%。亚利桑那州凤凰城的房价2012年上涨26%，而2011年的涨幅是4.2%。[72]

实际需求所推动的房地产复苏成为美国经济全面复苏的一个重要基础。值得一提的是，美国房价与历史高点相比，还有相当大的成长空间。这意味着，美国经济增长的后劲依旧强大。

当我们从相对宏观的角度来看经济问题的时候，有些读者可能会感到枯燥乏味。但实际上，无论从了解经济发展的前景还是从具体的投资来看，这些知识的了解都是非常有必要的。对于任何一个经济体而言，其趋势的发展都与资源的引领作用有直接的关系。

写到这里，笔者还想补充一点。当我们能够看到美国坚持较为宽松甚至打算进一步放开移民的政策时，我们就知道，这是美国避免走入老龄化局限，引进"资源为王"理念中最核心的优秀人才，推升房价，促进经济复苏的战略思想的体现。看到这一点，我们就能更准确地对美国房价的走势做出准确判断。同时，这也能帮助我们更准确地找到投资的热点。比如，当时笔者所带的学生根据对美国房价的判断，选择了美国建筑、装修业代表企业Sherwin-Williams公司的股票（SHW），收益非常丰厚。这是因为，当美国政府用心促进房地产复苏的时候，这些公司是最直接的受益者，美国政府的努力所引领的资源流向，为我们更好地做投资选择提供了非常具体的参照。而美国股市下一步的投资方向，将在此后的章节中进行具体分析。

第四节
汽车业的新辉煌

汽车业是美国三大支柱产业之一，它消耗巨量钢铁和汽油，带动新型材料的发展，形成了庞大的产业链。汽车的制造、销售、服务提供了大量的工作岗位和利润来源，在美国经济中居重要地位。[73]

作为美国最大的制造业部门，美国汽车业总资产达到3350亿美元，每年新车销售贡献给美国GDP的4%。除此之外，美国汽车"三巨头"（通用、福特、克莱斯勒，其中克莱斯勒2009年被意大利菲亚特汽车公司收购）还是美国大宗商品的最主要消费者。[74]

显然，汽车业对于美国经济而言，意义非同小可。

但是，一提到美国的汽车业，国内的一些读者很容易就想到底特律的破产危机，进而想到美国汽车业的萧条。

这种感觉并不奇怪，但它实实在在是一种错觉。

很多非专业媒体在做专业领域的报道时，一不小心就容易犯下想当然的错误，以娱乐记者的眼光去看财经，看到的永远只是残缺的部分。

底特律只是美国曾经的汽车城，跟美国现代意义上的汽车城理念早已相距甚远。换句话说，底特律代表不了美国汽车业，因为它已经成了一个与汽车没有多大关系的废城。

我们不妨回顾一下历史。

从19世纪30年代开始，随着航运、造船以及制造工业的兴起，底特律开始兴旺起来。而制造工业的发展，也为汽车业的发展培育了沃土。1896年，亨利·福特在麦克大道上的厂房中制造出了第一辆福特汽车。随后，在福特、威廉·杜兰特、约翰·弗朗西斯·道奇与霍勒斯·埃尔金·道奇兄弟、沃尔特·克莱斯勒等这些闪耀于汽车工业史的人共同努力下，底特律慢慢发展成为世界汽车工业之都，并吸引了来自美国南部的大量居民。底特律的人口数量在20世纪上半叶急剧增长，一度达到185万人，成为美国第四大城市。

由于坐拥通用、福特、克莱斯勒三大巨头的总部和诸多工厂，底特律被冠以"汽车之城"的美称。得益于汽车工业的发展，底特律在1901年成为第一个铺设水泥公路的城市，1915年又率先安装了城市交通信号灯，并在1942年成为美国第一个拥有城市高速公路的城市。[75]

但是，一场重大事件使底特律迅速由盛转衰。

1967年7月23日，底特律的白人警察闯进黑人区一家小酒店，无端逮捕数十名黑人。种族矛盾点燃，底特律由此爆发了"南北战争以后最大规模的国内暴乱"，迫使时任美国总统林登·约翰逊出动5000兵力入城镇压，死亡43人，受伤数千人，7200人被捕。全市到处纵火，11天内火警多达1600起。三大汽车业巨头全部停工停产。白人中产阶级由此开始大规模逃离，市区人口锐减而黑人居民占比激增。政府随后采取了对富人增税来提高穷人福利的办法化解矛盾，这又加速了富人的外迁，形成了恶性循环。时至今日，底特律已经以"凶杀之都""犯罪之都""最悲惨城市""鬼城"等称号闻名全美数十年。[76]

在就业机会稀少和刑事犯罪严峻双重压力的恶性循环下，底特律已经持续了40余年的人口减少进程，很可能会延续到2030年前后，最终演变成大片废墟包围下的几处村庄或小镇。

1967年的黑人暴乱发生后，三大汽车巨头纷纷将工厂迁往底特律外围地区、美国其他城市，甚至其他国家。"汽车城"开始走下坡路，这使得底特律赖以生存的收入来源瞬间萎缩。

企业迁出导致所得税收入锐减，同时空置的办公楼和住房越来越多，导致房产市场下滑严重，作为收入重要来源之一的房产税大幅缩水。

整个底特律市的人口从20世纪50年代初的185万人左右，锐减到如今的70万人。根据美国人口调查，目前整个底特律市区的白人仅占10.6%。大多数底特律人住在市区边缘的破败地区，生活在贫困线以下，并且，82%的人口没有受过高中以上教育。底特律的长期债务约为182亿美元，平均每个居民负债2.7万美元。[77]

很多位于底特律市中心的房子标价甚至只有1美元。1美元房子每年的物业税在1000～2000美元不等，地税和保险费每年增加。即使这样算下来，仍然比中国的房价便宜很多。[78] 在"底特律一双鞋换两套房"的新闻报道下，花500美元组团买房的中国人也有不少。[79] 假如底特律真的是一个宜居的城市，1美元的房子早就被美国人抢光了，还轮得到外国人吗？

因此，早已经衰败的底特律根本代表不了美国的汽车业。

汽车制造业是高科技产业和资本密集型产业，需要达到相当大的规模才能盈利，因此长期为美国、欧洲几大公司所垄断。但日本、韩国汽车业加足马力，步步紧逼，销量不断上升，利润不断增长。到2005年前后，全世界汽车业产能已经过剩20%～25%，但新的汽车厂还在不断筹建、投资。在激烈竞争下，逐渐形成了全球性资源大整合的新格局。[80]

次贷危机和欧债危机的爆发，加速了汽车业重新洗牌的步伐。

长期以来，高能耗、高污染、高利润的多功能运动型汽车和多功能轿厢车是以通用为代表的美国三大汽车巨头利润的主要来源，但不断上涨的油价使得美国汽车的竞争优势不断被节能的日本车所蚕食。

尤其是在2003～2008年间，美国三大汽车制造商生产的高耗油、价格昂贵的汽车受到很大打击。例如，美国三大汽车公司生产的大型高功率运动车和皮卡受到了消费者的抛弃。而自20世纪90年代末以来，三大汽车商半数的利润来自运动车和皮卡。

由于欧洲和亚洲汽车业的迅猛发展，美国三大汽车商在全球的市场份额从1998年的70%下降到2008年的53%。在金融危机发生的前3年，通用公司已经亏损了510亿美元。2008年下半年，美国金融危机发酵。持续多年的汽车销售下降和汽车贷款困难导致了2008年和2009年的美国汽车业危机。 2008年，通用、福特和克莱斯勒都遇到了现金短缺，要求实行紧急贷款。[81]

但是，美国人善于反省，发现问题和不足并及时修正。这是一个民族能够不断前行的重要力量。

美国政府开始通过政策的引领作用，逼迫其汽车业在节能、环保方面迅速追赶上来。

2009年6月23日，美国能源部长朱棣文在位于底特律的福特汽车公司研发中心宣布将为三家汽车公司提供贷款，促进发展节能型汽车。美国政府将向福特汽车公司提供59亿美元贷款，帮助福特在中部五个州的几家工厂发展13个节能车型；总部在美国加州的特斯拉汽车公司（Tesla Motors）[82]获得的贷款额为4.65亿美元，用于发展电动火车和电动汽车。车用电力能源的核心技术是电池组的功效。美国联邦政府能源部通过国家实验室将和其他研究机构合作开展高性能锂电池组的研发。

2009年8月，奥巴马在考察位于加利福尼亚州的一家电动汽车测试中心时宣布，美国能源部将设立20亿美元的政府资助项目，支持研发新一代电动汽车所需的电池组及其部件。

这些项目可望每年为美国减少1400亿加仑的燃油消耗，将全美国的碳排放总量降低1/5。总额为250亿美元的能源部汽车技术贷款，也将继续支持对下一代生物技术燃料和高级发动机点火技术的研发。

美国能源部长朱棣文表示，美国政府希望通过支持关键技术和缜密的企业商业计划来启动节能型汽车在美国的生产，进而提高就业率、降低石油依赖和温室气体排放。美国要在2015年有100万辆充电式混合动力车投入使用。为鼓励节能消费导向，在美国购买充电式混合动力车的车主，可以享受7500美元的税收抵扣。政府还将同时投入4亿美元支持充电站等基础设施建设。

如果这些技术和方法奏效，按计划逐步提高燃油效率，在今后5年售出的新车使用寿命期内，可望节省18亿桶石油，比2008年美国从沙特、委内瑞拉、利比亚和尼日利亚进口石油的总和还要多。相当于在目前情况下，一年内全国的路面减少了5800万辆汽车。[83]

事实上，美国从20世纪70年代开始，就在节油汽车的研发方面投入巨额资金。1977～1985年，美国的节油技术飞速提升，节约的石油量快速增长。1975～2003年，美国单位GDP能耗下降了43%。美国能源信息署预测，2003～2025年，美国的石油消耗强度将再下降26%。但研究者认为，美国能源信息署的预测过于保守，因为减少轻型汽车的油耗是达到目标的关键，到2025年，通过采用最新技术提高石油的利用效率，可以把轻型车每英里的油耗降低72%，而美国能源署预测的数据仅仅是油耗降低7%。[84]

美国政府全力以赴地扶持美国汽车业在节能和环保技术方面的研发、革新、创造。这为美国向日本等在节能、环保等技术领域有竞争优势的对手发起强有力的挑战提供了充足的底气。

2009年9月15日，奥巴马正式宣布，将于全国施行新的汽车和轻型卡车排放及油耗标准。这个标准将会促使在美销售的汽车，满足平均油耗在2016年达到每加仑38英里的目标，以增加汽油利用率，并减少尾气排放对大气环境的污染。美国汽车巨头们一反常态，积极拥护美国政府的这一决定。包括戴姆勒总裁蔡澈、福特汽车公司首席执行官阿兰·穆拉利等在内的10家世界主流车企的头号大鳄悉数到场，"在一旁举手欢呼"，拥护这个决定。[85]

美国汽车产业结构和格局从此产生了深刻改变。

如此严格的乘用车燃油经济性标准制度建设将大大增加美国车企的压力，促使它们生产更多的高效节能车型。这一政策的推行，将引导新一代先进技术汽车的发展和普及，同时带来更多的就业。美国推出的新的能耗标准，将会让新汽车更绿色，也更为高效。

哈佛大学的研究者认为，要实现预定的2020年温室气体排放量的目标，还必须增加驾驶成本与燃油税成本以鼓励少开车，并通过对购买省油车辆给予补贴的措施，进一步鼓励、刺激研发更省油的汽车技术或燃料开发技术，以显著降低美国的温室气体排放和石油的进口。[86]

有评论指出，新能耗标准是奥巴马政府"绿色经济"的体现，代表了美国汽车业的发展方向，将加快美国汽车业升级换代的步伐。未来7年里，在美销售的汽车中，节能型汽车将引领市场，美国汽车业必须迎头赶上，才不会将市场拱手让与日本汽车。

奥巴马的政策，改变的不是汽车业一时的财务困境，而是它的生产线，是其未来竞争力的根本所在。美国政府对汽车业救助标本兼治的方法显示，当前这场危机可能成为美国汽车业强制转型、重新恢复竞争力的契机。[87]

知耻而后勇。

美国汽车业迅速踏上崛起之路。

2012年，美国汽车销售量增长超过13%，创下20多年来最快增长速度。在2008年金融危机中濒临崩溃的美国汽车业不仅活了下来，而且活得比谁都好。

2012年，美国轻型汽车（不包括重型卡车）全年销量达到1450万辆，比2011年高出13.5%，为2007年以来表现最佳的一年。2012年，克莱斯勒销量居美国本土品牌之首，在美国的全年销量增长21%。通用汽车北美业务税前利润率达8%以上，福特汽车的税前利润率则一直保持在10%以上，这是以往只有顶尖豪华汽车业者才能达到的水准。汽车业再次成为美国经济的骄傲。

正如奥巴马在演讲中所言，经过破产的洗礼和严肃的整顿，美国主要车厂现在的销售量达到4年多来的新高。通用、福特和克莱斯勒业务恢复增长，为美国制造了近25万个新岗位。生产的新车耗油量比过去节约了一半，不但让驾车者省钱，也更有利于国家经济和环境保护。[88]

2013年8月，美国汽车的销量折算成年销量为1609万辆，达到金融危机前的水平，显示美国汽车行业已经进入强劲增长阶段。汽车生产商们为此增加夜班以扩大产能，满足市场需求。[89]

当以制造业（包括以汽车业为核心的传统制造业和以电脑、信息产品为代表的高科技制造业）为核心的实体经济和以金融、房地产为核心的虚拟经济逐渐复苏，就意味着美国经济的两大基础正在涅槃重生。这不仅对于美国经济的发展意义重大，对世界格局的发展变化也有着重大影响。

美国实体经济的稳步复苏，并不意味着美国经济已经高枕无忧。任何一个经济体都不是完美的，都有其缺陷。美国在复苏中存在的一个问题，并非很多人所说的基础脆弱、复苏缓慢的问题，恰恰相反，是某些领域复苏过快的问题！

美国在促进经济复苏过程中形成了一个新问题：美国的目标是强力拯救制造业，让实体经济王者归来。但实体经济自身的特点决定了，它永远没有虚拟经济走得快。由此，虚拟经济的复苏步伐远远快于实体经济，在实体经济与虚拟经济之间形成了一个脱节。恰是这一点，让美国更有危机感。在这种情况下，它面对着两个选择：等实体经济缓慢追上来；或者，发挥虚拟经济的对外掠夺性，既为实体经济的发展创造条件，也避免虚拟经济泡沫越来越大，从而形成新的爆发危机的巨大隐患。这也就意味着，未来世界国家间的博弈将更为血腥和激烈。

注　释

[1]查尔斯·库普乾.美国时代的终结：美国外交政策与21世纪的地缘政治[M].上海：上海人民出版社，2004.

[2]刘丰.均势为何难以生成？——从结构变迁的视角解释制衡难题[J].世界经济与政治，2006（9）.

[3]Michael D. Shear and William Branigin. William. In Georgetown Speech, Obama Offers Cautions Optimism[N]. The Washington Post,2009-04-14.

[4]Vassilis K.Fouskas, Bulent Gokay.The Fall of the US Empire：Global Fault-Lines and the Shifting Imperial Order[M].Pluto Press，2012.

[5]迈克尔·德托佐斯等.美国制造——如何从渐次衰落到重振雄风[M]北京：科学技术出版社，1998.

[6]赵俊杰.美国制造业的振兴战略[J].全球科技经济瞭望，2012（2）.

[7]Ronald I.McKinnon.The Unloved Dollar Standard：From Bretton Woods to the Rise of China[M].Oxford University Press，2012.

[8]Financial Crisis Inquiry Commission.The Financial Crisis Inquiry Report—Final Report of the National Commission on the Causes of the Current Financial and Economic Crisis in the United States, Authorized Edition[M].New York ：Cosimo Inc，2011.

[9]井华.龙永图：中国要紧紧咬住发展实体经济[J].国际融资，2012（7）.

[10]Titus Galama, James Hosek.U.S.competitiveness in science and technology[R].RAND Corporation，http://www.rand.org/content/dam/rand/pubs/monographs/2008/RAND_MG674.pdf，2008.

[11]陈宝森.后金融危机的美国：复兴乎？衰落乎？[M]//黄平，倪峰.美国问题研究报告2011.北京：社会科学文献出版社，2011.

[12]美国企业研发投入3330亿美元[J].农业科技与装备，2010（11）.

[13]L.Gordon Crovitz.Steve Jobs's advice for Obama[N].The Wall Street Journal，2011-10-31.

[14]Sheridan Prasso.American made Chinese owned：Full version[J].Fortune Magazine，http://money.cnn.com/2010/05/06/news/international/china_america_full.fortune/，2010-05-07.

[15]Tom Curry.Obama on 'Buy American' collision course？[OL].NBC News，http://www.nbcnews.com/id/29003123/ns/politics-capitol_hill/t/obama-buy-american-collision-course/#.U1M6pfmSz0A，2009-02-04.

[16]One Hundred Eleventh Congress of the United States of America[R].Authentivated U.S.Government Information，http://www.gpo.gov/fdsys/pkg/BILLS-111hr4380enr/pdf/BILLS-111hr4380enr.pdf，2010-08-11.

[17]President Obama Launches Advanced Manufacturing partnership[OL].The White House，http://www.whitehouse.gov/the-press-office/2011/06/24/president-obama-launches-advanced-manufacturing-partnership，2011-06-24.

[18]孙哲.亚太战略变局与中美新型大国关系：清华中美关系评论（2011~2012）[M].北京：时事出版社，2012.

[19]郭丽琴.拥抱制造业，美国对华投资下降成趋势？[N].第一财经日报，2011-06-30.

[20]Micheline Maynard.With GE, Toyota, Nissan, Manufacturing Booms In Mississippi[OL].Forbes, http://www.forbes.com/sites/michelinemaynard/2012/07/10/with-ge-toyota-nissan-manufacturing-booms-in-mississippi/, 2012-07-10.

[21]Harold L.Sirkin, Michael Zinser, Douglas Hohner.Made in America, Again——Why Manufacturing Will Return to the U.S.[R].bcg perspectives, https://www.bcgperspectives.com/content/articles/manufacturing_supply_chain_management_made_in_america_again/, 2011-08-25.

[22]Laura Tyson.American manufacturing will bounce back in 2013[N].The Financial Times, 2012-12-31.

[23]郭丽琴.美国"制造业回归"治标不治本？[N].第一财经日报, 2012-04-05.

[24]ISM指数分为制造业指数和非制造业指数两项。ISM制造业数据是通过调查执行者对未来生产、新订单、库存、就业和交货预期来评估美国的经济状态。ISM制造业指标高于50一般表明扩张，低于50表明衰退。

[25]黄平，倪峰.美国问题研究报告（2012）[M].北京：社会科学文献出版社，2012.

[26]Steven M.Gorelick.Oil Panic and the Global Crisis：Predictions and Myths[M].Wiley-Blackwell, 2009.

[27]Scott L.Montgomery.The Powers That Be：Global Energy for the Twenty-First Century and Beyond[M].Illinois：University of Chicago Press, 2010.

[28]时寒冰.时寒冰说：经济大棋局，我们怎么办[M].上海：上海财经大学出版社，2011.

[29]何兴强.非常规油气发展与美国的实力地位[M]//美国问题研究报告(2013).北京：社会科学文献出版社，2013.

[30]Peter C.Glover.The Next Oil Revolution[OL].Energytribune, 2012-11-17, http://www.energytribune.com/65437/the-next-oil-revolution.

[31]于宏源.页岩革命促美制造业复兴[J].能源, 2012 (3).

[32]U.S.boosts natural gas output and use since 2005, while OECD Europe scales back[EB/OL].U.S.Energy Information Administration, http://www.eia.gov/todayinenergy/detail.cfm? id=14591#, 2014-01-14.

[33]Ajay Makan, Neil Hume.International Energy Agency warns of future oil supply crunch[N].The Financial Times, 2013-11-12.

[34]Annual Energy Outlook 2013：Early Release Reference Case[R].U.S.Energy Information Administration, http://www.eia.gov/pressroom/presentations/sieminski_12052012.pdf, 2012-12-05.

[35]Annual Energy Outlook 2013：with Projections to 2040[R].U.S.Energy Information Administration, http://www.eia.gov/forecasts/aeo/pdf/0383(2013).pdf, April 2013.

[36]Technically Recoverable Shale Oil and Shale Gas Resources：An Assessment of 137 Shale Formations in 41 Countries Outside the United States[EB/OL].U.S.Energy Information Administration, http://www.eia.gov/analysis/studies/worldshalegas/, 2013-06-10.

[37]BP Energy Outlook 2035[OL].BP, http://www.bp.com/content/dam/bp/pdf/Energy-economics/Energy-Outlook/Energy_Outlook_2035_booklet.pdf, January 2014.

[38]National Intelligence Council.Global Trends 2030：Alternative Worlds[M].CreateSpace Independent Publishing Platform, 2012.

[39]Ajay Makan, Abeer Allam.Alwaleed warns of U.S.shale danger to Saudi Arabia[N].The Financial Times, 2013-07-29.

[40]总和生育率也称"总生育率"，是指该国家或地区的妇女在育龄期间，每个妇女平均的生育子女数。妇女育龄国际传统上一般以15岁至44岁或49岁为准。一般来讲，如果总和生育率小于2.1（对于发达国家来说），新生人口是不足以弥补生育妇女和其伴侣数量的。

[41]Ambrose Evans-Pritchard.World power swings back to America[N].The Telegraph, 2011-10-23.

[42]Peter C.Glover.The Next Oil Revolution[OL].energytribune, http://www.energytribune.com/65437/the-

next—oil—revolution，2012—11—17．

[43]于宏源．页岩革命促美制造业复兴[J]．能源，2012（3）．

[44]何兴强．非常规油气发展与美国的实力地位[M]//美国问题研究报告（2013）．北京：社会科学文献出版社，2013．

[45]张萌．"能源独立"推美国石化工业再崛起[N]．第一财经日报，2012—05—14．

[46]Petrochemicals Sector of Saudi Arabia Facing Greater Competition[OL]．Spyghana，http：//www．spyghana．com/petrochemicals—sector—of—saudi—arabia—facing—greater—competition，2014—08—14．

[47]饶兴鹤．原料低成本国际竞争威胁沙特石化业[N]．中国化工报，2013—08—23．

[48]林伯强，黄光晓．能源金融[M]．北京：清华大学出版社，2014．

[49]Amory B．Lovins，E．Kyle Datta，Odd—Even Bustnes．Winning the Oil Endgame[M]．Rocky Mountain Institute，2004．

[50]Al Gore．The Future：Six Drivers of Global Change[M]．New York：Random House，2013．
Nafeez Ahmed．Write—down of two—thirds of US shale oil explodes fracking myth[N]．The Guardian，2014—05—22．

[51]Nafeez Ahmed．Write—down of two—thirds of US shale oil explodes fracking myth[N]．The Guardian，2014—05—22．

[52]Review of Emerging Resources：U．S．Shale Gas and Shale Oil Plays[R]．U．S．Energy Information Administration，http：//www．eia．gov/analysis/studies/usshalegas/pdf/usshaleplays．pdf，July 2011．

[53]Five States and the Gulf of Mexico Produce More Than 80% of U．S．Crude Oil[OL]．U．S．Energy Information Administration，http：//www．eia．gov/todayinenergy/detail．cfm？id=15631＃，2014—03—31．

[54]Five States and the Gulf of Mexico Produce More Than 80% of U．S．Crude Oil[OL]．U．S．Energy Information Administration，http：//www．eia．gov/todayinenergy/detail．cfm？id=15631＃，2014—03—31．

[55]Josie Garthwaite．Montery Shale Shakes up California's Energy Future[OL]．National Geographic，http：//news．nationalgeographic．com/news/energy/2013/05/130528—monterey—shale—california—fracking/，2013—05—27．

[56]Five States and the Gulf of Mexico Produce More Than 80% of U．S．Crude Oil[OL]．U．S．Energy Information Administration，http：//www．eia．gov/todayinenergy/detail．cfm？id=15631＃，2014—03—31．

[57]Louis Sahagun．U．S．Officials Cut Estimate of Recoverable Montery Shale Oil by 96%[N]．Log Angeles Times，2014—05—20．

[58]Louis Sahagun．U．S．Officials Cut Estimate of Recoverable Montery Shale Oil by 96%[N]．Log Angeles Times，2014—05—20．

[59]Edward McAllister．UPDATE 2—U．S．EIA cuts recoverable Monterey shale oil estimate by 96 pct[OL]．The Reuters，http：//www．reuters．com/article/2014/05/21/eia—monterey—shale—idUSL1N0O713N20140521，2014—05—21．

[60]这点与中国人的感受差异很大。中国人贷款买房，虽然把房子抵押给了银行，但几乎每个人都觉得房子还是自己的，只是欠银行的钱而已，当贷款还不了的时候，自己的房子才会被银行收走。中美感受不同，但结果都是一样的。

[61]RealtyTrac Staff．Foreclosure Activity Increases 37 Percent In August[OL]．Realty Trac，http：//www．realtytrac．com/content/press—releases/foreclosure—activity—increases—37—percent—in—august—2007—3085，2007—09—18。
RealtyTrac Staff最初公布的该数据为244000套，在当年10月又做了修正，改为239851套。

[62]Foreclosures：Is This The Right Time to Buy？[J]．News Week，http：//www．newsweek．com/foreclosures—right—time—buy—89073，2008—09—22．

[63]陈听雨．美国房屋止赎纠纷不断[N]．中国证券报，2011—04—23．

[64]姜海峰.奥巴马：减税保收平衡术[N].中国企业报，2011-03-08.

[65]Jeff Zeleny.Obama：Buying Stocks May Be a 'Good Deal' [N].The New York Times,2009-03-03.

[66]时寒冰.时寒冰说：经济大棋局，我们怎么办[M].上海：上海财经大学出版社，2011.

[67]Lawrence Yun， Jed Smith，Gay Cororaton.Profile of International Home Buying Activity 2012[R].National Association of REALTORS， http：//www.realtor.org/sites/default/files/2012-profile-international-home-buying-activity-2012-06.pdf， 2013-06-12.

[68]张斌，廖灿亮.房价先行地价未动，中国投资人看好美国捂地[N].经济观察报，2013-06-25.

[69]Justin Sink.Immigration Reform Would Boost Value of Homes，Obama Tells Phoenix Crowd[OL].American Renaissance， http：//www.amren.com/news/2013/08/immigration-reform-would-boost-value-of-homes-obama-tells-phoenix-crowd/，2013-08-06.

[70]Secretary Shaun Donovan.Promoting the American Dream of Homeownership[OL].The White House Blog， http：//www.whitehouse.gov/blog/2013/08/06/promoting-american-dream-homeownership， 2013-08-06

[71]都会区又称城市带、城市圈、都市群或都市圈，是指以中心城市为核心，向周围辐射构成城市的集合区域。都会区的特点包括城市之间经济紧密联系、产业的分工与合作、交通与社会生活、都市计划和基础设施建设相互影响等方向。由多个都会区或单个大的都会区即可构成经济圈。

[72]张斌，廖灿亮.房价先行地价未动，中国投资人看好美国捂地[N].经济观察报，2013-06-25.

[73]顾纪瑞.美国汽车业衰退和重整说明什么[J].现代经济探讨，2006（4）.

[74]马钧，柳淼.美国汽车业：救赎与沉浮引发的思考[N].解放日报，2008-12-27.

[75]张嫣.被误读的底特律破产，美国汽车业并不衰[J].汽车商业评论，2013（9）.

[76]M.Robyn.5 Days in 1967 Still Shake Detroit[N].New York Times，1997-07-23.

[77]Detroit's bankruptcy：Can Motown be mended？America's biggest-ever city bankruptcy starts to roll[J].The Economist，2013-07-27.

[78]张嫣.被误读的底特律破产，美国汽车业并不衰[J].汽车商业评论，2013（9）.

[79]阿茹汗.海外置产：一场赌博[J].新商务周刊，2013（9）.

[80]顾纪瑞.美国汽车业衰退和重整说明什么[J].现代经济探讨，2006（4）.

[81]张保平.美国汽车业浴火重生[OL].中国金融信息网，2013-09-16，http：//world.xinhua08.com/a/20130916/1248971.shtml.

[82]政府对资源配置的支持、引领作用如此巨大，如果投资者重视这样的信息，就不难理解此后特斯拉股票走出神奇涨幅的原因了。

[83]杨彦春.巨资支持研发新一代节能型汽车[N].经济日报，2009-08-05.

[84]Amory B.Lovins，E.Kyle Datta，Odd-Even Bustnes.Winning the Oil Endgame[M].Rocky Mountain Institute，2004.

[85]陈鑫欣，贺江华.奥巴马宣布美国汽车节能减排新计划[N].广州日报，2009-09-21.

[86]W.Ross Morrow，Kelly Sims Gallagher，Gustavo Collantes，Henry Lee.Analysis of Policies to Reduce Oil Consumption and Greenhouse Gas Emissions From the U.S.Transportation Sector[J].Energy Policy，Vol 38.March 2010.

[87]马小宁.美国：标本兼治谋东山再起[N].人民日报，2009-06-05.

[88]金蓓蕾.美国汽车业末日重生[N].东方早报，2013-01-08。

[89]Neal E.Boudette， Jeff Bennett.U.S.Car Sales Soar to Pre-Slump Level[N].The Wall Street Journal，2013-09-04.

第7章

大纠结：中国的2013～2015（上）

第一节
大棋局、大周期

笔者仔细对比了一下最近几年全国两会的《政府工作报告》对"经济社会发展的主要预期目标"的表述。

2012年全国两会《政府工作报告》："主要预期目标是：国内生产总值增长7.5%。"

2013年全国两会《政府工作报告》："主要预期目标是：国内生产总值增长7.5%左右。"

2014年全国两会《政府工作报告》："主要预期目标是：国内生产总值增长7.5%左右。"

从2013年开始，"国内生产总值增长7.5%"后面多了两个字——"左右"。

而国外最困惑的也恰恰是这个"左右"，他们纠结于"这个目标的具体数字到底是多少"。一种观点认为，如果中国的经济增速跌破2013年第四季度的7.7%，政策制定者就"很可能实行宽松的政策"。另一种观点则认为，"7.5%左右"的表述也许流露出中国政府对限制信贷和治理工业产能过剩问题的严肃性。为此，他们也许愿意接受低至7%左右的GDP增速。[1]

一个"左右"道尽无尽的纠结。

走过2012年的转折点后，在2013～2015年这个时期的初始阶段，会有越来越多的企业或个人感到纠结，既对当下的形势感到困惑和纠结，也为未来的计划感到纠结。更大的纠结则体现在行动上：走完第一步后，往往不知道下一步该怎么做。

从趋势发展的角度来看，这毫不奇怪。在2012年之前，中国经济常年保持高速运行的态势，只要跟着时代的节奏向前走就是了。一切都那么明了，一切都那么顺理成章。2012年大转折之后，各个阶层、各个行业、各级政府开始面临着全新的环境：接下来，是调整还是转势，是调整后延续未来的辉煌还是应对已近在咫尺的危机？

这样的纠结，政府也一样无法避免。

当感受到调整的痛苦和危险时，政府有关部门会想出台措施刺激经济，刺激经济又担心天量货币累积的后果，这就要求必须保持在一定的限度内，或曰"微刺激"。而当经济状况隐约向好时，政府有关部门又会觉得调结构非常迫切和重要。

判断上的纠结和行动上的纠结，不断地交织、摇摆。

政府纠结，企业纠结，民众也纠结。

改革开放以来的高速发展，使人们的思维方式已经固化，许多人沉浸在过去的阳光中以明媚的态度看待危机与忧患，而日渐清晰的危机又常常让这种明媚的心态像掉进雾霾中一样，迅速地回到茫然无措的状态。

所以，纠结是这个时期初始阶段的典型特征。

从趋势的角度看，这种纠结是正常的。在这个纠结阶段过后，大趋势又会重新变得明了，变得顺理成章，纠结的情绪也将一扫而光——因为那个时候日渐清晰的各种危机迹象已经慢慢浮出水面。尤其是2014年以后，逐步步入经济调整和债务问题叠加的高风险期——越来越多的人会感受到这种危机前的寒意，且风险度逐年增加，直到步入下一个周期，呈现出下一个周期的典型特征。

我们知道，一个经济周期一般要经过繁荣、衰退、萧条和复苏四个阶段。

从全球角度来看，经济周期的波动与主导国家息息相关。

尽管国家之间在形式上是平等的，但从资源和能力的角度来看，又是极不平等的。霸权国家拥有强大的军事、经济和意识形态资源，能够将其意愿强加于一个地区（区域霸权）或世界（全球霸权），霸权提供了理解现代政治的关键。[2]

总体而言，从资本主义世界第一次经济危机到目前为止，真正能够在世界经济周期波动中起主导作用的国家只有两个：第一个就是首先完成工业化的英国（19世纪属于英国），第二个就是在两次世界大战中崛起的美国（20世纪至今属于美国）。

研究者发现，每轮世界经济周期波动都有如下特征：先在一个国家内发生，然后通过各种传导机制向国外扩散，并通过各国的相互影响最终达到一个共同的经济周期波动，也就是世界经济周期波动。

那么，谁能主导世界经济的周期？或者，谁能成为世界经济周期的主导国？

美国华盛顿大学国际问题地区研究所所长莫德尔斯基指出，世界大国首先是世界经济增长的中心国，即经济规模大、富裕程度高，而且在技术革新条件下主导性产业部门旺盛，并能积极参与世界经济，成为世界经济的增长中心。其次是世界经济的霸权国，不仅规模大、生产力水平高，而且是世界经济不断发展创新的源泉，是世界经济运行规范的制定者与世界体系的协调者。

世界经济周期的主导国还要有完善畅通的贸易等传导机制，即相应的汇率、利率等国际金融市场，并且资本市场的开放程度要达到一定水平，能自由地进行进出口贸易。通过完善的贸易等传导机制，世界经济周期的主导国就可以将本国的经济周期传导出去，并推动形成世界性的经济周期。[3]

对照这些条件，当今世界经济周期波动的主导国非美国莫属。

日本学者也指出，现代全球化是在东西方冷战结束后美国单极霸权确立的背景下，以IT革命为起点，以金融全球化为先锋展开的。特别是在20世纪90年代当美国无论在军事上还是在经济上都独占鳌头的时期，全球化几乎就等同于美国化。[4]

这也正是本书把美国作为全球视野的主导力量与中国内在的发展并列进行分析，以找寻未来趋势的重要原因——缺少了任何一面，看到的都将是残缺的而非完整的趋势。

我们都知道，美国背负着沉重的债务，按照很多学者的观点，美国会通过货币贬值的方式来稀释债务。但是，如果美国持续这样做，必然导致美元被废，而美元是美国最核心的利益！

因此，笔者在做各种推导、棋局的模拟布局之后，认为美国将通过引爆世界经济危机的办法来一劳永逸地解决债务问题。

美国独立的金融和经济分析专家迈克尔·赫德森指出，美国通过将资源出口国的资源以美元计价，推动世界经济的金融化和资源的私有化，使美国可以用自己不断投放的贬值的美元直接收购发展中国家的资源行业。[5]

具体步骤是：

收紧货币政策—美元升值—全球资金回流美国—全球经济大萧条—资产价格暴跌—美国廉价收购资源—美元贬值—资产价格上涨

简言之，就是通过廉价抄底、尽可能多地控制财富的方式来最终化解掉自己的债务。同时，不仅不损害美元的国际地位，还会使美元由于获得更为强大的财富支撑而变得更加强大——即使它在故意走贬值路线，也不至于损害到其坚实的地位。

因此，笔者2013年5月14日，撰写了一篇《假如美国退出刺激计划》的博文[6]，分析美国逐步退出量化宽松政策的巨大影响，认为这将导致一些经济体出现"物价上涨和经济停滞共存的局面，即Stagflation（停滞性通货膨胀，简称"滞胀"）。相关国家将由此步入经济危机、金融危机、社会危机共存的困境"。

2013年12月18日，美国联邦储备委员会发表声明，宣布鉴于就业市场改善，将从2014年1月起削减长期债券购买计划，将每月850亿美元的债券购买额调整为750亿美元。[7]

这意味着，美国在大棋局中，走出了极其重要的一步，而下一步更为关键的棋，则是加息。美国一收紧货币政策，中国上海银行间同业拆借利率（Shibor）[8]立即暴涨，股市立即下跌。面对扑面而来的寒意，笔者只能说，这才刚刚开始。

美国的棋局正在悄然但迅速地发生变化。

中国以制造业为核心的实体经济的下滑，将导致"中美恐怖平衡"存在的基础发生动摇。最直接的，中国将无法再通过出口维持此前亮丽的贸易顺差，也很难再有足够的力量继续去购买美国的国债。对于美国而言，如何锁住中国已经购买的债券才是最重要的。

这使得美国可以更大胆、更义无反顾地调整它的政策，由此带来的影响是巨大的——也许，只有等到节点到来，我们才能更深刻地体会到这种巨变的含义。

从中国自身的情况来看，也面临着内在的调整需要。

在从繁荣、衰退、萧条到复苏这四个阶段构成的经济周期中，对于中国经济而言，1978～1997年是复苏阶段，1998～2011年为繁荣阶段，2012年是从繁荣到衰退的转折点，而2013～2015年的这个时间段，则是从衰退向下一个阶段演变的阶段。

由于此前中国经济无论存在什么样的问题，最终都挺过来了，并且看上去更好，让许多人彻底忘记了冬天的存在，但寒冬尤其极寒的冬天必然到来。此前所有的因汇聚成的巨大的果，正在逐渐变成现实。

时间进入2013年，中国经济尤其是实体经济就开始感受到日渐增加的压力。一方面，中国经济高速增长中产生的矛盾累加在了一起，尤其债务问题日趋严重；另一方面，中国经济到了一个"还债期"（还养老欠债、环境欠债等）。

这就使得所有的矛盾撞到了一起，由此产生的叠加效应是令人忧虑的。中央也慢慢认识到：中国步入经济增长速度换挡期、结构调整阵痛期、前期刺激政策消化期三期叠加的阶段。有研究者指出，所谓"增长速度换挡期"，就是我国经济已处于从高速换挡到中高速的发展时期。所谓"结构调整阵痛期"，就是说结构调整刻不容缓，不调就不能实现进一步的发展。所谓"前期刺激政策消化期"，主要是指在国际金融危机爆发初期，我们实施了一揽子经济刺激计划，现在这些政策还处于消化期。[9]

无论是对于国家而言，还是对于企业、个人而言，将越来越多、越来越清晰地感受到上述因素叠加在一起所产生的巨大压力，以及近在咫尺的债务危机带来的紧张感、疼痛感。

对于以制造业为核心的实体经济而言，2013～2015年这3年，艰难的感觉一年胜过一年。这种艰难的感觉最终把人们从幻想拉回现实中，不再纠结，而是理性地面对未来。对于绝大部分行业而言，在这个阶段内，应该以收缩阵地、提高盈利能力自保为主要策略，应该非常谨慎地扩大规模。否则，"希望"可能很快像海市蜃楼那样消失。

很多人强调，在倒逼之下，中国的企业会走升级之路。我们回顾一下世界历史，看看哪个国家的产业升级是被逼出来的？

不，都是激励出来的！

在严格的知识产权保护之下，在权力不过多干预资源配置的情况下，在公平而透明的市场环境中，企业愿意做研发投入，愿意通过升级获取更高的利润、丰厚的收益。

但是，在炒房一年盈利胜过制造业干10年的大环境之下，在知识产权保护缺位，研发成果肆意被盗版、仿冒的情况下，在权力对市场的影响依然非常密切的情况下，产业升级首先面对的是高风险而不是高利润。在这种情况下，升级的动力在哪里？

这实际上意味着，一旦连食物链底端的微薄利润也消失，企业首先面临的是关停和倒闭，而不是升级！

看一个国家的经济，首先是看一个国家的企业。比较一下美国，几乎每隔一段时间就会有全球知名的企业问世，而这些企业几乎清一色都是知识型企业。而中国到现在为止，知名的企业依然是在20世纪八九十年代，也就是房地产被定为国民经济的支柱产业之前出现的。

这难道仅仅是偶然吗？

一点都不偶然。因为当时的政策能够引领最优质的资源和最优秀的人才向以制造业为代表的实体经济集中，而2003年后，政策在引领资源配置方面则发生了方向性的改变。

伴随着漫长的资源配置的畸形，在2013年后的这个周期里，我们将看到以制造业为代表的实体经济悲伤的眼泪。

当务之急是尽快给予企业幅度较大的减税，同时，对人民币的快速升值进行干预——将汇率稳定下来，给中国制造业的复苏创造条件。

可以肯定的是，如果在2013年开启的这个周期不尽快执行这些措施，到2015年后即使实行也晚了。

为什么？

对于地方政府而言，它更看重房地产而不是制造业。制造业的衰退所带来的税收减少，地方政府此前并不太在意，因为土地财政在房价如火如荼上涨的过程中是非常充裕的。但是，当房价的巨大泡沫——中国经济中的另一个"堰塞湖"——遭遇雾霾等环境危机的时候，环境宜居性的下降和美国货币政策的收紧，使得维持这个泡沫变得日益困难，或者，变成一个很难完成的任务。

在这种情况下，地方政府同时面临着制造业税收下降和土地财政收入下降两大难题，财政失衡的问题就会充分暴露出来。减税就更不可能了。不仅不可能，甚至还可能因此让制造业背负更多的税收负担——其中的一部分将以费的形式体现出来。这种挤压又会导致制造业的进一步衰退，从而使得房地产业的支撑——创造财富的制造业部门受到进一步的打击。由此，陷入恶性循环。

对于整个国家而言，2013～2015年这3年，既紧随2012年大转折之后，又在下一轮全球惨烈的大洗牌、大危机之前。

货币、房地产与债务这三大"堰塞湖"，任何一个决堤，后果都是不堪设想的。

中国能否解决好经济结构畸形等矛盾，直接关系到经济趋势的走向乃至民族的命运。

笔者必须要强调的是：趋势转换的时间节点，除了像2012年这样清晰的转折点之外，过渡都不会非常分明。比如，2015年和2016年这相邻的两年，涉及两个阶段，但其过渡依然是自然的，某个阶段具体特征可能略微提前或略微延后，但这并不影响大趋势的判断。

鉴于中国经济形态的复杂性，笔者想从源头上谈起，让尽可能多的朋友能清晰地理解趋势发展的必然性，而不是得到一个简单的答案——前者可以让人对自己的分析和选择更有信心。

趋势是由什么决定的？

首先就要看过去和现在种下的是什么因，什么因导致什么果。对于我们来说，按趋势的惯性，找到短期的趋势走向并不算太困难，但如果要做较远的前瞻性推导，就需要对一些影响趋势的因素进行更具体的分析。

因此，在这几章里，我们一点一滴地梳理、剖析，从中理出趋势的脉络。在这几章之后，再进一步明确地总结这个阶段的整体趋势，以让我们清晰地找到正确的应对思路。

尽管2012年的转折年，已经为趋势的演变指引了方向，但我们还是忍不住用美好的希望来安抚自己的心：事物发展到极致，并不意味着立即就发生转折，而是需要一个过渡；这个过渡期内，如果能够采取有力措施，力挽狂澜，或许能够改变趋势。

每一个生活在这片土地上的人，都期待奇迹！——尽管可能性并不大，但任何人都没有理由放弃梦想与希望。

我们知道，欧美等经济体，由于特别强化市场的力量，其趋势的转折、周期的轮换更为清晰。中国经济则更多受到政策的影响，尤其一些大的政策，能够很快改变经济运行的方向。比如，在2008年经济下行最严重的时候，中国推出了令世界惊讶不已的庞大的救市计划，不仅很快把中国经济带出下行通道，而且在极短的时间里，又开始面对快速增长的泡沫问题。

微观层面也如此。比如房价，在中国，房价往往是投资拉动经济增长模式的副产品——政府主导的投资需要投放大量的基础货币。基础货币的投放增加了人们对通胀的预期，民众蜂拥到房地产领域通过买房对抗通胀。政府主导的投资拉动经济增长的模式，从宏观和微观层面，都使中国形成了独特的运行轨迹。

分析中国的趋势，必须有两个假设：其一，政策可以改变经济运行方向，在这种前提之下，推导出政府可能出台的政策及相关政策产生的影响，进而预测未来的经济趋势；其二，无论什么样的政策，都无法再改变经济运行方向——这就是所谓的极限点或转折点。这两个假设是展望、预测中国经济未来发展趋势的很重要的基础。

因此，笔者对2013～2015年这个阶段的表述尽可能详细，当我们详尽地了解了这些问题和这些问题的演变，也就对未来的趋势一目了然了。这也是笔者所反复强调的：细致地了解当下，才能洞悉未来。

理性和智慧的人，会尽早做好过冬的准备，只有提前认识到趋势演进方向的意义所在，才可以提前规避风险；而只有规避掉风险，才能保护住自己的财富。

第二节
自由的效率

改革开放以来，从来没有哪个时期像2013年那样，面临着如此棘手的选择：天量的货币投放，已经形成了巨大的"堰塞湖"，通过货币投放来刺激经济、维持高速增长的模式风险越来越大。在这种情况下，是保增长还是调结构？

这是非常艰难的选择。保增长就意味着继续超发货币，调结构就意味着接受较低的增长率，勇敢地面对必然的阵痛。政策对经济的影响一直处于透支状态，在经济规模越来越大的情况下，如果不能发挥市场的天然调节作用，把货币"堰塞湖"慢慢消化掉，整个经济体随时可能被突然而至的洪流给摧垮。

有专家提出：在保增长的情况下调结构。这看起来似乎是一个完美的选择，却是出于对现实的了解不深。中国经济结构畸形的问题，正是由于质量不足、含着水分、大量损耗资源和财富的高速增长所致。这些说话总是追求完美的专家其实一直在起着误导作用。

在大转折条件已经具备、风险日益加大的情况下，能否抓住宝贵的过渡期，尽快化解矛盾，从国际大棋局的角度来看，不仅关乎经济发展，也直接关乎中国未来的命运。

每一位能够看清形势的人，都会有这种强烈的紧迫感和责任感。

因此，我们特别需要了解新一届政府基本的经济发展思路。

新一届领导人一开始就提出了没有水分的增长。

习近平指出："增长必须是实实在在和没有水分的增长，是有效益、有质量、可持续的增长。"[10]

李克强指出："我们的经济发展应当实现一种'实实在在、没有水分'的提高。如果我们的GDP无法让人民群众的收入增长，那么GDP增速再高，也是'自拉自唱'，并不利于发展，也不利于稳定。中国经济发展方式的转变已经刻不容缓，明年（2013年）经济工作的重点、着力点，首先要放在提高经济增长的质量和效益上。"[11]

2013年12月10日到13日的中央经济工作会议特别强调，要全面认识持续健康发展和生产总值增长的关系，不能把发展简单化为增加生产总值，抓住机遇保持GDP合理增长、推进经济结构调整，努力达到经济发展质量和效益得到提高又不会带来后遗症的速度。[12]

必须指出的是，中国GDP增长的质量甚至还不如印度。1995～2005年，印度的GDP年均增长率是6%，中国仅比印度高出1.3%多一点，而中国的FDI（外商直接投资）是印度的7倍多，出口是印度的8倍多。这说明中国的资本利用能力比不上印度。[13]

在这种情况下，中国更应该从对经济增长速度的追求，转变为对经济增长质量和民众幸福感提升的追求——人们不仅需要钱，还需要教育、健康、良好的环境等其他设施。[14]

应该认识到，在中国的货币供应总量已经迅速膨胀到全球第一，远超世界最大经济体美国的情况下，原本就已经充满巨大隐患，再继续做下去，风险之大可想而知。关键是怎么做，以及这样做能否形成根本性的变革，去除顽疾，迎来新生。

新一届领导的思路是：从充分利用存量资金改善经济结构、提高经济质量着手，对中国原有的经济发展模式进行革新。从李克强接任后的会议决议，到国务院发展研究中心"383"改革方案，再到十八届三中全会发布的《中共中央关于全面深化改革若干重大问题的决定》（三次提到"使市场在资源配置中起决定性作用"）[15]，无不贯穿着这种思想。

我们对这种思路做一个梳理，这对于我们了解未来的趋势演变具有重要的参照意义。

第一，部分权力下放，让位于市场。

看一个国家的经济实力和潜能，首先要看这个国家有代表性的知名企业的状况；看一个国家的活力和前景，首先要看这个国家是否不断涌现出新的具有国际影响力的企业。

德国经济学家马克斯·奥特在评论欧洲的现状时说："过去，欧洲一直是经济上的巨人、政治上的矮子。可是现在，我们在经济上的地位也下降了。欧洲没有计算机产业，没有值得一提的娱乐电子产品，也几乎没有什么纺织品或玩具生产商。在其他很多领域，欧洲国家也正在逐步衰退。"[16]

他正是从企业、产品角度来看欧洲经济的。

从经济层面来看，国家间的竞争，归根结底体现于企业层面的竞争。政府主要是提供好公共服务，包括健全的社会保障体系、强大的军事力量、公平公正的法制体系、高效率低成本的经营环境等，给企业提供更大的方便和更全面的保障。

国与国之间竞争的是效率，企业也一样。当企业家把大量的时间、精力和财力用在与政府有关部门"协调"关系上，他就无法集中全部精力在企业的管理和经营上——在即使全部精力都集中到管理和经营上仍与发达国家的优秀企业有着相当差距的情况下，企业在"协调"关系上无节制消耗的局面如果长久维持意味着什么，是可想而知的。国内的不少企业只能通过利用权力获得更多的资源配置来弥补自身其他方面的不足，从长远来看，这种带有明显的依附性、投机性的做法，是不利于中国企业成长壮大的。

曾任世界银行副总裁的诺贝尔经济学奖得主斯蒂格利茨指出，中国面临的深层次问题是政府与市场的角色定位问题。中国当前很多问题都是由于政府做了一些它不应该做的事，而一些本应该由它做的事却没有做。[17]

如何解决这一问题？一是反腐败，扫除障碍。二是权力下放——也有利于减少腐败的机会。

实证研究说明，没有一个被权力左右的市场最终能够做大做强的，权力让位于市场是一个国家走向强大的前提和基础。

为什么马尔萨斯当初的悲观预期没有变成现实，当今世界的物质产品反而更加丰富？这并非政府作为的结果，恰恰相反，是全球的政府为自由经济让出了一条道，它们解除了对经济的约束，让经济有了更大的发展自由。这种自由让才华横溢的人和优秀的企业得以尽情地发挥自己的创造力。[18]

经济的自由能带来更高的效率。

国与国、企业和企业，甚至个体之间的竞争，靠什么脱颖而出？首先就是效率！2009年，笔者应华尔街投资家和上海交通大学美洲基金会的邀请去美国访问，看到飞驰而过的汽车，耳边是嗖嗖的响声，感受到的是一种紧张高效的快节奏。对比之下，我们这种道路拥堵的状况，要把多少时间浪费在路上！不仅浪费能源、浪费时间、浪费精力、降低社会运行的效率和人们工作的效率，也大大影响人们的心态，容易让人心生暴戾之气。

这种无端浪费在路上的现象，在制度层面亦有明显的反映。

在层层审批制度下，企业、个人不得不耗费大量精力、财力去打通各个关节。因为每一个关口，都有部门利益藏在其中。"办个事、创个业要盖几十个公章，群众说恼火得很。这既影响了效率，也容易有腐败或者寻租行为，损害了政府的形象。"[19]

这个盖章的过程，就是对效率的吞噬！

2013年年初，《广州日报》报道了这样一则新闻：目前，在广州投资一个项目，需经历20个委、办、局，53个处、室、中心、站，100个审批环节，盖108个章，全流程共需要799个审批工作日，另还需办理36项缴费手续和缴费。这么长的审批时间，提高了投资风险和成本，有时候会导致一些优秀项目流失、转移，甚至导致一些违规建设现象出现。[20]

不要以为这是极端的例子。广州市人大代表、广州市委党校常务副校长王永平举例说，他熟悉的广州某公司本来打算建一个五星级酒店，可是算了一下，竟然要盖1000个公章，最后干脆决定不建了。他说："广州市委党校也遇到类似问题，以前学校想要把校内的一栋'准文物'建筑修葺一下，资金已经筹集到位，可是报批3年了居然还没有批下来。在目前的行政体制下，办事实在是非常啰唆、拖沓，盖章多、程序多。"[21]

在改革开放较早、效率相对较高的广州，如果都存在如此严重的制约效率的障碍，其他地方的情况可想而知。为什么那么多关卡都"死咬"着不松开？因为有部门利益在。每盖一个章，都要拜庙烧香，而相关部门常年靠这个增加自己的福利。

在认识到问题的严重性后，广州进行了改革。2013年2月11日，广州市推出方案：大幅度削减行政审批事项、审批环节、审批时间。其中，审批事项将从现行的93项减到33项，审批环节也由现行的93个减为5个，审批时间由现行的799个工作日减为37个工作日。[22]

新一届中央政府着力进行简政放权。

2013年3月18日举行的新一届国务院第一次常务会议，就重点研究推进政府职能转变事项，减少和下放了一批投资审批事项。4月28日的国务院常务会议，确定第一批先行取消和下放71项行政审批项目等事项，重点是投资、生产经营活动项目。提出"下一步，各部门要加大减少和下放行政审批事项工作力度，加快进度，科学评估，成熟一批推出一批"。5月31日，国务院常务会议提出两批共取消和下放了133项行政审批事项。6月19日的国务院常务会议，决定再取消和下放一批行政审批等事项。[23]

2014年3月5日，李克强代表国务院在十二届全国人大二次会议上做的《政府工作报告》指出："国务院机构改革有序实施，分批取消和下放了416项行政审批等事项，修订政府核准的投资项目目录，推动工商登记制度改革……今年（2014年）要再取消和下放行政审批事项200项以上。"

值得注意的是，李克强力主下放的权力，主要是属于发改委的权力。我们知道，即使在国家三天两头强调控制产能过剩的大背景下，发改委依然在审批新的投资项目。

可见，改革进入了深水区，"现在触动利益往往比触及灵魂还难"。[24]下放权力，也有更好地落实化解产能过剩问题的考虑。

但接下来要注意的问题是：行政审批事项的下放，是否给地方政府进一步扩大投资、追逐自身利益最大化提供了更大的便利？经验告诉我们，一些原本目的明确、定位积极的改革，很容易被地方政府在片面追求高增长、大政绩的背景下所扭曲。

在对待改革问题上，地方政府往往会更功利一些，一谈及改革首先提改革红利。改革绝不可太功利，不能总盯着眼前能看得见的红利，必须重视长远利益。制度改顺畅了，红利自然会来，一直盯着红利的改革是很难彻底的。

政治家应该以远见卓识、博大胸襟和敢于担当的大勇气、大智慧去主导改革，而不应该以生意人精打细算的所谓精明和斤斤计较去实施改革。

我们经常讲制度创新，其实，制度首先需要的是遵循，而不是创新。在制度、管理等方面，发达国家已经有非常成熟的经验可以借鉴，这样就可以少走很多弯路，少付出很多成本。另外，经济转型绝不是按照人们给它规定的路线、模式、目标转型，而是打造一个良好的制度环境，促使经济自然转型。

这正是向市场放权、充分发挥市场自我调节机制的意义所在。

第二，逐步化解过剩产能，调整经济结构。

GDP出政绩，政绩出官，是一种强大的激励力量。这种力量进一步强化了以投资为主导拉动经济增长的模式。跟房地产调控一样，产能过剩的治理也是越治理过剩得越严重，为什么？因为经济增长的模式没有改变！

中国的很多问题，如果追根溯源，就会发现，它们都有一个共同的源头：经济增长模式。因此，李克强再三强调"不调整经济结构，就难以保持经济平稳运行，就难以实现经济持续发展"。[25]

近年来，中国经济的持续高速增长刺激了许多行业的大规模投资扩张。技术层面的因素为产能过剩提供了现实可能性。据统计，国内部分行业产能过剩问题自2004年开始显现，2005年以后一直呈现日益凸显、加剧的状况。截至2008年，中国工业产品产量居世界第一位的已有210种。在我国工业39个大类行业中，不少行业存在着因盲目投资、低水平扩张而造成的产能过剩问题。

并且，产能过剩呈现出"越治理越过剩"的趋势。产能过剩在钢铁、水泥、电解铝、平板玻璃、焦炭等传统产业"尤为突出"。对这些行业，国际上一般认为产能利用率在80%~85%比较合理，但在中国，这些行业产能利用率目前大体在70%~75%。国际货币基金组织此前发布的研究报告甚至认为，中国目前的产能利用率仅为60%。[26]

解决产能过剩问题迫在眉睫。

2013年5月13日，国务院强调，坚决完成遏制产能严重过剩行业盲目扩张等硬任务，严禁核准水泥、电解铝等产能严重过剩行业新增产能项目，坚决停建违规在建项目。[27]

这次，能否走出一边抑制一边继续扩张的怪圈呢？我们接下来将做进一步分析。

第三，盘活存量资金。

我们已经知道，超量货币投放所支撑的投资拉动经济增长模式，是中国近年来经济增长的主要模式，是导致中国的广义货币供应量（M2）位居全球第一的根源。截至2012年底，中国广义货币余额已经达到美国的1.5倍，位居全球第一！截至2013年底，中国广义货币余额更是达到了美国的1.66倍。

下图为2012年主要经济体广义货币供应量（M2）在全球总量中的占比。

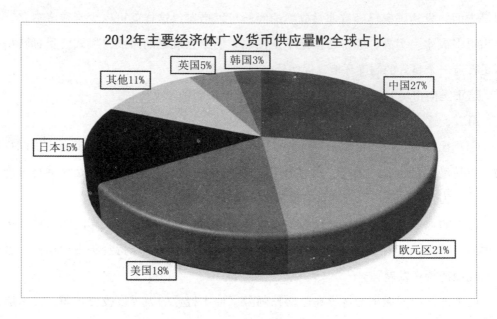

数据来源：World Bank。

巨量货币犹如一个巨大的"堰塞湖"，一旦爆裂，其引发的灾难性后果无异于数个原子弹的集体爆炸——这种巨大的破坏性是任何经济体都无法承受的，更何况对于一个结构畸形、基础脆弱的经济体而言？

怎么办？

笔者在《时寒冰说：经济大棋局，我们怎么办》中提到，要为超发的货币找到"海绵"。中国一直用的吸纳货币的两大"海绵"分别是楼市和股市。但是，房价已经处于令人望而生畏的高位，而股市由于其高风险、低回报的特点已经伤害了无数投资者，新股发行一度被暂停，其吸纳超发货币的能力也变得有限。

在这种情况下，就必须找到新的"海绵"。在城市对超发货币的吸纳能力几乎透支殆尽的情况下，这个新的海绵就是农村这个庞大的市场，这正是城镇化的推出变得如此紧迫的原因之一。

2013年11月15日发布的《中共中央关于全面深化改革若干重大问题的决定》中规定："允许农村集体经营性建设用地出让、租赁、入股，实行与国有土地同等入市、同权同价""赋予农民对承包地占有、使用、收益、流转及承包经营权抵押、担保权能""赋予农民对集体资产股份占有、收益、有偿退出及抵押、担保、继承权……慎重稳妥地推进农民住房财产权抵押、担保、转让，探索农民增加财产性收入渠道。建立农村产权流转交易市场，推动农村产权流转交易公开、公正、规范运行。"[28]

这种规定归根结底都需要通过货币这个媒介来完成，相关"流转交易"过程就是货币化的过程，这就能够慢慢地把农村这个市场的货币吸纳能力给激活、放大。

除了"海绵"，用好存量资金，让存量资金发挥积极作用，无疑是最完美的选择——既有利于化解风险，也有利于促进经济结构的优化。

2013年5月13日，国务院召开的全国电视电话会议指出，在存量货币较大的情况下，广义货币供应量增速较高。要实现今年发展的预期目标，靠刺激政策、政府直接投资，空间已不大，还必须依靠市场机制。6月8日，李克强再度要求"要通过激活货币信贷存量支持实体经济发展"。6月19日，国务院提出要优化金融资源配置，用好增量、盘活存量，更有力地支持经济转型升级，推出信贷资金支持实体经济、推动民间资本进入等八项金融新政。

我们知道，要调整经济结构，就必须接受低增长的现实。从某种程度来看，也可以把放低增长速度当作调整经济结构的前提。

早在国务院2012年11月21日召开的全国综合配套改革试点工作座谈会上，李克强就明确地说："我们不片面追求GDP，将来的发展可能会经历一个中速增长期，很难长久保持两位数，但是只要保持住7%的增长，到2020年实现小康就完全有可能。"[29]

2013年3月17日，答中外记者问时，李克强说："要努力实现2020年的目标，测算一下，这需要年均增长7%左右的速度，这不容易。"[30]

同样是对经济增长7%的表述，态度却略有不同。前者显得轻松，而后者则显出压力。

2013年5月24日，李克强在瑞士金融界人士午餐会上演讲时指出："我要说的是，中国一季度以来经济发展稳定，因为我们预定的今年实现GDP增长目标是7.5%，7.7%超过7.5%，这在合理的运行区间。与此同时，城镇的就业人数增长了470万，其水平和过去大体相当，而且还有所增长。"李克强说，在国际经济形势十分复杂的情况下，在中国经济增长基数已经很高，而又存在着长期积累的一些矛盾状况下，有这样的增长和就业是来之不易的。按照中国对未来的规划，要实现2020年比2001年人均GDP翻两番的目标，未来的7年中，经济增长只要6.9%就够了。[31]

从保8到7.5%的计划，再到6.9%的表述，在新一届开局的几个月中，展现出来的是与过去不同的看待经济发展的思路。那么，这种构想能够顺利推行吗？

第三节
剖析上海自贸区

《中共中央关于全面深化改革若干重大问题的决定》指出："建立中国（上海）自由贸易试验区是党中央在新形势下推进改革开放的重大举措，要切实建设好、管理好，为全面深化改革和扩大开放探索新途径、积累新经验。在推进现有试点的基础上，选择若干具备条件的地方发展自由贸易园（港）区。"[32]

上海自贸区被定位于"为全面深化改革和扩大开放探索新途径、积累新经验"。实际上，这一点也正是自贸区的意义所在。

让我们从头说起。

2013年3月27~29日，李克强总理在江苏、上海调研时称，鼓励、支持上海积极探索，在现有综合保税区的基础上，研究如何试点先行，在28平方公里内，建立一个自由贸易试验区，进一步扩大开放，推动完善开放型经济体机制。

7月3日，国务院常务会议讨论并原则通过了《中国（上海）自由贸易试验区总体方案》。

8月16日，国务院常务会议称，为推进中国（上海）自由贸易试验区（简称"上海自贸区"）加快政府职能转变，探索负面清单管理[33]，创新对外开放模式，拟提请全国人大常委会审议《关于授权国务院在中国（上海）自由贸易试验区等国务院决定的试验区域内暂停实施外资、中外合资、中外合作企业设立及变更审批等有关法律规定的决定》草案。[34]

从上海自贸区意向被提出来到原则上通过，只有短短的几个月时间，如此雷厉风行的飞速推进，体现出来的是一种决心和紧迫感。这意味着政策将以强大的引领力量，动用、凝聚各种资源来完成上海自贸区的试验。当时，外汇占款连续几个月减少，显露出外资撤离信号。上海自贸区的推出，意在打造出一个中国将进一步深化改革的样板，这个信号会重塑、增强世界对中国坚持改革的信心。而改革会产生红利，这种红利就会继续留住外资，留住人们的信心。

当然，这种信息对于非常敏感的投资者而言，是更有价值的。敏感的投资者在疯涨的自贸区概念中获得了丰厚的收益。在中国做投资，找寻发展方向，最简单的做法就是跟着政策走。

那么，上海自贸区对中国到底意味着什么？它为何被看得如此重要？

在中国的大布局中，上海自贸区是非常重要的一环。

第一，树立起新的改革大旗。

与减少和下放投资审批事项相比，中国（上海）自由贸易试验区的建立则是一个更大胆的试验：中国需要通过一个试验，找到下一步经济发展的模式和改革的方向，找到从制度层面将市场化改革向前推进的更稳妥的方式。

从这一点来看，上海自贸区之于中国就如同20世纪的深圳之于中国。深圳是改革开放的样板和起点，而上海自贸区则在事实上被作为下一步改革开放的样板和起点。

上海市政府参事室主任王新奎指出："上海建设自贸区是以开放倒逼改革，因为现有体制中最难改革的就是审批制度，而上海建设自贸区就要按照国际规范来突破这一难点。"上海自由贸易区经济研究中心副主任陈波也指出："中央政府在上海建立自贸区的意图与当前的宏观经济发展有着密切的关系，中国经济增长的结构性矛盾已经到了非改革不可的时候。"[35]

应该认识到，市场经济是目前为止人类社会能够看到的效率最高、成本最低、腐败最小，最能体现公平竞争等优势的经济形态。通过市场化改革逐渐压缩权力主导、影响经济运行的空间，实现资源的最佳配置，乃是大势所趋。

关键问题在于，中国需要时间，需要在日益宝贵和紧迫的时间里，尽快促使中国经济步入良性发展轨道。我们将越来越清晰地感受到这种紧迫性！

第二，让外资对中国的改革更有信心。

中国拿出自贸区这种新的改革措施，来向世界表明中国将继续深化改革的决心，继续保持对外部资源尤其是资本的吸纳力，让外资继续看好中国——保持外资对中国的信心对于中国借助外力稳定的发展意义重大。

自贸区建设为什么从提出到批准通过那么迅捷？对比一下，那段时间正是中国外汇占款增速下降的时候，2013年的6月和7月甚至是负增长，表明资本在流出中国。这对于中国来说，是一个令决策层担忧的信号。

该信号意味着资金双重压力下的紧张。一方面，资金外流。另一方面，中国的货币供给具有鲜明的内生性特征，即货币供应量不是简单地由货币当局直接控制，商业银行等微观主体的行为以及外汇流入因素显著地影响基础货币和货币乘数的变化，从而使得货币供应在很大程度上从属或适应于货币需求。从基础货币的结构变化来看，近年来对金融机构贷款的占比呈不断下降趋势，外汇占款已成为基础货币供应的主渠道。[36]

这就很容易理解，为何外汇占款快速下降的时候，国内资金也往往容易出现紧张的原因了。

2013年前7个月的新增外汇占款分别为：6836.6亿元、2954.3亿元、2363亿元、2943.5亿元、668.62亿元、−412.05亿元、−244.74亿元。而到了上海自贸区建设获批后的8月，新增外汇占款才停止负增长。

下图为2013年1～8月我国新增外汇占款数据。

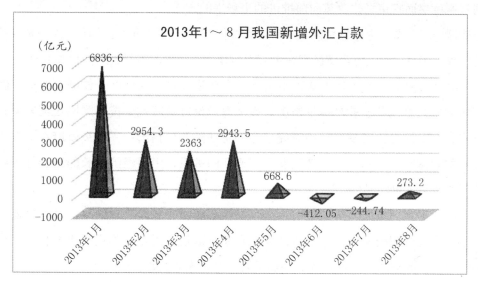

数据来源：中国人民银行。

如果说在改革开放初期，中国吸引外资是为了尽快实现高增长的话，那么，在这个阶段重新强化对海外资本的吸引力，更多的是基于经济安全和经济发展的可持续方面的考虑。随着美国逐步退出宽松的货币政策，中国如何能够保持对外资的持续吸引力，将是一项日趋艰巨的任务。对外资而言，最大的吸引力源于制度的完善和公平、公正、透明的有规则可循的法制化的环境，中国只有在这方面有大的突破，才能避免将来因外资的抽离而陷入困境。

2013年9月27日，国务院公布的《中国（上海）自由贸易试验区总体方案》中明确提出：国际化贸易普遍化、常态化，培育贸易新型业态和功能，鼓励跨国公司建立亚太地区总部和探索设立国际大宗商品交易和资源配置平台。同时，加快对外文化贸易基地建设，推动生物医药、软件信息、管理咨询、数据服务等外包业务发展，允许和支持各类融资租赁公司在试验区内设立项目子公司并开展境内外租赁服务。

"自贸区意味着更优惠的政策、更大的开放度。"[37]

第三，提升上海国际航运中心的地位——目标瞄准新加坡。

现代航运业既是经济交往的条件，也是重要的经济部门，在全球化的今天，其地位和作用日益突出。港口是航运的起点和归结点，也是航运业的枢纽，航运业的发展促成了港口经济的发展。[38]

港口经济的重要性越来越被世界所认识，而港口经济的发展，正是海权思想在贸易上的拓展。美国战略家、海权论奠基人马汉提出：海洋对濒海国家的生存与发展有决定性的意义。[39] 在涉及国家利益和对外贸易的主要交通线上控制海洋，是国家强大和繁荣的纯物质性因素中的首要因素。[40]

综观世界历史，许多国家都曾走过因海而兴、依海而强的道路，葡萄牙、西班牙、荷兰、英国、日本、美国等国家的崛起就是如此。[41] 在全球化逐渐深入、国际贸易迅速增长的今天，港口已成为军事争夺之外的另一个极具战略意义的竞争焦点。尤其是集装箱的出现，大大降低了货物运输的成本，从而改变了世界经济的形态，建立起了新的经济形态[42]，港口经济得到了更迅猛的发展。

二战后，为什么东亚的发展最引人瞩目？因为从日本，经由中国到东南亚国家和地区，由北向南发展了一系列的港口和城市，首先从东京、横滨、神户、大阪，经仁川、台北、高雄，到香港、新加坡，然后到曼谷、吉隆坡、马尼拉等地。这些港口不仅带动了城市，而且辐射到更广的地区，使东亚东南亚很快兴旺起来。[43]

据统计，世界上约80%的贸易都靠海运完成，而中国的外贸产品90%以上依靠海运。海运对一国的经济发展意义重大。最成功的典型当属新加坡，总面积虽然只有647.5平方公里[44]，且资源匮乏，但它依托港口优势迅速崛起，其城市人口90%以上的就业与港口有关。新加坡的自由港、自由贸易区、仓储加工区、旅游区、金融街等，都是依托港口建立起来的经济产业链。新加坡港作为一个世界大港，得益于地处国际航运战略要道——马六甲海峡一端，并且它还是一个天然的深水避风良港。[45]

中国在过去一直忽略海洋，直到近年来才恍然醒悟过来——中共十八大报告中明确提出要"建设海洋强国"。

中国如果能够充分发挥沿海的港口优势，就能够在某种程度上复制20世纪东亚成功的经验，为中国的经济发展打开一个新的空间。而上海自贸区的建设，瞄准的正是新加坡这样的港口经济强国。

《中国（上海）自由贸易试验区总体方案》提出：积极发挥外高桥港、洋山深水港、浦东空港国际枢纽港的联动作用，探索形成具有国际竞争力的航运发展制度和运作模式，积极发展航运金融、国际船舶运输、国际船舶管理、国际航运经纪等产业。

中国的目标，是依托上海洋山深水港的强大基础，以上海为中心，逐步建立起中国的港口经济链条。2005年12月10日，经过三年半的建设，中国最大的集装箱港——洋山深水港建成投产，这是国际上超一流的港口。国际港口协会会长皮特·斯特鲁伊斯先后3次来到洋山深水港，他感叹："我走过世界上所有的大港，也见过一些建在海岛的港口，但像依托洋山这样的孤岛，在离大陆如此远的地方，建规模如此大的现代化港口，殊为罕见。"[46]

由于洋山深水港的"加入"，上海港2007年完成集装箱吞吐量2615万标准箱（TEUs），首次跃居世界第二，超过中国香港，仅次于新加坡。[47]2010年，上海完成集装箱吞吐量2907万标准箱，这一数据比新加坡多出大约50万标准箱，首次超越新加坡成为全球最繁忙的集装箱港口。[48]

下图为2012年世界前十大集装箱码头吞吐量。

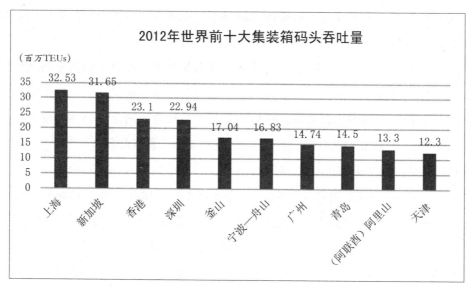

数据来源：World Shipping Council。[49]

从上图不难看出，全世界吞吐量前十大集装箱码头中，中国内地已经占了6个，加上香港，中国占了7个，这无疑为中国发展港口经济打下了良好的基础。

但是，也应该认识到，港口经济的竞争是非常激烈的。鹿特丹在1986年以前还是世界第一大港，并且雄踞世界第一大港近30年[50]，而今已快滑出前十。

与新加坡相比，包括上海在内的中国内地城市，在软实力方面仍不及新加坡和中国香港，包括制度环境、服务效率等方面，仍存在一定差距。而上海自贸区的建设，正是为了在这些方面追赶上来，通过税收、金融等方面的更为大胆的改革，促进上海港的发展，这不仅会对城市经济产生推动作用，还对城市所辐射的内陆腹地产生间接作用。[51]

当然，新加坡也不会坐等上海赶超。

2012年11月，新加坡交通部长吕德耀表示，为了保持新加坡在海运事业方面的领先地位，新加坡政府将继续投资以增加港口的容量。与此同时，进一步提高港口的生产力，以满足港口在安全、安保以及环保方面的需求。[52]

2013年8月，新加坡总理李显龙提出，在未来若干年将该国港口年吞吐量提高两倍。根据李显龙的计划，新加坡政府打算在2027年将目前的转运港搬迁至西部的大士。大士靠近新加坡的工业中心，港口年吞吐量高达6500万标准箱，几乎是现有的新加坡国际港务集团吞吐能力的两倍。一些泊位在2022年就有望建成。除了港口建设，新加坡政府将扩建樟宜机场现有规模，并将在2030年把目前位于市中心地区的一座军事基地搬迁至樟宜地区，用于写字楼及商用住宅建设。[53]

新加坡所依靠的马六甲海峡这个咽喉要道的独特地理位置是中国不能相比的，新加坡作为全球最大供油枢纽的地位仍然非常稳固，并且，新加坡的创新能力、制度环境、法制化程度、市场化水平、开放自由度等方面一直排名世界前列。中国要在这些方面超越过去，还有很长的路要走。

以服务为例。新加坡被业内公认的优势是：新加坡港集装箱码头的客户服务质量举世无双，信誉度很高，除非恶劣天气原因，几乎很少发生船期耽搁现象，码头装卸效率高，集装箱船舶在港口码头的周转时间非常紧凑，可谓"短平快"。[54]

由于服务出色，新加坡港务集团被公认是全球首屈一指的综合性海港与物流服务公司，是"亚洲最佳集装箱码头经营者""亚洲最佳海港"等大奖的常年获得者。新加坡邮轮中心已经成为世界各大邮轮公司在东南亚的枢纽港，年均接待约700万来自世界各地的游客，多次被英国的《梦幻世界邮轮观光地》杂志评为"最有效率码头经营者"，多次蝉联"最佳国际客运周转港口"。

新加坡港务集团还积极向海外拓展，截至2007年，它就已经在全球8个国家参与了13个港口的发展项目。[55]

再以金融为例。从国际经验来看，港口带动金融的发展，港口的发展也需要金融的支持。世界上大部分著名港口都是以发达的金融业作为支撑的，纽约、新加坡同时也是世界金融中心。[56]要发展港口经济，缺少金融改革的支持几乎是不可能的。但是，中国要在金融等领域进行"加快探索资本项目可兑换和金融服务业全面开放"，面临着重重阻力。

比如，关于利率市场化试点，就有央行资深官员表示担心，不同意在上海自贸区内优先实施利率市场化，认为这应是全国统一的计划。他们认为，"若率先在上海自贸区内实施利率市场化，恐怕全国存款都会被吸到自贸区去"。[57] 而倘若没有利率市场化，就不可能有一个功能完备的债券市场。而债券市场的落后制造了新的风险。这是因为银行最终只能增加贷款，从而加大了信用风险。[58]

如何突破阻力，找到更妥善的方案，推动金融等领域的改革，直接关系着上海自贸区的发展。

新加坡属于市场经济非常成熟的国家，它同世界许多国家和地区都签订了自由贸易协定，这些国家和地区包括美国、日本、加拿大、中东等。新加坡实行的自由港政策，具体体现在实行自由通航、自由贸易，允许境外货物、资金自由进出，对大部分货物免征关税等。新加坡港极为重视国外一些重要港口的动向，及时采取各项对策应对其他国家港口出台的收费下调措施，避免老客户被他人拉走。新加坡港还采取各种优惠措施，如对中转货物减免仓储费、装卸搬运费和货物管理费等，以吸引世界各国船运公司，进一步巩固其国际航运中心的地位。[59] 简单说，一年之内相当于世界现有货船都在新加坡停泊了一次，所以新加坡港被冠以"世界利用率最高的港口"。[60]

新加坡依托的是国际航运枢纽的天然优势，依托的是国际市场资源，上海港依托的基础则是中国内地，而内地运输成本的高昂是一个潜在的隐患。早在2002年，世界银行就在报告中指出，在中国境内把一个集装箱从一个中心城市运到一个港口所花费的费用，是把这个集装箱从该港口运到美国的三倍。[61] 中国的这种体制性弊病显然会在某种程度上对自身的竞争力产生负面影响。

在未来，中国的经济发展状况直接关乎上海在港口上的竞争力。

从2010年，上海虽然超过了新加坡，但双方吞吐量非常接近，始终没有拉开距离。2011年，上海港的集装箱吞吐量是3170万标准箱，新加坡是2994万标准箱；2012年，上海港口的集装箱吞吐量为3250万标准箱，新加坡是3160万标准箱。[62] 双方数据一直咬得很死。

上海要保持对新加坡的领先优势，并不容易。

第四，打造大宗商品交易中心——目标瞄准伦敦。

在《中国（上海）自由贸易试验区总体方案》中，有这样几句话："探索在试验区内设立国际大宗商品交易和资源配置平台，开展能源产品、基本工业原料和大宗农产品的国际贸易。扩大完善期货保税交割试点，拓展仓单质押融资等功能。"

这一改革目标曾引起巨大争议。

我们知道，中国的许多大宗商品都是净进口的，而这些商品的进口执行价都是依据国际市场不同交易所的价格确定的，假如中国能够直接参与进来，就能够在争夺定价权方面慢慢改变被动的局面。

以铜为例。中国是全球最大的金属消费国，每年的铜需求量超过800万吨，占全球消费总量的约43%。中国铜需求量的一半源于进口，上海是最主要的进口口岸。2012年，通过上海综合保税区（含洋山保税港区）进口的电解铜超过100亿美元，占全国进口总量的1/3。

伦敦金属交易所（LME）是全球三大金属交易所中最有影响力的一家（拥有全球工业金属期货80%的交易量），其结算价是基本金属产品定价的基础。遗憾的是，LME一直未能在中国设立交割库。[63]

目前，LME在全球14个国家的36个地区都有核准仓库，绝大多数位于美国和欧洲，其中，美国有11个核准仓库，欧洲则有15家。在亚洲，LME共有9个核准仓库，分别位于韩国、日本、马来西亚、新加坡和中国台湾。这些仓库的很多客户来自中国，大陆企业为此付出了大量的物流和仓储费用，这也造成了资源配置上的扭曲，因为在中国内地这个最大的商品市场，LME却没有仓库。

不同的仓库，交割价格也不同。供求关系和运输成本都是影响最终交割价格的因素，亚洲区对铜的需求量大，铜的买家很多也在亚洲，而亚洲仓库相对较少，部分导致亚洲的铜交割价一般高于欧洲。[64]

是LME不想在中国设置交割库吗？

不是。事实上，早在2005年，时任LME首席执行官的Simon Heale就在上海表示，考虑在上海建立一个交割库，称"这将是该交易所在中国大陆建立的首个交割仓库"。[65] 但由于种种原因，一直搁置。

2012年12月6日，香港交易及结算所有限公司正式完成了对LME的13.88亿英镑的收购计划[66]，为LME在中国大陆设立交割库扫清了很多障碍。

一旦LME在中国大陆设立交割库，将对中国的大宗商品消费提供更安全的保障。由于中国是世界上最大的金属消费国，当全球范围内大宗商品供应过剩时，会尽可能地选择运往位于上海的LME仓库。而国内需求短缺时，也可就近从上海的LME仓库进货。如此一来，很多金属的交易成本会大大降低。[67]

假如中国以此为契机，结合上海期货交易所等国内交易平台的发展，就能为中国在大宗商品定价权方面改变被动局面创造条件，并为建立中国在包括金属类大宗商品在内的交易中心地位打下基础，待羽翼丰满，对伦敦这样传统的大宗商品交易中心地位发出挑战。

但是，这种改革同样面临阻力。

早在2008年，出于稳定国内期货交易发展的目的，中国证监会就规定，禁止任何境外期货交易所及其他机构在境内指定或设立商品期货交割仓库，以及从事其他与商品期货交割业务相关的活动。这正是阻碍LME在内地设立核准仓库的主要因素。

在讨论允许境外交易所在上海自贸区设立交割库问题时，中国证监会认为"设立LME期货交割库会影响国内期货市场定价权"。[68]

这种反对理由令人匪夷所思，因为2012年，中国香港已经完成了对LME的收购。明明有利于中国改变定价权弱势地位的举措，怎么变成了负面的结果了呢？

我们知道，目前国内商品期货的交易价格都是含税价，而国际上主要商品期货的交易价格都不含税。以铜为例，LME铜期货价格是世界铜贸易的定价基准，铜现货价格以LME期货价格加上一定的升贴水进行定价。由于当前中国大陆并未设立LME铜交割库，国内铜贸易企业的外盘套期保值，不得不在境外交货，这使得国内贸易商在利用期货工具进行避险时存在一定的障碍。

《中国（上海）自由贸易试验区总体方案》中提及的保税交割，即指在保持现有交易规则体系不变，保持完税货物进行实物交割不变的情况下，在交割环节新增保税货物进行实物交割。这将有利于提高我国对国际大宗商品和期货价格的话语权。最为关键的是：如果未来包括LME在内的多家机构的仓库落户上海自贸区，那么以交割库为基础，大宗商品的现货交易、银行质押融资和保险配套服务都会发展起来，将有利于争夺国际定价权，进一步提升"中国价格"在全球商品定价体系中的地位。[69]

有媒体指出，中国的期货市场在不融入世界的情况下，常常脱离供需在投机的作用下独立运行，这种割裂境内外市场的状态，令风险对冲无法彻底进行。比如，"上海的铜价不受供需影响，投机因素的影响很大，因此价格会偏离LME价格"。[70] 这种情况在国内期货市场并不鲜见。比如，有的时候LME的铜价出现大跌，国内的一些投机商反而在国内期货市场拉抬铜价，掠夺那些认为国内期价会跟随外盘下跌的投资者。对于中国这样一个铜需求大国也是全球最大的铜的买家而言，国内投机商的这种做法实际上是在不惜损害民族利益来获取投机暴利。一个市场，只有走向规范，才能具有套期保值、发现价格等功能；否则，被投机左右，只能沦为赌徒的工具。

因此，"在内地是封闭市场的情况下，哪个价格能够代表真正的市场价格还是一个问题，如果能够打通海外通道，上海铜价和全球价格之间的差价空间就会缩小，对铜的生产商和原料需求厂家都很有利"。[71]

在全球化日益深化的今天，中国的市场不能再偏于一隅，而应该在制度逐渐健全、法制化逐渐规范的道路上，慢慢融入世界，改变自己，也对世界产生影响力。

第五，也是最重要的一点，打造上海的国际金融中心地位。

《中国（上海）自由贸易试验区总体方案》中明确提出：

加快金融制度创新。在风险可控前提下，可在试验区内对人民币资本项目可兑换、金融市场利率市场化、人民币跨境使用等方面创造条件进行先行先试。在试验区内实现金融机构资产方价格实行市场化定价……建立试验区金融改革创新与上海国际金融中心建设的联动机制。

增强金融服务功能。推动金融服务业对符合条件的民营资本和外资金融机构全面开放，支持在试验区内设立外资银行和中外合资银行。允许金融市场在试验区内建立面向国际的交易平台。逐步允许境外企业参与商品期货交易。鼓励金融市场产品创新。支持股权托管交易机构在试验区内建立综合金融服务平台。支持开展人民币跨境再保险业务，培育发展再保险市场。

尤其是"在试验区内对人民币资本项目可兑换、金融市场利率市场化"改革，相对而言，仍是非常大胆的。但是，有限度开放资金管制和外资期待中的低税率未能达到预期，在某种程度上或许会降低上海自贸区的吸引力。

对于人民币资本项目可兑换进程，我国金融业发展和改革"十二五"规划中有清晰阐释，即在5年内人民币资本项目可兑换逐步实现。而中国人民银行2012年发布的报告显示，我国加快资本账户开放的条件已经基本成熟，其中完全可兑换和基本可兑换的资本项目达到了2/3。如果区分主权货币，有80多项，其中1/3已开放。[72]

下表为由新华社旗下的中经社控股有限公司联合标普道琼斯指数公司共同发布的"新华—道琼斯国际金融中心发展指数"排名。

名次	2010年	2011年	2012年	2013年
1	纽约	纽约	纽约	纽约
2	伦敦	伦敦	伦敦	伦敦
3	东京	东京	东京	香港
4	香港	香港	香港	东京
5	巴黎	新加坡	新加坡	新加坡
6	新加坡	上海	上海	上海
7	法兰克福	巴黎	法兰克福	巴黎
8	上海	法兰克福	巴黎	法兰克福
9	华盛顿	悉尼	苏黎世	芝加哥
10	悉尼	阿姆斯特丹	芝加哥	悉尼

数据来源：新华社。

从上表不难看出，上海是中国唯一有可能挑战传统国际金融中心地位，促使世界金融中心东移的城市。

上海自贸区的建立意在为推动人民币国际化进程提供便利，为上海国际金融中心地位的建立奠定基础，从而对中国香港、新加坡等国际金融中心地位构成正面的竞争。

但是，任何改革都是需要面对一定风险的。比如，自贸区内金融更大尺度的开放可能导致资金外流的风险。

东南亚等后发国家在经济发展到一定程度后，都尝试过汇率市场化，但由于经验、能力与经济实力不足，开放到一半，就积聚起巨大的债务与泡沫，短时间内泡沫崩溃。事实上，到现在为止，还没有一个后发国家成功地进行彻底的汇率市场化改革，甚至发达国家也风险重重。日本汇率彻底放开的结果是泡沫上升走向崩溃，欧元经不起次贷危机的轰炸……

人们最担心的是，人民币重蹈东南亚与日本货币泡沫的覆辙。不出意外的话，企业将排队在上海自贸区备案，境内外大规模的货币将涌向上海自贸区，形成庞大的货币"堰塞湖"。货币自由的原则就是：打开一道缝，就相当于开了一扇窗；开了一扇窗，就相当于开了一扇门。上海自贸区的货币水位必然带来人民币升值压力，也会带来更多的资产泡沫。这是金融业监管者持保守态度、不积极支持的最大理由。汇率风险是上海自贸区面临的最大风险。[73]

尤其是，2014年，随着美国逐步完成削减购债，货币政策将回归常态，从而在客观上对全球造成紧缩效应，而接下来势在必行的美联储加息，将进一步吹响资金回流美国的集结号，加速资金回流美国的步伐。假如这种情形与中国的"资本项目可兑换"等改革对接，将产生巨大的风险——这是绝不可以忽略的风险。

而且，金融属于虚拟经济范畴，中国最近10多年来，以制造业为核心的实体经济远远滞后于虚拟经济的发展，也是一个弊端。这一看法可能让很多人感到奇怪。事实上，世界上的金融中心，基本都是在坚实的有高科技支撑的高质量的实体经济基础上建立起来的。以新加坡为例，新加坡是世界上重要的制造业生产和出口基地，国内制成品的90%销往国外。它是世界上最大的电脑磁盘驱动器和硬盘的生产国和出口国，也是世界重要的半导体生产和出口国，同时还是世界第三大炼油中心。

新加坡是世界上少数几个贸易总额大于GDP的国家之一。1994年，新加坡对外贸易总额约是GDP的2.9倍，人均对外贸易总额高居全球之冠。1994年，新加坡的出口商品贸易额占世界出口商品贸易总额的2.3%，在世界出口商品贸易额中居第12位。同时，新加坡的出口服务贸易额占全球的2%，也居全球第12位。[74] 因此，新加坡抵御金融危机的能力比较强。[75]

打造国际金融中心，更需要脚踏实地、一步一个脚印，只有依托强大的实体经济，虚拟经济的发展才能成为有源之水。

第四节
钱荒真相

由于是从计划经济逐步向市场经济过渡，中国的经济问题具有许多远比其他经济体更复杂的特性。人们很容易被看到的现象迷惑，而忽略本质的东西。

现实与本质从来没有如此之远的距离。

现实与理想的差距，也从来没有如此之远地背离。

发展到这个阶段，中国实际上已经是在与时间赛跑，分分秒秒都显得非常宝贵。笔者话中之意，将随着时间的流淌而日渐清晰。

改革从本质上来讲，就是利益的再分配，往往牵一发而动全身，阻力特别大。

在前面一节中，我们已经知道，中央力主走市场化之路，把部分权力下放，那么地方政府如何运用这个权力，就显得非常重要。

2013年5月13日，国务院总理李克强在全国电视电话会议上指出：要把一些确需审批但由地方实施更方便有效的投资审批事项，以及量大面广的生产经营活动审批事项，坚决下放给地方。随即，就把城市快速轨道交通、机场扩建等投资项目审批或核准权下放给了地方。

随着审批权的下放，投资额巨大、对城市经济带动影响深远的城市轨道交通将向更多的二三线城市扩散。

此时，全国已有35个城市结缘地铁。正在施工建设的地铁线路超过70条，总投资额8000多亿元，如果加上已经获批的项目，投资额在1.5万亿元以上。而南通、唐山、洛阳、烟台、包头、呼和浩特等二三线城市也正积极准备上马城市轨道交通建设项目，随着审批权下放，这些城市未来或将有望加入地铁建设的大军。

与跨省动脉铁路和主干线机场不同，城际轨道和支线机场有着极强的地域性。例如，此前的城市轨道交通同时归属原铁道部、住房和城乡建设部、交通运输部、工业和信息化部等几大部门同级管理，缺乏直接的行业主管部门，这一现状使得城市轨道交通的规划几乎是"市长说了算"。[76]

审批权下放，地方政府的感觉首先是城市轨道交通建设"松绑"了。

重庆轨道环线项目成为国家下放审批权限后地方自行组织审批的第一个轨道交通项目，项目投资估算总额为314.18亿元，将于年底前开工建设。几乎与此同时，甘肃省也批复了兰州城轨1号线项目。其他城市也都积极准备上马城市轨道交通建设项目。四川、贵州、陕西、湖北、湖南等地，都提到要通过"稳投资"来"稳增长"，并提出把稳定经济增长、加大投资力度放在更加重要的位置。

据测算，在大容量公共交通系统建设领域，到2015年，全国城市规划交通总投资将达1.2万亿元；到2020年，将有40个城市建设地铁，总规划里程达7000公里，是目前总里程的4.3倍。[77] 国家发改委基础司巡视员李国勇给出的数据是：我国轨道交通建设，到2020年将需要投资3万亿～4万亿元。据国家发改委统计，2012年，全国城市轨道交通行业共完成固定资产投资近1900亿元，比2011年增长17%，在交通领域仅次于铁路和公路。[78]

这一点其实很容易理解。

鉴于GDP在考核干部政绩中的重要性，2013年恰是中国大换届完成之时，根据以往的经验，几乎每一次大换届的时候，都是过热投资的起点。

中国农业银行发布的报告认为，随着地方政府换届初步完成，城镇化进程的推进，部分地方政府可能借新型城镇化之名，行过度投资之实。[79]

国务院发展研究中心产业经济部部长冯飞也提醒，2013年新政府履行职责所带来的换届效应，可能会导致地方政府出现新一轮的投资热，从而会进一步加剧产能过剩。中国传统产业出现的产能过剩，"已经成为悬在中国经济头上的达摩克利斯之剑！"

中国当下的产能过剩已经凸显出三个非常醒目的特点：第一，过剩从钢铁行业到太阳能光伏组件，不仅涉及传统产业领域，而且还存在于不少战略性新兴产业中；第二，钢铁业、电解铝、水泥等行业不是周期性和结构性的产能过剩，而将出现长期性的过剩；第三，产能急剧扩张期集中，例如平板玻璃等行业仍在增产中，将面临更为严重的产能过剩。[80]

有识之士的担忧，正在成为现实。

据媒体公开报道，仅2013年2～4月间，"全国各省、市、自治区的固定资产投资总额已逾20万亿元，远远超过2008年中央推出的4万亿经济刺激计划"。其中，超万亿的投资计划有：

2月25日，山西省把2013年的投资目标确定为项目签约1.5万亿元。

3月2日，贵州省面向全国民营企业抛出了总投资额近1.7万亿元的506个项目。

4月初，广西公布的计划显示，2013年将统筹推进552项重大项目，总投资超1.5万亿元。

4月8日，广东省委、省政府召开的加快重要基础设施建设工作会议透露，广东将加速全省重要基础设施建设。"十二五"后3年，广东将完成投资约1.41万亿元，计划建成投产项目294个。[81]

4月16日，四川省在与全国知名民营企业投资合作洽谈会上推出1999个、总额4.3万亿元的招商引资项目。

4月底，浙江省政府下发通知，今后5年，将重点推进1000个以上省重大项目建设，带动全社会固定资产投资超过10万亿元。[82]

而在此前，已经有不少省市公布了其投资计划。

天津市已推出1440项大项目，总投资2.2万亿元。截至2012年年底，这些项目中，近1000项已经建成投产，大部分目前在建的项目2013年年内也将投产。[83]

截至2012年8月底，全四川省"四个一批"项目共计26184个，投资总规模达6.49万亿元。[84]

最令人瞩目的要数湖北省2010年公布的"12万亿元投资计划"。当年的3月22日，湖北省发改委主任许克振介绍，"截至目前，全省重大项目库已入库项目3.76万个，投资总规模达12.06万亿元。这些项目，最迟将在'十二五'初期集中开工建设"。这一投资计划，几乎接近湖北省GDP的10倍。2009年，湖北省GDP约为 1.28万亿元。[85]

更现实、更棘手的问题是：如此大规模的投资，资金问题如何解决？地方政府靠什么来维持庞大的投资项目呢？

研究者对此做过系统的总结。以城市建设为例，地方政府融资的途径如下：

融资类型	资金来源	融资工具	融资功能	融资地位
权益融资	财政专项资金（简称"财根"）	财政拨款、城市维护建设税和公用事业附加、市政公用设施配套使用、市政公用设施增容配套、水资源费、上级专项转移支付等	主要工具，可作资本金，是预算内投资的来源，但数量有限，满足不了资本金需求	财政专项资金占同期城市建设与维护投资来源总额的30%
	土地财政（简称"地根"）	国有土地使用权转让收入	主要工具，可作资本金与抵押贷款担保，俗称"第二财政"	土地出让资金占同期城市建设与维护投资来源总额的30%
债务融资	打包贷款（简称"银根"）	以政府部门提供信用担保为基础，政策性银行提供的利率低、周期长、可以当作资本金使用的政策性贷款，即软贷款	主要工具，数量充足，但成本高，有偿还压力	打包贷款占同期城市建设与维护投资来源总额的34%

除此之外，地方政府融资还包括诸如城投公司债券、市政债券、基础设施专营权转让、城投公司上市等融资方式，但这些融资方式所占比重较低。

1986年至今，地方政府融资模式经历了"以财政资本收入为主，政府银行信贷为辅""以土地换资本为主，财政收入、政府信贷为辅""以打包贷款为主，财政收入与土地换资本为辅"三个阶段的演变。[86]

不难看出，地方政府的融资手段，越来越依赖土地出让和银行贷款。

庞大的投资需要海量的资金予以支持。

问题是，海量的资金供应可以永远维持吗？

2013年6月20日，足以载入中国银行间市场史册。当日，银行间隔夜回购利率最高达到史无前例的30%，7天回购利率最高达到28%。近年来，这两项利率往往不到3%。业内将这一现象比喻为"银行间互放高利贷"，认为银行流动性非常"紧张"。[87]

这种现象很多人无法理解，为什么在货币持续海量超发的情况下，资金状况还如此紧张？其中反映出来的正是严峻而悲凉的社会现实。

经济学家早就指出，所有信贷扩张的必然结果之一，就是造成银行客户在经济上出现困难，其结果是导致许多贷款不能收回。这样，就更进一步地加剧了信贷紧缩。[88]

中国也不例外。

中国社科院研究员指出，中国40万亿元的城乡居民存款基本上都被各级政府贷出去了，贷出去的往往是二三十年都收不回的投资，这40万亿元再投入的资源没了，再投入就要通货膨胀。[89]

显然，中国"钱荒"的主要原因就是投资项目上得太密集、摊子铺得太大了！

长期以来，政府所主导的投资成为经济增长的核心力量，投资就需要源源不断的资金供给。地方政府为了解决资金问题，通过融资平台向银行大量贷款。尽管中央从制度层面对银行放贷进行了严格限制，甚至连银行自身也出于风险考虑做出过严格规定（比如工商银行从2003年起，就相继发布了钢铁、水泥、电解铝、煤炭、电力等行业的信贷政策或信贷管理要求）[90]，但仍无法阻止信贷资金按照地方政府的意愿流向相关投资项目。

为什么？

地方政府有很多途径可以绕过相关限制，把资金集中到自己手中。银行要发展，总归离不开地方政府的支持。一些省份就此与金融机构建立了密切的联系。它们往往采取各类优惠的措施，吸引金融机构入驻，例如给予一定的奖金奖励和税收减免等。当银行需要拉存款时，会找政府领导来协调。当企业需要贷款而银行不愿贷时，往往会求助政府去向银行疏通关系，政府领导会从中间多方撮合。政府有时还会为本地企业贷款提供担保性质的证明，这些做法其实都是有违《担保法》的，并在一定程度上干预了金融机构的正常经营，削弱了金融机构的独立性。

再比如，现在国有大型商业银行的风险控制较为严格，地方政府便将以往的城市信用社或农村信用社改制，成立由政府控制的银行，来为本省或本地区中小企业以及县域经济发展提供融资。[91]

投资项目越多，投资规模越大，需要的资金量就越大。资金在超速供应的情况下依然跟不上飞速增长的投资需求。

更重要的是：地方政府所主导的重大投资项目，往往并不能产生相应的经济效益，有的甚至连预期中的社会效益都没有达到，只是为投资而投资。

事实上，许多已经建设完成的项目并没有建设的必要，也没有商业价值，更不能产生足够的经济效益来偿还建设欠下的债务。这必然导致银行坏账的大幅度增长。贷款坏账和投资失败的案例不断出现，且规模十分庞大。[92]

这就意味着，相当一部分贷款不仅不能得到相应的回报，甚至连本钱都可能无法收回。这必然影响银行的资金运转，从而给银行带来流动性紧张的压力。

除了地方政府，国企是另一借贷大户。

美国的金融学者指出，中国的银行的信贷客户主要是国有企业，国企通常都会拖欠贷款。这一点，中国的银行高管也都心知肚明，但仍会那样去做。这是因为，中国资本分配过程是由政府来运作和管理的，而不是市场。[93]

2008年的4万亿救市计划出台后，中国产能过剩更加严重，相关企业效益大幅度下滑。而4万亿救市计划中，信贷占据相当大的比重。在企业效益下滑的情况下，相关企业不能及时还本付息，从而对银行资金构成拖累。

以上是内因。除此之外，还有资金外流、外汇占款减少等外因。

这些正是中国所谓"钱荒"问题的根源。我们只有认识到问题的根源，才能对症下药，设法找到正确的解决方案。

这次的"钱荒"危机尽管短暂，却让决策层充分认识到了盘活存量资金、调整经济结构的艰难，因为"钱荒"随时还会再现。2013年12月18日，在美联储宣布削减购债规模之后，中国上海银行间同业拆借利率再次飙升，再次证明问题的严重性已经不容忽视、不容懈怠。

第五节

经济下限

　　不再通过超发货币来支撑风险越来越大的政府投资主导的经济增长模式，而是通过盘活存量资金来提高资金的使用效率，提升经济发展的质量，是决策层非常期待的改革。

　　所谓"盘活存量资金"，就是把此前已经超发出来的货币，从虚拟经济中、从闲置状态下吸引到实体经济中，成为实体经济发展的血液，助推实体经济的发展。再通过实体经济的成长，做大蛋糕，通过这种迂回的方式化解债务飞速累积的危机。

　　那么，应该如何盘活存量资金呢？

　　我们首先必须弄明白资金不愿意到实体经济中的原因。以房地产这一虚拟经济中最核心的主体之一来看，中国房价这些年来除了2008年的短暂调整，绝大部分时间是快速上涨的。房地产的持续、稳定、安全的赚钱效应，是以制造业为核心的实体经济根本无法相比的，这正是一些原本从事制造业的企业在2007年前后密集向房地产领域进军的根源。

　　随着2012年大转折点的到来，以制造业为代表的企业越发感受到生存的艰难。由于在复旦大学等高校的总裁班授课，笔者经常和国内的企业家们交流，他们带给笔者的最直观信息是：2012年以后，实业越来越难做了。于是，一些企业削减规模，关停厂矿去买房，希望搭上房地产的末班车，从上涨的房价中赚一笔钱。

　　这是非常悲哀的现实。

　　且不说这些人很可能成为房价逆转的牺牲品，单就一个国家的发展而言，像中国这样的人口大国，实体经济的发展永远是基础，一个个企业就是这个国家最重要的细胞。企业家们代表着一个经济体的未来，他们是真正意义上的财富的创造者。当从事实业、创造财富、提供就业机会的企业家们，在悲凉的现实面前放弃自己的理想，对一个国家而言，是何等危险的事情！

　　因此，要盘活存量资金，就必须让从事实业的人能够获得更多的利润——这是对他们产生吸引力、鼓励他们继续在实业中坚定走下去的最重要的前提。

　　那么如何让做实业的人能够踏踏实实做下去呢？首先就是减税，并且是幅度较大的减税。在做实业越来越难的情况下，对企业减税，可以把更多的利润留给企业，企业就可以维持生产，或者扩大生产，或者提高研发投入，提高产品的技术含量和竞争力。这样，企业将能提供更多的就业岗位。同时，对企业减税，也可以使企业有能力拿出更多的资金发给职工，提高职工的收入。当然，也提高他们的消费能力——这既能解决我国财富分配不公的顽疾，也能有效化解内需不足的难题，可谓一举两得。

问题在于：如果大面积减税，那些已经铺开的投资项目如何维持呢？会不会因此出现大面积的烂尾工程？这些都是非常现实的问题。而恰是这些看起来非常现实的问题，正在成为调整经济结构的最大障碍。

2013年7月24日，国务院常务会议决定，从当年的8月1日起，"对小微企业中月销售额不超过2万元的增值税小规模纳税人和营业税纳税人，暂免征收增值税和营业税，并抓紧研究相关长效机制。这将使符合条件的小微企业享受与个体工商户同样的税收政策，为超过600万户小微企业带来实惠，直接关系几千万人的就业和收入"。[94]

月销售额2万元，即使按照20%的利润来算，也才区区4000元的利润，像这样的小微企业一旦关门，直接就是失业问题、生活无保障问题。因此，这种减税力度和覆盖范围，更多是基于社会稳定的考虑而非促进经济增长的考虑，距离盘活存量资金的要求还有相当大的差距。

而在2013年11月15日发布的《中共中央关于全面深化改革若干重大问题的决定》中，有关"加强对税收优惠特别是区域税收优惠政策的规范管理……清理规范税收优惠政策"等表述，与人们对减税的期待也有一定距离。[95]

这其实透露出了一种无奈和矛盾。既想调整结构，又不想面对伴随而来的阵痛！

政府所主导的投资拉动经济增长的模式，在事实上，为下一步的改革制造了巨大的障碍。当这一问题与"钱荒"现象联系起来，就变得更为棘手。这正是2012年大转折节点之后的现实困境所在。

我们知道，2012年之后，改革的难度越来越大。关键问题在于——中国缺少一个可以为进一步改革保驾护航的缓冲带。

这个缓冲带是什么？

首先就是健全的社会保障体系。

现在这个时间段的改革，说白了，就是削弱政府所主导的投资规模，让位于市场。问题是，这个领域的改革，或者是结构调整，一定面临着转型中所必然出现的失业问题。在西方发达国家，由于失业保障非常健全，即使在失业率高得惊人的情况下，社会依然没有出现大的动荡。

2013年5月，欧元区失业率达到12.1%，是欧盟统计局自1995年开始发布这一数据以来的最高值。其中，失业状况最严重的是西班牙和希腊，失业率分别高达26.9%和26.8%。25岁以下年轻人的失业率依然远远高于平均水平，欧元区为23.8%，欧盟为23%，希腊、西班牙和葡萄牙年轻人的失业率分别高达59.2%、56.5%和42.1%。只有德国较低，仅为7.6%。为解决不断高企的年轻人失业率，欧盟领导人一致通过了总额高达80亿欧元的《促进年轻人就业方案》。[96]

年轻人是所有失业者中最不安分的群体，最容易成为社会动荡的隐患。很难想象，在年轻人失业率超过50%的情况下，社会还能正常运转而不被动荡打破。

不能不承认，保障体系所起的缓冲作用，为执政者调整政策提供了时间和空间。

在前面笔者已经谈到，当进入2003年开始的周期之后，应当大力完善社会保障体系，减轻民众在医疗、教育、养老、住房等方面的负担，消除他们的后顾之忧，激活消费，以消费拉动经济增长。这样，经济就能够步入良性可持续发展的轨道。

李克强也撰文指出："社会保障是一张'安全网'。通过加快社会保障体系建设，可以解除居民消费的后顾之忧，增强消费意愿。"[97]

遗憾的是，2003年开启的更大的投资规模，尽管也在解决社会保障问题上做了努力，但无论是相对于庞大的投资还是相对于民众的实际需求而言，都没有真正把问题解决好。不仅如此，由于政府主导的投资规模的扩大需要以货币的海量供应为基础，民众的财富在某种程度上被通货膨胀稀释了。

《求是》杂志指出，自1990年以来，我国居民储蓄意愿增加，平均消费倾向持续下降，这既缘于收入水平的变化与分配差距的扩大，也和转型期所带来的不确定性相关。比如，人们在医疗、卫生、教育、养老等方面的预期支出压力较大，导致预防性储蓄增加。特别是房地产价格高企，使得人们不得不抑制即期消费以满足居住需求。[98]

国外学者也持这种看法。笔者2009年访问美国时，与美国加州大学圣选哥分校中国经济问题教授巴里·诺顿进行过交流。他认为中国居民储蓄迅速增长的原因之一，是中国在执行严格的计划生育政策后，子孙后代的人数减少，在职居民对未来的老年生活缺乏安全感。[99]

只有构筑起健全的社会保障体系，才能消除民众的这些后顾之忧。

但是，这一块依然是中国的短板。

在从2013年开始的这个阶段，我们痛苦地发现，如果要进一步深化改革，缺少一个重要的缓冲带——完善由社会保障构建起来的缓冲带。这意味着，中国无法承受经济慢速增长所带来的诸如失业率增加等问题。一旦失业率上升，就会立即转化为社会不稳定因素。

中国所缺少的另一个缓冲带，是以政府主导的投资拉动经济增长向以消费拉动经济增长的模式转换过程中的一个能够安稳"转身"的空间。

因为投资规模过大，并且摊子已经铺开，必须依靠源源不断的资金供应才不至于形成烂尾工程。资金供应稍微跟不上步伐，一些投资项目就难以做下去。而且，产能过剩的状况原本就已经非常严重，正是依靠这些庞大的投资项目，才消化掉了部分过剩产能，不至于引发严重问题。一旦投资项目由于资金供应等因素出现问题，产能过剩的隐患也会立即浮出水面。从这个角度来看，中国也很难承担经济慢速增长的后果。

我们都有这样的基本常识：在狭小的空间里，人们想转身的难度就会变大。

理想和现实的距离，看起来很远，其实真的很远。

2013年3～6月，以盘活存量资金、强化市场作用为主基调的改革，面临着前所未有的压力。

2013年7月8日～10日，李克强总理在广西调研，并于9日主持召开部分省区经济形势座谈会。李克强指出：宏观调控要立足当前、着眼长远，使经济运行处于合理区间，经济增长率、就业水平等不滑出"下限"，物价涨幅等不超出"上限"。在这样一个合理区间内，要着力调结构、促改革，推动经济转型升级。与此相适应，要形成合理的宏观调控政策框架，针对经济走势的不同情况，把调结构、促改革与稳增长、保就业或控通胀、防风险的政策有机结合起来，采取的措施要一举多得，既稳增长又调结构，既利当前又利长远，避免经济大起大落。[100]

这是新一届领导人第一次提出上下限，其中透露出来的信息意味深长，因此备受关注。

根据2013年初的《政府工作报告》：2013年GDP增速不低于7.5%，CPI不高于3.5%，城镇新增就业900万人以上，城镇登记失业率低于4.6%。也就是说，李克强再次明确，2013年的GDP增速不低于7.5%，CPI不高于3.5%。有研究者大胆预测：温和财政刺激可期。[101]

从当年二季度的数据（如206页上图所示）来看，GDP增速稳定在7.5%附近，在这个位置把调结构与稳增长同时提出，意味着，政府在调整经济结构的时候，并不能接受低于7.5%的增长速度，此为经济增长的下限是没有疑问的。

中国各级政府在GDP态度上，有着一个潜规则：中央规定的数字，被各级地方政府逐一增加，越往下增加越多。因此，在"十一五"规划纲要中，把五年GDP预期增长目标定为年均增长7%，而"十一五"期间，我国GDP年均实际增速为11.2%。[102]

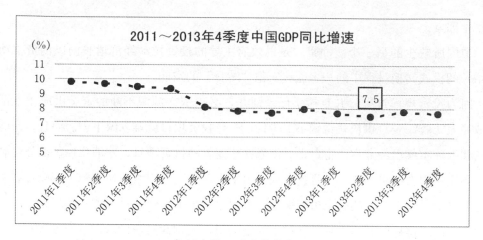

数据来源：国家统计局。

2003年至今，每年的GDP预期增长目标都超额完成，在经济增速最高的年份，实际增速甚至高出了预期增速6个百分点还要多。[103]

下图为2003～2013年，中国GDP预定增长目标与实际增长的比较。不难看出，实际增长全部超过预定计划。

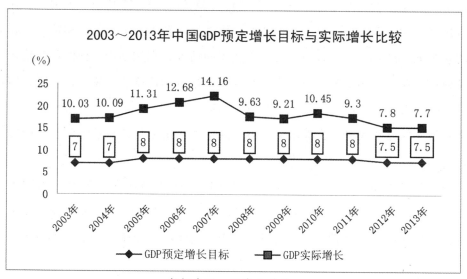

数据来源：国家统计局。

更离奇的是，中国地方上报的GDP数据总是比全国的GDP数据高。如果将一个国家看作一列正在疾驰的列车，那么经济数据就是显示列车运行状态的仪表盘。GDP作为衡量一个国家经济发展的重要指标，自然在这个仪表盘中扮演了核心的角色。但在中国，自1985年开始，中央和地方在这个数据上的"不同步"已是常态。

　　国家统计局数据显示，地方GDP之和与全国GDP总额2004年相差3万亿元，达19.3%；2006年相差0.8万亿元，达3.84%；2007年相差1.2万亿元，达5.1%；2008年相差2.6万亿元，达8.8%。[104] 2009年上半年，各省GDP之和超出全国1.4万亿元，全年相差2.68万亿元；2010年上半年，各省GDP之和超出全国1.45万亿元，全年相差3.2万亿元；2011年上半年，各省GDP之和超出全国约2万亿元，全年相差4.6万亿元。[105] 2012年全国各省（区、市）核算出的GDP相加总量达到57.69万亿元，比国家统计局公布的数据高出5.76万亿元，相当于多出了中国"第一经济大省"广东的经济总量。"1加1大于2"的怪现状又一次出现。[106]

　　地方GDP之和超过全国数据的对比情况，从下图中可以更清晰地看出来。

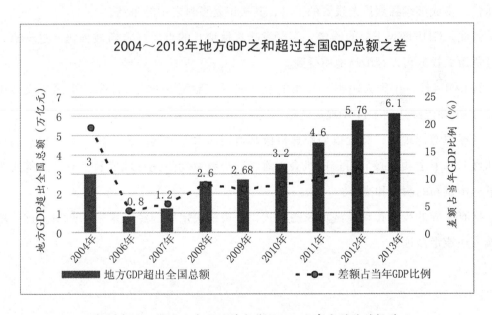

数据来源：综合《中国统计年鉴2013》和官方媒体的报道。

　　从技术层面来看，重复统计、统计资料来源和系数不一致等因素，的确会造成统计结果出现一定的出入，但相差到如此离谱的地步，透露出来的是天下人尽皆知的一个秘密：地方政府为了做大自己的政绩，不惜在统计数据上造假！

　　国外研究者也指出，由于GDP是被用来衡量地方政府官员政绩的指标，他们有足够的动力扩大或歪曲这些数字。数据收集与政治之间的关联，在某种程度上减小了统计数字的准确性。[107]

　　在这种情况下，当中央政府把GDP下限定为7.5%的时候，地方层层加码，到县一级，有的地方已经超过了10%。地方政府在强烈追求政绩的鼓舞下，必然将调结构的努力废弃，地方政府只关心经济增长速度而不关心经济结构是否健康，由地方政府承担调结构的责任几乎是不可能的。

这意味着，在改革旧有的经济增长模式的理想面前，遭遇到了现实的瓶颈。尽管2013年12月的中央经济工作会议上，特别强调"要全面认识持续健康发展和生产总值增长的关系，不能把发展简单化为增加生产总值"。[108] 政绩考核要突出科学发展导向，不能仅仅把地区生产总值及增长率作为考核评价政绩的主要指标，不能搞地区生产总值及增长率排名[109]，但在惯性思维之下，地方官员追求政绩的冲动在短期内是很难扭转的。

这也就意味着，在这种情况下，把城市交通、机场扩建等审批权下放，被地方政府抓住，变成继续猛烈扩大投资的工具，其实也是意料之中的事情。

因此，GDP增长下限的确定，实际意味着保增长的重要性重新被强化。这一点，通过货币的投放可以很清晰地感受到。

2014年4月，中国人民银行发布的统计显示，截至2014年3月末，中国广义货币（M2）余额已经达到了116.07万亿元。[110]

当理想遭遇现实，在大棋局中显得极其迫切和重要的调结构之路，又变得日趋遥远和漫长。看着再次擦肩而过的机会，看着隐患继续悄然无息地成长，有几人能感受到下一步棋局的阴冷和凄凉？

政府主导的投资拉动经济增长的模式，将最终决定中国经济未来的归宿。这一增长模式还能走多远？

注　释

[1]James Kynge.China's GDP growth target to reveal policy intentions[N].The Financial Times，2014-03-03.

[2]Andrew Heywood.Global Politics[M] New York：Palgrave Macmillan，2011

[3]李天德等.世界经济波动理论（第一卷）[M].北京：科学出版社，2012.

[4]鹤田满彦.全球化资本主义与日本经济[M]北京：社会科学文献出版社，2013.

[5]迈克尔·赫德森.金融帝国：美国金融霸权的来源和基础[M].北京：中央编译出版社，2008.

[6]时寒冰.假如美国退出刺激计划[OL].时寒冰博客，http://shihb.blog.sohu.com/263932879.html，2013-05-14.

[7]吴成良.美联储宣布削减量化宽松规模[N].人民日报，2013-12-19.

[8]同业拆借利率即银行同业之间的短期资金借贷利率。

[9]戚义明.十八大以来习近平同志关于经济工作的重要论述[J].瞭望，2014-02-22.

[10]习近平：经济增长必须是没有水分的增长[N].北京晨报（转引新华社报道），2012-12-07.

[11]付雁南，白真智，魏晞.李克强再论改革红利：要实现真正发展只能靠改革[OL].中国新闻网，2012-12-20.

[12]中央经济工作会议在北京举行[N].人民日报，2013-12-14.

[13]Kamal Nath.India's Century：The Age of Entrepreneurship in the World's Biggest Democracy[M]. McGraw-Hill，2007.

[14]Homi Kharas.Asia in the Global Economy 2011-2050：Main Drivers of the Asian Century[M]//Harinder S Kohli，Ashok Sharma，Anil Sood.Asia 2050：Realizing the Asian Century.SAGE Publications Pvt.Ltd.，2011.

[15]新华社.中共中央关于全面深化改革若干重大问题的决定[OL].中央政府门户网站，http://www.gov.cn/ jrzg/2013-11/15/content_2528179.htm，2013-11-15.

[16]马克斯·奥特.崩溃已经来临[M].天津：天津教育出版社，2009.

[17]Joseph E.Stiglitz.Reforming China's State-Market Balance[OL].Project Syndicate，http://www.project-syndicate.org/commentary/joseph-e-stiglitz-asks-what-role-government-should-play-as-economic-restructuring-proceeds，2014-04-02.

[18]Steve Forbes，Elizabeth Ames.Freedom Manifesto：Why Free Markets Are Moral and Big Government Isn't[M].Crown Business，2012.英国著名人口学家托马斯·罗伯特·马尔萨斯（Thomas Robert Malthus）提出，不断增长的人口迟早会导致粮食供不应求，最弱者会因此而饿死。这个预言被称为"马尔萨斯灾难"或"马尔萨斯悲观预期"。但马尔萨斯灾难性的人口预言并未变成现实，除了本书引述的强调自由经济重要性的观点，诺贝尔经济学奖获得者、美国经济学家保罗·萨缪尔森还提出了另外一种观点，他指出："在马尔萨斯以后的一个世纪里，在欧洲和北美，技术的进步拓宽了生产可能性边界。实际上，技术的变化发生得如此之快，产出增长远远超出了人口增长，从而使得实际工资有了极大的提高。"

[19]李克强总理等会见采访两会的中外记者并回答提问[N].人民日报，2013-03-18.

[20]黄澄锋，庄小龙.广州政协委员批项目审批流程繁杂，称需盖108个章[N].广州日报，2013-01-21.

[21]李国辉，刘正旭等.广州两会代表：报建一个酒店要盖千个章[N].新快报，2009-02-25.

[22]孙朝方，张林.799天的审批37天搞掂，穗"万里长征图"即将成历史[N].羊城晚报，2013-03-13.

[23]肖明.10次国务院常务会议看百日新政[N].21世纪经济报道，2013-06-29.

[24]李克强总理等会见采访两会的中外记者并回答提问[N].人民日报，2013-03-18.

[25]李克强.关于调整经济结构促进持续发展的几个问题[J].求是，2010（11）.

[26]胡迟.有效抑制产能过剩，切实调整经济结构[N].中国经济时报，2013-03-27.

[27]陈岩鹏，杨仕省.看紧"政府的手"——"十大振兴产业"多陷产能过剩泥潭[N].华夏时报，2013-05-17.

[28]新华社.中共中央关于全面深化改革若干重大问题的决定[OL].中央政府门户网站，http://www.gov.cn/ jrzg/2013-11/15/content_2528179.html，2013-11-15.

[29]杜涌涛，付雁南，魏晞，刘阳.李克强强调：改革是中国最大的红利[OL].中国新闻网，2012年11月22日，http://www.chinanews.com/gn/2012/11-22/4351003.shtml.

[30]李克强总理等会见采访两会的中外记者并回答提问[N].人民日报，2013-03-18.

[31]郭金超，沈晨.李克强：中国一季度经济增幅在合理运行区间[OL].中新社，2013-05-24，http://www. chinanews.com/gn/2013/05-24/4855419.shtml.

[32]新华社.中共中央关于全面深化改革若干重大问题的决定[OL].中央政府门户网站，http://www.gov.cn/ jrzg/2013-11/15/content_2528179.html，2013-11-15.

[33]负面清单管理即"负面清单管理模式"，是指政府规定哪些经济领域不开放，除了清单上的禁区，其他行业、领域和经济活动都许可。

[34]胥会云.上海自贸试验区正式获批[N].第一财经日报，2013-08-23.

[35]张颖.李克强曾再三追问上海市长：要政策还是要改革[N].国际金融报，2013-08-12.

[36]伍戈.中国货币供给的结构分析：1999～2009[J].财贸经济，2010（11）.这里的货币当局，是指有权发

行通货的国家机构。货币当局与中央银行并不等同。在美国，货币当局包括美联储和财政部，因为两者都能发行通货，而中国只有央行才能发行货币，因此，中国的货币当局就是指央行。

[37]夏冰.解读国务院发布上海自贸区总方案[N].每日经济新闻，2013-09-28.

[38]张丽君.改革开放30年中国港口经济发展[M].北京：中国经济出版社，2008.

[39]邓碧，孙爱平.马汉海权论的形成及其影响[J].军事历史，2008（6）.

[40]阿尔弗雷德·塞耶·马汉.海权论[M].北京：同心出版社，2012.

[41]刘赐贵.关于建设海洋强国的若干思考[N].中国海洋报，2012-11-29.

[42]Marc Levinson.The Box：How the Shipping Container Made the World Smaller and the World Economy Bigger[M].New Jersey：Princeton University press，2006.

[43]中国港口经济大丛书编委会.中国港口经济[M].天津：天津人民出版社，2004.

[44]新加坡统计局2013年公布的数据是：新加坡国土面积为715.8平方公里，详见：Singapore in Figures 2013[OL].Singapore Department of Statistics，http：//www.singstat.gov.sg/publications/publications_and_papers/reference/sif2013.pdf，2013.

[45]黄维彬.新加坡发展国际航运中心的经验及展望[M].港口经济，2006（6）.

[46]徐寿松.洋山港：超越梦想的飞跃[OL].新华网，http：//news.xinhuanet.com/fortune/2006-02/07/content_4149228_1.htm，2006-02-07.

[47]陈姗姗.上海港集装箱吞吐量首次跃居世界第二[N].第一财经日报，2008-02-29.

[48]张哲.上海超越新加坡成为全球最大集装箱码头[N].环球时报，2011-01-24.

[49]世界航运协会（World Shipping Council）一般在每年8月份公布上年数据，所以，在本书完稿时，这个数据仍属于最新数据。

[50]李树铭.鹿特丹港 曾经的世界第一大港[N].浦东时报，2012-01-19.

[51]李增军.港口对所在城市及腹地经济发展促进作用分析[J].港口经济，2002（2）.

[52]陶杰.新加坡仍为全球最繁忙港口[N].经济日报，2012-01-11.

[53]袁源.新加坡建设港口促经济[N].国际金融报，2013-09-26.

[54]木谷.王者归来，背后的故事[N].中国水运报，2005-8-29.

[55]悠之."海上东盟"6国港口介绍（之六）——新加坡港口[N].广西日报，2007-03-14.

[56]马怀娟.金融支持港口经济发展探析[J].金融发展研究，2010（3）.

[57]马宇.上海自贸区金融开放创新究竟能落地多少[N].南方都市报，2013-09-26.

[58]Carl Walter，Fraser Howie.Red Capitalism：The Fragile Financial Foundation of China's Extraordinary Rise[M].Wiley，2012.

[59]王岩.新加坡港：全世界利用率最高的港口[N].宁波日报，2010-04-06.

[60]"东方十字路口"上一颗璀璨的星——新加坡港[J].世界海运，2009（1）.

[61]Marc Levinson.The Box：How the Shipping Container Made the World Smaller and the World Economy Bigger[M].New Jersey：Princeton university press，2006.

[62]2012年度新加坡港口集装箱吞吐量创新高[N].联合早报，2013-03-11.

[63]何欣荣、陈云富.中国企业谋划LME交割库落子上海，增强大宗商品配置能力[OL].新华网，http：//news.xinhuanet.com/fortune/2013-05/24/c_115897841.htm，2013-05-24.

[64]秦伟.LME内地设交割仓库有望破冰[N].21世纪经济报道，2013-07-11.

[65]金士星.LME考虑建立上海交割库[N].每日经济新闻，2005-11-23.

[66]葛佳.香港交易所昨完成收购LME[N].东方早报，2012-12-07.

[67]何欣荣、陈云富.中国企业谋划LME交割库落子上海，增强大宗商品配置能力[OL].新华网，2013-05-24.http：//news.xinhuanet.com/fortune/2013-05/24/c_115897841.htm.

[68]姚岚.聚焦上海自贸区: 着眼新一轮的改革发展[OL].人民网, http://sh.people.com.cn/n/2013/0829/c346276-19424884.html, 2013-08-29.

[69]夏冰.解读国务院发布上海自贸区总方案[N].每日经济新闻, 2013-09-28.

[70]秦伟.LME内地设交割仓库有望破冰[N].21世纪经济报道, 2013-07-11.

[71]秦伟.LME内地设交割仓库有望破冰[N].21世纪经济报道, 2013-07-11.

[72]高晨.沪自贸区或试水人民币自由兑换[N].京华时报, 2013-09-09.

[73]叶檀.上海自贸区最大风险是权力与金融[N].每日经济新闻, 2013-08-26.

[74]王勤.论新加坡的经济发展模式[J].南洋问题研究, 1996 (2).

[75]林锡星.香港与新加坡经济发展比较[J].当代亚太, 1999 (5).

[76]林小昭, 王子约, 蓝之馨.城市轨交审批权下放, 又一波地铁潮来袭[N].第一财经日报, 2013-05-16.

[77]谭志娟.审批权下放引发投资热潮[N].中国经营报, 2013-08-19.

[78]魏静.审批权下放引发地铁跟风潮[N].中国证券报, 2013-07-18.

[79]吴雨, 陈雯瑾.农行报告: 警惕地方政府换届后投资过热[OL].新华网, http://news.xinhuanet.com/fortune/2013-02/09/c_124340616.htm? _fin, 2013-02-09.

[80]孙莹, 范若虹等.2013政策趋势解读: 宏观面企稳, 投资调整存忧[J].财经国家周刊, 2013-01-09.

[81]王小明.万亿投资计划出炉, 广东重返投资拉动轨道[N].中国经营报, 2013-04-13.

[82]王晔君, 韩玮.各地新一轮投资计划出台, 总金额超20万亿存3大隐患[N].北京商报, 2013-05-06.

[83]李佳萌, 金学思.天津市投资总量2013年有望突破1万亿元[N].每日新报, 2013-1-31.

[84]魏莉.四川"端出"3.67万亿投资蛋糕, 涉及基建等四大方面[N].金融投资报, 2012-09-25.

[85]周呈思.湖北公布12万亿投资计划 规模10倍于去年GDP[N].21世纪经济报道, 2010-03-23.

[86]王元京, 高振华, 何寅子.地方政府融资面临的挑战与模式再造——以城市建设为例[J].经济理论与经济管理, 2010 (4).

[87]宋识径, 邝慧敏.李克强上任百日盘点: 改革进行时[N].新京报, 2013-06-24.

[88]Jesus Huerta de Soto.Money, Bank Credit, and Economic Cycles[M].Ludwig von Mises Institute, 2009.

[89]李慎明, 张宇燕.全球政治与安全报告[M].北京: 社会科学文献出版社, 2014.

[90]张建平.工商银行严控产能过剩行业贷款[OL].新华网, http://news.xinhuanet.com/newscenter/2006-04/04/content_4383520.htm, 2006-04-04.

[91]徐杰.地方政府在发展地方金融中的角色[N].中国经济时报, 2010-11-02.

[92]Robert Peston, Laurence Knight.How Do We Fix This Mess: The Economic Price of Having It All and the Route to Lasting Prosperity[M].Hodder & Stoughton, 2014.

[93]Carl Walter, Fraser Howie.Red Capitalism: The Fragile Financial Foundation of China's Extraordinary Rise[M].Wiley, 2012.

[94]沈玮青.小企业主: 2万元范围稍小, 希望减税力度再大些[N].新京报, 2013-07-25.

[95]新华社.中共中央关于全面深化改革若干重大问题的决定[OL].中央政府门户网站, http://www.gov.cn/jrzg/2013-11/15/content_2528179.htm, 2013-11-15.

[96]张正富.欧元区失业率5月份再创历史新高[OL].新华网, 2013-07-01, http://news.xinhuanet.com/world/2013-07/01/c_124939938.htm.

[97]李克强.关于调整经济结构促进持续发展的几个问题[J].求是, 2010 (11).

[98]郭斐然.怎样看我国消费率的高低? [J].求是, 2013-08-01.

[99]Barry J.Naughton.The Chinese Economy: Transitions and Growth[M].Massachusetts: MIT Press, 2006.

[100]马占成.李克强: 坚持民生优先, 发展要让人民满意使人民受惠[N].广西日报, 2013-07-10.

[101]姚伟.李克强首谈经济"下限""上限"[N].东方早报, 2013-07-11.

[102]周英峰，霍小光.我国GDP预期增长目标八年来首次低于8%[OL].新华网，2012-03-05.

[103]证券时报两会报道组.政府工作报告十年简谱[N].证券时报，2013-03-06。该报道原文为"实际增速甚至高出了预期增速5个百分点"，这并不准确。因为2007年的时候，GDP实际同比增长为14.16%，比 8%的预定计划超出6.16%，因此笔者在引用的时候做了更正。

[104]谭志娟.中央地方GDP相差3万亿：掺水数据挂钩政绩考核[N].中国经营报，2013-08-03.

[105]陈筱红.人大代表吴晓灵建议取消地方GDP核算[N].北京青年报，2012-02-16.

[106]庄胜春.各省GDP总和超全国近6万亿，数据打架系跨省重复计算[OL].中国广播网，http://china.cnr.cn/xwwgf/201302/t20130206_511936537.shtml，2013-02-06.

[107]Barry J.Naughton.The Chinese Economy：Transitions and Growth[M].Massachusetts：MIT Press，2006.

[108]中央经济工作会议在北京举行[N].人民日报，2013-12-14.

[109]不以GDP考核干部论政绩搞排名[N].解放日报，2013-12-10.

[110]田俊荣.货币供应量增速回落属正常现象[N].人民日报，2014-04-16.

第8章

大纠结：中国的2013~2015（中）

东西失衡下的西部大开发

　　中国经济在发展过程中，政策对资源的引领、配置发挥着主导作用。改革开放至今，政策对资源的配置有两个显著特点：一是资源配置从农村引入城市（比如，资金供给紧张的农村，储蓄基本上被用于城市的发展等）；二是资源配置（包括矿产资源、人力资源等）从中西部地区流向东部。

　　这就使得中国经济面临着两大不平衡难题：一是西部经济落后地区与东部发达地区的不平衡（催生出了后来的西部大开发战略构想）；二是广大农村落后地区与城市发达地区的不平衡（催生出了后来的新农村建设和城镇化战略构想）。

　　在初始阶段，这种不平衡迫使很多劳动力从落后地区涌向东部地区、从农村涌入城市，低廉的劳动力成为推动中国经济增长的强大动力——笔者做这种冷静表述的时候，忍不住要对那些流血流汗的劳动者送上敬意。从另一个角度来看，他们何尝不是牺牲者？他们的收入与他们的奉献相比，太少太少了。这个时代应该为这种亏欠感受到道义上的羞愧。

　　当经济发展到一定程度的时候，不平衡的加剧就会产生一系列的问题。诺贝尔经济学奖获得者斯蒂格利茨说："大多数个体宁肯接受一种导致自身利益受损的低效率的结果，也不愿意接受一种不公平的结果。"

　　在一个被称为"最后通牒游戏"的实验中，第二位参与者有权否决第一位参与者制定的分配方式。如果第二位参与者行使了否决权，那么，双方都将一无所获。传统经济理论提出的标准策略是：第一位参与者给自己留下99美元，只给第二位参与者1美元；而后者会接受这种分配，因为1美元总比一分钱不得要好。

然而，事实上，第一位参与者分给第二位参与者一般平均是30～40美元，如果第二位参与者分到的钱少于20美元的话，他宁愿得不到一分钱，也不愿意只得到20美元，因为4∶1的分配不公平。[1]

这种不平等的代价，对于人如此，对于地区发展同样如此。尤其当资源稀缺的东部沿海地区，借助西部的资源和劳动力迅速发展起来时，资源所在地的西部依然贫穷，这种区域失衡问题就会加剧。当不平衡的发展累积到一定程度，就会滋生出一种情绪，从而影响到地区稳定。对于西部民族问题较为复杂的情况而言，这一点尤其重要。

从经济层面来看，根据美国区域经济学研究者胡佛的论述，自然资源优势、集中经济和运输成本是构成复杂的经济活动区位结构的三个基础因素。[2] 我们对比进行分析：

西部矿产等资源丰富，而制造企业一般都在东部发达地区，西部的资源向东部输送，物流成本高，时间成本高。如果直接在西部开发、利用资源，就能节省大量成本，提高效率。

而且东部的产业越发密集，环境污染严重，无法再容纳新的工业企业的扩张，东部更需要产业升级，提升技术含量，这使得东部产业有向西部转移的内在动力。

从消费角度来看，中国近年来一直在走投资拉动经济的路线，民众收入远远跟不上经济发展的步伐。尤其西部较为贫困，需要通过西部大开发，增加西部地区的民众收入，平衡区域经济发展，提高整个西部地区的消费水平，解决投资畸高而消费畸低的顽疾。

另外，房价和其他与民众生活息息相关的物价持续上涨，导致城市的居住、生活成本越来越高，农民工工资虽然也在上涨，但其工资涨速远跟不上物价涨速和生活成本涨速，导致农民工短缺现象越来越严重，这也需要产业西进。

因此，西部大开发乃是中国经济发展到一定阶段，或者说，投资拉动经济的增长模式问题逐渐暴露后必须走的战略布局，并且这种战略布局不会因为领导换届而受到影响。当我们对照今天的现实情况来看，中国从2000年着手做的西部大开发规划，是具有相当超前战略眼光的。

1999年9月，中共十五届四中全会通过的《中共中央关于国有企业改革和发展若干重大问题的决定》明确提出：国家要实施西部大开发战略。西部地区特指陕西、甘肃、宁夏、青海、新疆、四川、重庆、云南、贵州、西藏、广西、内蒙古这12个省、自治区和直辖市。

2000年10月，中共十五届五中全会通过的《中共中央关于制定国民经济和社会发展第十个五年计划的建议》，把实施西部大开发、促进地区协调发展作为一项战略任务。强调："实施西部大开发战略、加快中西部地区发展，关系经济发展、民族团结、社会稳定，关系地区协调发展和最终实现共同富裕，是实现第三步战略目标的重大举措。"

2001年3月，第九届全国人大四次会议通过的《中华人民共和国国民经济和社会发展第十个五年计划纲要》对实施西部大开发战略进行了具体部署。

2006年12月8日，国务院常务会议审议并原则通过《西部大开发"十一五"规划》。西部大开发总的战略目标是：经过几代人的艰苦奋斗，到21世纪中叶全国基本实现现代化时，从根本上改变西部地区相对落后的面貌，建成一个经济繁荣、社会进步、生活安定、民族团结、山川秀美、人民富裕的新西部。[3]

西部大开发使得西部地区承接产业转移速度加快。2013年8月26日，国家发改委在其发布的《关于印发2012年西部大开发工作进展情况和2013年工作安排的通知》中说："自2007年起，西部地区主要经济指标增速已连续6年超过东部地区和全国平均水平，基本扭转了与其他地区发展差距不断扩大的势头，并成为我国经济增长潜力最大的区域。"

但是，必须注意的是，西部大开发的成就，仍然主要是依靠政府主导的投资拉动。2000～2012年，西部大开发累计新开工重点工程187项，投资总规模3.68万亿元。到2012年末，西部地区人民币贷款余额12.1万亿元，增速比全国高2.7个百分点。发改委表示，要进一步加大支持力度，加强对西部地区发展形势的预判、政策措施预研和重大项目储备，包括研究提出2013年西部大开发新开工重点工程等。[4] 西部大开发等于是延续政府投资拉动的固有思路，这就意味着，西部大开发过程中，延续了中国经济发展模式中的顽疾。

我们知道，资源是有限的。当20世纪80年代深圳等沿海城市开放的时候，那里集中了全国的资源，所以发展非常迅速。而西部大开发的时候，资源向东部沿海地区流动的惯性已经形成，基础差、底子薄的西部作为后起者，很难在短期内打造出自己的优势。更何况，西部大开发涵盖12个省、自治区和直辖市，地域广阔。因此，西部大开发的难度是非常大的。如果延续固有的投资拉动思维去做，就无法使西部得到更有效率和更高质量的发展。

清华大学国情研究中心三位学者的研究表明：西部大开发除了使西部地区的交通基础设施投资和资本存量相对东部地区来说有所改善之外，其他影响经济增长的因素并没有得到改善。

首先，2000年后，全国各地区的人力资本加速增长，但是中东部地区的增长速度超过西部地区，说明西部大开发并没有给西部地区带来更高的人力资本积累速度。

其次，众所周知，外商直接投资（FDI）是促进经济增长的一个重要因素，FDI反映了一个地方的综合投资环境。我国西部地区在对FDI的吸引能力上本来就比中东部地区差，而西部大开发后，FDI的增长率下降得比中东部地区更快。显然，西部大开发并没有显著地改善西部地区的软环境。

再次，产业结构升级是发展中国家经济增长的动力之一，而中东部地区的服务业增速明显要高于西部地区。由此可以看出，西部大开发并没有改善西部地区的生产率。

最后，从政府支出情况来看，西部地区在1987～1999年政府支出占GDP的比重平均每年增加5.4个百分点，而在2000～2007年平均每年增加8.4个百分点，增加率上升了3个百分点，而中东部地区同期每年只是增加了0.7个百分点。也就是说，就政府支出而言，西部地区的政府支出规模在西部大开发之后增加了。研究证明，政府支出规模对经济增长的影响为负，过多的政府支出不利于经济的增长。过多的政府支出对经济增长的损害是多方面的，其中最重要的两条就是导致资源配置扭曲和效率损失。

结论就是，西部大开发促进西部地区经济增长的动力主要是实物资本和基础设施等有形资本的投入。影响经济增长的其他因素，尤其是软环境，并没有得到显著改善。而软环境往往反映了一个地方经济增长的潜力，它在长期经济增长中往往占据更为重要的地位。[5]

不仅如此，西部大开发过程中的冒进——这是政府主导投资过程中很难避免的问题，带来了诸如环境污染等问题。我们常说，西部大开发应该是建立在西部生态大保护基础之上的良性的可持续性的开发，而不是急功近利的开发。问题在于，西部地域广阔，政府很难有足够的财力投向西部，西部省份就会充分利用当地的矿产资源等优势，通过对资源更快、更多地开采等方式，为大的投资项目筹集足够的资金，这必然导致环境问题。

在西部大开发开始后的第二年（2001年），有研究者就撰文指出：甘肃省草场退化面积高达713万公顷，约占全省可利用草场面积的44.4%。还有些地区乱挖滥采甘草、发菜、锁阳等行为未得到有效制止，一些采金、采石等小矿点对植被的破坏和其造成的污染不容小觑。

该研究者不无忧虑地指出，随着大开发的进行，如果不予警惕或处置不当，也有可能在某些方面会给生态环境造成若干负面影响，增加自然资源退化和环境污染的风险。[6]

新疆、青海、宁夏、甘肃、西藏的森林覆盖率分别只有0.79%、0.35%、1.54%、4.33%、5.8%。植被面积的减少是导致水土流失的直接原因。在整个西部地区水土流失最严重的是陕西、甘肃、宁夏、青海4个省区。西部地区生态环境的恶化不仅制约着西部地区经济的进一步发展，而且从根本上来说也影响到全国，尤其是长江和黄河下游地区社会经济的可持续发展。[7]

美国在开发其落后的西部地区的时候，刚开始也遭遇过严重的掠夺式开发问题，草原过牧、森林过伐、土地滥用、洪水泛滥、水质污染，造成生态环境严重破坏。但美国很快进行了严厉的纠错：先后制定了《泰勒放牧法》《土壤保护和国内配额法》《农业调整法》等多部法律，规定开矿必须复田、农牧业开发必须防止水土流失、砍伐森林必须扶植幼林、开办企业必须保护水源等，使生态环境损失得到补偿，促进了生态环境的改善。

而且，为了使其西部开发更有效率，美国一开始就大力从欧洲引进科学技术，使西部迅速实现了农业现代化。同时，在西部地区培育起了一个全新的产业：利用军事工业生产拉动经济发展，在西部发展了一批具有相当高技术水平和规模实力的军工企业；美国利用原有的军事高科技基础，再加上西部地区丰富的资源以及廉价的土地和劳动力，迅速发展了以航天、原子能、生物等为代表的高科技产业，极大地加快了美国西部产业结构升级换代的步伐。[8]

另外，靠货币投放支撑的投资拉动的经济增长，必然伴随着房价上涨等问题。事实也是如此。从2006年下半年开始，西部许多中小城市房价开始了一轮悄然而快速的上涨。记者在甘肃、宁夏等西部省区调查发现，部分中小城市新建商品房价格比2005年同期猛涨30%~50%，中低收入人群也被迫成为"房奴"。整体上，小城市上涨幅度快于中等城市，中等城市上涨幅度快于大城市。在部分县级城市，房价甚至比中等城市还要高。[9]

时间到了2011年6月，国家统计局公布的当月70个大中城市房价上涨指数，同比价格涨幅超过5%的29个城市中，有23个位于中西部地区。[10]

这其实非常容易理解。

在中国，投资拉动经济增长的模式是导致房价上涨的根源，投资越大的地区，货币向房地产领域的溢出越多，房价涨得就越猛烈，物价涨幅就越大，民众的住房压力、生活压力也就越大。

西部物价的上涨，再次证明了发展模式对于房价等的直接影响力。当然，这种模式的终结对于西部房价逆转的影响相应地也更直接。

应该认识到，西部大开发是解决中国经济区域不平衡的一个宏大战略，一旦这个战略在实施过程中走样，由此滋生的新问题和矛盾将为下一步的趋势演进埋下巨大隐患。

第二节
城乡失衡下的新农村建设

城市原本就比农村拥有更多的优势。在计划经济时代，国家所有制是城市地区所有权的主导形式，在城市里的工作单位逐渐发展成为一种社会福利和权利体系。而在广大农村，国家没有设立越过集体重新分配资源的机制，农民以低廉的价格向政府出售粮食，这实际上相当于强加在农民身上的一种隐性税收，导致农民收入一直处于较低的水平。[11]

1978年12月～1984年10月的农村改革增加了农民的收入，带动了乡镇企业的蓬勃发展。但短短的几年之后，改革重点就转向了城市，政策性的资源配置也以城市为主，虽然乡镇企业的发展在惯性之下延续到了1992年，但此后，改革重点全面转向城市，农村的发展逐渐落在城市后面，并且，差距快速拉大。

这样，就产生了一个很畸形的问题：农村人口众多，潜力看起来很大，但消费就是拉动不起来。其实，拉消费本身就是经济出现问题的结果。任何人都懂得消费，消费不需要拉动，甚至不需要鼓励。消费是一种天然的本能的行为，当消费需要拉并且拉不动的时候，就说明广大农村地区的收入无法支撑起他们的消费欲望。

如果这种失衡状况持续下去，对于一个传统的农业大国而言，是非常危险的事情。它不仅牵涉到中国改革能否持续的问题，也直接牵涉到社会稳定问题——中国农民占世界农业人口的35%。农村不稳定，整个政治局势就不稳定，整个社会就不会有稳定。

在提高农民收入、减轻农民负担方面，国家的确制定了不少政策，但农民的负担并没有减下去，收入也没有显著增加，而农民支出却大幅度增加。原因是：许多本不该由农民承担的农村公共产品，如公共基础设施建设、农村义务教育及民兵训练、干部下乡等杂费，农民承担了绝大部分。价格"剪刀差"的长期存在是农民负担的最主要部分。改革开放以后，我国虽然提高了农产品的价格，但工业品的价格提高更快，因此，价格"剪刀差"不但没有缩小反而日益扩大。

城乡收入差距扩大，农村整体上远远落后于城市。长期以来，农业一直是国家筹集工业化发展资金的主渠道。改革开放以来，城乡居民收入差距还在扩大。2005年，城乡居民收入比达到3.22∶1，绝对额相差7238元，如果加上城市居民享有的各种福利、补贴及公共产品费用，城乡居民的实际收入之比可能达6∶1。据世界银行有关报告，世界上多数国家城乡收入的比率为1.5左右，超过2的极为罕见。[12]

下图为1980～2012年城镇居民人均可支配收入与农村居民家庭人均纯收入的增长情况对比。可以明显看出，截至2012年，中国城乡居民的收入比仍超过3∶1。

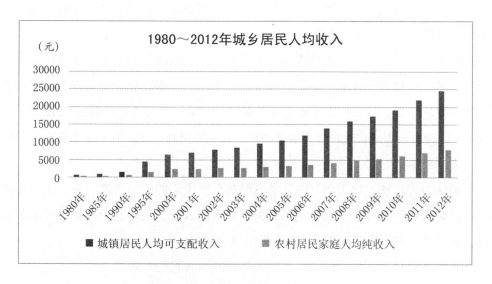

数据来源：根据《中国统计年鉴》和
《中华人民共和国国民经济和社会发展统计公布》整理。

除了上面提到的因素，导致农村经济发展落后的还有其他原因。2006年3月，在全国两会召开期间，全国人大农业与农村委员会副主任委员万宝瑞对"剪刀差"做了总结：

第一个是土地"剪刀差"。从集体征的土地必须变成国有，才能向开发商出售，集体土地不能进入一级市场。这里面的差价比较大，这实际上剥夺了农民的权益。据估算，失地农民一年要为城市贡献1万亿元。

第二个是金融存贷"剪刀差"。农村的存款不能用在农村，农民的存款自己能用的只占46%，54%流向城市。农民以占全国80%的人口，用了不到全国6%贷款。

第三个是工资"剪刀差"。农民工与城镇职工同工不同酬，同类工一个月工资差额为500~800元。现在，我国有1.2亿农民在城里打工，如果按目前（2006年）的"剪刀差"标准，一年差额就接近1万亿元。[13]

三大"剪刀差"及城市生活成本上升等因素，使得越来越多的农民工打工的意愿开始降低。我们不妨对比一下，20世纪八九十年代，当不少人每月工资停留在一二百元的时候，去深圳等地工厂打工的收入，已经可以达到每月800多元。这种工资优势对于广大农村的闲置劳动力而言，无疑具有强大的诱惑力。

随着时间的流逝，在沿海城市或者内地大城市打工的收入，与在本地的收入相比，优势已经不太明显。而且，这些年来，由于房价、房租、菜价粮价、交通、水电等生活成本的飞速上涨，蚕食了打工者相当大一部分收入。加上空气污染等问题，大大降低了农民工进城打工的意愿。

2004年春，一向被认为廉价劳动力接近于"无限供给"的中国，意外地发生大范围"民工荒"，这是中国遭遇20年来首次"民工荒"。福建省企业调查队一项调查显示，2004年春节后，晋江市工业企业开工率只有80%~85%，其中陶瓷行业的开工率不足50%。这背后，工人短缺是一个重要因素。为了能招到工人，有的企业主声称"挖来一个工人，奖励100元"。

专家认为，出现"民工荒"的主要原因在于农民工的劳动条件恶劣，工资水平过低，合法权益得不到保护，他们无法忍受，纷纷离去。"这是长期漠视农民工利益的代价，是农民工对不公平待遇说'不'的结果。"[14]

劳动和社会保障部发布的《关于民工短缺的调查报告》也证实了这一点：工资待遇长期徘徊、劳动权益缺乏保障、企业用工迅速扩张、经济增长模式面临变革等多种原因造成局部地区民工短缺。工资低、条件差、劳工权益缺乏保障是普通工人短缺的主要原因。[15]

我们知道，中国经济之所以能够在改革开放的30多年里保持持续的高速增长，其中一个重要原因是廉价的劳动力。当这种廉价的劳动力供应不足时，劳动力也将不再廉价，这必然会降低中国经济增长的速度。

中国在把经济改革重点转向城市之后，尽管也有很多支持农村发展的政策，但与城市相比，农村的发展一直处于相对被忽略的地位。这种忽略造成农村经济发展滞后，农村的落后又成为城市经济改革中廉价劳动力供应的源泉，因为很多农民被迫在生活压力之下涌向城市打工——这是一种令人感到悲凉的循环。

但首次"民工荒"的出现，让决策者开始认识到，城乡发展这种严重失衡的情况是不能长久维持的。随着城市生产能力的扩大，特别需要广大农村具有相对应的消费能力与之对接；否则，就容易造成城市改革由于缺乏与之对应的消费力量而逐渐陷入困境。

这意味着，解决农村问题迫在眉睫！

问题是，采取什么样的措施才能真正解决这一问题。有人提出来，想办法提高农业科技水平，提高农业产量，增加农民收入。这种说法理论上很完美，可是一旦具体运用到实践，就会发现目标和实际效果差距非常大。

举个简单的例子，相关粮食产量一旦增加，价格会立即跌落，农民往往血本无归，哭天无泪，产量增加甚至还没有产量减少给农民带来的实惠多。所以，不调查实际情况，仅凭空想来解决三农问题，最终只会陷入更大的被动。

而美国正是针对这一点，用"无追索权贷款"帮助农民有效地化解了风险。具体做法是：农民用尚未收获的农产品做抵押，从政府的农产品信贷公司（CCC）取得贷款。[16] 在贷款到期前，如果农产品市场价格高于贷款率，农场主可以赎回抵押的农产品到市场上去出售，并偿还贷款本息；如果农产品市场价格低于贷款率，农场主可以不归还贷款而以抵押出去的农产品抵债，不用负担任何费用或罚款，农产品信贷公司无权向农场主追索贷款率与市场价格之间的那部分差额。[17]

这样，农民的利益就得到了有效保障。

在我国，农民手中的资源非常有限。不考虑财政支持的因素，只有两种资源能提高他们的收入水平：一是他们自身的劳动力资源，二是土地资源。只要能够让这两种资源的效益最大化，农民就能深深受益。

要解决农民问题，其实非常简单：

一是提高他们进城务工的工资水平，发挥他们的劳动力优势。但是，中国城市经济的发展，相当大一部分就是根据廉价劳动力因素量身定做的，一旦农民工工资水平提高，那些建立在廉价劳动力基础上的经济体系就会受到直接影响。有关这一点，在最近几年工资提升后制造业整体利润下降中可以清晰地看出来。

二是赋予农民平等分享土地资源的权利。比如，允许集体的土地直接进入一级市场，让农民成为直接的受益者。问题是，这将大大触动各级地方政府的利益。他们显然不会支持这种改革，因为地方政府正是通过低价征收农民的土地，然后高价出让获利，并以此支持其投资等支出。地方政府虽然并非政策的最终决策者，却是政策的具体执行者——这一点非常关键。

三是增加对农村基础设施、社会保障的财政支持。这一点严格来说，应该算是对农村公共服务建设缺位的"还账"。改革开放以来，我国城乡发展差距拉大。以卫生领域为例，农村的健康状况水平明显低于城市居民，农民因病致贫、因病返贫的情况突出。世界卫生组织发布的《2000年世界卫生报告》将我国投资的公平性排在倒数第四的位置，原因就是我国城乡卫生差距过大。[18] 国家财政应该弥补这种差距，加大对农村的资金投入。

显然，这三条是最能解决农村经济发展落后问题的路径，但前两条尤其第二条涉及一些根本问题，改革面临着诸多阻力。

在追求和谐的大框架下，改革绕开了这个棘手环节，另辟蹊径，寄希望于选择改革阻力最小的方式来解决问题。

中央最初提出的思路，是通过新农村建设来发展农村经济，解决城乡失衡的问题。

在中国首次出现"民工荒"的第二年，2005年10月，中共十六届五中全会通过《十一五规划纲要建议》，提出要按照"生产发展、生活富裕、乡风文明、村容整洁、管理民主"的要求，为社会主义新农村建设指明道路。[19]

其中，社会主义新农村的经济建设，主要指在全面发展农村生产的基础上，建立农民增收长效机制，千方百计增加农民收入。社会主义新农村的社会建设，主要指在加大公共财政对农村公共事业投入的基础上，进一步发展农村的义务教育和职业教育，加强农村医疗卫生体系建设，建立和完善农村的社会保障制度，以期实现农村幼有所教、老有所养、病有所医的愿望。[20]

2005年12月29日，第十届全国人民代表大会常务委员会第十九次会议通过决定：《中华人民共和国农业税条例》自2006年1月1日起废止，在中国延续了两千多年的农业税正式成为历史。2006年取消农业税后，与这项改革开始前的1999年相比，全国农民减负1045亿元，人均减负120元左右。[21]

显然，新农村建设主要采取的是第三条措施，就是减轻农民负担，加大公共财政对农村公共事业的投入。这一做法不触动任何利益集团，因而更容易推行。但是，我们也不能忽略的是，早在中国取消农业税之前，全球几乎所有的发达国家和相当一部分发展中国家，都在大力对农业实行补贴政策。

以美国为例。30年来，美国农业部的年度财政预算占整体联邦预算的比例，一直维持在3%～6%。仅商品补贴（农业补贴）中就包括直接补贴[22]、销售贷款差额补贴[23]、反周期波动补贴[24]等。农业补贴对促进美国农业发展发挥了重要作用，这使得美国成为世界上农业最发达的国家，农业总产量一直位居世界前列，同时也是世界最大的农产品出口国。[25]

因此，从长远来看，在不触及土地等根本问题的情况下，仅仅通过行政主导下的财政、税收手段只能治标不治本。强拆现象之所以层出不穷，正是地方势力及相关利益集团廉价攫取农民土地、追逐自身利益最大化的结果。而财政补贴的资金与农民因土地、农产品"剪刀差"等方面丧失的利益相比，是远远不够的。

更可恶的是，有些地方的新农村建设占用耕地搞房地产，然后，让老百姓从原有的宅基地迁出来，住进价格较高的商品房中，既浪费了大量耕地，也增加了民众的负担，很容易激化矛盾。我们知道，广大农村之所以不像城里人那样被住房问题严重困扰，最重要的一点是，农民可以在自己家的宅基地上自行建造房屋。

与城市居民相比，农民在住房问题上享有两点优势：一是宅基地使用权；二是自建房的权利。自建房就好比自由恋爱与婚姻介绍所形成的竞争关系，大量自由恋爱的存在，使得婚介所的收费不至于太离谱。但一旦规定因自由恋爱而结婚的不发结婚证，所有人都被赶到婚姻介绍所找对象，那么，婚姻介绍所就拥有了垄断定价权，其收费就会高得离谱。城市的房价之所以高得那么离谱，不正是土地等环节被高度垄断、自建房被禁止等因素共同导致的吗？

新农村建设必须触及土地等根本问题，才能真正使农村问题出现转机；否则，就只能是维持而不是根本性的变革。

有专家直言不讳地说："新农村建设的核心，就是要通过国家力量，将农村衰败保持在可以控制的限度内。要防止因为农村衰败过快，而依托农村生存人口又过多（当前依托农村生活的人口为9亿）的情况下，产生严重的政治和社会问题。"[26]

这种所谓的"限度"说白了，就是既要维持庞大的廉价劳动力，又不能让农民太穷困！这种局限性或许就注定了新农村建设的结果。

农村与城镇的发展差距越拉越大（如224页表格所示）。

	城镇居民人均可支配收入（元）	农村居民家庭人均纯收入（元）	城镇人均收入高于农村人均收入金额（元）
2003年	8472.2	2622.2	5850
2004年	9421.6	2936.4	6485.2
2005年	10493	3254.9	7238.1
2006年	11759.5	3587	8172.5
2007年	13785.8	4140.4	9645.4
2008年	15780.8	4760.6	11020.2
2009年	17174.6	5153.2	12021.4
2010年	19109.4	5919	13190.4
2011年	21809.8	6977.3	14832.5
2012年	24565	7917	16648

数据来源：《中国统计年鉴》和《中华人民共和国国民经济和社会发展统计公报》。

从图中不难看出，从2005年以后，中国城乡居民人均收入的差距以更快的速度拉开，到2012年的时候，这种差距已经达到16648元。

早在1984年6月30日，邓小平就说："中国有80%的人口住在农村，中国稳定不稳定首先要看这80%稳定不稳定。城市搞得再漂亮，没有农村这一稳定的基础是不行的。" [27]

越来越显得迫切的"三农"问题，能否尽快得到解决，事关中国的未来，也事关大棋局的演变。

第三节
城乡失衡下的城镇化

城镇化是新一届领导层解决"三农"问题的新思路，而且领导层在城镇化问题上表现出很大的紧迫感。

一方面，严重的城乡失衡已经制约了中国经济的可持续发展。在城市经济的发展被房地产泡沫等因素困扰的情况下，迫切需要激活新的增长点来化解经济增长停滞的难题。同时，通过促进农村经济的发展，提高广大农民的购买力，以及消解日趋严重的产能过剩等难题，为工业经济打开新的增长空间。

另一方面，中国迫切需要一个新的海绵来吸纳超发的货币，化解货币超发等风险，为调结构争取时间。

问题在于：中国到底需要什么样的城镇化呢？

这是一个最基本也最重要的问题。

2013年6月30日，新华社发了题为《人大常委会委员痛批城镇化建设报告"贪大求快"》的报道。十二届全国人大常委会第三次会议在6月29日上午分组审议城镇化建设工作情况的报告时，不少委员认为，城镇化总体势头良好，但也存在一些盲目性："现在一些地方已开始把城镇化的指标层层下达、层层加码。有的地方把重点放在扩大城市规模、新增城市人口方面，认为城市的规模扩大了，开发强度增加了，大广场搞起来了，道路搞宽了就是城镇化。"

有委员提出，推进城镇化建设，要防范五大误区：一要防有"城"无"市"的过度城镇化，避免缺乏产业支撑使新市民变游民、新城变空城；二要防有速度无质量的城镇化，避免一哄而上搞"大跃进"，一味追求城镇化的高速度和规模扩张，陷入速度至上陷阱；三要防城镇化的"房地产化"，过度依赖土地财政，避免过高地价推高房价，陷入卖地财政陷阱；四要防地方政府以地生财，消灭村庄，大量农民"被迫上楼"，陷入掠夺式发展陷阱；五要防特大都市的"大城市病"，避免只重视"物的城镇化"而轻视"人的城镇化"。[28]

很显然，一些地方正在强力推进的城镇化，并非真正意义上的城镇化，而是大城市化。那么，决策者心中的城镇化到底是什么样子的呢？

李克强总理在他的论文中，曾非常详细地论述过这个问题。

他在《农村工业化：结构转换中的选择》和《论我国经济的三元结构》中指出：农村问题并不能简单地靠"农村人口向城市的流动"来解决，因为这会使城市传统部门恶性膨胀，"城市病"特征更加显著；也不能"依靠在城市中扩张工业部门"来解决，这"不仅是不可取的，也是不现实的"。

而乡镇企业在我国的迅猛发展，促进了小城镇的蓬勃兴起。乡镇企业自然地向原有的和近年来形成的以农村贸易为主的集镇集中，而这种集中又促进了集镇基础设施和社会服务事业的发展。

"已有的经验表明，基于主要依靠在农村就地转移劳动力、推动农村城市化的给定条件，只能通过进入农村工业部门来实现。因此，三元结构的形成是我国国民经济结构转换的唯一选择。"无论是从当前还是从长远看，城市工业部门显然是无力大规模容纳农村剩余劳动力的，因此，只能走发展农村工业部门的道路。"只有推进农村工业部门的发展，我国工业化的实现才是可能的。"而"结构转换的最根本问题之一，在于占我国人口80%的农村居民的现代化。如果没有人口不断较大规模地向城市转移，农村工业部门效率低下、技术落后、信息闭塞的特征就不可能根本改变"。

结论是：这就需要根据农村工业部门趋向于集中分布的产业特点，因势利导，使农村人口顺应自然地向小城镇集中，并不失时机地进行交通运输等设施的建设，逐步发展为中小城市。与此同时，农村工业部门的扩张必然会推动城市之间、地区之间商品经济的发展，促进包括劳务市场在内的市场体系的发育，从而使以产业进入农村工业部门的农村人口继续向现存的城市转移。我国中小城市发展不够，尤其在小城镇有了较大发展以后，这个问题更为突出。中小城市的发展，无疑给农村人口的转移提供了机遇。[29]

这种城镇化的发展思路给出了一个清晰的路线图：

> 乡镇企业发展→人口向小城镇集中→促进交通运输等设施建设→逐步发展为中小城市→继续向现存的城市转移

应该说，这种城镇化发展路线图，是非常符合中国国情的。

在新一代领导层提出城镇化观点后，有关部门提出的却是"正在准备打造10个城市群，将我国区域性城市群的数量提升至17个"；"在城镇化规划出台前期，有关城市群的角逐也显得日益白热化……城市群的发展是经济发展的结果，但同时，城市群还会带来很多问题，例如人口过度集中、交通拥堵等问题。"[30]

这种思路是继续发展大城市，通过大城市的进一步扩张带动城镇化的发展。这与领导层的思路是背道而驰的。

而且，这条路是走不通的。

中国过去的城镇化其实一直走的是"精英流动"路线，即农村或小城镇、小城市中的佼佼者、富人或人才精英等向大城市转移。普通的农民工变成市民，看上去很美，但仅仅住房一项，就把这些人拒之门外了。中国的高房价成为城市化道路上最高、最冷酷的一个门槛。大城市的房价更高，城镇化进行这样的定位是与现实相悖逆的。

而且，发达国家在城镇化过程中，由于土地私有化比例高，拥有土地的民众成为城镇化的最直接受益者。也就是说，城镇化伴随着民富，而中国的土地性质和土地政策决定着，城镇化达不到这样的效果，无法形成良性循环。

既然城市病[31]问题已经充分暴露，为什么有关部门依然喜欢把城镇化带回到以大城市为核心的城市化的老路上？

这是一个值得思考的问题。

下图为中国2000～2012年的城镇化率。

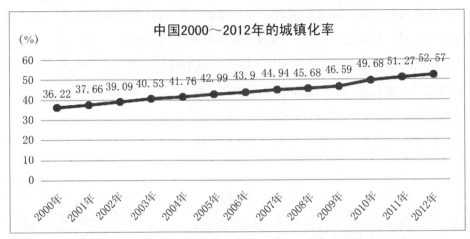

数据来源：国家统计局。

综观中国城市经济发展现状，均是以损害自身的环境质量和社会效益为代价的。城市经济发展引起了交通拥堵、环境污染严重等一系列问题。中国属于城市化后发国家，原本有机会借鉴各国的历史经验以避免城市病的发生，遗憾的是，我们非但未能如此，很多时候反而变本加厉。

以普遍拥挤的城市交通为例。在一些大城市中心地区，在2006年前后，机动车平均时速就已下降到每小时8～10公里。全国31座百万人口以上的特大城市，大部分交通流量负荷接近饱和，有的城市中心地区交通已接近半瘫痪状态。一些城市不得不采取小汽车分单双号行驶的措施。因城市交通不畅，运输效率下降，每年造成经济损失达数百亿元。[32]

研究者依据北京市交通发展研究中心发布的《2011北京市交通发展年度报告》做出的分析显示，交通拥堵让北京市每年损失1056亿元，相当于北京GDP的7.5%。[33]

至于雾霾对人体的危害，就更不用说了。

在北京，机动车排放的废气一氧化氮的水平，高出世界卫生组织空气清洁标准78%。同时，每天还有1000辆新车上路。[34]

2013年1月12日，北京市环保监测中心官网和官方微博公布的PM2.5浓度数值，很多地区达到700微克/立方米以上。受大雾影响，当天下午，北京南苑机场关闭，所有航班取消。大雾也影响了行车安全，追尾等事故明显增加。北京空气质量持续重度污染，呼吸道疾病和心血管疾病患者有所增加。医生表示，这种天气主要对患有慢性呼吸道疾病的病人有相当的影响，另外还包括感冒、发烧、咳嗽等患者。[35]

世界卫生组织发表在英国医学期刊《柳叶刀》上的一项研究显示，2010年，污染在中国造成了120万人过早死亡。[36]

一项比较研究显示，北京的空气污染程度远远超过了美国国家环境保护局对空气污染设置的上限，甚至比"9·11"刚发生后的纽约空气污染更为严重。[37]

对于这样的报道，很多人已经见怪不怪，习以为常。可是，如果对比一下欧美很多城市的PM2.5，它们的PM2.5数值很多都在15微克/立方米以下，这是否会让我们的内心隐隐作痛？

下表为纽约、伦敦、东京的大气污染物浓度对比。[38]

指标	纽约（2010年）	伦敦（2010年）	东京（2010年）
PM2.5（微克/立方米）	8.8	12	13.5

下图为美国首都华盛顿2000～2012年PM2.5指数（加权平均数）。从2011年起，已经降到了10以下，对比一下北京动辄300以上的数据，不是太"销魂"了吗？[39]

数据来源：U.S. Environmental Protection Agency。

国际上普遍采用环绕城市的绿带、嵌入城市内部的"绿楔"等措施美化城市，防止城市的无节制扩张。1898年，英国人霍华德就在其著作《明天——一条引向真正改革的和平道路》中，提出建设田园城市，强调在城市周围保留一定的绿带。1955年，英国剑桥城地方政府就考虑用绿带控制大面积建设用地的增长，保护城镇的特殊品质。英国在各地建成多个绿带。这些绿带对提升城市的宜居性无疑是有巨大帮助的[40]，而且，绿带也能作为城市居民紧急避险的安全地带。但在中国寸土寸金、日益功利化的今天，绿带少之又少，生态环境日趋严峻。

城市决策者所处的位置，决定着他的思维方式。无论是有关部门，还是在有关部门工作的人，都居住在城市，无形中，就会形成城市利益先导的思维。某种程度上，农民的利益诉求在这种决策过程中往往被忽略。我们知道，政策对资源具有强大的引领、配置作用。

在中国城市化的过程中，为什么大城市越来越拥堵？为什么人们都在涌向大城市？因为资源都集中在大城市，无论是好的学校、好的医院，还是便利的公共交通、相对完善和优质的社会保障体系，都集中在大城市。人们如果不向这些大城市集中，就无法享受这些资源，无法得到更好的工作机会和更高的工资回报。

因此，大城市的人越来越多。北京市统计局公布的数据显示，到2012年末，北京的常住人口已经达到2069万人，比2011年增加51万人左右。而据有关部门预测，到2015年，北京市常住人口数量将达到2300万人。到2020年，这一数据最高将达到2770.3万人。[41]

这直接导致中国人才等资源配置的严重畸形。由于北京等一线城市不断整合、汇集来自全国各地的资源，并且是最优质资源，所以也吸引人才向这里汇集。其他地方如果想吸纳人才，就必须给出更好的条件和更高的待遇，以弥补该地方与北京等一线城市在资源配置方面的差异——这种差异其实代表着一种福利。

资源的畸形配置也是导致北京等一线城市的房价持续上涨的根源。道理很简单，全国的人都在涌入北京，哪怕是雾霾都吓不退。这就是中国城市化过程中的独特现象。

不仅北京、上海这样的一线城市，省会城市同样集中了全省的优质资源，成为一省之中人口蜂拥而至的地方。这在导致中国的城市病越来越严重的同时，也造成了小城镇发展过程中的空心化问题。中国的城市化过程就像一条长长的食物链，处在最低端的扮演着输出资源的角色，这直接导致了城镇化过程中的空心化现象。

中国的房价从一线城市到二线城市一直往下，呈现出明显的阶梯状，正是中国城市化过程中资源配置过于畸形造成的。同样具有这种阶梯状特点的还有拉美等地，由于"这些国家政治权力与经济权力高度集中""上层统治者总是倾向于把政治中心同时打造成为经济中心"，而导致"大城市化""超大城市化"特点非常明显。[42]

而美国则没有如此明显的界线。比如，美国首都华盛顿无论是其经济发展水平、民众收入相对水平，还是其房价水平，在美国的地位都比不上类似我国北京、上海这样的一线城市在全国的地位。道理非常简单，美国联邦政府无权把全国的优质资源向首都汇集。

因此，房价由资源配置所形成的阶梯状，其实质是权力布局的阶梯状特征在房价上的投射。

问题是，这种状况会一直持续下去吗？能够一直持续下去吗？

按照北京市的资源、环境承受力，能够承担的极限人口是1800万人，2012年北京市的常住人口就已经达到2069万。

由于人口剧增，全北京市每天要消耗2.4亿度电、2400万立方米天然气、6.5万吨煤、2万吨汽柴油、1000万立方米水、9000吨口粮、1700吨猪肉、1000吨食用油、2.6万吨蔬菜；每天产生1.7万吨垃圾，排放400多万立方米污水。[43]

在这样的人口与环境承受力的扭曲关系下，不出现城市病是不可能的。仅以水资源为例，目前，北京市98%的水源靠外地调入。全市年均可利用水资源仅为26亿立方米，实际年均用水约36亿立方米，超出部分依靠消耗水库库容、超采地下水及应急水源常态化维持。如果人口持续膨胀，南水北调的水量将被快速增长的人口所吞噬。[44]

事实上，早在2005年，北京市水务局副总工程师刘培斌就明确指出："南水北调每年调水入京10亿吨，能在很大程度上缓解北京的用水需求。而按照发展规划，北京市2020年人口将增加到1800万以上，从人均的水资源占有量来说，增加了300多万人口。引入南水北调外来水后，人均占有量仍不足300立方米，相当于世界人均水资源占有量的1/30。北京还是处于缺水的状态。"[45] 而2013年，北京市常住人口已经达到2114.8万人，远远超过了2020年人口1800万的目标！缺水问题，将成为北京市未来发展的最大瓶颈之一。

下图为北京市2000～2013年常住人口增长情况。

数据来源：国家统计局。[46]

第四节

城镇化的挑战

欧洲工业化的经验告诉我们，就地城镇化是缓解城市病和劳动力流动压力的有效方式。美国也大抵如此，美国城市化主要依靠科学技术和经济发展推动，走的是内生型农村城镇化模式。美国是一个地方自治的国家，只要财政可以自理就可建镇，城镇数量较多，目前城镇达两万多个，城镇的发展更多地靠市场的力量配置。[47]

在美国人口普查局的人口统计中，人口达到2500人以上的居民点即为城市，不足2500人的居民点则为乡村。这里的城市（urban）不是政治意义上的城市（city），后者是一种法人资格，需要由州议会颁发特许状予以认可。[48]

这种机制显然有利于小城镇的发展。

为什么在德国、英国、法国、荷兰等欧洲国家，工业化没有引起小城镇的普遍衰弱和大城市的过分拥堵？很大程度上归结为制度所提供的平衡机制。以当时的英国为例，主要是以下因素促进了小城镇的全面发展：

一是不同城市间的资源及公共服务的同质性，一定程度上避免了由于区域失衡引起的大城市的过度拥堵和小城镇的没落；二是城市和农村城镇发展的一致性；三是城镇发展的多元化，使得小城镇的公共服务设施逐渐完善，小而全的发展方向使得小城镇能够成为一个独立运行的体系。因此，工业化期间，英国各城市之间的发展总体比较平衡。

结合中国国情，需要走就地城镇化的路线，以此代替劳动力从农村流向主要城市的单向流动，逐步实现乡、大中小城市资源和服务的同质性，推动小城镇的可持续发展。[49]

这不仅可以促进中国的城市化发展，也能有效地缓解中国的大城市病。其实，只要不再把资源过分地集中在大城市，而是比较均衡地分布，大城市的拥堵问题就可以逐渐缓解。

但是，高房价是中国城镇化的最大障碍。

中国社会科学院学部委员吕政先生撰文指出：高房价使进城务工农民难以转为市民，阻碍了城镇化的进程。通常认为户籍制度阻碍了城镇化，其实更主要的原因是农民难以承受转化为市民的经济成本。目前，农民工的月平均工资为2000元左右，在务工城市的生活费用平均占月收入的50%，再扣除春节返乡的路费，全年净收入也只有1万元左右，还要负担农村的妻儿老小。即使在原籍的县城购买每平方米价格为3000元的一套面积为80平方米的商品房，至少需要20年以上的积蓄。这是农民进城务工后难以融入城市，不得不继续保留农村宅基地和住房的主要原因。[50]

即使从全球范围内来看，大城市越来越不宜居，人们离开大城市中心向外发展，也是大势所趋。2009年，笔者应邀到美国访问的时候，看到一些乡镇建设得如花园一般，道路通畅，阳光明媚，非常温馨，也难怪巴菲特这样的大富豪选择在奥马哈这样一个小镇生活了。

巴菲特的解释很简单："这是我成长的地方，城市的人民对我很友好，这里有我熟悉的社区，而且没有大城市的喧嚣和浮躁。对我来说，在奥马哈生活和在纽约或是旧金山生活，没有什么太大的差异。"[51]

事实上，自20世纪70年代以来，美国城市发展进程出现了非都市区的发展速度超过大都市区[52]的现象，即人口从大城市流向郊区或中小城市，或从城市流向城镇。布赖恩·贝里在其主编的《城市化与逆城市化》一书中，称这种现象为"逆城市化"，并认为逆城市化代表了美国城市发展的一种新趋向。[53]

不仅美国，欧洲一些发达国家在同期也出现了中小城市人口增长速度超过大城市，特别是特大城市地区的现象。原因有以下几个。

一是由于以技术密集为标志的新兴工业迅速增长，工业发展对生产区的要求与过去工业化时期的传统工业部门不一样，开始向中心城市以外扩散。生产布局的变化引起人口分布的变化。二是城市的过度集中使聚集不经济因素滋生，既不利于生活也不利于生产，从而引起产业和人口的反方向运动。三是生活水平提高和年龄结构老化，促使人们更加追求高质量的生活居住环境，追求低密度和小规模，促使人口分散。四是现代化的通信、交通工具的快速发展为城市人口扩散提供了技术上的保障。[54]

通过对比不难发现，现在中国走的城镇化路线，应该是以就地城镇化为主导的城镇化，而不是以大城市为主导的城市化。虽然只有几个字的差别，却是方向性的问题，代表政策对资源配置的深刻影响。说得再明白点，代表资源从向大城市的过度集中，变成逐渐给予小城镇同等的待遇，通过公共产品的同质化，逐渐缩短城乡差距，改善乡村的生活质量。

也可能正是由于这些方面的分歧，导致城镇化规划的出台一再推后。

2013年11月15日发布的《中共中央关于全面深化改革若干重大问题的决定》提

出："推进以人为核心的城镇化……促进城镇化和新农村建设协调推进。"显然，这是新农村建设和城镇化两种思路结合发展的结果。[55]

但无论是新农村建设还是城镇化，都必须解决农民在资源分享方面的权利问题，尤其是土地问题。

在中共十八届三中全会召开前夕，作为中国官方高层智囊机构的国务院发展研究中心首次向社会公开了其为十八届三中全会提交的"383"改革方案总报告全文。在土地制度改革方面，报告提出：在规划和用途管制下，允许农村集体土地与国有土地平等进入非农用地市场，形成权利平等、规则统一的公开交易平台，建立统一土地市场下的地价体系……在集体建设用地入市交易的架构下，对已经形成的"小产权房"，按照不同情况补缴一定数量的土地出让收入，妥善解决这一历史遗留问题。[56]

在2013年11月15日发布的《中共中央关于全面深化改革若干重大问题的决定》中规定："在符合规划和用途管制前提下，允许农村集体经营性建设用地出让、租赁、入股，实行与国有土地同等入市、同权同价。缩小征地范围，规范征地程序，完善对被征地农民合理、规范、多元保障机制。" [57]

这些规定，在土地制度方面有比较大的突破。关键在于，在实际执行过程中，能否真正让农民得到实惠，众所周知，由于改革必然触动一部分人的利益，也必然会引发一些制约。

以"小产权房"为例，在"383"改革方案公布后不久，有关部门就立即出台了与其构想完全不同的反制措施。

2013年11月22日，国土部和住建部联合发布《关于坚决遏制违法建设、销售"小产权房"的紧急通知》，要求各地坚决遏制一些地方出现的违法建设、违法销售"小产权房"问题。该通知强调，建设、销售"小产权房"，严重违反土地和城乡建设管理法律法规，不符合土地利用总体规划和城乡建设规划，不符合土地用途管制制度，冲击了耕地保护红线，扰乱了土地市场和房地产市场秩序。建设、销售和购买"小产权房"不受法律保护，影响了新型城镇化和新农村建设的健康发展。要坚持依法依规，严格执行土地利用总体规划和城乡建设规划，严格实行土地用途管制制度，严守耕地红线，坚决遏制在建、在售"小产权房"行为。[58]

11月24日，国土资源部、住房和城乡建设部联合召开坚决遏制违法建设、销售"小产权房"问题视频会，要求各地立即行动，采取切实有效的措施，依法加大查处力度，认真落实好监管责任，做到有令则行、有禁则止。坚决叫停在建、在售"小产权房"的违法违规行为。不仅不能让违法者得利，还要让他们付出代价。既要处理问题，还要依法依规追究有关人员的责任。[59]

根据媒体的报道，截至目前，全国"小产权房"的总量或已超过70亿平方米，如果按每套100平方米来计算的话，相当于有7000万套小产权房。[60]

笔者无法找到官方发布的有关"小产权房"的确切数据。如果上述数据属实，假如"小产权房"通过"补缴一定数量的土地出让收入"获得合法的身份，进入交易市场，那么其对房地产市场的冲击是显而易见的，高房价泡沫瞬间被引爆几乎是可以确定的事情。

也因此，有关部门才如此紧张。问题是，"小产权房"之所以有市场，乃是高房价催生的结果，人们在明知"小产权房"不合法、存在风险的情况下，依然购买，只能说明民众的无奈。面对如此大面积的小产权房，如果解决不妥当，很容易引发矛盾和冲突。

但是，我们必须认识到，如果把日益严重的城乡失衡问题与三农问题结合起来，就能清晰地感觉到其紧迫性。在城乡之间二元结构还没有得到根本改变的同时，城镇内部"二元结构"现象又在显现。后者既包括城镇居民与进城农民工及其家属之间在生产生活条件上形成的差异，也包括城镇历史遗留的棚户区困难群众与大多数市民之间在居住条件上的差异。[61]

此间的紧迫性在于，城镇化是一个较为漫长的过程，而三农问题的解决是迫在眉睫的问题，要在短期问题和大的发展方向上找到一种平衡是非常困难的。时间越来越紧迫，而在这种纠结中，一些机会也在慢慢溜走。

这就是趋势的规律。无论对于哪个国家，一些规律都是很难改变的。为什么经济有"繁荣、衰退、萧条、复苏"的轮回？就是由于经济规律一旦发生作用，人为的因素是很难改变其运行轨迹的。2013～2015年这个阶段的纠结，就是由此导致的结果。

从2013年开始，无论是决策者，还是普通民众，都对城镇化寄予了极大的期望。

但是，由于种种条件的限制，再像2008年推出4万亿救市计划时那样推动城镇化已经没有可能性，而必须是理性的、自然的推动。

城镇化的推动，需要三个条件，或者三股力量：其一，资金；其二，土地；其三，动力。

我们分别比较一下：

2013年12月的中央经济工作会议，提出了2014年经济工作的主要任务。其中第一条就是："切实保障国家粮食安全。必须实施以我为主、立足国内、确保产能、适度进口、科技支撑的国家粮食安全战略。要依靠自己保口粮，集中国内资源保重点，做到谷物基本自给、口粮绝对安全。坚持数量、质量并重，更加注重农产品质量和食品安全，注重生产源头治理和产销全程监管。注重永续发展，转变农业发展方式，发展节水农业、循环农业。抓好粮食安全保障能力建设，加强农业基础设施建设，加快农业科技进步"。

这也就意味着，城镇化不是房地产化，不是买卖土地，而是在严格确保"国家粮食安全战略"的前提下进行。这一条，从土地层面打消了那些试图利用城镇化搞投机的人的幻想。

第二条"大力调整产业结构"和更为重要的第三条"着力防控债务风险"，是对债务危机的前所未有的重视，因为这是在中央经济工作会议上第一次将此项作为重点单列出来。

其中提到："要把控制和化解地方政府性债务风险作为经济工作的重要任务，把短期应对措施和长期制度建设结合起来，做好化解地方政府性债务风险的各项工作。加强源头规范，把地方政府性债务分门别类地纳入全口径预算管理，严格政府举债程序。明确责任落实，省区市政府要对本地区地方政府性债务负责任。强化教育和考核，从思想上纠正不正确的政绩导向。"

这也就意味着，城镇化不是资金的无节制投放，债务风险的加大已经不允许这样做。这就从资金层面对很多人预期的城镇化进行了矫正——是自然的城镇化。

这次中央经济工作会议还特别强调"要全面认识持续健康发展和生产总值增长的关系，不能把发展简单化为增加生产总值"。[62] 中组部印发的《关于改进地方党政领导班子和领导干部政绩考核工作的通知》规定，今后不能只把GDP和增长率作为政绩评价的主要指标。这将在一定程度上削弱地方政府盲目投资的动力。[63]

这样，从资金、土地和动力三个层面，使得这届政府推动的以人为本的城镇化，与人们想象中的城镇化是有区别的。当然，这也意味着，城镇化是一个自然的过程，而非刺激经济的一个环节。这实际上是经济决策的理性回归。

注　释

[1]Joseph E.Stiglitz.The Price of Inequality：How Today′s Divided Society Endangers Our Future[M].W W Norton & Company Incorporated, 2013.

[2]埃德加·M.胡佛.区域经济学导论[M].北京：商务印书馆, 1990.

[3]苏枫.2000年西部大开发：撬动"东强西弱"格局[J].小康, 2013（2）.

[4]于祥明.西部大投资继续加码，改革红利值得期待[N].上海证券报，2013-08-27.

[5]刘生龙、王亚华、胡鞍钢.西部大开发成效与中国区域经济收敛[J].经济研究，2009（9）.

[6]李并成.西部大开发中甘肃生态环境保护和建设方向的若干思考[J].社科纵横，2001（3）.

[7]严力蛟、陈国林.试论西部大开发中的生态环境保护[J].水土保持通报，2002（1）.

[8]张仁开.美国西部大开发对我国有哪些启示[J].科学决策月刊，2006（1）.

[9]屠国玺、马俊.谁在助推西部中小城市房价猛涨[N].经济参考报，2007-11-14.

[10]张一鸣.中西部成房价上涨主力[N].中国经济时报，2011-08-19.

[11]Barry J.Naughton.The Chinese Economy：Transitions and Growth[M].Massachusetts：MIT Press，2006.

[12]郝小红、董玉虎.论新农村建设中农民的经济权利保障[J].经济问题，2007（1）.

[13]顾立林、谢登科.万宝瑞代表：新农村建设要消除三个新"剪刀差"[OL].中央政府门户网站转引新华社报道，http://www.gov.cn/ztzl/2006-03/11/content_224896.htm，2006-03-11.

[14]戴敦峰.中国遭遇20年来首次"民工荒"[N].南方周末，2004-07-15.

[15]杨云善.中国农民工问题分析[M].北京：中国经济出版社，2005.

[16]宋士菁.评析美国的农业补贴政策及其对中国的借鉴[J].世界经济研究，2003（2）.

[17]冯涛.经济发达国家农产品价格支持政策的比较[J].湖北经济学院学报，2006（5）.

[18]韩俊.中国经济改革30年：农村经济卷（1978-2008）[M].重庆：重庆大学出版社，2008.

[19]芦珊.《半月谈》寻找探路人[J].半月谈，2010-11-19.

[20]奚洁人.科学发展观百科辞典[M].上海：上海辞书出版社，2007.

[21]执政中国·十年足迹：取消农业税，亿万农民得实惠[OL].中央政府门户网站，http://www.gov.cn/jrzg/2012-08/08/content_2200266.htm，2012-08-08.

[22]一种与农产品生产、价格不挂钩的固定补贴，政府以农民预先确定的作物面积和产量为基础对具体商品提供一种固定的补贴。

[23]政府预定一个农产品的销售价格，并以此价格贷款给农民，农民收获后如能在市场卖到这个价格，政府就不给予补贴。如农民的卖价低于此预定价格，二者之差就是政府给予农民的补贴。

[24]农民在收获后的10月份可得到上限为35％的计划支付，待翌年2月份可再得35％的支付，到12个月的市场运销结束后结账。当农产品的实际有效价格低于政府确定的目标价格时，政府向农民提供反周期补贴。该补贴与市场价格成反向运动，当农产品价格下跌时补贴增加，反之则减少。反周期波动补贴保证了农民的收入水平，也意味着政府为农民分担了生产风险，刺激农产品出口。

[25]陈亚东.美国农业补贴立法与我国的对策选择[J].农村经济，2005（7）.

[26]贺雪峰.新农村建设中的六个问题[J].小城镇建设，2006（3）.

[27]邓小平.邓小平文选第三卷[M].北京：人民出版社，1993.

[28]人大常委批评部分地方城镇化报告盲目地贪大求快[N].扬子晚报（转引新华社报道），2013-06-30.

[29]厉以宁、孟晓苏、李源潮、李克强.走向繁荣的战略选择[M].北京：经济日报出版社，1991。引文中数据皆为当时数据。

[30]原金.城镇化规划呼之欲出，发改委证实再造10个城市群[N].每日经济新闻，2013-07-12.

[31]城市病是指在城市化迅速推进、城市迅速发展壮大的同时，带来的诸如交通拥挤、环境污染严重、资源浪费、贫困、高失业率和犯罪率、住房和财政危机等问题。

[32]徐传谌、秦海林.城市经济可持续发展研究："城市病"的经济学分析[N].税务与经济，2007（2）.

[33]李禾.交通拥堵造成的损失有多大[J].南国博览，2013（4）.

[34]Michael T.Klare.Rising Powers，Shrinking Planet：The New Geopolitics of Energy[M].New York：Metropolitan Books，2008。这是2008年前的数据。2010年，北京全年新增机动车81万辆，平均每天有2219辆新车上路。北京从2011年实行摇号限牌，当年，北京净增机动车17.4万辆，平均每天有476.7辆新车上路。

详见：田钰滢.北京将继续实行摇号限购 年阻挡60万辆新车上路[OL].新华网，http://news.xinhuanet.com/politics/2012-07/02/c_123358152.htm，2012-07-02.

[35]尹亚飞.北京极重污染，空气监测点"爆表"[N].新京报，2013-01-13.

[36]Michael Riordan.Don't Sell Cheap U.S.Coal to Asia[N].The New York Times，2014-02-12.

[37]Emily Brill.Is the Air Quality in Beijing Worse Than Ground Zero's After 9/11？[N].The New York Times，2013-09-11.

[38]北京市发展和改革委员会.首都经济发展形势和转型升级[R].北京市发展和改革委员会，2013年9月。

[39]不知道为什么，每当看到这么高的PM2.5，总是忍不住想起杜牧的诗作《清明》：清明时节雨纷纷，路上行人欲断魂。

[40]汪亚玲."绿带"规划的经济分析[J].现代城市研究，2004（8）.

[41]秦玥.2300万压顶，北京人口疏散多重受制[N].中国经营报，2013-02-02.

[42]苏振兴.拉美国家社会转型期的困惑[M].北京：中国社会科学出版社，2010.

[43]北京市发展和改革委员会.首都经济发展形势和转型升级[R].北京市发展和改革委员会，2013-09.

[44]李松涛.我国城市病进入集中爆发期，GDP与幸福感背道而驰[N].中国青年报，2010-10-08.

[45]陈琳.南水北调进京不能从根本上解决北京缺水状态[N].竞报，2005-07-08.

[46]该数据是经过四舍五入保留整数位的数据。

[47]高强.日本美国城市化模式比较[J].经济纵横，2002（3）.

[48]孙群郎.20世纪70年代美国的"逆城市化"现象及其实质[J].世界历史，2005（1）.

[49]蒋尉.欧洲工业化、城镇化与农业劳动力流动[N].社会科学文献出版社，2013.

[50]吕政.论高房价对国民经济的严重危害[N].中国经济时报，2013-09-16.

[51]朱宁.打造提升幸福感的城镇化[J].财经，2013-03-19.

[52]大都市区在美国是指一个达到一定人口规模的中心城市以及与之有着密切的社会经济联系的郊区县组成的共同体。

[53]Brian Joe Lobley Berry.Urbanization and Counter Urbanization[M].Sage Publications，1976.

[54]杨建军.关于逆城市化的性质[J].人文地理，1995（1）.

[55]新华社.中共中央关于全面深化改革若干重大问题的决定[OL].中央政府门户网站，http://www.gov.cn/jrzg/2013-11/15/content_2528179.htm，2013-11-15.

[56]辛省志，彭美，刘佳等.国务院发展研究中心"383"方案总报告全文公开[N].南方都市报，2013-10-27.

[57]新华社.中共中央关于全面深化改革若干重大问题的决定[OL].中央政府门户网站，http://www.gov.cn/jrzg/2013-11/15/content_2528179.htm，2013-11-15.

[58]夏妍.两部委叫停"小产权房"[N].国际金融报，2013-11-25.

[59]陈仁泽.让"小产权房"违法者付出代价[N].人民日报，2013-11-25.

[60]夏妍.两部委叫停"小产权房"[N].国际金融报，2013-11-25.

[61]李克强：在改革开放进程中深入实施扩大内需战略[J].求是，2012（2）.

[62]中央经济工作会议在北京举行[N].人民日报，2013-12-14.

[63]刘诗平，李延霞.解读中央经济工作会议：纠正GDP崇拜，从根上防控债务风险[OL].新华网，http://news.xinhuanet.com/fortune/2013-12/20/c_118640925.htm，2013-12-20.

第9章
大纠结：中国的2013～2015（下）

第一节
鲜为人知的真相

从大棋局的角度来看，这个阶段是最纠结的一段时期，纠结是因为：一、过去的很多问题都累积到了现在，而且到了非解决不可的地步；二、解决的难度越来越大，阻力越来越大；三、时间越来越紧迫，而相关的决策和有关部门以及地方政府的执行力跟不上中央所需要的紧迫性，容易导致一些问题在纠结中继续搁置。

这实际上意味着趋势的演变，悬念越来越小，趋势的脉络越来越清晰和明确。

在所有令人纠结的问题中，房地产或许是最纠结的一个。

从外部因素来看，美国收紧货币政策，全球资金逐步回流美国，导致其他经济体越来越明显地感受到经济调整的压力。

从内部因素来看，长年累积的巨大泡沫使得房地产成为中国经济中最大的"堰塞湖"之一。而在新的周期中，又适逢中国经济步入调整期、还债期和债务压力三种因素叠加的高风险期。在内外交织的影响之下，房地产能够独善其身吗？

这个问题的答案几乎无须再用文字来表达。

当寒冬到来，对一个经济体而言，房地产不仅难以带来温暖的安慰，还可能成为雪上加霜的落井下石者。2013～2015年，将是中国房地产站在辉煌的光环中黯然谢幕的阶段，在这个阶段将完成筑顶的辉煌瞬间并为惨烈的下跌做好充分的准备。

鉴于房地产之于中国经济趋势发展的重要性，我们有必要从源头把这个问题看清楚，找到源头，才能知道趋势将向何处延伸。

进入2013年以后，房地产调控的说法渐渐被淡化。而在长达约2万字的《中共中央关于全面深化改革若干重大问题的决定》中，有关房地产问题的表述字数也非常之少（接下来再做分析）。

要弄清楚中国房价的趋势，我们首先必须清楚地了解房地产在中国经济发展中的地位——这种地位意味着房地产在政策主导的资源配置中所占的份额，也决定着房价的趋势。

在中国的房地产政策中，有两个时间节点必须特别予以重视：一是1998年的房改，二是2003年的房改。这两次房改对中国的房价和中国的经济增长模式起到了极其关键的作用。

中国住房问题的症结到底在哪里？

这是一个必须要弄清楚的问题。

1949年新中国成立以后，中国政府实行住房公有制，政府独自承担为城市居民提供住房的责任（世界银行的数据显示，在1980年以前，超过90%的住房投资来自政府预算）。地方政府和单位从国家预算中获得住房投资，然后建造公房，分配给职工。住房对职工而言，是一项权利，是一项福利安排，城市居民仅仅象征性地缴纳房租。这个阶段，大量私房被没收充公，或者受到严格限制。到1976年，在大多数城市中，私房的比例已经下降到10%。

但随着城市人口的增长，住房投资和供应跟不上需求。于是，从20世纪70年代后期开始，中国政府尝试调整住房政策。改革的目标是将住房从国家完全负担转变为一种由中央政府、地方政府、单位，以及最为重要的家庭和个人之间共同分担的模式。到了1988年，国家（中央和地方政府）在住房投资中仅承担了16%（即从90%猛降到16%），单位则承担了接近52%的投资比例；到1997年，单位投资所占比例提高到了67.7%。[1]

1988年1月，全国首次房改工作会议召开，会议形成了《国务院住房制度改革领导小组关于在全国城镇分期分批推行住房制度改革的实施方案》。国务院于当年2月下旬正式签署了这个方案，下达了《国务院关于印发在全国城镇分期分批推行住房制度改革实施方案的通知》。这是第一个用于指导全国范围内住房改革的方案，它宣布将房改正式纳入中央和地方的改革计划，提出要从1988年起，用3~5年时间，在全国城镇分期分批把住房制度改革推开。[2] 这一方案的出台标志着中国全面住房改革的开始，标志着住房制度改革从试点到在所有城市全面推进的一个转折点。[3]

但是，这次的房改因缺乏可行性并没有推进下去。1991年，政府新出台的房改政策提出全面推进住房公积金制度。这一制度建立的最初动因，是国家要搞住房商品化改革，但住房建设资金短缺，于是强制性从职工的工资中抽取5%，单位补贴5%，归集为公积金资金池，用于发放住房建设贷款。[4]

1994年，国务院又发文全面推广住房公积金制度，涵盖了全国县级以上城镇机关、事业和国有企业单位和职工。显然，一方面，国家想通过这种大面积的覆盖，汇集解决住房问题的资金；另一方面，这部分人群又是住房市场的消费主体。这样，就从资金和消费两个环节，带有"强制性"地促进了房地产的发展。

但这项制度一直到今天，还饱受争议。有研究者指出：每年全国约有1亿人缴纳住房公积金，缴存总额已达4万亿元，除去公积金贷款，余额达2万多亿元；预计到"十二五"期末，缴存总额将达到6.69万亿元，余额达到3.58万亿元。这是一个天文数字。但在公积金缴存者中，富者不屑于公积金贷款，而贫者无力买房，得不到公积金贷款，还为他人输血。政府强制收取公积金，却还要收取保护费，逻辑难以说通。[5]

事实也的确令人不能不质疑。近20年来，住房公积金制度被推广至全国各地。虽然缴纳公积金的是企业和个人，但这笔钱却长期掌控在政府、银行手中。公积金成了一种怪异的混合体。从属性讲，它姓私，但从管理上，却由挂靠在政府部门的事业单位管理，而且是多头管理。1999年4月《住房公积金管理条例》的颁布，以立法的形式确立了住房公积金的三方共管模式：住房建设部获得公积金代管权；财政部获得公积金增值收益支配权；央行则监管公积金的存贷利差和金融活动。显然，这是部门利益博弈的结果。

至今，全国各地已成立了384个住房公积金中心，还有数十个不受"属地化管理"约束的铁道、石化、煤炭、航空、电力等行业自己的公积金中心。实际操作中，许多地方政府把公积金结余作为财政小金库，进行侵占、挪用、贪污等。主管部门对公积金的使用方向，存在"以公权侵犯私权"之嫌。[6]

经济学家华生直言不讳地表示，住房公积金制度不是修改的问题，而是早该废除。[7]

除了这些改革，还有更为重要的一项改革，那就是土地政策调整——这项改革成为引发此后一系列决定中国经济趋势改革的基础。

为了给中国房地产市场的发展拓展空间，1988年，全国人大对国有土地管理条例进行修订。当年4月，全国人大修改《宪法》，增加了"土地使用权可以依照法律的规定转让"内容，国有土地使用权出让由此合法化。1989年5月12日，国务院《关于加强国有土地使用权有偿出让收入管理的通知》规定，国有土地使用权有偿出让收入中的40%上缴中央财政、60%留归地方财政。不论是上缴中央财政，还是留归地方财政的收入，主要用于城市建设和土地开发。

1989年9月26日，财政部《国有土地使用权有偿出让收入管理暂行实施办法》规定，对土地使用权有偿出让收入，当地政府可"先留下20%作为城市土地开发建设费用，其余部分40%上交中央财政，60%留归取得收入的城市财政部门（1992年，中央对土地出让金的分成缩小为5%，其余的归地方政府）"。[8]

1990年5月，国务院颁布了《中华人民共和国城镇国有土地使用权出让和转让暂行条例》。"按照这部条例，农民无权将土地卖给他人，城市政府却被允许以国家的名义获得土地使用权并出售给房地产发展商。地方政府和中央政府是土地出让的主要受益者。这一新政策促进了房地产市场的发展，成为城市住房商品化和产权市场建立过程中的一个重要推动因素。"[9]

相关土地法律实际上是赋予了政府在土地方面的垄断权，使得政府在集体土地征用和国有土地出让中完全处于垄断地位，从而可以运用"剪刀差"的方式，通过极低的征地补偿费将集体土地征收为国有后，再以高出征地补偿费几倍甚至几十倍的价格出让土地。地方政府由此获取了巨额的土地出让收入。而这些资金并未纳入本级财政收入，从而成为一些地方盲目扩大城市建设规模和城市政绩工程、形象工程的主要资金来源。[10]

从中国住房改革路线图不难看出：

政府为了解决住房问题，先是把住房责任转给单位，然后从单位转给个人，最后通过公积金制度转给市场、社会。这也意味着，在政策设计层面，从房地产建设和消费两个层面，为房地产业的高速发展创造了条件。

同时，各级政府又通过把农民的土地集结在政府手中的办法，获取了土地增值的部分。1990年正式推出的城市土地有偿使用制度，使地方政府，特别是城市政府"一夜暴富"，一举扭转长期以来城市服务欠账累累、基础设施建设入不敷出的尴尬局面，开始了世界城市发展史上前所未有的高速城市化进程。[11]

政府通过卖地既为自己扩大投资积累了资金，又解决了房地产开发的土地问题，同时，又为分税制改革打下了基础。

不难看出，房地产改革的过程，从某种程度上来说，也是政府转移住房责任的过程。

然而，中国住房问题的根源却是政府未能尽到应有的责任。1958~1978年，住房改革被纳入国家议程之前，中国的住房投资在基本建设投资中的比例一直都没有超过8%，而其他国家，像日本、苏联、美国、法国等，在住房方面的投资都占到其总的基本建设资金的15%～30%。相比之下，中国在住房投资方面的不足是显而易见的。正是政府在住房投资方面的不足，直接导致了城市居住条件的恶化和严重的住房短缺。[12]

公开数据显示，1949～1978年，我国在住房方面的总投资仅为343亿元，仅占同期基本建设投资的5.8%；同期年均住房投资12.7亿元，仅占GDP的1.5%。住房投资不足造成住房严重短缺。1978年年末，全国主要城市的住房短缺面积已经超过10亿平方米，人均居住面积甚至从建国初期的4.5平方米下降到了3.6平方米。[13]

相比之下，1981年，英国直接用于住宅投资和补贴的资金超过了55亿英镑，另外还有10亿英镑用于对住宅业主的税收减免。[14]

下图为1958～1978年中国基本建设投资、住房投资及其占基本建设投资的比例。

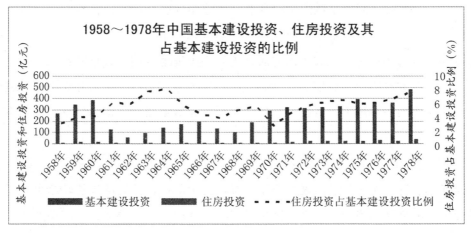

数据来源：《中国统计年鉴》。

显然，财政在住房民生方面投入的严重不足，是造成住房问题的原因之一。在这种情况下，财政应该增加对住房的投资，在弥补自身公共责任的前提下进行改革，即政府、企业和家庭、个人所承担的责任同时增加。但是，几乎每次房改的理由，都被归结为政府负担过重，民众在住房中所承担的责任过少。

于是，房地产改革实际上走的是政府去责任化的改革，政府在住房民生中的投资越来越少，并逐渐完成角色的转换，从住房责任的承担者变成房地产市场化的受益者——通过两条路径：一条是税费，一条是土地出让。住房改革以去责任为主线，又逐渐将企业这个环节去掉，最终变成了基本由民众承担住房责任。这必然为后来的一系列问题埋下伏笔。

第二节
改变国人命运的房改（上）

1998年的房改，随着国务院在当年7月3日颁发的《关于进一步深化城镇住房制度改革加快住房建设的通知》正式拉开序幕。

这次改革的核心是：从1998年下半年开始停止住房实物分配，逐步实行住房分配货币化；建立和完善以经济适用房为主的多层次城镇住房供应体系；发展住房金融，培育和规范住房交易市场。

这次房改的实质是住房的货币化改革。

有媒体评论说，这份后来被看作房改纲领的23号文，正式开启了以"取消福利分房，实现居民住宅货币化、私有化"为核心的住房制度改革。在新中国延续了近半个世纪的福利分房制度寿终正寝，"市场化"成为了住房建设的主题词。[15]

当时的改革背景是什么呢？

1998年，适逢亚洲金融危机不断扩散，中国经济实现了"软着陆"，但经济增长处于低迷状态。为抵御亚洲金融危机影响，使中国经济走出低谷，中国政府启动了住房市场化改革来改善城市居民居住条件，带动房地产业发展，进而拉动中国经济增长。[16]

显然，1998年的这次住房改革被赋予了双重目标：

一是通过住房的货币化、市场化改革，解决住房难题。决策者希望通过深化住房改革，将个人推向住房市场，将个人消费导向住房投资，以便消化市场中的空置房。二是使房地产成为国民经济发展的新增长点。住房改革被赋予了推动经济增长的战略目标。[17]

那么，这次至关重要的房改对于民众而言，对于中国的房价走势而言，最重要的一点是什么呢？

是它确立了新的多层次的住房供应体系。

即"对不同收入家庭实行不同的住房供应政策。最低收入家庭租赁由政府或单位提供的廉租住房；中低收入家庭购买经济适用住房；其他收入高的家庭购买、租赁市场价商品住房。"这一设想兼具了效率和公平。

根据当时的收入标准来划分：最低收入家庭约占10%——廉租房；中低收入家庭约

占80%——经济适用房；高收入家庭约占10%——商品房[18]（如下图所示）。

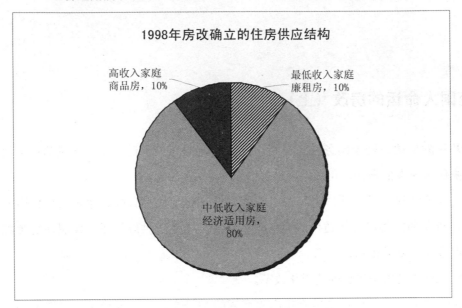

也就是说，在1998年房改所确立的住房供应体系中，经济适用房是绝对的主体。那么，经济适用房的售价大概是多少呢？

《关于进一步深化城镇住房制度改革加快住房建设的通知》是这样规定的：

"停止住房实物分配后，房价收入比（即本地区一套建筑面积为60平方米的经济适用住房的平均价格与双职工家庭年平均工资之比）在4倍以上，且财政、单位原有住房建设资金可转化为住房补贴的地区，可以对无房和住房面积均未达到规定标准的职工实行住房补贴。"

很显然，这种房价收入比的标准，是大多数家庭所能接受的，是非常合理的。它既不会过度增加民众的住房负担，又能在政府减负的情况下推进住房的货币化进程，无论是对政府还是对民众而言，都是比较合理的政策设计。事实上，在1998年，新增的住宅中，经济适用房占到70%。[19] 在当时的条件下，政府做到这一步，显然已经做出了努力。

由于经济适用房为住房供应主体，房价涨幅很小。根据中国社科院蓝皮书报告，1998～2003年，全国商品住房每平方米的价格总共只增加了343元，2003年的房价大约是普通家庭收入的4～5倍，比较符合家庭承受能力。[20]

整体上来看，1998年房改还是比较符合中国国情的，并且，较之以往的房改，也的确成效明显。除了政府增加经济适用房供应的原因，还有另外的原因：自1995年之后，在非国有企业中工作的工人在数量上已经超过了国有企业职工。越来越多的家庭开始需要在传统的福利分房制度外（也就是通过住房市场）来解决自己的住房问题。23号文将1999年1月定为停止福利分房的最后期限，给许多还在犹豫是否买房的人打了强心针，同时也给企业单位提供了一段缓冲时间来以补贴的价格将所有待分配的住房分配给职工。事实上，为了让尽可能多的人赶上"末班车"，许多地方政府并没有在国务院确定的最后期限前停止分房。例如，北京市到2000年年底才最后停止福利分房。[21] 这种政策上的灵活性，虽然让一些单位搭了福利分房的末班车，但也使得这次房改减少了很多阻力。

1998年房改所设计的住房供应安排，在很大程度上是借鉴了新加坡的做法。

根据微观经济学的理论，商品的价格弹性越小，需求的相对变化越少。美国经济学家李奥的研究表明，住宅需求的收入弹性为0.6～0.9，小于1，说明住宅是一种必需品，缺乏弹性，一旦人们需要住房，价格的影响作用较小。[22] 这就需要政府在住房保障方面承担起更多的责任，并做出更合理的规划。

新加坡是一个多种族的移民国家，国土面积仅有699.4平方公里[23]，却居住着448万常住人口，人口密度很大。在建国初期1959年自治时，新加坡面临着严重的"屋荒"。恶劣的住房条件导致公共卫生状况恶化和一系列社会问题，成为社会不稳定的重要因素。[24]

为了解决庞大的无住房人口与城区贫民窟有可能引发的严重社会与政治问题，并进行内城改造，新加坡政府在1960年成立建屋发展局（HUD，是一个独立的非营利机构），以积极地推动新市镇发展计划。这个计划预计在1961～1970年的两个"五年计划"中，兴建11万个住房单元，主要用来应对原本14.7万户的新住房需求，并将新加坡人口的70%迁移至建屋发展局在中心区外环所兴建的新市镇之中。

1964年，新加坡又提出了"居者有其屋计划"。为了实现这个计划的理念，建屋发展局推出了"公共住屋计划""住房房地产计划""多代同堂家庭优先配售计划""组屋订购制度"等多项制度，以提高居民的住房所有率。[25]

在初期，新加坡的住房供应体系中，约80%的人居住在类似中国经济适用房的组屋内，15%的人居住在类似中国廉租房的保障房内，只有5%的人购买商品房（如下图所示，见246页）。

新加坡政府在建造组屋方面投资巨大，年度投资总额从1987年的14亿美元（相当于新加坡当年全部资本总额的21%和GDP的7%），增加到1990年的77亿美元（相当于当年全部资本总额的28%和GDP的9%）。[26]

同时，新加坡政府严格控制土地资源，为组屋建设提供了强有力的土地、资金保

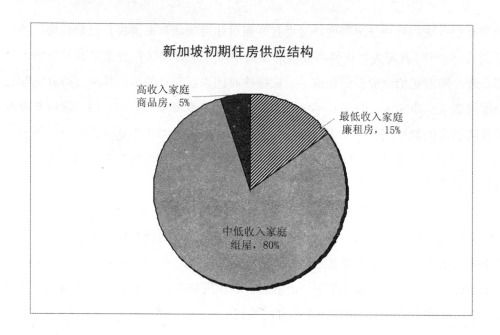

障。1966年，新加坡政府颁布了《土地征用法令》，规定政府有权征用私人土地用于国家建设，并有权调整被征用土地的价格。根据该项法令，新加坡政府协助建屋发展局以远低于市场价格的价格获得开发土地，保证了大规模建设组屋所需的土地。

为搞好组屋的合理配售，保障低收入家庭的合法权益，新加坡政府制定了缜密而严格的法律法规，对购买人条件、购买程序、住宅补贴等均做出严格规定，按照公平原则进行合理分配，基本保证了80%以上中等收入的家庭能够购买到廉价的组屋。

同时，新加坡政府还采取了一系列措施严格限制炒卖组屋的行为。规定：新的组屋在购买5年之内不得转售，也不能用于商业性经营；如果实在需要在5年内出售，必须到政府机构登记，不得自行在市场上出售；一个家庭只能拥有一套组屋，如果要再购买新组屋，旧组屋必须退出来，以防投机多占，更不允许以投资为目的买房；所有申请租住组屋的人都需要持有有效期内的新加坡工作许可证或相关签证；等等。由于严格执行了上述措施，新加坡政府有效地抑制了"炒房"行为，确保了组屋建设健康、有序地进行。[27]

经过努力，新加坡的住房保障取得了举世瞩目的成就。截至2001年，新加坡建屋发展局管理着85万套公共组屋，其中79.3万套是居民所有，6万套出租。[28]1960~2005年底，新加坡共建造组屋97.3万套，使85%的公民住进了政府组屋。[29] 随着新加坡经济的高速发展，民众的收入水平越来越高，开始有更多的人去购买商品房，以享受更高品质的居住生活。

尽管如此，在新加坡的整个住房供应体系中，商品房占比仍然是比较低的。2006年新加坡政府发布的公报显示，新加坡居住在组屋中的82%居民拥有房屋产权，另有4%的人租住组屋。其余14%的人居住在自己购买的商品房中。[30] 结构如下图所示。

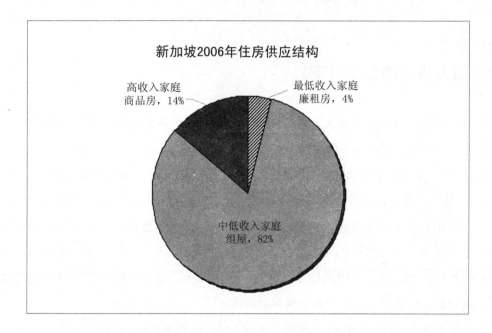

新加坡2006年住房供应结构

不仅是新加坡这样的国家，世界上凡是住房保障体系完善的国家，都很少出现像中国这样举国关注房价的现象。在那些住房保障健全的国家，老百姓根本不关心商品房的价格，那是高收入者的事情。而且，老百姓对房价上涨没有那么大的怨气，因为房价上涨，富人缴纳更多的税用于民生，大多数中低收入人群还是直接的受益者。

笔者曾和一位全国政协委员（职业是房地产开发）在某电视节目中辩论，当笔者举出新加坡的例子时，这位委员说新加坡才多大的地方啊，我们不能学它。笔者反驳说："新加坡那样一个寸土寸金的地方，政府都能拿出宝贵的土地去解决民众的住房问题，这一点难道不值得我们学习吗？"他哑口无言。

必须认识到，住房是一种民生，是一种生活必需品，只有在政府尽到应尽职责的时候，住房才会回归其生活基本条件这一本质上来，而不是被异化为一种近乎痴狂的投机。也只有当政府尽到保障责任，才能做到民生的归民生，市场的归市场。假如大多数人可以通过较低的价格拥有自己的住房，商品房价格涨得再高，与他们又有什么关系呢？

只有在这种情况下，房地产市场才能回归健康的状态。

只有在民众不为住房问题牵肠挂肚、忧心忡忡的情况下，这个伟大的民族才能摆脱住房问题的困扰，民众的创造力才能被彻底激活，人们也才能全身心地投入到工作中，奉献智慧和热血，安心地创造财富，并轻松地享受生活。而我们这个古老的民族，也将凝聚起国民的力量，以令人尊敬的姿态走向新生，迎来世界的尊敬。

第三节
改变国人命运的房改（下）

中国有关住房问题上的重大改革，几乎都发生在重大风险事件之后。1998年的房改，是在亚洲金融危机冲击下做出的。

2003年，中国遭遇罕见的"非典"疫情冲击，前两个季度的经济增长下滑到6.7%。于是，由建设部起草的《国务院关于促进房地产市场持续健康发展的通知》出台，明确把房地产业列为我国国民经济的支柱产业。18号文被视为房地产商利益群体的一次公开胜利，显示了中国房地产界已经崛起，并第一次公开展示了与政府进行政策博弈的能量。2003年，中国的GDP增速依然达到9.1%，成为1997年以来增长最快的年份。这个奇迹的背后是房地产推动的强劲内需。[31]

从某种程度上可以说，18号文改变了中国人的生活乃至国运。为什么？

18号文中最重要的两点内容如下：

第一，赋予房地产业国民经济支柱产业地位。国际上有把建筑业作为支柱产业的，但很少有把房地产业明确定为国民经济支柱产业的。道理很简单，建筑业属于实体经济，而房地产业属于虚拟经济，是依附在建筑业上发展的。

赋予房地产业国民经济支柱产业地位，意味着，这个行业将在政策上得到更多的"厚爱"，在资源配置等方面具有更加耀眼的吸引力。从此，全社会的资源开始蜂拥到房地产领域。

从国家统计数据不难看出，此后，在城镇固定资产投资中，包括了31个行业大类的制造业的投资额，竟然低于房地产一个行业的投资额。[32] 这意味着，中国国民经济发展的主角，由制造业转换成了房地产业。

中国社科院金融专家撰文指出："房地产业已经把地方政府、国家经济及民众利益捆绑在一起，房地产正在要挟着整个中国的经济。"[33]

第二，明修栈道暗度陈仓，把"经济适用房"换成了"具有保障性质的政策性商品房"，原文是"经济适用住房是具有保障性质的政策性商品住房"。我们知道，经济适用房属于保障房，而商品房是市场化的住房，二者是性质完全不同的住房，这样硬拉到一起的结果，就是经济适用房被商品房悄悄取代。

《经济适用住房管理办法》第七条明确规定："经济适用住房建设用地以划拨方式供应。"第八条规定："经济适用住房建设项目免收城市基础设施配套费等各种行政事业性收费和政府性基金。经济适用住房项目外基础设施建设费用，由政府负担。"显然，土地无偿划拨、相关收费的减免以及政府对"经济适用住房项目外基础设施建设费用"的负担，都充分体现了经济适用房的保障性、公益性特征。[34] 并且，在经济适用房中，相关税费大幅减少，开发商的利润也被限定在3%。[35]

而商品房中，不包含任何保障性，即使在商品房前面加上所谓的"保障性质"也无济于事。某房地产商的话有力地证明了这一点："只给富人盖房子，开发商的商品房都是给富人盖的"；"给穷人盖房是政府的事。"[36]

这话听起来显得很刺耳，却并非全无道理。房地产商是商人，商人逐利是其本能，政府把自己应该承担的保障责任转嫁到商人身上，本身就是一种错位。

由此导致的后果是什么呢？

有研究者指出，2003年的房地产市场就已经开始出现泡沫。而18号文不但没有给发热的房地产市场降温，反而火上浇油。把以经济适用房为主的政策改为以商品房为主的政策，进一步强化了房地产市场在经济发展中的地位和作用，进一步淡化了民生问题。此后，房地产市场的泡沫越来越大。[37]

1998年房改时的住房供应结构，在2003年发生了根本性变化（如下图所示）。[38]

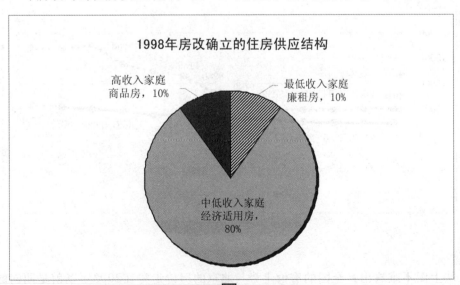

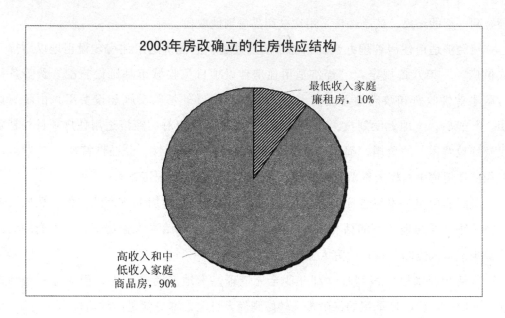

事实上，中国房价正是从18号文开始，步入了飞速上涨的轨道。

2003年之后，商品房取代经济适用房成为现有住房市场的主体。价格过高使得无论是效率还是公平的目的，都没有达到。[39]

下图为全国与北京商品房平均销售价格。

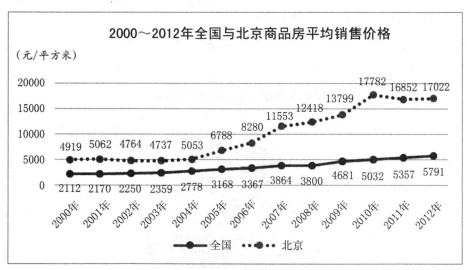

数据来源：国家统计局。

从上图不难看出：全国的房价走势与北京的房价走势在2003年以前是同向的，涨势不明显；但在2003年之后，都开始快速上涨。与2000年时相比，全国商品房平均销售价格涨了1.5倍，而北京涨了2.4倍。

中国房价从2003年开始加速上涨。根源就在于，保障性住房占比变得更小了。

研究者指出，历史上，在建设高峰期，英国的保障性住房占住房存量曾一度接近60%，日本超过50%，中国香港地区超过45%，新加坡超过90%。相比之下，中国内地目前的这一占比仅为10%左右，保障性住房存量严重不足。[40]

保障房供应不足，人们只能通过买商品房来解决住房问题，这必然会导致房价的上涨。

国际经验表明，当保障房占比不足50%时，保障房难以对住房价格形成有力的约束，如1960～1979年的英国（占比46.3%）、1966年以来的日本（占比44.7%）和1980年以来的英国（占比20%）。保障住房占比超过50%时，住房价格明显受到抑制，如1961年以来的新加坡（占比90%）、1950～1959年的英国（占比68.2%）。[41]

"经济适用房"被换成"具有保障性质的政策性商品房"，保障房对房价的调节作用被废除，而商品房在市场中的垄断地位得以确立。因此，房地产开发商每当提及18号文都赞不绝口。一位房地产商在电视节目中与我辩论时，直言他曾参与了18号文的制定，因此比笔者更熟悉政策的内容。笔者反击说："难怪政策被你们扭曲成那样了！"

从2003年开始，房价连年疯涨，民众反应强烈，政府开始调控房价，但房价越调控越高。道理非常简单，保障房的供应太少，无法对商品房价格形成抑制作用，更何况，在调控房价的过程中，货币供应量也一直在持续增长。

当然，住房中的利润也在增长——这是推高中国房价的另一重要因素。房地产的利润主要被政府（土地出让金和各种税费等）和房地产商所分享；除此之外，还有炒房者、房屋中介等参与其中的利润分配。

仅以土地出让金为例。

2002年5月，国土资源部颁布实施《招标拍卖挂牌出让国有土地使用权规定》，明确规定包括商业、旅游、娱乐、商品住宅用地的经营性用地必须通过招拍挂[42]方式出让。在土地招拍挂推出之后，地价并没有从此就开始快速上涨。比如，2003年，北京市土地招拍挂的价格仅在每平方米500元左右。直到2004年1～8月份，北京土地招拍挂的单价每平方米仍然不到600元。[43]

但是，2004年3月，国土资源部发布了《关于继续开展经营性土地使用权招标拍卖挂牌出让情况执法监察工作的通知》，规定，当年的8月31日是界定并处理土地历史遗留问题的最后一天，被称为"8·31"土地大限。"8·31"之后，将不得再以历史遗留问题为由，用协议方式出让经营性国有土地使用权。

在土地招拍挂制度之下，地方政府土地出让时，大多选择了拍卖的方式。[44]

2004年8月31日成为中国地价的一个分水岭——地价从此开始飞速上涨，"地王"也不断涌现。地方政府成为我国房地产交易中最大的受益者。不少城市的土地出让金已经占到地方财政收入的近50%。[45]

虽然房价中包含着种种灰色成本，且全国各地的情况差异较大，但我们依然可以通过一些数据做一个大致的比较。

下图为中国2003～2012年房屋竣工造价。[46]

数据来源：《中国统计年鉴2013》。

从上图可以看出，2003年时，中国房屋竣工造价为每平方米1273元，到2012年时，房屋竣工造价为每平方米2498元，仅增长了96.2%，而此间商品房的售价涨了多少，民众是有目共睹的。

无论什么样的说辞，都不能改变民众购房成本在快速增加这一基本事实，也不能改变政府和房地产商获取的利润越来越丰厚的事实。

第四节

远去的福利

2007年起，在调控无效的情况下，政府又推出了限价房，将其作为平抑房价、解决住房民生问题的措施之一。笔者当时作为《上海证券报》的评论主编，撰文质疑这种做法。

按照建设部的构思，限价房的主要任务是满足中低收入家庭自住需求，即解决一部分无能力购买普通商品房又超过经济适用房购买条件的"夹心层"，从而形成商品房、限价房、经济适用房和廉租房四个层面的住房供应体系。

从表面上来看，限价房似乎有利于公众，四个层面的住房供应体系也令人遐想，然而，华美外表掩盖下则是另一种情形：

限价房价格是在其周边商品房价格基础上降低10%～15%计算出来的，而目前的商品房价格本身就包含着巨额暴利——开发商与地方政府分享了这份暴利，假如这种定价机制被确定下来，实际上等于变相承认了目前商品房暴利的合理性。

所谓的"限价房"仍然是商品房，但经验告诉我们，只有增加经济适用房和廉租房的供给，才能抑制房价过快增长。研究表明，经济适用房或廉租房的供应每增加5%，就会迫使房价下降3%～4%。以限价房替代经济适用房，实际上在削弱对房价的调节功能。政府应该加大廉租房和经济适用房的落实力度，强化政府的责任，而不是继续向商品房靠近——不伦不类的限价房比上商品房烙印的经济适用房更靠近商品房。

不难看出，2005年开始的房地产调控，并没有真正强化政府在住房保障方面的责任，这是房地产调控不能阻止房价上涨的重要根源。

2003年的房改，同时也使得住房不公问题变得更为突出。在此之前，住房市场就已经出现了严重的分割性导向：群体间的住房条件差异提升，空间上的群体隔离加强。这种隔离一方面是由于居民的货币支付能力差异造成的，但是更为重要的一方面还是由于不同的准入机制导致了群体间的制度性受益差异。从受益的角度分析，中国的房改政策更有利于社会上层，它加速了中国的贫富分化，强化了中国社会的贫富分割。[47] 2003年后，这种情况变得更加明显了。

中国的人口结构和财富占有结构决定了，只有通过经济适用房才能真正解决国民的住房问题。我国是一个贫富差距较大的社会：富人少，最低收入者少，而"夹心层"多。

目前，富人和一部分中高收入者通过购买商品房来解决住房问题，最低收入者通过分享政府正在加大提供的保障性住房来解决居住问题，唯独占据总人口主体的庞大的"夹心层"（主要是中低收入者）上不着天下不着地。他们既买不起商品房，也无权享受保障性住房。这一问题既无法通过商品房来解决（"夹心层"的购买力根本买不起商品房），也无法通过廉租房（数量非常有限）来解决——这个空白体现出来的是一个很大的问题，或者说是隐患。

结合中国的国情，笔者曾经向有关部门建议：首先允许并鼓励和支持居民自建房、合作建房，自建房与合作建房可以很好地平抑房价；在我国广大农村，收入更低的农民正是通过自建房的方式，解决自己的住房问题。

自建房的意义，就好比家庭主妇自己做饭对饭店所构成的天然竞争关系。假如每个人都不允许做饭了，只能到饭店吃饭，那么，饭店给出的价格将让很多人无法承受。这是因为，家庭主妇失去自己做饭的权利，就等于赋予了饭店垄断定价权。因此，自建房、合作建房的意义，就在于对房地产商形成的天然竞争关系。正是因为这一点，广大农村的住房问题才能得到自然而有序的解决。

那么，自建房、合作建房会不会乱呢？

西方国家的自建房能够有条不紊地进行，关键在于政府的规划。比如，在德国，法律规定对土地的使用必须做出详细规划，一旦规划获得通过就产生了法律效力。政府的规划做得比较详细并且非常长久。土地用途一旦定性，就不能轻易改变。比如，一个地块是专门用作住宅的，规定的容积率只能用于造低矮的小楼，就不能擅自建造高楼。土地价格是规定好的，而且，这个小楼应该造成什么样子，政府都有一个框架式的规定，精确到房顶的颜色。比如，屋顶是深色，坡度为40度，屋檐不超过50厘米，等等，甚至连所植树的类型都明确规划好，如要种大型树冠的树木还是中型树冠的树木等，非常详细。有了这种规划，是自己建造还是请建筑商建造又有什么关系呢？只要政府监管到位，自建房又怎么会影响到城市的整体规划呢？

规划是政府应该提供的服务。我们目前的政府规划缺少长远考虑，常常不断推倒重来，以至于在国际规划评比中，我国常常处于垫底的位置。如果准许自建房，就会促使政府不得不在规划时把眼光放得更远一点，减少由于推倒重来所造成的混乱和巨大损失。从这个意义上来说，准许人人都有建房的权利其实也是促使政府提升规划水平的一个契机。西方国家18世纪建造的下水道都可以并排走好几个人了，而我们现在的下水道还不得不经常挖开路修修补补，我们需要更长远的规划设计。

法律也不排斥自建房与合作建房。《中华人民共和国城镇国有土地使用权出让和转让暂行条例》第二条明确规定："中华人民共和国境内外的公司、企业、其他组织和个人，除法律另有规定者外，均可依照本条例的规定取得土地使用权，进行土地开发、利用、经营。"

那么，自建房与合作建房，会不会不专业呢？会不会造得质量差呢？

这个问题很容易解决：请好的设计师设计，选好的建筑施工企业承建，做好监理就行了。实际上，房地产商们做的不也是这样的事情吗？他们扮演的不也是这样的中间人的角色吗？合作建房与开发商建房的区别是：合作建房虽然也同样聘请设计和施工企业这些专业的部门来做，但相对而言只需付出更小的成本即可打造出质量非常好的房子；而通过开发商来完成这个一模一样的过程，则需要多花数倍于此的成本——而且还不能确保不被偷工减料！

这是何等讽刺的现状。

一些房地产商所谓的"专业"和"辛苦"，更多的恐怕是体现在"公关"也就是腐败的环节，以及偷税漏税等环节。

从国际范围内来看，西方国家把这种住房形式当作解决住房问题的重要补充内容。大约200年前，作为住宅建设模式的合作建房首先出现在工业革命蓬勃发展的欧洲。当时，19世纪的工业革命造成了城市人口的急剧增加，房屋价格随之大幅度上涨，个人的力量在居高不下的房价面前愈显无力。因此，一些穷困者迫于无奈只好联合起来，借助集体的力量解决自己的住房问题。在这样一个宏观背景下，法国、德国、意大利、丹麦和瑞典等国都设立了各种类型的合作建房组织。除了最具代表性的英国和德国外，日本政府对合作建房问题也非常支持。早在1866年，在日本立法和政府的直接支持下，该国的合作建房也在法制的轨道上迅速、稳定地发展起来。[48]

合作建房对于解决各国中低收入人群的居住问题能起到极大的作用。较之普通的房地产开发模式，合作建房还有着非常明显的优势。个人合作建房是目前房地产市场发展的一种细分或者补充，是房地产市场发展到一定程度的正常产物。其意义不仅在于提供了一种新的住房供给模式，更重要的是为政府对房地产市场的宏观调控提供了一个参照，有利于促进我国房价保持在合理的水平。[49]

除自建房、合作建房以外的市场划分，可参照以下比例：低收入者，政府提供廉租房（大约20%）；中等收入（含中等收入偏下）者，政府提供廉价的经济适用房（大约50%，政府提供土地，民众承担建筑成本）；中高收入者去市场购买商品房（大约30%）。与国务院23号文相比，加大了商品房的比例，同时也加大了廉租房的比例（这符合贫富分化越来越严重的现状）。这样就能解决好中国当下的住房问题。[50]

但是，这种设想很难实现。

不仅如此，房地产相关的利益集团一直推动有关部门取消经济适用房，以彻底消除经济适用房对商品房的影响。

2013年11月初，媒体报道称，住房和城乡建设部已经开始考虑将"公租房并轨"。[51]作为调整现有住房供应体系的突破口，逐步削减销售型经济适用房供应量，并最终停止供应经济适用住房，这个思路虽然尚在考虑和研究之中，但是，已有地方政府开始试点。河南郑州已经开始"三房合一"的"大并轨"试点，原有经济适用房、廉租房、公共租赁住房并轨运行，经济适用房不再销售，统一向应保群体[52]出租。山东省烟台市也准备进行"大并轨"试点。[53]

一旦"公租房并轨"大面积推行，就意味着，唯一对商品房价格有抑制作用的针对中低收入者的住房保障将彻底缺位。这部分人群除了极少数符合公租房的条件，大部分都将被逼向商品房市场。

公租房不可能取代经济适用房，因为经济适用房具有产权，可以满足中国人根深蒂固的对"拥有"（70年）房子的需求：由于几千年小农经济生产方式和传统价值观念的影响，国人对于房地产等不动产多多益善的占有欲望，以及甘愿为儿孙留下财产的特殊国情，是其他很多国家难以比拟的。[54]

相比之下，公租房对商品房不具备任何威胁。因此，顺便查阅一下新闻报道，积极推动取消经济适用房的基本上都是房产商及其代言人。

还必须要说的是，由于有关部门监督不到位，导致偷工减料等行为大行其道，加之城市规划缺少远见，不断进行拆迁，使得中国的住房寿命远远低于国际标准。

国家住房和城乡建设部副部长仇保兴曾表示，我国是世界上每年新建建筑量最大的国家，每年新建面积达20亿平方米，使用了世界上40%的水泥、钢筋，建筑的平均寿命却只能维持25～30年。而根据我国《民用建筑设计通则》，重要建筑和高层建筑主体结构的耐久年限为100年，一般性建筑为50～100年。而英国、法国、美国的建筑统计平均使用寿命分别为132年、85年和80年。"我们有5000年的历史，却少有50年的建筑"。[55]

据建设部统计，2003年，我国因拆除房屋浪费了1858.3亿元。[56]

《人民日报》给出了更具体的数据：2002年，全国城镇共拆迁房屋1.2亿平方米，相当于当年商品房竣工面积3.2亿平方米的37.5%；2003年，全国城镇共拆迁房屋1.61亿平方米，同比增长34.2%，相当于当年商品房竣工面积3.9亿平方米的41.3%。我国是世界上最大的建筑工地，每年建成的房屋面积高达16亿～20亿平方米，超过发达国家年建成建筑面积的总和。

大拆大建造成巨大的能源、资源浪费和环境污染。建筑运行能耗占我国能源总消费量的比例，如果加上施工生产环节的能耗，高达46%。建筑用能排放的温室气体已占全国总量的25%。[57]

大拆大建造成的另一个恶果，是堆积如山的建筑垃圾。中国建筑的寿命通常是30年，而美国是80年，欧洲甚至更长。大量建筑被拆毁，又在原址上建新楼。中国2011

年由此制造的建筑垃圾超过20亿吨。日本的建筑垃圾回收比例高达95%，但在中国，只有不到5%的建筑垃圾得到重复利用。[58]中国资源综合利用协会秘书长王吉位说："建筑垃圾其实可以百分之百再利用，而目前得到循环利用的才几千万吨。"[59]

房地产越来越火热的时候，制造业快速地冷了下来。

在房地产热火朝天发展的这些年，全社会最优质的资源——宝贵的信贷、优秀的人才、睿智的企业家……蜂拥进入房地产领域，使得整个社会的资源配置发生了巨大扭曲。从2003年开始，中国房地产业步入了最辉煌的阶段，而中国的制造业则因资源配置的畸形而错失宝贵的升级机会。可以从某种程度上说，房地产辉煌的10年，也是中国制造业失去的10年。

中国社会科学院学部委员吕政先生撰文指出，高房价对建设创新型国家具有颠覆性的破坏作用。

首先是迫使高端科技人才外流。我国的科研机构、企业工程技术研发中心、科技人才等科技资源主要集中在大中城市。大中城市房价过快上涨，超出了包括科技人员在内的工薪阶层的购买能力，使他们难以安居。目前，硕士和博士毕业生进入工作岗位时的年龄大多在25～30岁之间，已到了结婚成家的阶段。他们每月的工资收入约为3000～5000元，用于租房的支出要占其月收入的50%，经济上的压力使他们中的很多人不敢结婚生子，更难以安心做好科技工作。

无论是大中城市商品房的绝对价格，还是房价与家庭收入的比例，都显著超出发达国家的水平。国内租房或买房的艰难，迫使许多重点大学毕业的学生，特别是理工科的毕业生越来越多地选择了出国。一方面，国家财政不断增加教育经费的投入，另一方面高房价又导致大量优秀科技人才流向国外。已经在国内就业的科技人才，不少人是"身在汉营心在外"。高房价实际上是一种为渊驱鱼的政策。

其次是高房价导致房地产商的超额利润，削弱了工业创新能力。一方面，建设创新型国家，必须使企业成为技术创新主体，但高房价提高了企业的人力资源成本，削弱了企业积累能力。另一方面，房地产的利润远远超出制造业的平均利润，必然诱导企业剩余资本投向房地产而不去追求技术创新。实际情况是，我国几乎所有的大企业都在参与房地产开发，并且，房地产开发成为其重要的利润来源。一些中小企业的投资者，虽然不搞房地产开发，但剩余资本用于小批量的炒房成为普遍现象。因此，高房价对建设创新型国家具有颠覆性的破坏作用并非耸人听闻。[60]

由于房价上涨带动房租上涨、物价上涨，制造业越来越不堪重负。

2012年7月，运动服装巨头阿迪达斯宣布关闭在华的唯一一家自有工厂。中国社会科学院金融研究所金融市场研究室副主任尹中立分析，阿迪达斯撤离的原因是企业成本迅速增加，希望把生产线迁往成本更低的东南亚国家："房价的快速上涨，推动土地价格及租金上涨，更重要的是，房价上涨倒逼工资上涨。在中国东部很多城市，即使地方政府给予土地价格的优惠，工厂建起来了，工人也难以在城市生存和扎根。"

"除了成本上升之外，房价持续上涨的另外一个副作用是分流产业资本，导致企业家创新的动力下降。"自2003年以来，大量资本向房地产行业聚集。无论国企还是民企，都热衷于搞房地产开发，科技进步、自主创新等被抛到遗忘的角落。

中国经济要想在未来的几十年有所作为，一定要"去房地产化"，这是世界各国经济发展的经验总结，"去房地产化"已成为新的共识。日本之所以在二战后迅速崛起，得益于制造业的后来居上，但20世纪80年代后搞起了"泡沫经济"，在房地产泡沫破灭后，日本经济陷入了持续20年的衰退。

欧洲各国在欧元出现后，出现了明显分化的走势。除德国以外，其他各国的房价都出现大幅度上涨，最典型的是西班牙和希腊，随后，这些国家陷入了严重的债务危机。德国在欧债危机中屹立不倒，最关键的原因是它的房地产价格连续几十年不涨，确保了德国制造业的强大优势一直存在。[61]

在危机的时候，更容易看清楚一个国家的实力。德国在次贷危机、欧债危机中的强势表现，令全世界刮目相看，这个不靠房地产而靠脚踏实地做制造业强大起来的国家，从容地度过了一次又一次危机。

德国是世界上少有的在进入发达国家行列以后，制造业仍然保持很高比重的国家，德国产品质量享誉世界，成为其保持强劲国际竞争能力的保障。[62]

德国素有重视制造业的传统。早在1841年，德国经济学家李斯特就特别强调制造业对提高一国国民经济竞争力的重大作用。现在，人口仅8300万的德国，出口额超过其GDP的1/3，从而排在中国、美国和日本之前成为商品出口的世界冠军。其出口总额中，87%来自工业制成品（2006年）。在制造业新技术的扩散方面，德国制造业新产品占企业销售总额的比例高达40.3%，远远高于欧盟28.6%的平均水平。[63]

2010年，欧盟27国工程机械制造业产值约为250.7亿欧元，同比增长19.2%。其中，德国工程机械制造业产值82.6亿欧元，约占欧盟总产值的32.9%。[64] 这正是德国可以稳坐欧元区老大的位置而无人撼动的根源所在。

试问，如果德国的房价也常年保持高速上涨，炒楼、炒房的收入远远超过踏踏实实从事制造业的收入，德国人还能那么踏踏实实地做制造业吗？在高房价的重压之下，德国的青年一代的理想会不会也被拥有一套房子的更现实也更具体的目标所替代？

为什么一定要特别强调住房的福利属性？首先，住宅物高价贵，远非一般商品所能比拟，它动辄几十万、上百万元的身价对于普通工薪阶层来说是一个天文数字，更不用说温饱有忧的低收入阶层了。如果不向这些人提供适当形式与数量的住房福利，他们就可能沦为无家者而露宿街头。这当然会增加整个社会的不安定因素和运行成本。

其次，通过多种形式（包括实物或现金）的住房补贴把国民收入的一部分从富人手中转移到穷人身上，正是国家财政扮演"转移支付"和社会平衡角色所具有的功能，也正是实现社会公平的必要手段之一。否则，穷人的利益得不到必要的保障，社会进步便无从谈起。[65]

住房的福利属性，还有很重要的一点，就是让民众不为住房问题而忧虑，能够安居乐业，创造财富，推动整个社会的繁荣进步。同时，确保人们的理想和价值观不因对住房这种生活必需品的过分追逐而被扭曲，被严重物欲化、功利化——以德国为代表的发达国家，已经树立了很好的典型。

但恰恰这些方面，在中国完全被扭曲了。暴戾、空虚、浮躁、贪婪之气的弥漫，乃是物欲化的必然结果。本质上是生活、工作必需品的房产，不仅被扭曲成这个社会丈量成功、爱情等的重要标准，而且，也成为少数人掠夺、洗劫他人劳动成果的工具，成为埋葬普通人幸福的梦魇。

房子如同一列高速行驶的拉大贫富差距的火车，坐在房子里面的人，财富不断上涨，甚至可以不劳而获；而在房子外面的人，无论如何努力，都离房子越来越远，生活的幸福感被沉重的房租剥夺走……

当一套房子取代对未来人生的美好规划而成为年轻人的追求目标，当成为科学家、军人、诗人、哲学家、艺术家等纯洁的理想被拥有一套房子的具体理想冷酷地撕成残破的碎片，当房产作为选择爱情、婚姻的标准被普遍接受时，一个民族血液中流淌着的源自伟大祖先的高贵灵魂和圣洁的品质已经遭到无情的玷污和亵渎。

这或许是最悲哀之处。

一个立志实现伟大复兴的民族，首先必须精神上站立起来，以高贵的姿态优雅而勇敢地傲视一切困难和挑战，并以充满温情的悲悯之心对同胞奉献关心和仁爱。一个有爱心、有包容心、有尊严的群体，才能积聚力量，洗刷掉我们这个苦难民族一百多年屈辱历史中的斑斑血泪，实现伟大复兴的梦想，并迎来荣耀、辉煌和尊重。

注　释

[1]朱亚鹏.住房制度改革：政策创新与住房公平[M].广州：中山大学出版社，2007.

[2]柏必成.改革开放以来我国住房政策变迁的动力分析——以多源流理论为视角[J].公共管理学报，2010（4）.

[3]Wang Y.P，Murie A.The Process of Commercialisation of Urban Housing in China[J].Urban Studies，1996，33（6）.

[4]冯禹丁.住房公积金，谁的提款机？[N].南方周末，2013-03-07.

[5]王涌.谁是住房公积金制度的真正受益者？[J].中国民商，2013（2）.

[6]冯禹丁.住房公积金，谁的提款机？[N].南方周末，2013-03-07.

[7]李春晖.是否应该取消住房公积金制度[J].资治文摘，2011（12）.

[8]冷淑莲，冷崇总.关于改革土地财政问题的思考[J].价格月刊，2011（12）.

[9]朱亚鹏.住房制度改革：政策创新与住房公平[M].广州：中山大学出版社，2007.

[10]董再平.地方政府"土地财政"的现状、成因和治理[J].理论导刊，2008（12）.

[11]赵燕菁.1998年房改："中国奇迹"的制度因素[J].瞭望，2008（49）.

[12]朱亚鹏.住房制度改革：政策创新与住房公平[M].广州：中山大学出版社，2007.

[13]于思远等.房地产住房改革运作全书[M].北京：中国建材工业出版社，1998.

[14]邓卫，宋扬.住宅经济学[M].北京：清华大学出版社，2008.

[15]朱以师.1998年房改大幕拉开[N].中国房地产报，2008-07-17.

[16]唐勇.1998年房改以来中国房地产相关政策述评[J].中国城市经济，2011（3）.

[17]朱亚鹏.住房制度改革：政策创新与住房公平[M].广州：中山大学出版社，2007.

[18]李翘.从经济学角度看中国房地产市场的政府管制失灵[J].中国外资，2008（3）.

[19]陈文殊.国外住房保障制度比较分析及其对我国的启示[J].中共福建省委党校学报，2006（10）.

[20]金姬.中国楼市调控8年房价持续上涨[J].新民周刊，2010-05-07.

[21]方可.中国城市住房改革：回顾与展望[J].时代建筑，2004（5）.

[22]刘永翔.中国与新加坡的住房保障制度探析[J].现代商贸工业，2009（1）.

[23]新加坡统计局2014年公布的最新数据是：新加坡国土面积为716.1平方公里，详见：Latest Data——Population & Land Area[OL].Singapore Department of Statistics，http://www.singstat.gov.sg/statistics/latest data.html.

[24]郭伟伟.新加坡低收入者住房保障制度及其启示[J].求知月刊，2009（6）.

[25]符启林，程一群.国外住房保障法律制度之比较研究[J].南方论刊，2010（9）.

[26]M.Ramesh.Social Policy in East and Southeast Asia：Education，Health Housing and Income Maintenance[J].Routledge Curzon，Volume 21，Issue 4，2004.

[27]郭伟伟.新加坡低收入者住房保障制度及其启示[J].求知月刊，2009（6）.

[28]杨海宁.透析新加坡中央公积金制度下的住房保障[J].经济师，2010（8）.

[29]予人.社会保障性住房垄断的两种结局[N].上海证券报，2007-09-27.

[30]卫欣，刘碧寒.国外住房保障制度比较研究[J].城市问题，2008（4）.

[31]金姬.中国楼市调控8年房价持续上涨[J].新民周刊，2010-05-07.

[32]王炼利.中国房地产之厄[M].香港：天行健出版社，2011．

[33]易宪容.房地产业"要挟"整个中国经济[N].国际金融报，2004-07-30．

[34]时寒冰.夹心层只能指望经适房[N].东方早报，2009-04-04．

[35]时寒冰.限价房四大硬伤为调控雪上加霜[N].上海证券报，2007-04-24．

[36]任志强.任你评说[M].北京：中信出版社，2010．

[37]张广群.房地产政策与房地产市场分析[J].理论前沿，2008（7）．

[38]这里忽略了政府机关福利房的因素。

[39]李翘.从经济学角度看中国房地产市场的政府管制失灵[J].中国外资，2008（3）．

[40]巴曙松.加大保障房建设或解楼市调控困局[N].新京报，2010-08-12．

[41]贾祖国，孟群.保障住房的国际比较[R].招商证券，2008-10-10．

[42]招拍挂即土地用招标、拍卖、挂牌等方式出让。

[43]莫春.土地招拍挂不是房价上涨诱因[N].北京晨报，2004-12-31．

[44]于猛，夏珺.现行出让方式必然催生"地王"[N].人民日报，2010-04-02．

[45]罗宇凡.土地财政与招拍挂制度亟待调整[N].人民日报，2010-03-18．

[46]竣工房屋造价包括竣工房屋本身的基础、结构、屋面、装修以及水、电、暖、卫等附属工程的建造价值，也包括作为房屋建筑组成部分而列入房屋建筑工程预算内的设备（如电梯、通风设备等）的购置和安装费用，但不包括厂房内的工艺设备、工艺管线的购置和安装，工艺设备基础的建造，办公及生活用品等家具的购置等费用，购置土地的费用，迁移补偿费和场地平整的费用，以及城市建设配套的投资。

[47]李斌.中国住房改革制度的分割性[J].社会学研究，2002（2）．

[48]尹珊珊，迟方旭，尹彦芳.国外合作建房对中国相关制度建立的借鉴意义[J].消费导刊，2007（2）．

[49]张睿.合作建房——国外经验借鉴和我国相关制度的建构[D].天津大学，2007年．

[50]时寒冰.夹心层只能指望经适房[N].东方早报，2009-04-04．

[51]所谓"公租房并轨"是指公租房与廉租房并轨运行，然后通过财政发放房租补贴的方式。区别对"城市低保人群""城市中低收入人群"等进行住房保障的手段，对于"低保"人群提供大比例租金补贴，并逐级根据保障对象收入水平，制定与之对等的租金补贴政策，从而完成对应人群的住房保障。目前，上海、合肥、石家庄等特大型城市和省会城市已经开始进行"公租房并轨"试点工作。

[52]指政府应该给予保障的群体。

[53]温飞，满朝旭.多地实行公租房并轨试点，经适房或退出历史舞台[OL].央广网，2013-11-3，http：//china.cnr.cn/yaowen/201311/t20131103_514017108.shtml．

[54]吕政.论高房价对国民经济的严重危害[N].中国经济时报，2013-09-16．

[55]从玉华.国内建筑为何如此短命[N].中国青年报，2011-05-11．

[56]胡明玉，吴琼，燕庆宁等.短命建筑引起的资源、能源、环境问题分析[J].建筑节能，2008（1）．

[57]李忠辉.大拆大建：城市的伤痛与遗憾[N].人民日报，2005-09-23．

[58]Austin Ramzy.China's Mountains of Construction Rubble[N].The New York Times，2013-10-20．

[59]李惊亚，郭丽琨，齐健.中国力推循环经济寻求破解"垃圾围城"[OL].新华网，http：//finance.people.com.cn/n/2013/0720/c70846-22263752.html，2013-07-20．

[60]吕政.论高房价对国民经济的严重危害[N].中国经济时报，2013-09-16．

[61]李华友.尹中立：中国必须"去房地产化"[N].重庆商报，2012-11-04．

[62]王岳平.德国提升制造业产品质量的做法及对我国的启示与借鉴[J].经济研究参考，2012（51）．

[63]史世伟.德国国家创新体系与德国制造业的竞争优势[J].德国研究，2009（1）．

[64]商务部产业损害调查局.德国工程机械制造业贸易竞争力分析[J].中国贸易救济，2011（12）．

[65]邓卫，宋扬.住宅经济学[M].北京：清华大学出版社，2008．

第10章
中国大趋势：2013～2015（上）

第一节
揭开中国房价之谜

笔者反复强调，2013～2015年的这个阶段，是中国经济从高速增长向低速增长过渡的阶段，是经济结构高度畸形发展后必然要经历的阶段。这种调整始于以制造业为代表的实体经济的衰落，其显著特征是需求逐渐下滑、销量逐年下滑、价格逐渐下滑，而库存逐渐增加、应收账款逐渐增加。价格的下滑与成本的上升，让制造业所代表的实体经济一年比一年艰难。

制造业先于虚拟经济而慢慢入冬。

寒意一年胜似一年。随后，这种寒意慢慢从实体经济传导到房地产、银行等行业。

实体经济是基础、是先导。2013～2015年，是劳动力密集型的制造业黯然谢幕步入衰退的阶段。当实体经济告别辉煌并迎来痛苦的调整，根基动摇的房地产和金融业这两大虚拟经济的组成部分，也将随之在辉煌中完成筑顶的过程，并在能量累积后回归到它本来的位置。

那么，这个过程如何完成？

我们先看房地产。

决定中国房价走势的因素是非常复杂的，用传统的价格理论、供需理论来看中国的房价，很容易偏离。笔者这几年来一直苦苦思索这个问题，查阅了无数的资料，也去很多地方做过实地调研，渐渐找到了决定中国房价走势的根源。找到了这个根源，也就明晰了中国未来的房价走势。

笔者写这本书的时候，不想直接简单地写出结果，而是与各位朋友一起，慢慢找到这个结果——等完成这个过程，我们会发现，中国未来的楼市趋势、经济趋势其实已经非常明确。

要判断房价的趋势，我们必须了解，是什么在推动中国的房价上涨？这些因素是否发生了改变？这轮汹涌的房价上涨，为什么从2003年开始？除了前面提到的包括房改在内的政策因素、货币超发因素、需求因素，还有什么力量在推动房价的上涨？

人们在讨论房价的时候，总喜欢以一个整体的概念去讨论。其实，无论是就中国还是从世界而言，房价永远都是一个区域问题。

首先，这是由住宅的物质特性所决定的。因为住宅的位置不能移动，使得房地产市场具有很强的区域局限性，即本质上是地方市场而无法形成全国性市场，不同地方的住宅市场不能互通有无、调剂余缺。[1]

其次，房价每年是有折旧的。房屋在长期的使用中，虽然保留原有的实物形态，但由于自然损耗和人为的损耗，它的价值也会逐渐减少。

既然如此，在过去的十几年中，中国绝大部分城市的房价为什么还保持着持续上涨呢？根源在于，在"8·31"大限之后，地价在房价中的占比越来越高，决定住房价格的其实是地价，因为房屋的建筑成本不会相差很多。房屋所处的地段决定着房价的高低。房价上涨带动起来的地价的更快上涨，以及由此所形成的"高房价—高地价—高房价"的循环，是中国高房价的症结所在。

从经济学的角度来看，房价的差异源于地租。威廉·配第首先提出了级差地租的概念，他认为"人口稠密地区的土地，比距离远而土质相同的土地"能产生更多的地租。[2] 亚当·斯密也认为："都市附近的土地，比偏远地带同样肥沃的土地，能提供更多的地租。"[3] 大卫·李嘉图则进一步把地租分为绝对地租和相对（级差）地租，他认为土地的有限性和土地的肥沃程度、位置是产生地租的前提条件。在社会发展的过程中，地租会越来越高。[4]

像北京这样的大城市，集中了全国的优质资源，拥有更好的基础设施，能够提供更多的就业机会和更好的公共服务，使得其地价当然要高于其他很多城市。而省会城市，则集中了一个省的优质资源，在一个省而言，其地价往往也是高于级别在其下的城市。以此类推。

显然，呈阶梯状排列的地价，导致了中国呈阶梯状排列的房价。不同的城市，由于在资源分配中所处的位置不同，地价、房价也就有着非常大的差别。

因此，房价在任何国家都是一个区域问题，只是不像中国这样明显和分明。

每个地方的房价涨跌幅度一般都有差异，但整体来说，就绝对价格而言，是一线城市的房价高于二线城市，二线城市高于三线城市。房价的上涨速度也是如此。在房价上涨期，城市级别越低，房价涨得越慢、越少，呈现出明显的阶梯状分布。

如果说，房价的阶梯状分布还具有一定的天然性，那么，房价涨速一线城市快于二线城市、二线城市快于三线城市的这种状况，则更具有中国特色。

这样，我们也就找到了推动房价上涨的重要力量。那就是：资源吸引能力（决定房价不同区域的阶梯分布）和财富的创造能力。正是从改革开放起始到2002年，中国以制造业为核心的实体经济的高速发展，为社会带来了快速的财富积累；这种财富积累推动并支撑了中国房价的连续上涨——这也就意味着，制造业衰退之后的房价，正逐渐将这种财富红利透支殆尽而陷入日益危险的位置。超发的货币只能把这个过程向后推延，而不能改变。

因此，根据以上因素，结合货币、供需、政策等因素，才能对中国未来的房价趋势有一个准确的判断。鉴于中国经济的发展已经与房地产紧紧捆绑在一起，房地产的走势，在某种程度上也可以代表中国经济未来的走势。

让我们从头开始，一点点地剖析中国房价未来的趋势。

资源[5]的流动，对房价的趋势有至关重要的影响力。

2013年1月底，一则新闻引起广泛关注：陕西省神木县农村商业银行原副行长龚爱爱在京拥有41套房产，共计9666.6平方米，北京警方依法对龚爱爱利用其违法办理的北京户口及身份证所购买的10套房产及奥迪车予以查封。[6] 后来被确认的事实是，2005～2012年，龚爱爱先后在北京购房44套，涉及商铺、写字楼、公寓、住宅等，购房合同总价3.9亿余元，其中按揭贷款1.59亿元。[7] 但最后的判决并未涉及房产，针对的是龚爱爱伪造、买卖多个户籍的违法行为，法院以伪造、买卖国家机关证件罪判处龚爱爱有期徒刑三年。[8]

龚爱爱不惜违法伪造、买卖多个户籍的目的，只是为了突破商品房限售政策，在北京买房。正是像龚爱爱这样的人，从神木县这样的地方涌入北京这样的城市买房，才构成了中国房价极其明显的阶梯状分布。

在分析中国房价未来趋势的时候，必须充分考虑资源从下至上流动这种因素——在不考虑货币因素的情况下，假设国外的房价比北京的房价更具有竞争优势，从而导致像龚爱爱这样的人不再涌入北京而是转向国外市场；假如北京的高收入者由于不堪雾霾等污染之痛而走出北京到他们认为更宜居的城市；或者，假如人口的快速涌入超出北京的承载能力，政府不得不对北京的功能进行重新定位，那么，就会导致房价快速发生逆转。

除了北京，其他地方的情况大致都遵循着这样的规律。不仅国内，整个世界都遵循着这样的规律。

我们知道，从全世界范围来看，整体而言，英国的房价是复苏最早、上涨最快的。因为，英国虽然在欧洲，却不属于欧元区，在欧债危机下，英国反倒成了一个资源（尤其资本）汇集地区。而英国虽然与美国关系极其紧密，但两者毕竟是两个国家，次贷危机爆发后，从美国的角度来看，英国也是一个资源吸纳、汇集区。所以，英国的房价相对而言最为坚挺。

2013年10月，英国平均房价已达到247000英镑（约合239.8万元人民币），达到史上最高。为此，英国财政大臣奥斯本考虑向在英国购置房地产的海外房主征税。因为伦敦和英格兰东南部房产市场面临的泡沫危险已经受到广泛关注，而这个泡沫在很大程度上被归咎于海外买家[9]——这正说明了海外资本资源流入英国，推动了英国的房价上涨。

英国近年来虽然帝国雄风不再，但它始终小心翼翼而又极其努力地确保自己国际金融中心的地位不动摇——这是确保英国成为资本汇集地的最重要的基础和前提。为了获得新的金融资源，英国努力吸引中国投资、拒绝破坏性的保护主义和金融交易税，还力争让英国成为伊斯兰世界以外第一个发行伊斯兰债券的主权国家，把英国打造成为全球伊斯兰金融中心。[10]

下图为英国2000～2013年的住宅价格指数（2002Q1＝100）[11]。

数据来源：Office for National Statistics。[12]

从上图不难看出，英国的住宅价格指数即使在次贷危机爆发后，调整的幅度也不大，并且很快恢复。

现在，我们从源头上来对中国的房价走势做更具体的分析。

我们知道，位居长三角的上海、江苏、浙江的房价具有趋同性，这些年来都在快速上涨，而北京、天津、河北，即京津冀区域的房价走势差异就非常大。鄂尔多斯"却是大量楼盘停工，房价甚至打对折仍乏人问津"[13]，温州房价也是在国内房价普遍上涨的情况下持续下跌。

为什么？

我们判断中国房价的时候，必须从区域房价开始看，因为中国房价的区域差异是极其明显的，其未来的走势也是如此。

20世纪50年代，法国经济学家佩鲁在其《经济空间：理论的应用》《略论发展极的概念》等著作中，率先提出了以"增长极"为标志和以"不平等动力学"为基础的区域非均衡增长的理论。佩鲁认为，"增长并非同时出现在所有地方，它以不同的强度首先出现在一些增长点或增长极上，然后通过不同的渠道向外扩散，并对整个区域的经济产生不同的最终影响"。[14]

长三角地区的发展，非常符合这种理论的描述。在长三角地区，这个增长点就是上海，以上海为点，带动起整个长三角的发展。

面积21万平方公里、人口1.4亿的长三角地区，2012年经济总量突破11万亿元，约占中国GDP总量的21%，成为中国最具实力的城市群。2012年，长三角核心区16个城市GDP总量逼近9万亿元。并且，海洋经济已成为长三角发展新的增长点，中国海洋经济的1/3就是由长三角贡献的。[15]

长三角区域内部经济发展基础条件的相似性、经济联系上的紧密性，使得在发展制造业过程中必然有大量的合作存在。同时，由于内部资源和外来资源的有限性，也必然使得这些地区之间存在着激烈的竞争。[16]

长三角地区制造业激烈竞争的结果，是区域间的互补，而交通状况的飞速改善，使得长三角地区实体经济发展的一体化进程日益加快。

这直接影响到了该区域的房价走势。

与制造业从上海向江苏和浙江的扩散、辐射一样，上海的房价走势，同样呈现出向江苏、浙江扩散的态势。

由溢出效应分析，通过一个模型测算的结果是：上海房价的上升对浙江和江苏房价上升的贡献度分别高达80%和85%；江苏对浙江房价上升的贡献度仅达到10%；而浙江房价对江苏房价的贡献度比较低，仅为5%左右。

这表明：上海通过自身累积效应不仅带动了上海房价的上升，而且产生了较大的溢出效应，带动了浙江和江苏房价的增长。上海、浙江和江苏由于其经济发展的良好势头，为整个世界经济的"眼球"地带，经济资源和要素资源加速向长三角地区积聚，这为长三角各个城市房地产业发展提供了巨大的发展潜能。作为在GDP中比重较大的房地产市场，在资源向长三角地区集聚的过程中，其房价也必然会表现出一定的趋同效应。[17]

事实也是如此。在21世纪初期，上海公布的数据就显示：2004年，上海中高档商品房中约1/4是由外籍人士为主的非本地居民购买，1/3的高档商品房是由外籍、外地人士购买的。外籍人士在苏州、南京等长三角城市购房的现象也越来越多。[18]

从资源的角度来看，由于资源向上海集中，进而从上海向江苏、浙江扩散，长三角的房价上涨也紧跟资源的脚步：上海先涨，而后带动起江苏、浙江的房价上涨。

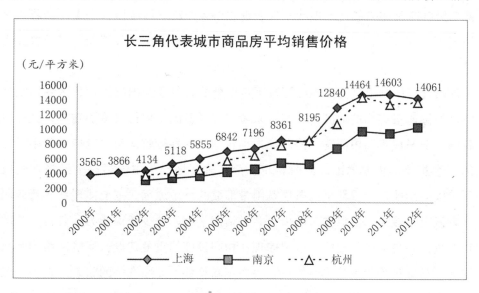

数据来源：国家统计局（其中，南京和杭州自2002年起才开始有数据）。

从上图不难看出，上海、杭州和南京的房价走势，同步性特征非常明显。

从财富累积的角度来看，上海以制造业为核心的实体经济率先发展起来，给上海带来快速的财富积累。而后，上海的崛起带动江苏、浙江的经济发展，江苏、浙江也快速实现财富的创造和累积，房价紧跟着上涨。

我们再来看看京津冀区域。这个区域的增长极在北京，而北京是一个政治中心而非像上海那样的经济中心，北京以制造业为核心的实体经济的发展远远比不上上海，北京的财富创造能力和财富累积能力也远远比不上上海。因此，北京的房价无论是涨幅还是绝对价格在2003年以前都远低于上海。

但是，北京是全国唯一的政治中心。政治中心在中国的经济政策中处于吸纳、汇集资源的位置——全国的优质资源可以源源不断地输送到北京，这种优势是其他地区不能相比的。但这也决定着，北京无法像上海那样，通过制造业的扩散把创造财富的能力向外辐射，带动起整个区域的经济增长。

因此，在上海周边的江苏、浙江迅速崛起，而在北京的周边却出现了一个贫困带。

2005年8月17日，亚洲开发银行资助的一份调查报告中首次提出"环京津贫困带"的概念：在国际大都市北京和天津周围，环绕着河北的3798个贫困村、32个贫困县，每人年均收入不足625元，贫困人口272.6万。如果以150公里的直线距离计算，与北京接壤的河北省张家口、承德、保定三市就有25个国家级和省级贫困县。谓之"环首都贫困带"名副其实。[19]

首都经济圈贫困带的贫困现状不仅表现在整体经济发展缓慢、个人经济收入水平低，还表现在交通、饮水、教育、医疗等基础设施薄弱，生态环境差，以及农民生计途径单一。

在行政管理体制中，首都经济圈贫困带所处的省份是全国省级行政区划切割最严重、体制性障碍最突出的地区。从实践来看，"经济圈"内行政级别越多，往往也意味着越高的交易成本，内部统一协调能力也较差。这种行政体制也是造成贫困带地区贫困的一个重要的体制原因。同时，京、津、冀三地作为中国第三个经济增长极，其相互之间的功能定位混乱也是造成贫困带形成的一个原因。主要体现在其行政隔阂上，三者没有形成统一的整体，缺少公共对话的平台，缺少统筹能力，各自为政的现象比较严重。在过去的发展中，主要体现在相同设施的重复建设、运输网络饱和状态的不均衡、基础设施建设整体性较差、效率不高且处于无序竞争的状态。在一些区域性港口、机场、跨地区高速公路和城际快速通道建设中，缺乏必要的统筹安排。[20]

由于资源向北京高度集中（这种集中是就全国范围内而言），所以推动了北京房价的快速、持续上涨。除非实施行政体制改革，削弱行政对资源的强大配置能力，或者，中国的整体经济出现快速下滑，北京对资源的汇集能力受到削弱，否则北京房价趋势的波动性就不会像其他地方那样明显。

京津冀重点城市商品房平均销售价格

数据来源：国家统计局（其中，石家庄自2002年起才开始有数据）。

从上图不难看出，北京、天津和石家庄的房价差异非常明显，北京的房价一枝独秀，把天津和石家庄远远甩在后面。如果将这三个城市与长三角的三个代表城市进行对比，我们就会发现，京、津、冀的房价差异远远大于长三角地区，趋同性特征较弱。

第二节
解剖案例看真相

现在，我们重回房价的主题，解剖一下鄂尔多斯。这些看起来似乎枯燥乏味的剖析，对我们一步步地了解中国未来的房价趋势具有重要的指引意义。具体原因我们一点点分析。

鄂尔多斯的房价为什么跌得那么惨？

因为鄂尔多斯是一个资源输出城市而非资源输入城市。鄂尔多斯既缺乏上海那样的依托实体经济发展而产生的对资源的凝聚能力，也缺乏北京那样的依托政治中心地位而产生的对资源的行政汇聚能力，它是一个纯粹的资源输出城市——这里的资源依旧是广义资源的概念，包括自然资源、社会资源，当然也包括资本。

在鄂尔多斯8.7万平方公里的土地上，48%是无法居住的沙漠，而70%的地层下都埋藏煤矿。已探明储量1676亿吨，预计储量近1万亿吨，约占全国总储量的1/6。每天，全国煤炭所需总量的1/8就来自鄂尔多斯。除此之外，还有7504亿立方米的天然气，约占全国总探明储量的31.8%。所谓"羊（羊绒）煤（煤炭）土（高岭土）气（天然气）"构成了鄂尔多斯富足的资源体系。[21]

多年来，依托天然的资源禀赋，尤其是煤炭产业，鄂尔多斯经济实现了跨越式增长。2002年，鄂尔多斯GDP规模为204亿元，到2012年则达到3656.8亿元，10年时间增长了17倍，增速连续9年位居内蒙古自治区首位，人均GDP甚至超过了香港。

2012年，鄂尔多斯煤炭产量5.9亿吨，折合产值约3000亿元，占鄂尔多斯市GDP的80%。然而，过分依赖煤炭资源也为地方经济的发展埋下了隐患。从2012年1月开始，环渤海（5500大卡）动力煤价格由792元/吨一路跌到2013年5月中旬的612元/吨，跌幅达22.7%。鄂尔多斯2012年的GDP增速从内蒙古自治区首位一下跌至倒数第一。[22]

这意味着，鄂尔多斯财富创造能力下降了。

另一方面，在鄂尔多斯迅速走向富裕的同时，房地产开发也如火如荼地飞速发展起来。

查看鄂尔多斯市2010~2012年的《国民经济和社会发展统计公报》得知：

2010年，鄂尔多斯全年完成房地产开发投资280.5亿元，比上年增长27.8%。

2011年，鄂尔多斯全年房地产开发施工面积4122.4万平方米，比上年增长31.3%。

2012年，鄂尔多斯全年房地产开发施工面积3978.06万平方米，比上年下降5.3%；竣工面积433.52万平方米，同比增长99.1%。

但是，资源丰富的鄂尔多斯却是一个资源输出城市。我们没有确切的数据知道有多少从鄂尔多斯掘金的人，把财富转向一线城市或者国外，但我们记得那位在北京买了44套房产的著名"房姐"龚爱爱，而她所在的陕西省神木县紧邻鄂尔多斯，同样属于靠煤炭暴富的地方。

因此，从某种意义上来说，这个典型案例是有一定代表性的。

在鄂尔多斯的房价连年上涨之后，鄂尔多斯本地的房价对当地高收入者的吸引力，已经远远低于国内一线城市甚至国外城市房价的吸引力。

这也就意味着，鄂尔多斯的房价到了一个临界点。

房屋归根结底是人类居住的场所。一旦资源价格出现拐点，鄂尔多斯的吸引力就会下降，外来人口就会停止涌入，甚至出现人口外流现象，而人口外流往往也伴随着财富的外流和购买力的下降，必然会对房价产生直接影响。查看鄂尔多斯市2012年的《国民经济和社会发展统计公报》得知：（鄂尔多斯市2012年）年末户籍人口152.08万人，比2011年末少2.1万人。[23]

人口减少和资本外流最终导致鄂尔多斯的房价发生逆转。而鄂尔多斯房地产供应量的持续增长和房地产销量的下降，进一步加速了趋势的逆转。

2011年，鄂尔多斯商品房销售面积438.9万平方米，同比下降18.0%；销售额213.2亿元，同比下降15.3%。其中住宅销售额150.6亿元，同比下降12.9%。[24]

2012年，鄂尔多斯商品房销售面积232.69万平方米，同比下降47.0%；销售额107.90亿元，同比下降49.4%。其中住宅销售额73.19亿元，同比下降51.4%。[25]

从鄂尔多斯这个例子我们可以明显看出来，当一个城市失去资源的吸纳能力时，房价就容易出现逆转，并且，一旦下跌，就无法找到支撑，而出现持续的暴跌。这是因为，其房价与金融是捆绑在一起的，一荣俱荣，一损俱损。

鄂尔多斯飞速的发展使它成为投机家掘金的天堂。鄂尔多斯充斥着大量的投资公司、担保公司、典当行、委托寄卖行和数目难以统计的地下钱庄。社会的闲置资本流向这些"中间人"，赚取利息，实现增值。而中间人则将资金放贷给需要的企业和个人。

内蒙古大学的一份调研显示，50%的鄂尔多斯城镇居民都参与到了放款与借款的资本活动中。在民间借贷市场，贷款的年利率是30%～50%。民间融资机构吸收的资金主要投放在煤炭、运输以及房地产等高利润行业。[26] 权威人士保守估计，鄂尔多斯民间借贷资本在2000亿元以上。[27]

一旦资源下跌，房价泡沫破灭，鄂尔多斯的金融链条同时断裂，无法自我救赎。

鄂尔多斯给出的预警发人深省。

我们再看看另外一个其房价在全国普涨时下跌的城市——温州。

温州也曾是中国楼市的投资风向标，房价一度接近上海、北京、深圳等一线城市。但截至2013年9月，在最近全国70多个大中型城市房价普涨的情况下，温州房价却连续25个月单边下滑，成为唯一下跌的"孤城"。温州市中级人民法院以及温州辖区内其他区县的法院在网上进行司法拍卖，所拍卖"房产的价格和最高峰时相比，缩水一半"。记者调查的结果也是如此，2012年初以来，温州房价就开始下跌，有的楼盘跌幅超过50%。[28]

温州炒房团犹如一面大旗，在中国可谓家喻户晓，但这个知名度的背后，也透露出另外一层含义：温州是一个资源（这里主要是资本）输出型城市！当温州人带着资金到全国各地炒房的时候，谁有胆量、有实力去温州炒房呢？

炒房需要庞大的资金作为依托，一旦资金输出过多，就容易造成资金链断裂，从而引发后院起火！而温州的房价一旦步入下跌轨道，就很容易形成多米诺骨牌效应，导致更多人陷入资金紧张乃至恐慌的状态。

温州市公布的金融机构人民币存贷款情况显示，该市2012年末的各项存款余额为7425.62亿元，比上年末仅增长2.1%；而各项贷款余额却达到了6839.37亿元，比上年末增长10.4%。[29]

至此，我们基本明白了中国房价阶梯状分布的原因，因为它是资源流动、配置的结果。问题是，任何事物都有临界点，所谓"物极必反"。当北京这样的城市，房价已经涨到与发达国家的房价难分伯仲时，资本的逐利本能就会发挥作用。而在雾霾严重恶化生活环境的情况下，资本的避险功能又会被激活，从而推动资金流向美国等因受次贷危机影响而房价显出估值洼地的地方。

2014年1月1日，一篇题为《环境污染将让中国房地产变得一文不值》的评论，新华网、人民网都转载了。该文指出：无论中国的房地产存不存在泡沫，如果中国的环境污染还像如今这般继续恶化下去的话，无论你在这场争论中站在哪一边，中国的房地产也总有一天会变得一文不值。年轻一代中国人会选择离开这个国家，而不是迁入污染的城市，继而抑制房地产需求，并加剧该产业产能过剩的问题。[30]

事实上，不仅民间资金，甚至连一些官方资金出于避险和获利的需要，都在计划投资海外的房产而不是中国内地的房产。

2013年5月28日，《环球时报》报道称：据消息人士透露，中国国家外管局注意到了美国房地产市场复苏的迹象，正在研究利用部分外汇储备投资美国房地产的可能性。采用的方式可能包括购买地产、投资房地产基金或者购买房地产公司的股票。消息人士并未透露投资时间表。

另有报道称，中国已经在纽约开设机构，意图实现对美投资多样化。2013年第一季度，美国独栋房产的价格在89%的美国城市都出现了上涨，美国房价在连续下跌5年之后开始复苏。[31]

这意味着，中国之于世界，就如同鄂尔多斯之于中国的情形。

研究表明，中国房价与国外房价相比，位居前列。美国房地产市场在21世纪初的前6年狂涨，到了一般百姓买不起房的地步，最终导致了供需失衡、房价大跌，并引发了楼市的崩盘和华尔街的金融风暴。2008年第二季度，美国的次贷危机爆发，房价急剧下跌。那时的美国房地产市场，只有55%的房子是在普通人的承受范围内，到了2009年，70%的房子普通大众都可以承受。

在美国也存在着房价地方性差异，CNN 2011年给出美国最可承受和最不可承受房价的地区排名。最可承受房价排名第一位的是伊迪安那波利斯市，中等房价10万美元出头，而中等家庭年收入则为6.8万美元，房价收入比为1.5。在被称为房价"最不可承受"的城市纽约，中等房价42.5万美元，对于中等收入家庭来说，房价收入比为6.5。然而，对比美国和中国的房价，2008年，中国平均房价收入比约为7.68。大城市中房价收入比最高的前三位分别是深圳（16）、北京（13.56）、杭州（12.4），远超出合理水平。再对比一下纽约这座在美国房价最不可承受的城市，房价收入比也不过6.5左右，甚至低于中国的平均水平。中国的房价，比次贷危机前的美国还要更难以承受，这样的房价不仅威胁民生，更威胁着中国的经济竞争力。[32]

在过了2012年的转折点之后，像北京这种特大城市的承载能力日益接近极限而以雾霾为代表的环境的急剧恶化成为移民潮的重要推手。

据报道，自2009年底以来，珠三角投资移民市场出奇热闹，火爆场面堪称历史少见，有人直指，我国改革开放之后的第三波移民高潮已到来。不同于20世纪70年代末以底层劳工为主的第一波移民，以及20世纪90年代初期以"洋插队"为主的第二波移民，这次移民潮的主力由新富阶层和知识精英组成。尤其是在如今国内房价高涨情况下，不少人高呼：买房不如移民！

这篇报道还举了一些具体的例子：经过3年多漫长的等待，林先生终于拿到加拿大居留权。林先生曾在广州一家事业单位工作，收入稳定、工作安逸，然而，林先生还是放弃了。"在两地生活同样会遇到难题，在国内，如果想靠一份普通的工资买房买车是很有压力的，但在国外，如果你具备一定能力，通过自己的努力，在5年内贷款买一套公寓至少还是有可能的。另外，在国内饮食不太安全，人心也较浮躁。"[33]

2011年4月，招商银行发布的《2011中国私人财富报告》给出了这样一组答案：2010年中国可投资资产1000万元人民币以上的人群（简称"高净值人群"）数量达50万人，共持有可投资资产15万亿元人民币。与此同时，接受调研的高净值人群中近60%的人士表示，已经完成投资移民或有相关考虑。个人资产超过1亿元人民币的企业主中，27%已经移民，47%正在考虑移民。[34]

2010年4月份，在北京车展上，一个移民广告的海报高调地悬挂着，"在北京买房吗？不如移民吧！"这种行业内的高调背后，是2010年移民市场的一次井喷。当年年底，有的移民公司业绩整整增长了5倍。

中国社会科学院2010年发布的《全球政治与安全报告》显示，中国正在成为世界上最大移民输出国，目前约有4500万华人散居世界各地，流失的精英数量居世界首位。如此高端的群体、如此庞大的数量和趋势化发展构成了不容忽视和必须面对的问题：在现代社会的格局中，原本应该是一个社会支柱的财富和知识精英，纷纷选择远走他乡，一旦成潮，对于移出地社会而言，是一种灾难。这是因为，他们带走的，不仅有他们自身数十年发展所累积的知识和财富。更严重地说，他们在一定程度上甚至带走了这个社会的灵魂，带走了那种激励个体奋发向上并努力改造社会的精神。媒体感慨：这三重流失的严重化，势必带来社会的某种"空心化"现象。[35]

移民潮是对中国高房价、环境恶化、食品安全等因素的否决票，而这也意味着，许多城市正从资源的吸纳、汇集者逐步转变成输出者。

从另一个角度来看，房价最终还取决于经济的增长和财富的创造能力。从改革开放到2002年，实体经济高速发展所创造和累积的财富，构成房价上涨的重要基础。而汹涌的货币，加大了人们对货币贬值的恐惧心理，促使资金流向房地产，推动着房价的上涨。

第三节
剖析房价

随着实体经济从辉煌的顶峰步入调整，支撑房价的力量势必会大大削弱。最关键的一点是，它会影响到人们对未来房价的预期——预期一旦改变，投机资金的撤离将加快房价见顶的步伐。

而且，房地产属于资本密集型行业，对资金的需求量非常大，一旦资金链出现问题，危机就会迅速爆发。

我们不妨对比一下鄂尔多斯和温州的情况，通过对这两只"麻雀"的解剖，展望未来的趋势。

下图为鄂尔多斯2001～2012年GDP及GDP增速。

数据来源：综合内蒙古自治区统计局、《鄂尔多斯国民经济和社会发展统计公报》和《鄂尔多斯统计年鉴2011》中的数据。[36]

从上图不难看出，鄂尔多斯的GDP变化，几乎是在谱写一个神话。2012年的GDP是2001年的21.3倍！即便放在世界范围内来看，也是一个令人瞠目的奇迹！鄂尔多斯的经济从2003年开始腾飞，这个时间节点正是房地产的国民经济支柱产业地位被确立，与房地产相关的资源行业发展最迅猛的时期。作为煤炭资源丰富的鄂尔多斯，成为最直接的受益者。

媒体的报道证实了这一点。"从2003年起，中国经济进入一轮爆发周期，尤其是以重工业、重化工业为代表的二次工业化发展迅速，对能源需求日益强烈。2003年底，煤炭价格开始上涨。鄂尔多斯人脚下的黑煤开始变成'黑金'。"[37]

2005年，鄂尔多斯的经济增速达到顶峰。2008年次贷危机爆发后，鄂尔多斯经济增速逐步下降，到2012年增速下降到低于2001年的水平。增速的下降一旦与外部的债务危机结合，就会改变人们的预期，这种预期的改变又会迅速导致一些资金的撤离——这正是鄂尔多斯这样的资源输出型城市的最大弱点所在。

我们再来看看温州的数据。

下图为温州市2001～2012年GDP及GDP增速。

数据来源：温州市国民经济和社会发展统计公报。

温州的GDP增速自2007年后逐步下滑，2008年后GDP增速下降到低于2001年的水平。在中央4万亿救市计划推动下有所反弹，但2010年再次下行，到2012年已经下降到6.7%的较低水平。温州经济增速下滑，意味着它已经不能支撑高速上涨的房价，也不能再作为温州炒房团的大本营为其提供充沛的资金。由此导致资金链断裂，房价下跌，随后又进一步蔓延，一些企业破产倒闭。

据《中国新闻周刊》报道，在温州市永嘉县黄田镇，2011年9月一个月内就有100

多家企业关闭。随着事态的发展，更是出现了炒房者自杀等情况。[38]

我们再看看国内的数据。

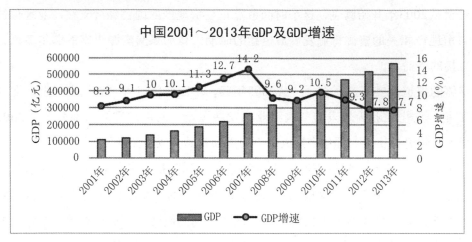

数据来源：《中国统计年鉴2013》和

《中华人民共和国2013年国民经济和社会发展统计公报》。

如果把整个中国的GDP及增速，与鄂尔多斯和温州的数据做一个对比，就会发现有许多相似之处。中国的GDP增速在2007年后就开始下降，与此同时，一些制造业开始向东南亚等地区迁移——连年房价上涨带动起土地价格、房租、物价的上涨，导致国内的制造业成本大幅度上升，被迫向外转移。同时，资本也渐渐开始从放缓流入步伐慢慢地转为流出。

一些朋友很容易忽略但特别重要的信息是：

鄂尔多斯与温州是中国两个非常典型的代表！

前者是资源富集的城市，后者是资本富集的城市，而这两种资源富集之地正是中国经济高速增长过程中受益最大的城市。当这两类典型代表城市的房价出现下跌，其信号意义非常明显！

依照这种代表性往下推导，那么，不久之后，与鄂尔多斯比较像的太原（资源型）等城市及其同区域内再低一级的城市，房价就会随即见顶，而与温州比较像的深圳（资本型）等地区的房价会陆续跟着出现明显的见顶回落征兆。

2013～2015年的这个阶段，是令人极度纠结的阶段，直到趋势变得明朗，纠结也会随之淡下去。中国房价将在这种纠结中逐渐从点到面，显露出明显的见顶回落迹象——时间越向后，见顶回落态势越明显。

当中国从资源的输入者变成输出者，当创造财富的步伐放慢，支撑房价的基础也随之逐渐变得脆弱起来。而环境的恶化、城市承载力透支殆尽，将成为加快楼市大变局的推手，房地产脱离实体经济独自辉煌的画皮将被无情地揭下。

与房价上涨时的阶梯状形态相似，房价下跌的时候也将呈现出阶梯状的形态。房价下跌先从资源、资本输出的四线城市开始，渐渐蔓延到三线城市、二线城市，最后传导给一线城市。

相关政策的调整，也可能成为房价下跌的推手。在《中共中央关于全面深化改革若干重大问题的决定》中，有关房地产问题的表述字数非常少，但字数少不代表不重要。里面只有几句："建立全社会房产、信用等基础数据统一平台""加快房地产税立法并适时推进改革""健全符合国情的住房保障和供应体系，建立公开规范的住房公积金制度，改进住房公积金提取、使用、监管机制"。[39]

房产数据平台意味着：房产的透明度提高，那些拥有多套住房尤其通过非法收入购买多套房产者，将更急切地抛售房产。房地产税将加大住房的持有、保有成本，使得拥有多套住房的人不得不卖房套现——前提是房产税的力度较大。由于许多城市可供出让的土地越来越少、卖地收入锐减的情况下，开征房产税几乎是政府唯一的选择。但仅就前两条而言，一旦施行，也将对房价产生影响。

如果理论上的分析还不足以说明问题的话，那么，我们不妨看看大佬们在做什么。

李嘉诚父子抛售中国的物业，一直是热炒的新闻。

2013年8月29日，"长和系"两家公司长实、和黄双双发布公告，将各自下属公司分别持有的广州西城都荟广场各50%的股权出手，最终以26亿元成交。10月18日，和黄与长江实业再次出售位于上海陆家嘴的东方汇经中心，最终以11.55亿美元（约70亿元人民币）成交价成为近年来规模最大的写字楼交易之一。12月31日，李嘉诚长江实业集团旗下ARA基金出售南京新街口最繁华地段的国际金融中心大厦，接盘者为宏图三胞集团。据市场人士估计，该大厦估值约为30亿元。

2014年1月13日，李氏家族的电讯盈科发布公告证实，旗下全资附属盈大地产就出售北京盈科中心股权正与独立第三方处于深入磋商阶段。短短5个月内，李氏家族就已出售了价值200亿元的中国内地物业。在新的经济条件下，亚太区房地产投资市场的吸引力有下降的趋势。与此同时，商业地产已出现明显的泡沫迹象，李嘉诚作为投资风向标，其频抛物业也正是来源于对未来市场的判断。[40]

但人们的思维似乎已经被连年上涨的房价给固化。

在李氏家族抛售商业地产的同时，有更多的地方却在增加新的供应房——新增供应和二手房抛压汇集而成的力量，将成为压垮高房价的最后力量。

2013年的商业地产市场显得火热，万科等龙头房企在发力住宅地产的同时，纷纷向商业地产抛来橄榄枝。但是，随着供应的急剧增加，供应过剩危机迅速膨胀，部分城市的空置率已远远超过6%的国际警戒线。

以广州为例。2014年，广州购物中心将迎来供应洪峰，新增供应面积将达到61万平方米，创历史新高。业内人士坦言，目前，广州在运营的主要商业体总量已超过40多个，2014年在建或将建成的综合体及商业项目超过20个，有近400万平方米的新增商业面积即将陆续上市，将使未来3～5年内的商业环境竞争更为激烈。

不仅广州，截至2013年底，中国20个大城市商业地产总存量达到6461万平方米。而到2016年底时，3年新增供应量总计将接近3500万平方米，占目前总体存量的54%。写字楼3年后的增量将超过5800万平方米，占目前存量的173%。[41]

笔者不禁想到2007年股神巴菲特抛售中石油时，中国民众对他不屑一顾的嘲笑。大智慧者总是在众人的讥笑声中站在高山之巅，平静地傲视来自世俗的平庸的嘲讽。

中国房价似乎可以蔑视一切，不仅可以蔑视像李嘉诚这样的首富，也可以蔑视无数的诺贝尔经济学奖获得者：

2008年的诺贝尔经济学奖得主保罗·克鲁格曼在2011年底写道："中国的房地产已出现了所有泡沫状态下的特征：不仅仅是房价上涨，还类似于佛罗里达出现的楼市投机热。"

2009年的诺贝尔奖经济学奖得主奥利弗·威廉姆森说："全世界房价最离谱的就是中国，我不认为房价还会大幅度上升，因为现在已经太离谱了，所以我认为房地产没有投资价值。"

2010年的诺贝尔经济奖得主彼得·戴蒙德说："中国土地出让总额年年以70%增幅暴涨。5年后可能达到近40万亿元。如此高昂的面粉价格，造出的面包必然无比昂贵。中国百姓30年积累的60万亿元的财富，可能在短短几年内通过房地产转入政府手中。因房地产而失去积蓄的中国百姓可能无法支撑中国产量惊人的产业经济。"

另一位2010年的诺贝尔经济奖得主戴尔·莫滕森说："过度利用杠杆把房价调高，相信会有更多的人来接盘或者是买房，通过这种过度借贷导致无力偿还，最终会对经济产生一系列影响。"

2012年的诺贝尔奖得主埃尔文·罗斯坦言自己对中国房地产的情况不能说十分了解，但是他觉得一个有效的房地产市场关键是信息对称，"如果当地能够建造更多的房子，5年后房价我想会恢复平稳"。

2013年的诺贝尔经济学奖得主席勒在2009年访问中国时就被问到"今年中国的

房子泡沫会不会破灭"。席勒说："美国加利福尼亚州房价与收入比为8～10倍，他已经认为很高了，而在中国的深圳、上海等大城市，房价收入比达到36倍，这令人担忧。"席勒曾准确预言美国2000年科技股泡沫和2006年房地产价格泡沫的破裂，尤其是对美国房地产市场的准确预测让席勒声名鹊起。[42]

2013年5月，保罗·克鲁格曼指出，所谓"泡沫"，就是资产价格处在基于对未来不切实际预期下的一种情况。[43]

这个定义实在是精妙。

中国人对房价只会涨不会跌的预期，何止是不切实际？一旦预期转向，泡沫也就会在瞬间破灭！

而且，房地产已经开始出现一个新的更为严重的问题：房屋过剩！这种现象在三、四线城市表现得尤其明显。

笔者曾在一个三线城市转了一圈，建筑工地到处都是，许多都是住宅项目。这些房子不仅相对于民众的购买力而言是过剩的，即使从绝对需求角度来看，也是严重过剩的。

2014年2月，有媒体调查得出结论：城市规划的无序使"新城"遍地，而后续需求的乏力使许多新城变成"鬼城"。在当前的三、四线城市中，出现房屋供应严重过剩的"鬼城"不在少数。[44]

2014年2月9日，中国社会科学院副院长李扬表示，2014年6月全国房地产登记系统启动之后，除了高房价问题外，房屋过剩问题也将水落石出，"现在这个问题非常突出，金融部门都在做准备……首先就是房地产出问题"。[45]

随着实体经济的衰退，支撑房地产的根基早已在浑然不觉中慢慢垮塌。高楼大厦的外表依然光鲜亮丽，但地基已在沉陷。

在2013～2015年的这个阶段，对于中国房价而言，将是完成最后筑顶的阶段，是房价从辉煌走向黯淡的阶段。随着中国房产税的开征、环境的恶化、人口老龄化、制造业空心化等因素的日益明晰，也随着美国逐步收紧货币政策，全球资源向美国的回流，继2012年中国实体经济完成转折之后，中国房价也将在这个阶段流露出疲态，为快速坠落积聚能量。下跌之旅一旦开启，将如同鄂尔多斯（资源富集代表）和温州（资本富集代表）的情况，难以遇到支撑。这个下跌过程，是从点到面——从不断增加的点到面，从小城市开始，逐渐蔓延到二线、一线城市。

房地产的黄金时期已经在人们麻木的时候，无情而彻底地转身，睿智的人会走在前面，一如李嘉诚的选择。因为，到下一个时间段——2016～2022年里，集中为过去还债的时期将冰冷地到来，房地产将上演残酷的"大逃杀"，开发商曾有的辉煌将书写在残败的烂尾楼上，昭示岁月的沧桑和无情——后面的章节还会做进一步的分析。

　　笔者此前说过，2016年，只是为了表述的方便。笔者所简单勾画的2016年开始的场景，随着美联储绳套的收紧，提前到来的可能性变得越来越大。

　　现在，还有一个很重要的问题必须进行剖析：作为房价支撑的另一重要力量——银行体系是否可以作为支撑力量托住房价、托住中国经济呢？

注　释

[1]邓卫，宋扬.住宅经济学[M].北京：清华大学出版社，2008.

[2]威廉·配第.赋税论[M].北京：中国社会科学出版社，2010.

[3]亚当·斯密.国民财富的性质和原因[M].北京：商务印书馆，2008.

[4]大卫·李嘉图.大卫·李嘉图全集　第1卷：政治经济学及赋税原理[M].北京：商务印书馆，2013.

[5]这里的"资源"是指一国或一定地区内拥有的物力、财力、人力等各种物质要素的总称，分为自然资源和社会资源两大类：前者如阳光、空气、水、土地、森林、草原、动物、矿藏等；后者包括人力资源、信息资源以及经过劳动创造的各种物质财富。此处主要指后者。

[6]卢国强."房姐"在北京有41套房[N].广州日报，2013-02-01.

[7]怀若谷.房姐龚爱爱案二审维持原判[N].京华时报，2013-11-01.

[8]姜峰."房姐"龚爱爱案二审维持原判　判处有期徒刑三年[N].人民日报，2013-11-01.

[9]闫宇.英国房价持续高涨，政府或考虑向海外房主征税[OL].国际在线，2013-11-02，http://gb.cri.cn/42071/2013/11/02/5105s4307033.htm.

[10]George Osborne.London can lead the world as an Islamic finance hub[N].The Financial Times，2013-10-28.

[11]"2002Q1=100"即把2002年第一季度的数据作为基数100，来计算相关年份的数据。

[12]2000～2013年的数据，选取的都是各年度第四季度的数据。这里的数据是英国国家统计署结构调整后的包含所有住宅（All dwellings）的住宅价格指数。英国国家统计署（Office for National Statistics）成立于1996年4月1日，由原中央统计署（Central Statistical Office，CSO）、人口普查与调查署（Office of Population Censuses and Surveys，OPCS）合并而成。依照《2007年统计与登记服务法案》，英国统计局从2008年4月1日起成为一个不隶属于内阁而由英国国会直属的独立机构。

[13]李晓明.鄂尔多斯房价腰斩仍难卖，30万百平米房子随便挑[N].新闻晨报，2012-12-12.

[14]安虎森.增长极理论评述[J].南开经济研究，1997（1）.

[15]潘洁.长三角16城GDP逼近9万亿[N].国际金融报，2013-02-27.

[16]姚瑶，宁越敏.长三角制造业发展层次和空间差异研究[J].中国城市研究，2008（3）2.

[17]位志宇，杨忠直.长三角房价走势的趋同性研究[J].南京师大学报（社会科学版），2007（3）.

[18]张冰.宏观经济下的长三角房地产发展趋势[J].房地产市场，2005（10）.

[19]暖空气.环广州贫困带，如何解决？[N]南方日报，2005-8-17.

[20]左停，刘晓敏，王智杰，陈莉.首都经济圈的贫困带成因与消除贫困的建议[J].乡镇经济，2009（5）.

[21]李伟.鄂尔多斯，狂奔的财富[J].三联生活周刊，2010-04-23.

[22]陈少智，于小龙，杨卉.鄂尔多斯市煤增产计划一厢情愿企业不愿买单[J].财经国家周刊，2013-06-24.

[23]鄂尔多斯市统计局，国家统计局鄂尔多斯调查队.鄂尔多斯市2012年国民经济和社会发展统计公报[R].鄂尔多斯市统计局，2013-03-14.

[24]鄂尔多斯市2011年国民经济和社会发展统计公报[OL].鄂尔多斯市统计局，http://www.ordostj.gov.cn/TJGB/201203/W020130909574875289692.doc，2012-03-08.

[25]鄂尔多斯市2012年国民经济和社会发展统计公报[OL].鄂尔多斯市统计局，http://www.ordostj.gov.cn/TJGB/201303/W020130523388117304615.doc，2013-03-28.

[26]李伟.鄂尔多斯，狂奔的财富[J].三联生活周刊，2010-04-23.

[27]陈俊岭.黑金城市民间借贷催生泡沫——"中国民间借贷现状"调查之三[N].上海证券报，2011-07-29.

[28]周文天."孤城"温州：楼市无人接盘[N].中国证券报，2013-10-30.

[29]温州市统计局，国家统计局温州调查队.2012年温州市国民经济和社会发展统计公报[R].温州市统计局，2013-3-30.

[30]Panos Mourdoukoutas.Why China's Porperty Sector Could Be Worthless，One day[OL].Forbes，http://www.forbes.com/sites/panosmourdoukoutas/2014/01/01/why-chinas-property-sector-could-be-worthless-one-day/，2014-01-01.

[31]王晓雄.传中国外管局想用外汇储备投资美国房地产[N].环球时报，2013-05-28.

[32]刘义，郑力宏，高雪，郭灵华.中国房地产业与房价危机[J].合作经济与科技，2011（20）.文中所述房价收入比是指住房价格与城市居民家庭年收入之比.

[33]梁婵.买房不如移民？[N].广州日报，2010-07-29.

[34]招商银行，贝恩咨询公司.2011中国私人财富报告[R].招商银行，http://images.cmbchina.com/cmbcms/201104/8e0597fb-dd78-4a49-a128-99aa80c4ef0e.pdf，2011-04-20.

[35]张友红.他们为什么移民[J].中国周刊，2011-09-20.

[36]本人在逐一核对数据的过程中，发现部分数据有出入，这种情况经常遇到.此处都以鄂尔多斯统计局的数据为准.

[37]李伟.鄂尔多斯，狂奔的财富[J].三联生活周刊，2010-04-23.

[38]庞清辉.温商后悔跑路——"我现在是半黑暗身份"[J].中国新闻周刊，2013-09-26.

[39]新华社.中共中央关于全面深化改革若干重大问题的决定[OL].中央政府门户网站，http://www.gov.cn/jrzg/2013-11/15/content_2528179.htm，2013-11-15.

[40]梁倩，乌梦.李嘉诚家族5个月内出售价值200亿中国内地物业[N].经济参考报，2014-01-17.

[41]梁倩，乌梦.李嘉诚家族5个月内出售价值200亿中国内地物业[N].经济参考报，2014-01-17.

[42]诺奖得主警告：中国房地产泡沫严重，令人担忧[OL].中国广播网，http://china.cnr.cn/xwwgf/201310/t20131015_513833729.shtml，2013-10-15.由于选用的统计数据不同等原因，不同研究者计算出来的房价收入比往往差别特别大.但国内外的研究者绝大多数都认为中国的房价收入比在国际上属于非常高的.

[43]孔军.克鲁格曼：债券市场泡沫并不存在[OL].腾讯财，http://finance.qq.com/a/20130511/000605.htm，2013-05-11.

[44]三、四线城市楼市崩盘个案或增加[N].中国证券报，2014-02-08.

[45]中国社科院副院长李扬：房地产首先出问题[N].第一财经日报，2014-02-10.

第11章
中国大趋势：2013~2015（下）

第一节
拔苗助长

在中国，房地产与银行紧密联系在一起，是一损俱损、一荣俱荣的关系。而这两大领域都是以实体经济的发展为基础的，一旦实体经济增长趋缓，房地产业的问题很快就会暴露出来。在这方面，鄂尔多斯和温州已经做出了明确的诠释。

当房地产走到高处不胜寒之地时，银行业也一样走到了这一步。在这个阶段，银行业首先感受到的是吸储难，然后是维持原有的利润难，再后就是追贷款难、化解坏账难。在度过2012年的大转折点后，肃杀的气氛会慢慢传染到银行业。而后银行业又会成为一个落井下石者，加剧趋势的演变。

2013~2015年，银行将告别本不属于它的辉煌时期。随着相关问题的暴露，它将回归黯淡的从前，找回当初自己的位置——这或许也是奢望。随着危机的阴影越来越浓郁，随着债务危机的脚步日益临近，银行业也将逐渐迎来寒冬。

在中国，房地产早已经把银行绑架。这种绑架体现在以下两个层面：一是个人购房按揭贷款。二是地产开发贷款。中国人民银行发布的统计数据显示，截至2013年12月末，主要金融机构及小型农村金融机构、外资银行人民币房地产贷款余额为14.61万亿元，同比增长19.1%。[1]

那么，房地产贷款在房地产开发企业中的资金来源中占多大比例呢？下图为2012年房地产开发企业实际到位资金示意图。

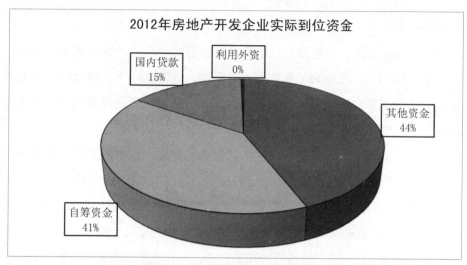

2012年房地产开发企业实际到位资金

国内贷款 15%
利用外资 0%
其他资金 44%
自筹资金 41%

数据来源：《中国统计年鉴2013》。

在2012年房地产实际到位的9.65万亿元资金中，国内贷款为1.48万亿元，占比仅为15%，似乎贷款占比并不高。但是，众所周知的一个事实是，在房地产开发企业的"自筹资金"[2]和"其他资金"[3]中，都可能有来自银行的资金——在现行的银行监管体制之下，这几乎是无法避免的问题。也就是说，房地产开发企业来自银行的资金，要远远大于15%的比例。否则，你就无法理解，为何房地产调控力度稍微一加大，最敏感的反而是银行。

而且，房地产商也直接点破了这个秘密。2008年4月11日，华远集团总裁任志强在博鳌亚洲论坛上坦言："要死肯定是银行先死，房地产商后死。"[4]

开发商这样说的底气，源于房地产开发企业通过贷款渠道对银行的绑架。

研究表明：我国房地产开发融资的渠道非常单一，基本上只有银行贷款这一条路。据估算，我国80%左右的土地购置和房地产开发资金都直接或间接来自商业银行信贷。通过土地储备贷款、房地产开发贷款、建筑企业流动资金贷款和住房消费贷款等，商业银行实际上直接或间接地承受了房地产市场运行中各个环节的市场风险和信用风险。而在美国，全部房地产企业的股本、资本来源于银行的仅占1%。在目前的房地产市场资金链中，商业银行房地产贷款集中度越高，其风险引发的危害越大。[5]

那么，银行能否无限量地通过信贷投放来对房价形成强有力支持呢？银行会不会因受债务风险的拖累而重新陷入困境？——这是判断未来虚拟经济和实体经济趋势非常重要的因素。

让我们从根源着手，逐步发现银行业的未来趋势。

与房地产一样，自2003年后，虚拟经济中的另一大主角——银行业成为中国另一个最赚钱的行业。

中国国际经济交流中心副秘书长陈永杰曾经公开表示："银行和实体经济一个利厚、一个利薄的问题，已经到了非常严峻的程度。我算了一下，银行的资本利润率已经不仅大幅高于工业，而且高于石油和烟草。我们都说烟草是最暴利的，石油勘探开采也很暴利，而现在银行业比这两个行业利润还要高。"

银行暴利"最基本的因素，就是存贷款利差比较大。这个存贷款利差就是银行的主要经营收入，也是利润的主要来源。我们国家的16家上市银行，2011年前三个季度的净利差收入超过1.2万亿元，占营业总收入80%，其中五大国有银行为71.7%，股份制商业银行为90%以上。也就是说，银行的营业收入中百分之七八十都来自存贷款利差。这个利差是由国家规定的，国家给银行较高的利差，银行就可以赚更多的钱"。

银行的另一部分暴利源于名目繁多的手续费。2003年，银行收费项目仅300多种，而在2012年2月公布的《商业银行服务价格管理办法》（征求意见稿）中，列出的收费项目多达3000种，9年时间增加了9倍。

传统的"吃利差"和新增加的"手续费"的双重驱动，形成了中国银行业的暴利。[6]

中国的储蓄利率之所以被压低，是因为中国银行体系的目的在于将储蓄转化为制造企业、建筑企业和基础设施建设工程所需要的廉价贷款。低利率成为大多数中国人为刺激经济增长和推进工业化进程而被迫牺牲个人生活质量的表现。[7]

那么，银行的这种暴利可以维持到什么时候？它能够一直源源不断地通过放贷的方式支撑起中国庞大的投资对资金的贪婪需求吗？

这个问题不仅与中国的楼市、股市关系密切，更与中国以投资为主导拉动经济增长的模式能否延续，也即中国经济能否实现可持续增长密切相关。

研究表明，房价与货币政策息息相关。

从消费者的角度来看，如果货币超发严重，对通货膨胀的恐惧感就会促使人们通过买房等方式来规避货币贬值的风险。

美国斯坦福大学教授罗纳德·麦金农教授曾指出，在发生通货膨胀的社会中，就像许多拉美国家那样，持有货币的实际收益，可能是很大的负数和相当的不稳定。[8]

1981年，因"投资组合理论"获得诺贝尔经济学奖的詹姆斯·托宾，从资产组合的角度证明，货币供应增加会促使更多的人买房，从而推动房价上涨。假定人们的资产保有形式有货币和非货币资产两种。如果央行实行扩张性的货币政策，降低利率和增加货币供应量，那么货币资产的收益下降、边际效用降低，原有资产组合的均衡被打破，投资者会减少资产组合中货币资产的比例，而增加非货币资产的比例，以形成新的均衡，从而导致非货币资产（包括住房）的需求增加、价格上升。[9]

从信贷途径来看，货币政策通过直接影响银行贷款投放量增减的方式，对宏观经济运行发生影响。货币政策具体的信贷途径可以分为两类：

一类是通过影响银行的借贷发挥作用。扩张性的货币政策会增加银行的准备金和存款，从而增加银行可供借贷的资金。房地产业属于资金密集型产业，很多行为都依赖于银行贷款，因此，贷款的增加必然导致更多数量的计划投资和消费支出。另一类则是通过影响企业和消费者的资产负债表发挥作用。扩张性货币政策会导致权益价格的升高，进而提高企业净值，而企业净值的升高会减少逆向选择和道德风险问题，又会刺激企业投资计划的增加，总需求水平随之增加。

不管是哪种理论、哪种途径，扩张的货币政策都会最终导致金融资产价格的上升，即增加货币供应量的供给和降低利率都会促使房价上升。[10]

在从2003年开始的这轮史无前例的房价牛市中，飞速增长的信贷投放对房价提供了重要的支持。其中，一部分信贷直接流到了房地产领域，而另一部分则间接流到了房地产领域，因此，实际流到房地产领域的信贷资金要大于央行公布的数据。也因为这一点，我们通过整体的贷款增长情况能够更直观地看待未来的发展趋势。

下图为人民币贷款余额与商品房平均销售价格的走势对比图。

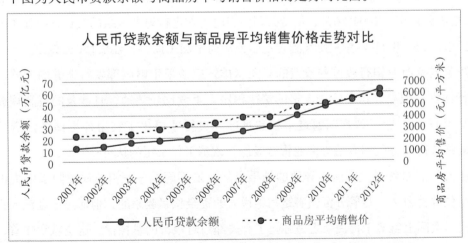

数据来源：《中国统计年鉴2013》和中国人民银行官方网站。

从上图不难看出，中国的商品房价格与贷款的增长趋势存在着极其明显的同向性特征（这里只做趋势对比），但2008年以后，贷款余额曲线日趋陡峭而房价曲线日趋平缓，说明贷款对于房价的推动作用正在渐渐减弱。在2012年，贷款增速明显快于房价的涨速，不仅说明贷款对于房价的拉升作用在减弱，也说明房价渐成强弩之末。

那么，如果银行继续无节制地投放信贷，是否能够继续维持高房价呢？

这个问题对于判断趋势意义重大。要回答这个问题，我们首先需要弄清楚，银行有没有无节制地投放信贷的能力？当信贷达到它的极限时，房价便成了无源之水。

现在，我们依然从源头来做分析。

从银行的起家开始算。

我们知道，由于从2003年起，投资拉动经济的形态得到了强化，凯恩斯的思想在中国得到了超限度的发挥。而凯恩斯所主张的赤字财政政策摒弃了"储蓄支配投资"的旧观点，改为"投资支配储蓄"的新观点。[11] 这就意味着，中国必须依托银行源源不断地放贷，才能把投资轰轰烈烈地做下去。

但是，2001年的时候，中国银行业还处于技术性破产边缘。虽然银行业集中了全社会的储蓄，但受到资本充足率的限制，可用于放贷的资金并不充分。这种状态显然无法与驶上快车道的投资对资金贪婪的需求相适应，那就必须尽快把银行武装起来，就好比把一只奄奄一息的落汤鸡打扮成一只会下蛋的金鸡。这就给了中国的银行业从乌鸦变成凤凰，迅速扮演起暴利角色的契机。

为了拯救中国的银行业，2003年12月31日，中央宣布通过成立仅半个月的汇金公司向中国银行和中国建设银行注入450亿美元外汇储备作为两家银行的资本金，两家各获得225亿美元注资。2004年6月，汇金公司向当时正在进行财务重组的交通银行注资30亿元人民币。2005年4月，中央继续通过汇金公司向中国工商银行注资150亿美元。[12]

按照国有商业银行股份制改造的早先安排，应该采用财政部发行债券的方式对国有银行注资。但是，这要经过严格的法律程序，手续比较烦琐，且涉及的资金规模在几千亿元以上。考虑到难以通过审核和批准，央行才提出了利用外汇储备注资的思路，最终获得国务院国有独资商业银行股份制改革工作小组的认可。[13]

注入外汇储备与发行债券导致的结果当然也是不同的——相关权益归于中央汇金而不是债券持有人，尽管外汇储备是用纳税人的资金积累起来的，但通过汇金注入银行的方式，实际上就等于借民众之力强化了有关部门对银行的掌控权。这也就意味着，它们有更强大的动力帮助银行获取暴利，因为它们自己也是银行暴利的直接受益者。

2004年5月22日，中行和建行分别剥离1400亿元和569亿元不良资产，转移给信达和东方两家资产管理公司；6月21日，中行和建行再次剥离不良资产共计2787亿元（均为可疑类贷款），并采取封闭式招标竞价方式剥离，中标者为信达资产管理公司；6月30日，人民银行向中行、建行发行了近2000亿元的3年期和5年期定向票据，用来配合中行、建行对不良资产的剥离。[14]

除了政府直接注资，中国银行几乎采用了业界所有常见和不常见的融资方式，如发行次级债、普通债券、可转债、直接吸收外资入股、IPO及配股（这里的讨论排除了银行界常见的负债项目，包括向中央银行借款、同业及其他金融机构存放款项及拆入资金等形式）。[15]

下面，我们来具体分析这几种形式。

一、公开发行次级债券。[16] 2004年6月23日，中国人民银行、银监会颁布实施《商业银行次级债券发行管理办法》，规定次级债券可在全国银行间债券市场公开发行或私募发行。2004年7月7日，中国银行债券成为我国资本市场上首只公开招标发行的次级债券。普通人或许不太关注这意味着什么，这标志着商业银行次级债券正式登上了中国资本市场的舞台。[17]

自2003年次级债被允许计入附属资本以来，10年间，我国次级债的发行量已超过万亿元。根据Wind资讯数据统计，在截至2013年5月的过去5年间，我国商业银行就发行了8775亿元的次级债，次级债在我国银行业外源性融资方式中占据的比例高达66%。[18]

中国的银行为什么特别喜欢通过发行次级债来补充资本？因为发行次级债补充的是银行的附属资本，有利于提升银行的资本利润率，且次级债的发行很方便。更重要的是，商业银行之间互相购买并持有次级债，虚增了商业银行的资本。因此，次级债在一定程度上刺激了商业银行的扩张冲动，导致风险积聚，造成商业银行承担的风险远远超过了其与可动用资本相匹配的、真实的风险承担能力。直到2009年10月，银监会认识到这种问题的严重性后，出台措施加以限制。[19]

二、引进海外战略投资者。2001年12月中国入世以来，大量外资以参资入股的方式进入中国银行业。此后，三大国有独资商业银行——中国银行、中国建设银行和中国工商银行都分别进行了股份制改造，并引入境外战略投资者，成为国有控股商业银行。

但是，自2008年年底起，由境外战略投资者所持有的中国国有控股商业银行非流通限售股先后解禁，境外战略投资者亦随之大规模减持中国国有控股商业银行股权。这种恐慌性减持中国国有控股商业银行股权的行为，对中国股市造成了很大的冲击，严重地影响了中国的金融稳定。[20]

2008年12月31日，中国银行第三大境外战略投资者瑞银集团抛售持有的全部34亿股中行H股，拉开了境外战略投资者撤退的序幕。随后，中国银行最大战略投资者苏格兰皇家银行全数套现所持有的108.1亿股中行H股。2009年1月，美国银行抛售建行

56亿股，并于5月继续抛售135亿股，美国银行持有的已解禁建行股份全部出售。3月，淡马锡全部减持所持有的民生银行股份。4月28日，安联集团和美国运通通过私募配售的方式转让了到期的工商银行股份。6月，高盛抛售其持有的30.33亿股工商银行股份。截至2009年6月，除了交通银行，引入境外战略投资者的大型银行的境外战略投资者几乎全部抛售了所持有的已解禁的中资银行股份。中国银行、民生银行的境外战略投资者更是悉数退出。[21]

可见所谓的"战略投资者"其实与普通财务投资者并无区别。事实也证明，国有银行希冀通过引进战略投资者来全面提升银行管理水平的愿望并不现实。[22]

当境外战略投资者带着丰厚的利润离去，我们会发现，中国银行的资本金仍然主要来源于国内民众。但经过上述方式，有关部门将民众的资金转换成了自己对银行的控股权，尽享银行暴利的收益。

三、IPO和再融资。2005年~2007年4月，交通银行、建设银行、中国银行、工商银行先后在香港上市，股票发行总金额分别为19亿美元、80亿美元、112亿美元和191亿美元，四家合计增加资本金400亿美元，折合人民币3000多亿元。再加上它们在A股市场上所筹集的900亿元，二者合计约为4000亿元。[23]

除了IPO，各大银行在中国资本市场疯狂进行再融资，规模之大，屡创奇迹——当时即使从世界范围内来看，规模也是罕见的。仅以2010~2011年为例，银行再融资数据显示，2010年，银行通过配股、发债等形式共融资4441亿元，2011年再融资2419亿元，两年共实现融资6860亿元。从融资规模上看，中行是这两年的融资王，再融资额达1566亿元，其次是工行、建行、交行，分别为1299亿元、1011亿元和787亿元。[24]

通过以上这些途径，在货币超发的大背景下，银行获得了充沛的资金进行放贷。

银行从濒临技术性破产边缘，到突然做大，变化之迅速令世界瞠目结舌。以工商银行为例，2007年8月，工商银行超过花旗集团，成为全球总市值最大的银行。[25] 2007年11月，工商银行总市值达到历史峰值——3740亿美元。2009年，工商银行凭借全年税后利润1294亿元人民币，摘得全球最盈利银行的桂冠，而2689.82亿美元的市值也助其在2009年蝉联了全球银行市值之首的桂冠。[26]

一直到2013年4月，《福布斯》杂志公布的"2013全球企业2000强"榜单中，中国工商银行还是"全球最大的企业"。[27]

下表为《福布斯》"2013全球企业2000强"前10名。

《福布斯》"2013全球企业2000强"前10名

排名	公司	国家/地区	销售额 （亿美元）	利润 （亿美元）	资产 （亿美元）	市值 （亿美元）
1	中国工商银行	中国大陆	1348	378	28135	2373
2	中国建设银行	中国大陆	1131	306	22410	2020
3	摩根大通	美国	1082	213	23591	1914
4	通用电气	美国	1474	136	6853	2437
5	埃克森美孚	美国	4207	449	3338	4004
6	汇丰控股	英国	1049	143	26841	2013
7	荷兰壳牌集团	荷兰	4672	266	3603	2131
8	中国农业银行	中国大陆	1030	230	21242	1508
9	伯克希尔哈 撒韦	美国	1625	148	4275	2528
10	中国石油	中国大陆	3089	183	3478	2612

数据来源：Forbes Corporate Communications。

但美国金融学者指出，中国的银行虽然迈入了"财富500强"之列，但并不具有国际竞争力。从它们的经营方式来看，它们对发达经济体的银行系统缺乏足够的了解，中国银行是在与外界隔绝的体制内，完全依赖政府的指导和支持成长。[28]

第二节
脆弱的崛起

世界银行发展史告诉我们，任何一个银行从小到大，从弱到强，都要经过漫长而痛苦的成长过程，这是经济发展规律。这种规律不是轻易能够改变的。

但中国银行业的成长彻底颠覆了这个常识。

从下图（见290页）可以看出，2013年中国银行业的总资产是2003年的5.5倍。如果考虑到2003年时，中国银行业刚被国家以注资的方式从泥潭里拉出来，这种扩张速度是前所未有的。

通过中国的银行乌鸦变凤凰的快速成长过程，我们能够了解到，中国银行业的成长与拔苗助长无异。

中国银行业总资产与总负债

（万亿元）

数据来源：中国银监会官方网站。

截至2012年底，中国GDP和银行业金融机构的资产总额分别为52万亿元和134万亿元，银行业的资产是GDP的2.6倍。而过去10年，GDP和银行资产的平均增速分别在10%和17%的水平。未来若继续以这种增速增长，10年后，银行业的资产总额将为GDP的4.8倍。银行业的资产增速显然过快且不具持续性，这还没有考虑GDP的降速问题，若GDP未来以6%的中速增长测算，这种倍数将达到近8倍。银行业这种"资产扩张，随后不断补充资本金"的发展模式不可持续，降速是大势所趋。[29]

无论从哪个角度来看，中国金融业都面临着增长的瓶颈。

2014年1月4日，在北京举办的"中国地产金融变局与创新高峰论坛"上，有经济学家指出："全球银行投资回报率只有3%～5%，我们能够达到30%～40%。也就是说，我们银行业的利润把实体经济扒得体无完肤。我们的实体经济很难活，因为我们的金融给中小企业带来了最高昂的融资成本。"[30]

当研究者把金融业的成长与其对实体经济的过度"吸血"联系在一起，透露出来的并不仅仅是一种情绪。

由于利率管制，中国的实际利率在高通胀时期为负值，在低通货膨胀时期为正值，即使是在决策者最注重抑制信贷需求的通货膨胀较为严重的时期，这种较低的实际利率也在刺激着信贷需求。[31] 事实上，负利率等于把居民的部分储蓄及其应该获取的利息收入转移到了银行手中，银行理所当然是最直接的受益者。但这会导致民众的财富缩水，购买力下降。

金融业对实体经济的挤压并不仅限于此。由于金融业长期把信贷资源投给央企、国企和地方政府融资平台，导致实体经济中提供就业最多也最具生命力的民营经济因得不到信贷支持而不得不去借高利贷，或走"非法集资"之路。但是，当实体经济步入衰退轨道时，银行业的暴利之路也正在接近尾声。

由于银行把大量信贷集中于投资项目，就忽略了对民众增长财富最需要的小额信贷的供应，加之小额贷款分散管理成本高，很多银行对这种服务非常冷漠。重投资而忽略民众的需求，必然导致资源配置的畸形，这种畸形的状态又由于民众盈利渠道的稀少而难以纠正。

应该认识到，中国金融业之所以能够在极短的时间里从乌鸦变凤凰，是与投资拉动经济增长的模式息息相关的，是政府全力以赴集结各种资源，精心打造、催生的结果。虽然银行业也经过很大努力，在很多方面做了改进，但这种努力不足以将其送上世界之巅的位置，其自身的相关问题并没有被消除。这些问题在经济稳定、持续增长的过程中都会被靓丽的数字所遮掩，但是，一旦经济增长减缓，相关隐患就会水落石出。

正是这种风险的加大，需要更多的力量来分散、均衡承担。

2013年11月15日发布的《中共中央关于全面深化改革若干重大问题的决定》，明确提出："扩大金融业对内对外开放，在加强监管的前提下，允许具备条件的民间资本依法发起设立中小型银行等金融机构。推进政策性金融机构改革。健全多层次资本市场体系，推进股票发行注册制改革，多渠道推动股权融资，发展并规范债券市场，提高直接融资比重。" [32]

"扩大金融业对内对外开放"对应的是外资银行和民营资本，而提高直接融资比重对应的则是股市、债市。这种利用外部资金做大池子的做法，显然有利于风险的分担。

但是，有些风险依然很难规避，或者说，在现有条件下根本不可能规避。《中共中央关于全面深化改革若干重大问题的决定》提出"加快推进利率市场化"，而紧接着的就是"建立存款保险制度，完善金融机构市场化退出机制"。

在现有的条件下，银行并不具备承受利率市场化（主要是存款利率市场化）的能力。2013年11月，笔者应香港财华社集团劳玉仪主席的邀请，在第四届"香港上市公司100强评选"典礼上做主题演讲，巧遇中国银行业界的权威专家，该专家非常肯定地说："一旦存款利率市场化，许多银行就将倒闭。"

也因此，在实行利率市场化以前，中国必须"建立存款保险制度、完善金融机构市场化退出机制"。以此"对于濒临倒闭或倒闭的金融机构，构建有效的处置机制，确保其恢复正常运营或顺畅退出市场，降低对整个金融体系的冲击"。[33]

中国银行业虽然大了，但其脆弱性依然令人心有余悸。

曾经在中国生活了20年的美国Carl Walter博士在其著作中指出：中国的银行表面

看起来非常强大，但实际上非常脆弱；中国人十分重视表面的粉饰，他们对于如何掩盖深层次的问题非常擅长。[34]

但是，有些问题是掩饰不了的。比如，中国的银行的暴利，主要源于存贷利率差这种非常初级的缺少技术含量的领域——某种程度上可以认为是蚕食了存款人的利益，它在其他方面的盈利能力至今仍然非常有限。

1996年5月，银行一年期贷款利率和一年期存款利率的差为1.8%；到2006年4月，一年期存贷款利率差达到了3.6%，这种状态一直维持多年。

但只要存贷款利率差一缩小，银行的利润马上就大受影响。

2013年前三季度，四大国有银行净赚6402.13亿元，同比增长12.61%，与上半年同比增长13.13%相比，整体水平进一步放缓。原因在于利率市场化，存款越来越难拉，这压缩了银行的存贷款利率差。银行单纯依靠存、贷款利差赚钱的盈利模式正在受到冲击，高利润、高速度增长难以为继。[35]

再比如，此前剥离的坏账并没有消失，去掉华美的包装之后，我们依然能够清晰地看到诸多隐患的存在。

中国社会科学院金融重点实验室主任刘煜辉指出：1998年以来，为支持国有商业银行的改革、财务重组而成立的四大资产管理公司（AMC）当时接收了剥离的1.4万亿元坏账。购买资金来源于两方面：6041亿元的人民银行再贷款，以及AMC向银行发行金额为8110亿元的债券，均由财政部担保。

2004年和2005年，政府先后又对中行、建行和工行实施了第二次财务救助，从中国外汇储备中先后拿出600亿美元注入这3家银行，总共剥离7300多亿元可疑类贷款和核销4500亿元损失类贷款。2008年，以同样的方式从农行剥离不良资产8000亿元。

2003年开始，我国花费大量资财对农村信用社进行改革——发行1378亿元专项票据，用于置换不良贷款。

这些坏账回收率极低（乐观估计也就在20%左右），亏损是被挂起来了，但我们看到，商业银行又一次延长了所持有AMC发行债券的期限（一期是10年），负债并没有消失。这一部分负债保守估算连本带息累计应该在3万亿元以上。[36]

时间发展到2013年下半年，2012年转折后的经济增长趋缓的效应波及到了银行业。2013年前三季度，银行业不仅利润增速放缓，不良资产额也在增加。三季报数据显示，截至2013年9月30日，16家上市银行的不良贷款余额合计为4590.92亿元，比年初新增570亿元，不良率为0.95%，较年初微升0.03%。[37]

2013年11月13日，银监会公布了上市银行三季报。数据显示，2013年前三季度，商业银行的不良贷款余额为5636亿元，不良贷款率为0.97%。不良贷款余额已经连续8个季度上升。与此同时，第三季度末商业银行资本充足率为12.18%，较第二季度末略微下降。银行业资产利润率和资本利润率也出现了一定幅度的回落。银行贷款中心一位负责人表示，不良贷款增多会直接影响银行的资金周转率，"贷款的人多而还款的人少，银行的放款能力就会下降。同时，信贷双方的信任度下降，银行在对外放款时也会格外小心"。[38]

银监会发布的数据还显示，银行的流动性比例在2013年持续下降，由2013年初的45.83%降至9月末的42.8%。[39]

这些细微的变化说明，银行业已经在悄悄地发生细微但深刻的变化：2013年7月12日，美国富国银行成为全球市值最大的银行，中国工商银行将蝉联了六年之久的宝座让给了富国银行。美国经济复苏让美国银行业时来运转，表现为贷款损失拨备下降和破产银行数量减少。[40]

2013年，工建农中交五大行净利润总计8627.23亿元，日均赚23.6亿元。但不良贷款规模快速上升，2013年新增不良贷款总额达到468.31亿元，而2012年新增不良贷款仅为109.52亿元。在贷款风险中，地方政府融资平台贷款、房地产贷款、产能过剩贷款三大风险位居前列。[41]

中国人民银行在《2014年中国金融稳定报告》中称，在最糟的情况下，中国17家银行的整体不良贷款率将上升400%，银行体系的资本充足率将从11.98%下降至10.5%。其中，大型商业银行下降1.63个百分点，股份制银行下降1.12个百分点。[42]

下图为中国银行体系整体信贷资产敏感性测试总体情况。

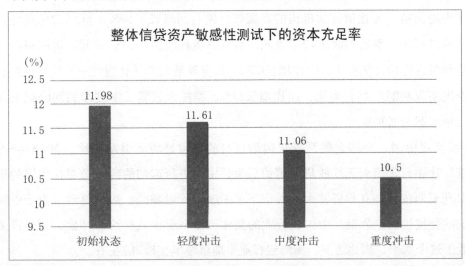

数据来源：中国人民银行。

具体到一些地方，情况更令人担忧。

来自温州银监局统计数据显示，截至2014年3月末，温州市不良贷款余额、不良贷款率分别为332.11亿元和4.53%，环比双升。在不良贷款处置中出现了诸多新情况：

一是关注类贷款[43]保持高位运行，截至2014年2月末，全市关注类贷款约360.67亿元，比年初增加38.15亿元；二是风险企业和担保圈风险仍在蔓延；三是温州区域外的不良贷款形势恶化。

同时，温州银监局还发现，不良贷款客户有下沉趋势，小微企业、个人经营性客户、信用卡客户还贷违约苗头出现。有银行反映，新增的小微企业客户中，有30%已经出现风险。[44]

透过这些信息，就不难理解，高层何以一再强调"确保不发生区域性、系统性金融风险"的原因了。[45]

在实体经济的增长趋缓以后，银行业必然面临着告别高增长、面对各种问题和考验的现实。中国工商银行六年宝座的易位，意义深远。

研究者表示，他们"对于风险的预测发生了180°大转弯，美国银行业风险消退，而中国银行业风险上升"。

美国各大银行收入好转主要归功于房地产市场呈现出的回暖趋势。房市回暖带动来自抵押贷款市场坏账积压的减少，以及其他信贷市场损失的减少。花旗集团的财报显示，其净信贷损失减少超过25%，为26.1亿美元；摩根大通的信用卡市场的坏账冲销接近历史最低点，房地产市场的坏账冲销较2012年同期也下降超过50%。

金融业成为美股市场中为数不多的整体业绩充分向好的行业。在2013年第二季度，作为美国第一大住房贷款机构的富国银行纯利润增长了19%，至55.2亿美元；花旗业绩超过预期，季度利润达42亿美元。高盛季度利润为19.3亿美元；美国银行季报则显示利润达到40.1亿美元，同比增长63%。而世界最大的托管银行——纽约梅隆银行第二季度实现利润8.45亿美元，同比增长81%。摩根大通第二季度净利润65亿美元，较2012年同期上涨30%。

而反观中国，中国金融系统正因为自身的危险处境而引发担忧。2013年6月，"钱荒"让银行领略到无度放贷的可怕后果，中国央行起初的冷眼旁观让中国的银行间利率升至两位数。在投资者大举做空下，中国银行股暴跌。数据显示，由于中国金融系统的稳健性受到质疑，中国银行业的整体市净率现在只有约0.99倍，而且许多银行远低于这个水平。相比之下，美国银行业平均市净率在1.2倍左右。

理财产品是中国银行业的一大隐患，许多属于银行的表外活动。投资者担心，一旦借款人违约，政府会强制银行把表外债务移入表内，迫使银行减记资产，进而导致银行的资本基础被削弱。[46]

中国银监会2013年4月发布的《中国银行业监督管理委员会2012年报》显示，截至2012年底，银行业金融机构共存续理财产品32152只，理财资金余额为7.1万亿元。[47]

第三节
辉煌的谢幕

金融就其本性而言是投机性的，它们赌未来的价值流将给它们带来超过借出资金的回报。这实际上意味着，债务泡沫以及这些泡沫的破灭是由金融的本性所决定的，是无法避免的。[48]

尽管银行不仅吸纳了中国近年来超发的货币，还通过各种途径汇集了社会上的各种储蓄资金，但银行依然感受到资金的缺乏——这一点正是中国的银行界在2013～2015年这个阶段必然面对的问题，这一感受将如影随形一直伴随着银行业。

此前讨论过这个问题，至少有两大理由，可以解释这一现象：

其一，是中国庞大的投资摊子已经铺开，各种投资项目张着贪婪的大嘴等待着资金的供给。而这类项目的经济效益往往非常差，还本付息的能力当然也很差，银行难以按期收回贷款，这必然影响到银行的资金流。

其二，货币连年超发不断推高物价、推高生产和生活成本，导致交易所需要的资金跟着放大。道理非常简单，一套房子从100万元涨到200万元，需要的交易资金也就跟着涨到了200万元。

通胀可以繁殖。由于通胀，你做同样多的生意，就需要花更多的钱。如果银行借给你更多的钱，让你维持现有的生意规模，通胀就会持续。如果银行支持你把生意做大，通胀率就会升高。然后，你就需要更多的钱再做同样多的生意。过去35年，中国就挣扎在这样的恶性循环中。

从1986年起，中国的银行贷款余额增长了76.4倍，年均复合增长率为18.2%。中国是世界上货币政策扩张最快的国家之一，货币供应量的增长远远猛于美国、日本和欧洲。中国的例子显示，一旦进入"信贷失控和高通胀"的恶性循环，你就越跑越快，直到危机爆发，系统崩溃。在崩溃之前，信贷增长越来越快，甚至会出现钱越多越不够用的情况。[49]

下图为2001～2013年人民币存贷款余额及存贷款同比增长。

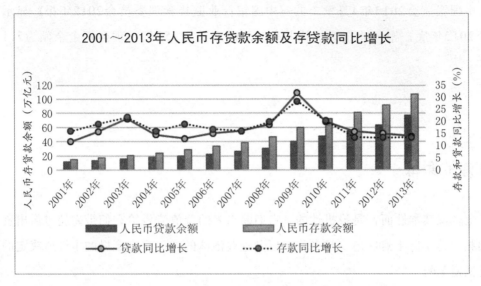

数据来源：中国人民银行。

从图中不难看出，在2008年以前，人民币存款的增速都是大于贷款增速的。这种情况下，银行的流动性相对就比较宽裕。2008年以后，尤其是4万亿救市计划推出之后，人民币贷款的同比增速大于存款的增速，一方面表明社会对资金的渴求越发强烈，另一方面也说明，存款的增长步伐已经跟不上社会对贷款的需求。银行的资金状况开始日益紧张。

2008年末的救市计划是4万亿，但实际的信贷投放远远大于这个数字。中国社会科学院研究员左大培指出，2008年底，我们国家总贷款是30万亿元，一下子增加到40万亿元，增加了10万亿元。"这一年光新放出去的贷款达10万亿元，所以现在社会上很多人批评说，我们现在的通胀是因为这个造成的。这个我说不对，中国的问题根本不在4万亿元，而是增加的信贷，是10万亿元。" [50]

统计数据显示，在2008年4万亿救市计划推出以后，中国信贷扩张的步伐大大加快。人民币贷款余额占GDP的比例迅速上升（如下图所示，见297页）。

从图中可以看出，在2008年以前，人民币贷款余额与GDP数值非常接近，但从2009年开始，人民币贷款余额迅猛增长；到2013年底，人民币贷款余额已经是当年GDP的135%。

如果用社会融资规模[51]来计算，情况还要严重得多。因为2008年以后，人民币贷

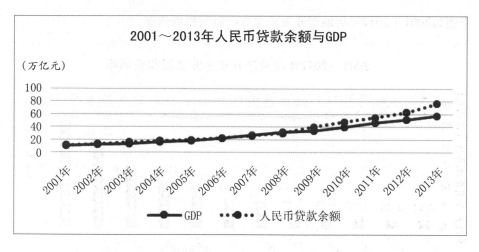

数据来源：中国人民银行。

款在社会融资规模中的占比是持续下降的——"2013年，人民币贷款占全年社会融资规模的51.4%，为历史最低水平"。[52] 换句话说，人民币贷款的增长并没有完全反映出货币凶猛投放的实际情况，还要算上委托贷款、信托贷款、未贴现的银行承兑汇票、企业债券、非金融企业境内股票融资等渠道。

信贷的过量投放造成流动性的泛滥，必然引发通货膨胀的上升。

更关键的问题是，4万亿救市计划推出后突击上马的一些项目，存在着论证不充分、社会效益低下等一系列问题。这也意味着，银行投放的部分信贷将沦为坏账——这种问题将逐渐暴露出来。

因此，随着不良贷款率的上升，银行资金的紧张状况会变得更加严重。

经济学指出："一旦储户对银行失去信任，大量的银行存款就会消失，那么，不可避免地就会突然出现通货紧缩的局面。"[53] 这是在货币如此海量投放的情况下，中国实体经济依然感觉到缺钱的原因之一。

随着人们信心的降低、资金外流和储蓄的减少，银行不得不通过各种方式来增加对社会资金的吸引力，揽储的成本将越来越高，这势必会削弱银行的利润率。在2013～2015年的这个阶段，银行利润率的下降是必然的态势，并且，下降的速度也会越来越快，幅度也会越来越大。

应该指出的是，这一切是在房地产泡沫还没有破裂的时候出现的。房地产已经绑架了银行，银行又绑架着实体经济，在有关部门的眼中，房地产对于经济稳定的重要性变得比任何一个时期都要大得多。也正是由于这一点，进入2013年以后，有关房地产调控的说法被弱化了。

下图为2001～2012年房地产开发企业资产负债和负债率。

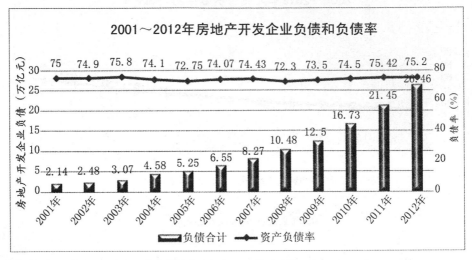

数据来源：《中国统计年鉴2013》。

从图中不难看出，中国房地产企业的负债一直在飞速上涨。到2012年末，房地产开发企业资产的负债已经高达26.46万亿元！而这还是能够拿到纸面上的公开数据，实际负债应该比这个数据还要大。2001年至今，房地产开发企业的负债率都在72%以上，到2012年末，已经在75.2%的水平。

这仅仅是从房地产开发企业的角度来看的，如果从个人按揭贷款的角度来看，又是相当大的一块负债，一旦房价下跌，一部分负债又会很容易就变成坏账。

在2013年6月的"钱荒"事件后，有关部门对房地产调控的态度越来越暧昧，正是诸多顾虑的结果。

但是，房地产本身的问题，既不会因为房地产调控而暴露，也不会因为房地产调控而被遮掩。在房地产的国民经济支柱地位被确立以后，中国的房地产业日益被货币化，已经在事实上从一个普通的行业演变成一个与金融紧紧捆绑在一起的不是金融行业的金融行业——有关房地产开发企业的这种性质。或许，通过下面的案例，我们能够理解得更透彻。

2011年11月，浙江丽水法院对银泰房地产集团季文华等6名被告人集资诈骗、非法吸收公众存款、抽逃出资一案做出一审判决。被告向公众集资55.69亿元，集资诈骗14.727亿元，涉案集资户达1.5万余户。

法院经审理查明，被告人季文华、季林青、季胜军、季永军于2002～2007年，先后成立了庆元县银泰房地产开发有限公司（后改名为丽水市银泰房地产投资集团有限公司）、丽水市银泰房地产开发有限公司遂昌分公司等多家公司。2003～2008年，季氏家族四人以开发房地产项目为由，采取由个人出具借条，各公司担保的形式，以15‰～25‰的月利率，向不特定社会公众进行非法集资。2008年9～11月，相关嫌疑人被公安机关抓获归案。

2011年11月7日，丽水市中级法院以集资诈骗罪、抽逃出资罪，数罪并罚，判处主犯季文华死刑，剥夺政治权利终身，并处没收个人全部财产。[54] 2013年9月18日，浙江省高级人民法院做出二审判决，以集资诈骗罪将主犯季文华一审判决的死刑改判为死缓。[55]

房地产领域是非法集资案的高发之地。一旦房地产步入危机，这类问题就会不断被暴露出来。到了那个时候，银行如何确保自己的贷款能够安全收回呢？

在2013～2015年这个阶段，房地产将从点到面，逐渐完成筑顶并步入下跌的过程。而根据经验，筑顶的过程一般都会短于筑底的过程。伴随着2012年大转折，银行业也从2013年进入痛苦的调整期：从面对利润下降、揽储难到面对回收贷款难，银行业将经受前所未有的考验。

为了避免对经济造成剧烈冲击，政府可能继续用贷款的形式向那些濒临破产的企业注入资金，这有可能重蹈日本的覆辙，换来经济停滞。[56]

欧洲发展经济学家吉尔伯特·艾蒂安曾写道：中国目前的房地产投资泡沫、耗费巨大但效果不佳的投资、脆弱的银行体系，在若干方面都令我们联想到曾在曼谷、吉隆坡、雅加达发生过的危机。正如世界银行所言：与耗费经济密切相关的经济不良运转最终会使高经济增长受损。[57]

货币供应的增多（以信贷膨胀的方式）带来虚假的经济繁荣，而紧随其后的就是不可避免的经济衰退，而经济衰退往往伴随着大范围的信用紧缩，经济形势进一步恶化。[58]

在接下来的时间里，人们会越来越清晰地看到这样一个事实：银行正在以人们想象不到的速度快速走下坡路。未来评价银行等级的标准，最重要的将不再是其盈利能力，而是对风险的规避能力，是其抗风险能力，或者说得再直白一点，是逃生的能力！

这是因为，一场史无前例的大危机——债务危机的脚步正在快速到来。

据世界银行统计，自20世纪70年代末到21世纪初，全球共有93个国家先后爆发了112次系统性金融危机，46个国家发生了51次局部金融危机。资产价格繁荣和崩溃及信贷的扩张和收缩，通常贯穿于历次金融危机的形成及发展过程中。其中，大部分金融危机与房地产泡沫破裂所引发的银行危机相关。例如，美国20世纪80年代开始的储贷危机、日本1980～1990年泡沫经济的破裂、20世纪90年代北欧诸国发生的银行危机、始于2007年的美国次贷危机等。至于1998年发生在亚洲的金融危机，其背后也有房地产泡沫破裂导致银行危机的影子。

而且，不论是在发达国家，还是发展中国家，严重的银行问题都是先由资产价格的巨大波动所引起的，在有关银行危机的领先指标中，资产价格暴跌是一个非常重要的指标。中国的银行对房地产市场的过度支持正积聚着巨大的风险，房价上涨暂时掩盖了潜在风险。当房价上涨的某种支撑因素不再存在或人们的预期突然转向时，房价下跌，银行贷款抵押品价值下降，银行的不良贷款增加，银行所持有的物业价值下降，引起银行资本基础弱化、脆弱性增加，严重时可能导致金融不稳定和经济衰退。[59]

面对高处不胜寒的房价，中国的银行业能够幸运地成为例外吗？

也许，这种想象本身就是一种近似幻想的奢望。

中国社会科学院经济研究所副所长张平指出，2013年6月爆发的"钱荒"，说明金融机构的期限错配风险开始暴露，地方债问题逐步显现，去杠杆的货币收缩压力已经发生。美欧经济复苏一方面带动了中国的出口，但发达国家的复苏也导致新兴市场国家资金的外流。从资产回报率角度看，中国的长期资金外流和短期国外资金流入迹象明显。2013年，人民币保持了温和升值的态势，但外汇占款出现了连续下降，单边流入已经减缓，可能逼迫金融体系进一步紧缩。[60]

而美国从2013年12月宣布开始削减购债规模，这意味着，美国已经开始逐步收紧货币政策——美联储的功能就是在晚宴即将达到高潮的时候，突然撤下所有的美味。[61]

美联储收紧货币政策，必将加剧中国金融体系进一步收缩的步伐。而金融体系的收缩又会反过来对实体经济产生影响。在这种恶性循环当中，中国的金融体系如何抵御日显猛烈的内部风险与外部危机的双重冲击呢？

更危险的是，国际上对中国经济的预期已经发生了明显的转变。

2014年1月，彭博社进行了一次经济展望调查，结果显示59%的受访者认为全球经济状况正在改善，72%的受访者认为美国经济好转（一年前这个数字只有53%）。同时，49%的受访者认为欧元区经济好转，48%认为日本经济也在增强。但只有13%的受访者认为中国经济在改善，36%的人认为其情况在恶化。[62]

当诸如此类的调查都给出这样的信息时，就表达了一种明显的倾向性。

预期直接决定着人们的投资选择等经济活动，而普遍的预期往往会加快趋势的变化。这是非常值得警惕的。

注 释

[1]2013年金融机构贷款投向统计报告[R].中国人民银行，http://www.pbc.gov.cn/image_public/UserFiles/goutongjiaoliu/upload/File/2013年金融机构贷款投向统计报告.pdf，2014-01-24.

[2]房地产开发企业自筹资金是指各地区、各部门及各企事业单位筹集用于房地产开发与经营的预算外资金。

[3]房地产开发企业其他资金来源是指在报告期收到的除以上各种资金之外其他用于房地产开发与经营的资金。包括国家预算内资金、债券、社会集资、个人资金、无偿捐赠的资金及征地迁移补偿费、移民费等进行房地产开发的资金。

[4]关家玉，曾向荣，李颖.任志强：要死肯定是银行先死[N].广州日报，2008-04-13.

[5]毛永斌，杨兵，李加.房地产贷款集中度风险与防范[J].现代金融，2007（12）.

[6]杜晓.银行暴利高过石油和烟草，收费项目7年增加10倍[N].广州日报，2012-02-05.

[7]Robert Peston，Laurence Knight.How Do We Fix This Mess：The Economic Price of Having It All and the Route to Lasting Prosperity[M].Hodder & Stoughton，2014.

[8]罗纳德·I.科金农经济发展中的货币与资本[M].上海：上海人民出版社，1997.

[9]刘旦.货币政策与房价的关系研究[J].上海房地，2010（3）.

[10]王华.我国货币政策对房地产价格影响的实证分析[J].东方企业文化，2010（1）.

[11]刘涤源.货币相对数量说凯恩斯经济学说评论[M].武汉：武汉大学出版社，2012.

[12]胡天舒.汇金总经理谢平：注资商业银行汇率风险已化解[N].南方周末，2005-08-04.

[13]史焕平.论中央汇金投资公司的职能、性质和未来发展[J].华东交通大学学报，2006（6）.

[14]张金芳.中行首期次级债券低成本发行[J].证券市场周刊，2004-07-19.

[15]王佩，赵宝珍.中国银行的融资路径分析[J].财务与会计，2010（10）.

[16]商业银行次级债券是指商业银行发行的、本金和利息的清偿顺序列于商业银行其他负债之后、先于商业银行股权资本的债券，属于商业银行的附属资本。

[17]张金芳.中行首期次级债券低成本发行[J].证券市场周刊，2004-07-19.

[18]肖怀洋.银行券商再涌融资潮[N].证券日报，2013-05-24.

[19]张吉光.城市商业银行路在何方[M].北京：中国金融出版社，2011.

[20]项卫星，李珺.境外战略投资者减持中国国有控股商业银行股权的原因、影响与对策[J].经济评论，2010（1）.

[21]张吉光.城市商业银行路在何方[M].北京：中国金融出版社，2011.

[22]王佩，赵宝珍.中国银行的融资路径分析[J].财务与会计，2010（10）.

[23]张静.中国金融前沿问题研究（2008）[M].北京：中国金融出版社，2009.

[24]李真.上市银行圈钱术：两年再融资6860亿[J].投资者报，2011-12-19.

[25]许超声.工行成为全球总市值最大的银行[N].新民晚报，2007-08-10.

[26]李尚竹，孙雨蒙.中国工商银行——全球市值最大银行的现状与未来[J].经济导刊，2011（7）.

[27]Forbes 2013 10th Annual Global 2000：The World's Biggest Public Companies[OL].Forbes Corporate Communications，http://www.forbes.com/sites/forbespr/2013/04/17/forbes-2013-10th-annual-global-2000-the-worlds-biggest-public-companies/，2013-04-17.福布斯排行榜采用的是占据相同权重的四项指

标（销售额、利润、资产和市值）来对企业规模进行排名。

[28]Carl Walter, Fraser Howie.Red Capitalism: The Fragile Financial Foundation of China's Extraordinary Rise[M].Wiley, 2012.

[29]xiaopi.利率飙升，中国债券市场面临质变？[OL].华尔街见闻，http://wallstreetcn.com/node/62982，2013-11-10.

[30]杜猛炮轰中国银行业高利润：把实体经济扒得体无完肤[OL].金融界，http://finance.jrj.com.cn/people/2014/01/04164216447681.shtml，2014-01-04.

[31]Barry J.Naughton.The Chinese Economy: Transitions and Growth[M].Massachusetts: MIT Press, 2006.

[32]新华社.中共中央关于全面深化改革若干重大问题的决定[OL].中央政府门户网站，http://www.gov.cn/jrzg/2013-11/15/content_2528179.htm，2013-11-15.

[33]刘慧.利率市场化呼唤存款保险制度[N].中国经济时报，2013-11-27.

[34]Carl Walter, Fraser Howie.Red Capitalism: The Fragile Financial Foundation of China's Extraordinary Rise[M].Wiley, 2012.

[35]刘果.银行利润增速全线下滑[N].现代快报，2013-11-13.

[36]刘煜辉：算一算政府的真实负债水平[N].每日经济新闻，2010-03-24.

[37]刘果.银行利润增速全线下滑[N].现代快报，2013-11-13.

[38]仝璇.银行不良贷款余额八连升，对外放款将格外小心[N].法制晚报，2013-11-14.

[39]郭觐.银行不良贷款"双升"[N].国际金融报，2013-11-14.

[40]富国银行超过工行成全球市值最大银行[N].广州日报，2013-07-25.

[41]李家宇，马晓冬.五大国有行年报出齐，银行利润增速下降坏账上升[N].天津日报，2014-04-01.

[42]中国人民银行金融稳定分析小组.中国金融稳定报告2014[M].中国金融出版社，2014.

[43]关注类贷款(special-mentioned loan)是指尽管借款人目前有能力偿还贷款本息，但存在一些可能对偿还产生不利影响因素的贷款。

[44]王婵.温州资金僵局引发新一轮倒闭潮 金改年内难突破[N].经济参考报，2014-05-23.

[45]罗兰.中国防控金融危机握有四大撒手锏[N].人民日报海外版，2014-05-09.

[46]代颖.工行丢掉全球市值第一银行头衔 让位富国银行[OL].新华网，2013-07-24，http://news.xinhuanet.com/fortune/2013-07/24/c_125059689.htm.

[47]高嵩.2012年银行理财资金余额7.1万亿元[N].中国保险报，2013-04-25.

[48]Andrew Kliman.The Failure of Capitalist Production: Underlying Causes of the Great Recession[M].Pluto Press, 2011.

[49]张化桥.人民银行擦枪走火，影子银行忍辱负重[OL].FT中文网，http://www.ftchinese.com/story/001051352，2013-07-10.

[50]王璐，蒋越眉.社科院学者质疑4万亿救市政策[N].法制晚报，2012-02-19.

[51]社会融资规模指一定时期内实体经济从金融体系获得的资金总额，是增量概念。主要包括：人民币贷款、外币贷款（折合人民币）、委托贷款、信托贷款、未贴现的银行承兑汇票、企业债券、非金融企业境内股票融资、投资性房地产、保险公司赔偿等。

[52]中国人民银行货币政策分析小组.中国货币政策执行报告（2013年第四季度）[OL].中国人民银行，http://www.pbc.gov.cn/image_public/UserFiles/goutongjiaoliu/upload/File/2013年第四季度中国货币政策执行报告（1）.pdf，2014-02-08.

[53]Jesus Huerta de Soto.Money, Bank Credit, and Economic Cycles[M].Ludwig von Mises Institute, 2009.

[54]范跃红.浙江丽水银泰非法集资案一审宣判，主犯季文华被判死刑[N].检察日报，2011-11-08.

[55]方列.丽水55亿集资案改判死缓[N].西安晚报，2013-09-18.

[56]Robert Peston，Laurence Knight.How Do We Fix This Mess：The Economic Price of Having It All and the Route to Lasting Prosperity[M].Hodder & Stoughton，2014.

[57]吉尔伯特·艾蒂安.实际竞争：中国和印度[M].北京：新华出版社，2000.

[58]Jesus Huerta de Soto.Money，Bank Credit，and Economic Cycles[M].Ludwig von Mises Institute，2009.

[59]黄静.房价上涨与信贷扩张——基于金融加速器视角的实证分析[J].中国软科学，2010（8）.

[60]社科院经济所副所长张平：用供给管理取代需求管理[N].经济参考报，2013-12-11.

[61]Charles R.Morris.The Trillion Dollar Meltdown：Easy Money，High Rollers，and the Great Credit Crash[M].PublicAffairs，2008.

[62]K.Simon.Investors Most Upbeat in 5 Years with 59% bullish in Poll[OL].The Bloomberg，http：//www. bloomberg.com/news/2014-01-20/investors-most-upbeat-in-5-years-with-record-59-bullish-in-poll. html，2014-01-21.

第12章

美国金融杀：2013～2015（上）

第一节
Libor易主

2013～2015年，对于美国而言，是大布局阶段。从金融、经济，到政治、军事、外交，都一一布局。

稳健复苏的美国经济，为这种布局提供了最强大的保障。美联储2014年1月公布的数据显示，2013年，美国企业贷款总额触及1.61万亿美元，创2008年金融危机以来最高值。通常，贷款需求增加意味着经济上行即将来临，企业开始恢复对机器、厂房和建筑物的固定资产投资。美国经济复苏目前处于天时、地利、人和齐备的良好局面。小企业、股市、房地产市场统统表现出回升信号。

美联储数据还显示，包括住房抵押贷款和信用卡在内的美国消费信贷从2011年早期就已开始稳步增长。而投行贷款和证券总量2012年第四季度以来就已开始加速上涨，2013年第三季度其年均增速为8.7%，该数据自1953年以来年均增速为7.2%。[1]

美国的大布局，已经是万事俱备。

这种战略布局并不神秘，任何一个国家都会对自己的未来做一个规划。只不过，在世界大棋局中，美国的影响力无出其右者，它的一举一动影响着未来的趋势演变，因为它是世界经济周期波动的主导国，且是唯一的主导国。

这一点在学术界亦得到明确证实。

众所周知，美国是世界经济运行规范的制定者与世界体系的协调者，它在世界经济和政治谈判与协调中有足够的话语权与决策权，在全球经济活动中发挥着决定性作用。

比如，美国经济在1991～2001年经历了以"新经济"为特点的朱格拉周期[2]，在2001年3月以后陷入衰退，从而影响并促使世界经济周期进入衰退期。而2003年，美国经济的强劲增长，也促使世界经济从疲软走向全面复苏，从而进入新一轮增长周期。从2006年春季起，次贷危机开始在美国逐步显现，2007年8月，次贷危机席卷美国、日本与欧盟等世界主要金融市场，世界经济随之步入衰退期。显然，美国依然是世界经济周期的主导国，并且，美国对世界经济周期的主导还将持续一段时间。

研究者认为，从2011年到本轮世界经济长周期结束时的21世纪40年代左右，世界将不可避免地经历动荡与争夺霸权的战争。[3]

笔者认为，这场战争的争夺重心是在经济、金融领域。

实体经济的稳健恢复，为美国实施下一步大战略打下了基础。但是，仅仅通过实体经济的恢复，美国不可能偿还得了如此庞大的债务！

它必须另辟蹊径，找到更好的解决方案。

美国人找到了，并且在一步一步地实施。

本章就从经济、金融的角度入手，开始进行分析。

笔者在《时寒冰说：欧债真相警示中国》中详细分析了美国的核心利益，分析了以美元为基础构建起来的金融体系对于美国实现利益最大化的意义所在。美国一方面小心地呵护自己的核心利益不被触动，一方面又在金融领域开疆扩土，实现权力的扩张——这种权力的扩张比起领土的扩张意义更为重大，它可以在浑然不觉中完成实现自身利益最大化的规划，从而以金融的强大优势弥补自身在其他领域的不足，维护自己的绝对霸权地位。

应该认识到，领土的权力扩张需要巨大的成本。

而金融霸权一旦实现，其"维护"成本相对要小得多。保罗·肯尼迪曾指出：同以往大国的兴衰史十分相像，美国也正面临着可称之为"帝国战线过长"的危险。也就是说，华盛顿的决策者不得不正视这样一种棘手而持久的现实：美国全球利益和它所承担的义务的总和目前已远远超过它能同时保卫的能力。[4]

假如美国继续以传统的方式维持强权，必然面对俄罗斯等强国的挑战。而在金融领域悄悄构筑起一张看不见的强权之网，则可以避免上述弊端，同时也可以有效遏制相关国家的挑战——像俄罗斯这样的传统强国可以在军事上对美国构成挑战，却没有任何一个国家可以在金融领域对美国构成足够的威胁。

因此，只要美国牢牢控制着其在金融领域的全球绝对的强权地位，就可以稳坐食物链的顶端，尽享金融霸权之利，甚至可以化解其庞大的债务压力。中国很多专家认为，美国会继续通过货币贬值来为自己减轻债务负担。如果事情如此简单，这个大帝国土崩瓦解之日也为时不远了。因为，持续的贬值必然损害到美元的地位，进而动摇以美元为基础构筑起来的金融强权。

美国还有更好的选择。

强化美元的强权地位，强化美国的金融体系，使其力量在短时间内得以恢复并迅速壮大，而后引爆全球经济和金融危机——全球现在所具备的再次爆发大危机的条件，比此前的任何时候都更完备！然后，动用处于强势地位的金融体系，抄底优质资产，以最大限度地控制资源和财富的办法，不仅化解掉自己庞大的债务压力，而且积累下更可观的财富。

事实是，美国已经在这样按部就班地实现自己的计划。

有关更为具体的内容，笔者将逐一剖析。

首先要说的是，美国在2010年完善、强化、扩大其金融监管权以后，在全球范围内展开了一次前所未有的"执法"行动。不仅罚得巨额罚款（比如2012年对欧洲大型银行罚款金额至少达到61亿美元，约等于这些银行当年预估获利的1/4[5]），而且，在浑然不觉中构建起了一个前所未有的令人恐惧的金融大帝国。这种强权体系的建立，犹如在金融领域打了一场空前规模的世界大战，彻底改变了全球的力量分布，并将对未来的大趋势产生极其深远而重要的影响。

我们从一则新闻开始我们的分析之旅。

2013年7月9日，英国政府的一个委员会和纽约泛欧交易所集团宣布，Libor将被出售给纽约泛欧交易所集团，而纽约泛欧交易所集团为此交易付出的代价仅为1英镑。纽约泛欧交易所集团将于2014年年初正式接管Libor。[6]

仅仅1英镑，Libor的掌控权从欧洲转移到了美国。这是一次意义重大的权力交接。

那么，Libor是什么？它何以如此重要？

Libor是英文London InterBank Offered Rate的缩写，即伦敦银行同业拆借利率。

什么是同业拆借利率呢？

它是银行同业之间的短期资金借贷利率。[7] Libor是伦敦银行业市场拆借短期资金（隔夜至一年）的利率，自它于1986年1月1日正式诞生后不久，就代表着国际货币市场的拆借利率，可作为贷款或浮动利率票据的利率基准。

Libor自从1986年诞生以来，一直是金融市场的重要基准指标。它直接影响着利率期货、利率掉期、工商业贷款、个人贷款以及住房抵押贷款等金融产品的定价以及货币政策的制定。

根据美国商品期货交易委员会的数据，全球有超过800万亿美元的证券或贷款与Libor相联系，包括直接与Libor挂钩的350万亿美元掉期合约和10万亿美元贷款。这意味着Libor每变动1个基点，就可能在全球范围内造成数百万美元的利润或亏损。此外，在金融危机期间，Libor曾被视为反映银行业健康水平的晴雨表而受到市场密切关注，部分国家央行还将Libor作为其货币政策操作的标准之一。如此重要的基准利率一旦被操纵，便会对整个金融体系的安全产生威胁。[8]

也正因为Libor如此重要，美国才一直想掌控它，但一开始是想创造一个类似Libor这样的指标取而代之。

早在2008年5月（或更早的时候），美国有关推出新的基准利率体系的呼声就日渐高涨。华尔街银行业认为，在利率定盘过程中，美国银行业者的意见得不到充分反映，因此呼吁增加只针对美国的"Nybor"。

全球最大的货币经纪公司毅联汇业集团（ICAP）表示，他们准备推出一种新的基准利率的计算方法——纽约资金利率（NYFR）。根据ICAP的计划，将有40家银行提供报价，期限覆盖1个月和3个月，同时ICAP还计划让报价银行匿名，以便让报价更加真实。虽然ICAP旗下一家研究院的首席经济学家表示，这个利率并无意取代目前广泛运用的Libor，但谁都明白目标显然针对的是Libor。[9]

尽管Libor表现出来的漏洞越发明显，需要及时改革，但用"Nybor"取代Libor尚需时日。[10]

对于美国来说，新制造出来一个指数取代Libor是非常艰难且漫长的事情，它显然没有足够的耐心去做这件事。它要另辟蹊径，更快地实现自己的目标。这个捷径就是强化监管权，并把美国的金融监管权扩大到海外。美国最终通过这个超级强大的监管权力，不仅成功地将Libor的控制权"转移"到自己手中，而且动辄对海外的金融机构进行调查，处以数亿美元的罚款，这实际上是让全世界的金融机构在美国的监管之下"裸奔"！美国的"国际金融警察"角色让它成为超级金融强权下的最大受益者。

我们不妨看一下美国监管权扩张的过程。

2008年3月31日，时任美国财政部部长的亨利·保尔森宣布，美国政府计划全面改革金融监管体制，这项长达218页的改革计划被视为美国自20世纪经济"大萧条"以来规模最大的金融监管体制改革，改革范围上到美国大银行和投资公司、下至地方保险代理和抵押贷款经纪人等多个方面。[11]

2009年6月17日，美国政府正式发布了《金融监管改革：新的基础》的变革方案。该改革方案从五个方面对金融监管体系进行改革，把监管向"无盲区，无缝隙"的全面监管迈进，加强了对场外市场的监管，大大扩充了金融监管的范围。[12] 2009年12月11日，美国国会众议院通过了金融监管改革方案——《华尔街改革与消费者保护法案》。其核心包含两个方面：一是赋予政府更大的权力监控金融体系系统性风险，即扩大美联储权力，同时成立跨部门的金融服务监管委员会，该机构的主要职责在于严防金融体系受到潜在的威胁；二是成立消费者金融保护署，以保护消费者和投资者不受不当金融行为损害。[13]

一句话，美国通过监管权力的强化，实现了对金融机构监管、金融产品监管和金融交易监管的全面覆盖。

2010年5月20日，参议院通过了金融监管改革法案。与众议院版本相比，参议院版本法案即《多德-弗兰克法案》[14]，在监管措施方面更为严厉。2010年6月30日和2010年7月15日，美国众议院和参议院分别通过了该法案。奥巴马旨在重塑美国金融体系及其监管机构的努力终于获得成功。[15]

2010年7月21日，美国总统奥巴马签署了这一法案，使之成为法律。这标志着历时近两年的美国金融监管改革立法完成，华尔街正式掀开新金融时代。奥巴马表示："改革将会终止大量曾催生了债务型泡沫的不良贷款。它意味着，所有公司获得客户的途径都只能是提供更好的产品，而非更具欺骗性的产品。"[16]

当《多德—弗兰克法案》公布出来，研究者指出，在短期内，美国金融监管的强化会削弱其在国际金融市场中的竞争力，而且监管标准的提高也会使美国金融业在全球竞争中的地位受到影响。但从长期来看，美国的地位可能会提升。这主要是因为：

"一方面，美国会敦促其他各国采取与美国同等严格的监管标准。如果国际金融市场上监管标准同步提高，则会减少监管套利的活动。另一方面，监管标准提高后，对投资者的保护程度更高，这会吸引国际资金流向美国，提高美国金融市场的竞争力。"[17]

除了上述因素，还有更为重要的：美国如此严厉的监管是针对全世界的，尤其针对的是大型跨国金融机构！（这种监管权美国此前也有，只是在《多德-弗兰克法案》实施后变得空前强大了。）

美国通过史无前例的严厉的监管法案，将对冲基金、信用评级机构等一网打尽，全部纳入监管范围。美国的金融霸权通过监管权的扩张迅速膨胀。

从此以后，美国金融监管机构指哪儿打哪儿，秋风扫落叶，凡是被揪住小辫子的金融机构，无不出重金以求和解。从此以后，全球的金融机构都开始在美国的监管下"裸奔"，而且，再也没有哪个评级机构敢"低看"美国。从某种意义上来说，《多德-弗兰克法案》已经成为美国控制全球金融市场的超级核武器，人们将不断在后来的局势发展中领略这种超级威力。

第二节
废掉高盛的对手

Libor易主的过程，是一个惊心动魄的过程。

整个过程就如同上演一部大片，只不过，这一切都是真的。

我们先看几则新闻：

2011年3月中旬，瑞银、美国银行、花旗集团、巴克莱等几家金融机构已经收到美国监管机构的传票，这些机构正在调查美元伦敦银行间拆借利率（Libor）在2006～2008年间设定方面的问题。这次调查是范围缩小后的结果。从2010年秋季开始，所有在2006～2008年设定美元Libor委员会的16名成员，都接到了要求提供相关信息的非正式请求。[18]

从收到传票的几家金融机构来看，尽管范围已经缩小到了几家，但被重点打击的核心对象却是巴克莱。

2011年3月下旬，知情人士表示，巴克莱已经正式成为伦敦银行间同业拆借利率（Libor）涉嫌被操纵案的主要调查对象。调查人员正在调查巴克莱的交易员及其资金部门的信息交流是否违反了"中国墙"（Chinese Wall）规定——这一规定旨在防止一家银行不同部门之间的信息共享。[19]

至此，目标已经清楚地锁定在了巴克莱。

2011年7月，正在调查"银行间同业拆借利率"可能受到操纵一事的多国监管机构，已经把调查范围扩大到了伦敦日元利率以及东京的另一个利率设定过程。巴克莱已成为重点调查对象。[20]

巴克莱成为重点调查对象，再次被确认。

2012年6月底，由美国商品期货交易委员会发起的针对Libor案的调查有了初步处理结果——对巴克莱罚款4.5亿美元，因为该行企图操纵伦敦银行间同业拆借利率。巴克莱承认，在5年期间，其在三大洲向设定伦敦银行间同业拆借利率（Libor）和欧元区银行间同业拆借利率（Euribor）的银行小组提交数据时存在"不当行为"。如果Libor利率受操纵最终被确定，巴克莱还将面临集体诉讼。[21]

巴克莱是谁？

为什么是巴克莱？

这是一个我们做进一步分析必须要弄清楚的问题。

英国巴克莱银行是世界上最大的银行之一。1862年成立，总行设在伦敦。巴克莱近年来扩张的步伐非常快。

2007年4月23日，荷兰银行同意英国巴克莱银行以670亿欧元的价格对其进行收购，媒体对这起"全球规模最大的金融业收购案"评论称："这桩合并案一旦尘埃落定，将会缔造出一个以市场资本总额计全球最大的银行。"[22]

巴克莱在美国的扩张步伐同样非常快。

早在2004年8月18日，英国巴克莱银行就宣布，以2.93亿美元现金收购加拿大帝国商业银行的美国信用卡业务部门德拉瓦州信用卡公司Juniper Financial Corporation。巴克莱银行在全球60多个国家有分支机构，在美国拥有巴克莱资本公司（Barclays Capital）和巴克莱全球投资公司（Barclays Global Investors）。美国信用卡发行利润占全世界信用卡利润的65%。巴克莱银行旗下Barclaycard是英国最大的信用卡发行银行，通过收购这家北美市场成长最快的信用卡发行商之一，使Barclaycard以较低的成本进入美国——全球最大的信用卡市场。巴克莱首席执行官称，此次收购只是巴克莱银行进军美国信用卡市场走出的一小步，Barclaycard还将在美国收购更多的信用卡公司，以实现其全球战略。[23]

最令美国人心痛不已，当然也记忆犹新的，是巴克莱对雷曼兄弟的大收购——别忘了，此时全球很多银行都处于自顾不暇、需要政府救助的境地。

2008年9月17日，巴克莱宣布出资17.5亿美元收购雷曼兄弟公司纽约总部、两个数据中心以及部分交易资产（其中，2.5亿美元收购了雷曼兄弟在北美市场的投资银行及资本市场业务，15亿美元收购了雷曼兄弟位于纽约的总部资产和在新泽西州的两个数据中心）。[24]

雷曼兄弟公司深受次贷危机影响，财务状况严重恶化并无力融资自救，美国政府又不愿提供资金支持，这家美国第四大投行不得不于9月15日提交破产保护申请。巴克莱银行收购雷曼兄弟公司遭到一些债权人的强烈反对。他们认为，随着美国政府推出大规模金融救援计划，雷曼兄弟公司有望找到比巴克莱银行更好的买家。但是，无奈之下，9月20日，美国法院批准了巴克莱银行对美国雷曼兄弟公司核心业务的收购。[25]

美联社称这是巴克莱银行的"妙计"，因为就在几天前，巴克莱拒绝收购雷曼兄弟的全部资产，导致雷曼兄弟不得不宣布破产，资产估价进一步下跌。而雷曼兄弟公司一年前的总市值还超过330亿美元，上述业务和资产当时的估价也相当可观。[26]

对于一个靠金融占据世界食物链最顶端的国家而言，突然杀出的这匹黑马，是令其寝食难安的威胁。

帮助巴克莱迅速扩张，尤其在投行业务方面迅速崛起的，是一位传奇人物——鲍勃·戴蒙德。耐心了解这些背景有利于我们做进一步的分析。

巴克莱银行自20世纪80年代进入证券领域后，在长达数十年的时间里并无太大作为，巴克莱投行管理部也几乎处于半死不活的状态。直到一个人的出现，才发生了巨大改观。这个人就是戴蒙德。1996年，戴蒙德被挖到巴克莱，主管巴克莱投行管理部。

戴蒙德没有资本与华尔街巨头们竞争，他选择卖掉巴克莱投行管理部的并购咨询、股票承销业务，将精力专注于"看似没有油水的"债券业务上，将巴克莱投行管理部更名为"巴克莱资本"。

1999年，巴克莱资本发生转机。那一年，巴克莱作为主承销商，承销了英国电信总价值高达100亿美元的全球债券。这是当时募集金额最大的一次美元债券销售活动。到2002年，在欧洲、中东和非洲，巴克莱资本的债券承销额超过了其他任何银行。

2008年，戴蒙德终于迎来了人生中一个里程碑式的转折点，那就是收购雷曼，并借此把巴克莱资本推上了投行主流的位置。戴蒙德以大勇气、大智慧成功抄了一次底。收购雷曼的行为，确立了戴蒙德在巴克莱的地位：巴克莱资本原有的固定收益类业务加上雷曼的IPO和并购业务，使投行部门在巴克莱的地位越来越高。2011年上半年，投行业务贡献了巴克莱整体利润的90%；2011年全年，投行业务为巴克莱银行净利润贡献了53%。

巴克莱的业务重心逐渐偏向了投资银行，这促使巴克莱董事会在2010年9月做出了一个决定，由精通投行业务的60岁的戴蒙德出任巴克莱的首席执行官（CEO）。[27]

维护美元的全球霸主地位，维护美国在全球金融体系的核心地位，乃是美国的核心战略目标所在。从这个角度来看，戴蒙德率领的巴克莱，已经成为美国投行最大的威胁，而他在美国的收购行动，一次次触动美国人的神经。

正是借助Libor操纵案，美国逐渐困住了金融领域的这只大老虎。综观金融发展史，无论是Libor还是Euribor，哪一个是洁白无瑕的？哪一个不存在操纵的问题？华尔街利用各种金融衍生工具对全球的近乎赤裸裸的洗劫，又何尝不是公开的秘密？

就连伯南克也承认："Libor体系在结构上是有缺陷的……我们需要解决这个问题。"[28]

但对美国而言，巴克莱必须重新回归平庸，才符合其利益选择。

因此，当2012年6月底，巴克莱首席执行官鲍勃·戴蒙德表示他和手下三名顶级高管将放弃今年的奖金，以"反映我们作为领导者的集体责任"时，他得到的只是轻蔑的回应。

其实，事态的发展已经非常明确：戴蒙德必须离开巴克莱。当时，笔者给所带的学生分析Libor操纵案的发展时，做了这样的表述：

美国需要一个没有戴蒙德的巴克莱，需要一个不能在投行等方面对美国构成强大竞争威胁的巴克莱。

2012年7月2日，英国《卫报》报道称，巴克莱董事长马库斯·阿吉斯于当日辞职，以缓解各界对巴克莱在银行间拆借利率操纵案中因扮演不光彩角色而招致的不断高涨的批评之声。[29]

这显然不是美国需要的。

随后，戏剧化的一幕出现了：7月2日，宣布辞职的巴克莱原董事长阿吉斯又重新成为董事长，而巴克莱的CEO戴蒙德却在7月3日宣布辞职，并立即生效。[30]

戴蒙德在辞去巴克莱银行CEO的职务后，坚定地为该行进行辩护，他表示："2008年10月，我不知道存在Libor操纵问题，直到本月我才发现。"他补充称，直到本月早些时候，他才看到部分出于私利操纵Libor利率的交易员在2005～2007年间的往来邮件。[31]

事实上，Libor操纵案被指控的污点，主要发生在2005～2009年间，并不在戴蒙德担任CEO期间，但他必须离开巴克莱。在巴克莱工作期间，戴蒙德展现出一位睿智且富有勇气的高级经理人的风采，他视自己的事业为毕生追求的最高目标。虽然身为美国人，他却全身心地为巴克莱这家英国银行殚精竭虑。

正因为有了这样的人掌舵，才有了巴克莱的今天。

值得一提的是，就在戴蒙德辞职的当天，巴克莱银行首席运营官杰里·德尔密斯耶也同时辞职。"这桩丑闻使得巴克莱几乎没有了领导者。"[32]

可以想见的是，失去戴蒙德的巴克莱，将逐渐回归平庸——这当然是美国高盛等金融机构求之不得的结果。

事情并没有就此结束。

这仅仅是一个开始。

第三节
拔出萝卜带出泥

在戴蒙德刚刚辞职后，巴克莱很快公布一份文件，将英国央行副行长保罗·塔克（Paul Tucker）和上届一些政府官员卷入丑闻，这些人可能早就知道（或者纵容）巴克莱在金融危机期间一再"低报"其提交的参考利率。巴克莱公布了与戴蒙德2008年一次谈话的笔记，他写道：塔克传递了英国政府对巴克莱提交的Libor数据的担忧，并表示"报价并不需要总是像最近这么高"。[33]

这使得塔克被卷入Libor操纵丑闻案。诡异之处在于：塔克是当时几乎公认的在一年后接替默文·金爵士出任英国央行行长的热门人选。[34]

戴蒙德随即很明确地说，他不认为政府官员意在暗示巴克莱在Libor利率报价上"做手脚"。并表示直到两周前，他才知晓2008年10月他与英国央行副行长保罗·塔克的一场电话会谈，促使巴克莱员工"低报"Libor参考值。[35]

2012年7月4日，戴蒙德在出席英国议会财政独立委员会举行的听证会上，公布了一份文件。向外界表明，英国央行早已知道巴克莱在2007～2008年金融危机期间试图操控Libor，但当时没有提出反对，因为英国央行担心给已经陷入恐慌的市场带来冲击。

为此，英国央行认为这是极其"荒唐的"，并没有人传递或收到压低Libor报价的指示。塔克对外声称自己没有向巴克莱银行发出下调Libor报价的指示，"我认为最后一句话给人以错误的印象，当时一定还有上下文"。但塔克并未对那次通话做记录。在接受国会财政事务特别委员会质询时，塔克也坚决否认英国政府官员曾要求他在Libor报价问题上向巴克莱施压。[36]

但无论怎么辩解，被认为是英国央行行长"杰出人选"的塔克，由于身陷Libor操纵案丑闻，慢慢失去了竞争优势。

2012年11月26日，英国财政大臣乔治·奥斯本打破常规，任命一位外国公民、加拿大央行行长马克·卡尼担任英国央行下任行长。2013年7月，默文·金爵士结束任期之时，卡尼就将接替他的职务，成为英国央行318年历史上第一位外籍行长。卡尼同时还将担任国际银行业监管规则制定机构——金融稳定委员会（Financial Stability Board）的主席。奥斯本在向众议院公布这一任命时表示，卡尼是"担任英国央行行长并帮助英国度过当前艰难经济时期的出色人选。他是世上担任这一职位的最优秀、经验最丰富，而且最符合资格的人选"。[37]

这是继美国人斯坦利·费希尔（Stanley Fischer）在2005年被任命为以色列央行行长之后，全球出现的第二例一国央行由外国人执掌的情况。

心爱的姑娘结婚了，但新郎却不是自己。

这个结果或许令塔克黯然神伤。

但被Libor丑闻褪光羽毛的他无力回天。

离奇的是，在马克·卡尼被任命为英国下任央行行长后，围绕塔克的丑闻瞬间便消失得无影无踪，以至于很少有人再提起这件事情。

必须指出的是，马克·卡尼将要负责的英国央行，职能被大幅扩大——将同时承担起维护金融稳定和管理货币政策的责任。

马克·卡尼最引人注目的，是他的高盛背景。高盛是一家全球性的投资银行，主要业务包括兼并收购、资产管理与大宗经纪业务。高盛也为公司与政府机构提供金融策略，其高管能够在各国政府的最高层中找到。马克·卡尼从1988年开始加入高盛，在超过10年的职业生涯中曾担任高盛驻纽约、多伦多和东京的执行主管、投行运营主管等要职。2003年，卡尼才从高盛离开，进入了加拿大央行。

卡尼曾在20世纪末为俄罗斯政府的经济政策出谋划策，但这些政策导致了严重的经济衰退。随后，高盛公司为俄罗斯经济提供了12.5亿美元的援助，不过，对于高盛而言，似乎又押注成功了。[38]

什么是优秀的人才？该起破坏作用的时候破坏得彻底（比如卡尼帮助俄罗斯出谋划策，致其陷入严重衰退），该起正面作用的时候充分传递正能量。

从这样的角度来衡量，卡尼的确是不可多得的人才。

就在卡尼被任命为英国央行下任行长几天后的（2012年）11月30日，纽约州银行业监管机构宣布已批准高盛集团在伦敦开设分行的计划，该计划将等待英国监管机构的批准。这项批准意味着高盛集团可在伦敦运营其商业银行子公司。高盛集团一直都在建设自身的商业银行业务，这项业务主要负责接收存款以及向公司和个人财富管理部门的富裕客户提供贷款等，此举的目的是在交易业务利润下滑的形势下寻找新的营收来源。[39]

高盛见缝插针的做法，与卡尼被任命为英国央行下任行长是巧合还是有内在的联系？这不是我们关注的重点，我们要关注更重要的事情。

现在重回Libor的事情上来。

以巴克莱操纵案为契机，美国开始了促使Libor易主之旅，而且，显得非常露骨。

2013年4月下旬，美国商品期货交易委员会主席加里·根斯勒（Gary Gensler），敦促伦敦银行间拆借利率必须尽快被取代，因为继续使用它是"不可持续"的。

根斯勒是全球利率操纵调查的领导者，他主导的行动已收缴了三家银行超过26亿美元的罚款，并调查了另外的十余家集团。自2012年秋季以来，他就一直对银行间拆借利率公开持怀疑立场。他的上述言论释放了最强烈的信号，表明监管机构将放弃当前形式的Libor，并为以它作为定价参考的超过350万亿美元合约寻找一个新的基准。

而即将担任英国央行行长的马克·卡尼也明确表示，监管层希望明年（2014年）这个时候能够就包括Libor在内的基准利率找到一个出路。[40]

在各方日益加大的压力面前，于20世纪80年代创立了Libor的英国银行家协会也开始同意放弃Libor的控制权。

2013年7月9日，总部位于美国纽约的纽约泛欧交易所接管了Libor业务，而未来数月，纽约泛欧交易所的控制权还将易主。美国衍生品交易所集团——洲际交易所（Intercontinental Exchange）已敲定将以100亿美元的价格、采用现金加股票方式收购纽约泛欧交易所。这样，Libor彻底而纯粹地完成了易主，而最终控制它的将是美国人。有人评论说："看着改革Libor的责任交给纽约泛欧交易所后，能否减轻美国当局对Libor的抨击，将是一件有意思的事情。"[41]

英国政府交出Libor也实在是迫不得已。

在美国监管机构对巴克莱穷追不舍的同时，英国其他金融机构的日子也非常不好过，美国的"严打"行动正如火如荼地展开。

2012年8月初，美国纽约州金融服务局指责渣打银行"与伊朗政府勾结"，处理了"6万笔秘密交易，至少涉及2500亿美元"，违反了对伊朗的制裁。

渣打银行做出了非常激烈的反应。在一份声明中，渣打银行表示"99.9%"被指违规的交易都符合规定。渣打的一位高管称，纽约州金融服务局这份"丰富多彩"的报告充斥着有关"障眼法""欺诈""令人难以置信的掩盖"的指控。[42]

渣打一度考虑起诉纽约州监管机构，渣打的法律顾问认为，以名誉受损为由提起诉讼是站得住脚的。[43]

英国政界对美国严打英国金融机构也表示出非常强烈的不满。多名英国资深议员谴责美国监管机构拿渣打银行"开刀"是为了打击伦敦金融城，认为美国非常明显的意图是要削弱对美国构成竞争的金融中心。

英国下议院财政部特别委员会委员约翰·曼表示，他发现"美国监管机构和政界人士反对英国的趋势愈发加深"，这可能是因为他们想要把生意从伦敦金融城吸引到美国华尔街去。他指出："（美国当局）是在赤裸裸地攫取权力，这是极为严重的事情。"英国保守党议员夸西·科沃腾也表示，美国监管机构素有以"莫须有的证据"打击企业的经历。"（针对英国银行的）这些调查中有一部分具有政治动机。"[44]

不满是不满，面对美国金融监管机构打过来的大棒，英国始终没有拿出应对之策。

仅仅几天后，渣打就不得不妥协了。这是因为，本杰明·劳斯基领导的纽约州金融服务管理局曾威胁要吊销渣打在该州营业的牌照。一旦丢掉这个牌照，就可能导致渣打的美元业务陷入瘫痪。2012年8月15日，渣打银行同意支付3.4亿美元来了结纽约州金融服务管理局提出的其"与伊朗的2500亿美元交易"的指控。尽管该协议了结了纽约州的指控，但它并没有为美国联邦政府针对渣打涉嫌违反美国对伊制裁政策的旷日持久的调查画上句号。[45]

美国财政部、联邦储备委员会、司法部和曼哈顿地区检察院等其他4家美国监管机构不参与上述和解协议。这意味着，渣打银行还得继续出血。[46]

我们知道，美国的金融监管机构是一个"团队"，而非一个部门。一旦揪住谁的小辫子，这些监管机构轮番上阵调查、处罚，如此车轮战令人胆战心惊。

媒体报道称，渣打集团继早前与纽约州金融局达成和解协议并被民事罚款后，美国其他监管机构（包括美国司法部、联邦调查局、美联储、财政部以及曼哈顿地区检察院等）又与渣打和解洽商，预料渣打或会再被罚3亿～6亿美元，连同早前的民事罚款，渣打面对的罚款总额可能高达9.4亿美元。

2012年12月6日，英国渣打银行发表声明，打算近期向美国金融监管机构支付3.3亿美元，以期就涉嫌隐藏数千亿美元与伊朗关联交易达成和解，这一罚款几乎把渣打当年的利润增长给吞噬殆尽。[47]

不仅渣打银行，瑞士信贷、巴克莱和英国劳埃德银行都被美国指责绕过监管机构与伊朗做交易。[48]

英国汇丰银行则是另一家被美国金融监管机构重点打击的对象。

2012年7月，美国参议院常设调查小组委员会发布报告，列举了汇丰的"七宗罪"，指控汇丰银行墨西哥分行和美国分行没有遵守《反洗钱法》，一些员工伪造交易记录，导致汇丰墨西哥分行几乎沦为贩毒集团的帮凶。仅在2007～2008年一年间，从墨西哥流入美国的现金就高达70亿美元。而汇丰银行反洗钱部门前主管也在离职前透露说，墨西哥境内大约六至七成毒枭的"黑钱"是经汇丰银行洗白的。[49]

美国当局命令汇丰银行对其在美的内部管控体系进行彻底整治。汇丰银行被迫计划于2012年7月17日接受美国参议院调查小组质询。[50]

2012年7月17日，汇丰首席合规官[51] 戴维·巴格利在参加美国参议院听证会时宣布辞职。此前，美国参议院发表了一份措辞严厉的报告，指责这家英国最大银行的合规制度可能使该行在不经意间为墨西哥毒品生意洗钱，并使中东地区为恐怖主义提供融资者能够拿到美元资金。美国司法部、财政部和曼哈顿地区检察院也在展开类似的调查。分析人士预测，汇丰在与上述三家美国政府机构达成的和解方案中，面临的罚款金额可能高达10亿美元。[52]

美国参议院调查委员会主席卡尔·利文表示，如果汇丰不能按照美国的要求进行整改，应考虑吊销汇丰在美国的银行牌照。对于汇丰而言，失去进入美国金融体系的资格可能是毁灭性的。[53]

这也意味着，汇丰将愿意拿钱消灾，哪怕需要出的血非常多。

2012年12月11日，汇丰银行宣布与美国政府达成和解协议，将为该银行防范洗钱不力而支付19.21亿美元的天价罚款。[54]

还没有完。

2012年8月，美国联邦当局宣称正在调查苏格兰皇家银行是否违反了美国对伊朗的制裁措施。2013年2月6日，美国联邦政府宣布，因苏格兰皇家银行及旗下RBS证券日本公司在2006～2010年期间试图操纵、成功操纵和虚假汇报日元和瑞士法郎的伦敦银行间同业拆借利率报价，决定对其处以总共4.75亿美元罚款。[55]

美国金融监管机构通过各种理由——从与伊朗秘密交易到墨西哥洗钱，对英国的金融机构进行轮番严打。而且，很多时候，美国的金融监管机构拉着英国的金融监管机构一起打——美国把国际合作监管的精神发挥得淋漓尽致。英国政府终于承受不住，将Libor拱手让出。

随着Libor转移到美国人手中，英国金融机构如影随形的噩梦才算告一段落。

注 释

[1]Michael Erman.U.S.bankers voice new optimism as businesses line up for loans[OL].The Reuters, http://uk.reuters.com/article/2014/01/19/uk-banks-loans-analysis-idUKBREA0I0AB20140119, 2014-01-19.

[2]朱格拉周期理论是针对资本主义经济中一种为期约10年的周期性波动而提出的理论。1862年，法国医生、经济学家克里门特·朱格拉在《论法国、英国和美国的商业危机以及发生周期》一书中首次提出这个概念，他认为市场经济存在着9～10年的周期波动。这种中等长度的经济周期被后人一般称为"朱格拉周期"，也

称"朱格拉中周期"。

[3]李天德等.世界经济波动理论（第一卷）[M].北京：科学出版社，2012.

[4]保罗·肯尼迪著.大国的兴衰[M].国际文化出版公司，2006.

[5]滕瑾.瑞银以15亿美元就操纵利率达成和解[N].中华工商时报，2012-12-24.

[6]Phillipa Leighton-Jones.Sold for £1.NYSE Euronext Take Over Libor[N].The wall street journal，2013-07-09.国内媒体在报道的时候，报道的是"1美元"，笔者在逐一核对报道、数据的时候，发现一个规律，国内只要第一家报道此事的媒体出错，其他媒体便都跟着错，因为很少有人去核对原始资料和数据。这种不严谨的态度是导致错误在中国很容易传播且很难纠正的重要原因。

[7]同业拆借有两个利率：拆进利率（Bid Rate）表示银行愿意借款的利率；拆出利率（Offered Rate）表示银行愿意贷款的利率。一家银行的拆进（借款）实际上也是另一家银行的拆出（贷款）。同一家银行的拆进利率和拆出利率相比较，拆进利率永远小于拆出利率，其差额就是银行的得益。

[8]彭作刚，严敏.LIBOR利率操纵事件原因、影响及启示[J].债券，2012（9）.

[9]苏文.Libor将被"Nybor"取代？[N].第一财经日报，2008-05-05.

[10]David Hou，David Skeie.LIBOR：Origins，Economics，Crisis，Scandal，and Reform[R].Federal Reserve Bank of New York，http://www.newyorkfed.org/research/staff_reports/sr667.pdf，NO.667.March 2014.

[11]Henry M.Paulson，Robert K Steel，David G Nano.The department of the Treasury Blueprint For A Modernized Financial Regulatory Structure[R].The Department of The Treasury，http://www.treasury.gov/press-center/press-releases/Documents/Blueprint.pdf，2008-3-31.

[12]Financial Regulatory Reform：A New Foundation[R].The Department of The Treasury，http://www.treasury.gov/initiatives/Documents/FinalReport_web.pdf，June 2009.

[13]刘春彦等.美国金融监管体制变革及对中国的启示[J].辽宁行政学院学报，2010（7）.

[14]《多德-弗兰克法案》全称《多德-弗兰克华尔街改革和消费者保护法》（Dodd-Frank Wall Street Reform and Consumer Protection Act）。

[15]Tom Braithwaite.US Senate passes financial reform[N].The Financial Times，2010-07-16.

[16]Edward Luce.Obama signs bill to overhaul Wall Street[N].The Financial Times，2010-07-22.

[17]宋丽智，胡宏兵.美国《多德-弗兰克法案》解读——兼论对我国金融监管的借鉴与启示[J].宏观经济研究，2011（1）.

[18]Brooke Masters，Patrick Jenkins.Banks served subpoenas in Libor case[N].The Financial Times，2011-03-16.

[19]Brooke Masters，Megan Murphy.Barclays at centre of Libor inquiry[N].The Financial Times，2011-03-24.

[20]Brooke Masters，Caroline Binham，Megan Murphys.Libor rate rigging probe is expanded[N].The Financial Times，2011-07-26.

[21]Brooke Masters，Caroline Binham，Kara Scannell.Barclays fined a record $450m[N].The Financial Times，2012-06-28.

[22]Lloyd Vries.Barclays to Acquire ABN Amro For $91B[OL].CBS News.http://www.cbsnews.com/news/barclays-to-acquire-abn-amro-for-91b/，2007-04-23.

[23]陈华.巴克莱收购帝国商业银行美国信用卡部门[N].国际金融报，2004-08-20.

[24]David Teather，Andrew Clark，Jill Treanor.Barclays agrees $1.75bn deal for core Lehman Brothers Business[N].The Guardian，2008-09-17.

[25]David Teather，Andrew Clark and Jill Treanor.Barclays agrees $1.75bn deal for core Lehman Brothers Business[N].The Guardian，2008-09-17.

[26]巴克莱低价收购雷曼兄弟北美部分业务[OL].新华网，http://news.xinhuanet.com/world/2008-09/17/content_10060080.htm，2008-09-16.

[27]肖莎.戴蒙德折戟巴克莱[N].法治周末，2012-06-28.

[28]Brooke Masters，Chris Giles.Bernanke tells Congress that Libor is 'structurally flawed'[N].The Financial Times，2012-07-17.

[29]Jill Treanor.Barclays chairman Marcus Agius resigns over rate-rigging scandal[N].The Guadian.2012-07-02.

[30]吴家明.巴克莱董事长"回锅"CEO挂冠[N].证券时报，2012-07-04.

[31]Sharlene Goff，Tom Burgis.Diamond comes out fighting[N].The Financial Times，2012-07-05.

[32]FT Reporters.Diamond lights the Libor fuse[N].The Financial Times，2012-07-03.

[33]FT Reporters.Diamond lights the Libor fuse[N].The Financial Times，2012-07-03.

[34]Josephine Moulds.Paul Tucker favourite to be next governor of Bank of England[N].The Guardian，2012-10-07.

[35]Sharlene Goff，Tom Burgis.Diamond comes out fighting[N].The Financial Times，2012-07-05.

[36]姜鲁榕.英国借巴克莱丑闻严打"腐败精英"[N].国际先驱导报，2012-07-18.

[37]Chris Giles，Patrick Jenkins.Carney handed job to shake up BoE[N].The Financial Times，2012-11-26.

[38]Gjonsit.The Goldman Sachs project to take over Europe nearly complete[OL].Daily kos，http://m.dailykos.com/story/2012/11/26/1164745/-The-Goldman-Sachs-Project-to-take-over-Europe-nearly-complete，2012-11-26.

[39]Liz Moyer.Goldman gets N.Y.OK to open London bank branch[OL].Market Watch，http://www.marketwatch.com/story/goldman-gets-ny-ok-to-open-london-bank-branch-2012-11-30，2012-11-30。这里的11月30日是指当地时间，是北京时间12月1日，因此，国内媒体报道的时候普遍用的是12月1日。

[40]Brooke Masters，Philip Stafford.CFTC's Gensler says Libor 'unsustainable'[N].The Financial Times，2013-04-22.

[41]Philip Stafford，Brooke Masters.Libor deal commences rehabilitation of benchmark[N].The Financial Times，2013-07-09.

[42]Patrick Jenkins.StanChart hits back at Iran claims[N].The Financial Times，2012-08-07.

[43]Sam Ro.Report：Standard Chartered Is Looking Into Suing A US Regulator[OL].Business Insider，http://www.businessinsider.com/standard-chartered-suing-us-regulator-2012-8，2012-08-09.

[44]Jim Pickard.British MPs accuse US of anti-City agenda[N].The Financial Times，2012-08-07.

[45]Liz Rappaport.Bank Settles Iran Money Case[N].The Wall Street Journal，2012-08-15.

[46]Karen Freifeld，Carrick Mollenkamp.Standard Chartered reaches $340 million settlement over Iran[OL].The Reuters，http://www.reuters.com/article/2012/08/14/us-standard-chartered-probe-idUSBRE87D0B520120814，2012-08-14.

[47]Margot Patrick.Standard Chartered To Pay Additional $330 million in Iran Settlement[N].The Wall Street Journal，2012-12-06.

[48]Zachary A.Goldfarb，Standard Chartered to pay $340 million to settle with N.Y.over Iran charges[N].The washington post，2012-08-15.

[49]Cora Currier．HSBC's Money Laundering Lapses，By the Numbers[OL]．Pro Publica,http://www.propublica.org/article/hsbcs-money-laundering-lapses-by-the-numbers,2012-07-20.

[50]Sharlene Goff.HSBC braced for $1bn US penalty[N].The Financial Times，2012-07-11.

[51]合规官一般负责协调、指导、协助涉及海外机构的法律诉讼、仲裁、法律咨询、合同审查、反洗钱等工作，督促海外机构按照当地监管要求开展合规工作，完善其反洗钱规章制度，规避合规风险。根据《新巴塞尔协议》的定义，"合规风险"指的是：银行因未能遵循法律法规、监管要求、规则、自律性组织制定的有关准则，已经适用于银行自身业务活动的行为准则，而可能遭受法律制裁或监管处罚、重大财务损失或声誉损失

的风险。

[52]Shahien Nasiripour.HSBC compliance boss quits in hearing[N].The Financial Times，2012-07-17.

[53]Shahien Nasiripour.HSBC′s Mexico nightmare on money laundering[N].The Financial Times，2012-07-18.

[54]James O′Toole，Charles Riley.HSBC pays $1.9 billion to settle US probe[OL].The CNN News，http：// money.cnn.com/2012/12/10/news/companies/hsbc-money-laundering/，2012-12-11.

[55]Caroline Binham.RBS Pays £390m to Settle Libor Probe[N].The Financial Times，2013-02-06.

第13章

美国金融杀：2013～2015（下）

第一节
金融大屠杀

美国严打英国金融机构，迫使Libor易主，转移到美国人手中。

但美国的目的远不止于此。

美国对欧洲的银行精确制导，精准打击。一旦指认某家银行与美国制裁的伊朗等国交易，或者参与洗黑钱，基本上都能达到预期目标。为什么？

道理非常简单，如果被指控的银行想自证清白，就必须披露更多与客户交往的信息，追查客户资金的流向，这对于金融服务机构而言，是近乎自宫的行为！当你把越来越多的客户资料披露出来，也就意味着你将在极短的时间里被更多的客户抛弃！银行可能因此陷入万劫不复的深渊，将自己的未来彻底葬送！因此，美国查哪家银行，哪家银行最终都会拿出巨额资金和解，哑巴吃黄连，当然，某种程度上也有"一个愿打一个愿挨"的成分，因为这至少向客户表明一种姿态："我们宁愿承受如此巨额的罚款也会保护你们的信息。"

这相当于以一种非常痛苦的姿态很优雅地向自己的客户表忠心——就当是广告费吧。

而且，无论打击哪个国家的金融机构，相关国家的监管部门都会紧随美国同样给予重罚，为什么？诚信、信誉是银行的生存之本，如果一国监管部门对银行存在的问题视而不见、百般袒护，等于增加了人们的顾虑，增加人们对该国银行的不信任感。这对本国的银行业同样是灭顶之灾。

美国"金融核武器"的巨大杀伤力正在这里。

因此，美国金融监管力量在空前强化以后，指哪儿打哪儿的车轮战术取得了非常好的效果。美国无论打击哪个银行，该银行最终都会妥协，拿出巨额资金消灾；无论打击哪国银行，该国的金融监管机构都会跟进，与美国保持高度一致。

从金融角度来看，这不是一场战争，而是一场大屠杀、大清洗。

当然，从道义的角度来看，强化对银行的监管，要求银行更加规范地合法运营，对保护普通投资者的确是有益的，这是进步的一面。事实上，也正是借助这种积极的意义，美国的金融打击能力才得到了更好的发挥，因为师出有名。

而且，为了让这种打击产生更加良好的效果，美国立法部门提供了杀伤力惊人的致命武器——《海外账户纳税法案》。美国2010年3月18日生效的《海外账户纳税法案》规定，外国银行、基金管理公司、保险公司、对冲基金必须将美国公民账户信息交给美国税务机构，否则将被视为不与美国政府合作。若"不合作"的外国金融机构在美国有收入所得（包括获得投资处置收入和来源于美国资产的利息、股息收入），美国将对其在美国收入课以30%的惩罚性税收。[1]

很多人认为，美国此举意在强化对税收的征缴。这其实只是原因之一，在这个原因之下，还有更重要的战略目的：就是找到一个让全球的金融机构对美国透明的合理合法的理由，并以此为契机，将自己的权力向全球扩张！

在正常的国际秩序中，各国法律适用范围不应超出国界，跨境问题需要国际组织或国与国协商解决。但这次美国依据国内法律，强制别国执行，并明确执行时限和处罚标准，扩张了美国法律的适用范围。美国极有可能借此演化新国际税务协定，并渐进扩张协定涵盖内容和适用范围，提升美国主导全球的能力，转嫁本国负担，对国际人才和资本流动进行干预。美国还可能在未来，将这种做法推广到其他领域。

更重要的是，美国此举深化了别国无条件服从美国战略利益机制。搜集、整理和甄别海量客户的金融信息，将极大占用金融监管部门行政资源和金融机构商业资源，而美国《海外账户纳税法案》单方面武断规定别国金融机构的义务，却不承担自身应尽责任与义务，大肆推行别国无条件配合美国战略利益机制。如允其为惯例，将大大损害别国的战略利益。

同时，此举也损害了别国税务、金融自主权和金融安全。一方面，美方无视别国政府及法律，迫使别国金融机构直接向其呈交客户信息，严重侵害了别国税务和金融监管部门依法行政的自主权。另一方面，美国会不断拓宽索要信息范围和增加信息深度，侵占别国金融机构的商业资源与机密，威胁别国经济金融安全。[2] 可谓一举多得！

美国从此开始了对全球大的金融机构的定点打击。

美国在全球金融领域尤其是欧洲金融领域的精准打击，让美国得到了巨大利益。

最重要的是：世界金融机构对美国变得更加透明。

面对美国暴风骤雨般的打击，许多银行最终都不得不向美国妥协，而妥协就必须满足对美国"透明"的要求。比如，在汇丰控股与纽约州达成的和解协议中，作为和解协议的一部分，汇丰控股同意把高管薪酬和合规标准相挂钩，完善内部信息共享机制，监督公司行为规范。[3]

渣打银行"屈服"得更彻底，它被迫同意由纽约州监管人员进行现场监督，同时设立一名任期为两年的外部监督员，监督其反洗钱活动——这意味着渣打对美国而言，变得更加透明了。[4]

在全球的金融机构当中，瑞士金融业的优势是最为醒目的。

"如果你连瑞士银行都不能信任了，世界将会变成什么样？"詹姆斯·邦德在1999年的007系列电影《黑日危机》中如是说。

"客户机密性"又称"绝对沉默之义务"，早在1934年就已经是瑞士法律的一部分。瑞士人将这个传统传承了数百年，也正因为这个传统，当邻国几次三番遭受战火摧残时，瑞士仍保持和平与繁荣。[5]

瑞士拥有十分严格的银行保密传统和法规，瑞士银行业为此收获了恪守秘密的良好口碑，这使瑞士成为欧洲避税天堂和世界上最著名的离岸金融中心之一。瑞士银行业一直坚持"客户个人资料至上"的原则。瑞士的相关保密法规在为其吸引大量境外存款的同时，也为逃税和洗钱等犯罪活动提供了便利。

美国要让全球的金融机构在它眼皮子底下裸奔，就必须对瑞士的金融业动手——这是世界金融保密的典范。由于瑞士的金融业不透明，想用针对渣打、汇丰的办法打击它是非常困难的，因为信息缺乏，师出无名，而且，人家对客户保密干你美国什么事？你凭什么把手伸到瑞士？

对美国来说，它要想干预瑞士的金融业，必须找到一个理由，这个理由必须同时具备两个条件：其一，涉及美国利益；其二，与瑞士的金融业相关。前者可以给美国提供"合法"干预、合法行使监管权的依据，以做到师出有名。而后者则给美国将矛头对准瑞士金融机构的理由，可以名正言顺地确定定点打击的目标。

同时具备这两个条件的理由，美国当然找得到。

首先，瑞士银行帮助全球各地的客户严格保密，这种客户当中当然有涉及偷逃税款的。其次，在这些偷逃税款的客户当中，当然有来自美国的。如果瑞士的金融机构要自证清白，就需要将客户信息对美国透明！

这是一个非常温柔但锋利无比的长矛。

这对美国而言，也就意味着有机可乘。

于是，这样一个真实的故事出现了：

曾在瑞士银行工作的银行家布拉德利·伯肯菲尔德（Bradley Birkenfeld）向美国政府举报，其所在银行集团名下一个秘密的私人财务管理部门，帮助其美国客户通过隐瞒海外资产来逃避美国国内的税费。此前，伯肯菲尔德曾因协助一位资产达亿万美元的美国地产开发商逃税700万美元而被判处40个月监禁。

伯肯菲尔德提供的情报让瑞士银行不得不承认自己帮助部分美国纳税人隐瞒了收入，在向美国国税局缴纳7.8亿美元的赔偿金后，瑞士银行才与美国检方达成"延期起诉协议"。[6]

美国政府追回了50亿美元的欠税，而伯肯菲尔德也获得了美国国税局1.04亿美元的巨额奖金。

自伯肯菲尔德举报后，美国逐步展开瑞银2000～2007年间在美国的私人银行业务涉嫌偷漏税的调查。2009年时，美国司法部表示瑞银集团为2万名美国纳税人提供瑞士银行账户，涉案资产达200亿美元，其中1.7万人隐匿了自己的身份，让美国国税局无从知悉这些账户的存在。

随即，出现了戏剧性的一幕：美国索要5.2万个账户信息，瑞士还价到4450个，并在法院宣布此举违反《银行保密法》后，由议会强行通过了向美国提交账户信息的决议。[7]

美国乘胜追击。

2010年，美国通过《外国账户税务遵守法案》，要求瑞士的银行向美国国税局提供其客户的敏感信息。以严厉打击海外逃税之名，悄悄把"执法"目标转移并锁定到瑞士身上，这步棋走得实在是精妙。

瑞士当然心领神会，懂得美国的小算盘在计算着什么。

2010年10月1日，瑞士议会破天荒地通过《违法资产归还法》（The Restitution of Illicit Assets Act），并于2011年2月正式实施。[8]

正是这项法律的出台，使瑞士冻结独裁者资产变得非常高效。从突尼斯总统本·阿里下台到瑞士银行冻结其账户，只花了4天时间。[9]而穆巴拉克2011年2月11日宣布辞职后仅仅两个小时，瑞士银行业就迅速做出反应，冻结了其在瑞士的资产，将以"适当的方式"归还给埃及人民。[10] 瑞士在努力重塑自己的形象。

《违法资产归还法》对美国通过财产这条线索严厉打击相关被制裁国家，提供了更大的便利。

美国再胜一步。

随着主动权逐渐回到美国人手里，美国进一步打击瑞士银行业的条件也越来越成熟了。

第二节
立体战

与军事打击一样，美国金融战的第一步，也是组建多国部队。

2012年2月，美国财政部宣布，美国将联合英国、法国、德国、意大利和西班牙等欧盟国家建立一个国际监管体系（这些国家同样都是瑞士银行"客户至上"的受害者），并采用新的多边措施实施《外国账户税收遵从法案》，要求外国的金融机构向美国国税局报告美国账户持有人的详细信息，不遵守该法的金融公司将面临美国的税收处罚。

经过锲而不舍的努力，美国渐渐找到了穿越瑞士保密法铜墙铁壁的契机。

准备就绪之后，美国终于出手"严打"了。

这次的重点打击目标是总部位于瑞士东北部小城圣加伦的有着271年经营历史的韦格林银行。

2013年1月初，针对美国司法部的指控，韦格林银行承认在过去长达10年内，通过向美国税收部门递交虚假纳税申报单帮助美国富人逃税，涉及金额达12亿美元。[11]

美国司法部称，韦格林银行的3名客户经理通过开设假账户以掩盖纳税人的真实身份等做法，帮助至少100名美国纳税人在离岸账户上藏匿钱财（对美国而言，安排美国纳税人"钓鱼执法"的操作难度并不大）。

笔者的朋友刘广元先生在其根据亲身经历撰写的《加勒比飓风》中，就有对美国执法部门精心设局诱捕某小国部长的详细叙述。其布局之缜密足以以假乱真，令人深信不疑，但它的确就是一个陷阱。为了取得该部长的信任，美方甚至把该部长的女儿安排进了一家特意设立的银行。[12] 而该部长，刘广元先生本人就非常熟识。

重回主题。

美国随即对韦格林银行开出了天价罚单。

瑞士这家最古老的私人银行在缴纳7.4亿美元的巨额罚金后宣布永久歇业，这被视为美国政府的一大胜利。韦格林银行被迫永久歇业，不仅给瑞士银行业带来巨大冲击，也使瑞士的《银行保密法》面临严重挑战。[13]

瑞士韦格林银行中枪倒下，相当于美国在瑞士金融领域打开了一个缺口。

2013年8月28日，瑞士政府宣布原则上同意与美国不久后发布联合声明，以化解瑞士银行因涉嫌帮助美国客户逃税而引发的瑞美两国纠纷。[14]

几天后，瑞士与美国两国政府就解决税务纠纷最终达成了反避税和解协议，敦促涉嫌帮助美国客户逃税的瑞士银行协助美方调查，以避免遭到起诉，但该协议不适用于14家正受到美国刑事调查的"一类银行"。根据协议，对于曾经和正在帮助美国纳税人逃税，但尚未遭到调查的"二类银行"，想要不被起诉，就需提供美国公民秘密账户的所有详细信息，并支付巨额罚款。而可以证明没有帮助美国纳税人隐藏海外资产的"三类银行"和4家不受《海外账户纳税法案》约束的瑞士国内银行可以不支付罚款。

在美国方面，同瑞士达成和解协议当天，美国司法部长霍尔德发表声明称，这一协议将有力打击所有试图规避法律、藏匿资产于海外的美国公民的避税行为，同时通过与瑞士政府展开积极合作，能够实现将美国纳税人的钱由海外追回并归还国库的重要目的。美国司法部高级官员称，美国将从和解方案中获得10亿美元或更多的罚款。

瑞士银行家协会对美国司法部的这一决定既感到压力巨大，又无可奈何（由于瑞士的特殊历史，该协会的立场甚至比政府更具有决定性作用）。协会还表示，这一决定在罚款和法律条款上都达到了极其严苛的水平，同时留给瑞士各银行的时间非常紧迫，但"这似乎已经是处理瑞士银行业与美国之间关系的唯一方案"。[15]

美国让瑞士银行业裸奔的另一个重要意义在于，洗黑钱者、贪污腐败者、独裁者在瑞士银行的存款信息都不再像过去那样安全，美国可以更自由地"抓辫子""打棍子"。通过各种手段打击、要挟相关人员与美国合作，实现美国的战略意图。同时，美国也为本国的金融机构摧毁了一个强大的竞争对手。

美国从大张旗鼓地彻查Libor案，开始了对超级金融霸权时代的精心构建。

经过步步惊心、环环缜密的策划和行动，美国终于取得突破性进展。

2014年5月5日，世界最大的离岸金融中心瑞士承诺，将自动向其他国家交出外国人账户的详细资料。在巴黎举行的欧洲财长会议上，瑞士同意签署一项有关自动交换信息的全球新标准。这一决定性的举措，意味着瑞士正式告别了几百年来所坚持的保护银行客户隐私的做法。[16]

普通人或许无法理解这一事件背后所代表的巨大意义。

但有目共睹的是，瑞士愿意向美国提交客户详细资料的消息公布之后，在乌克兰立场上态度空前强硬的普京突然改变了态度。普京宣布俄罗斯已经从边境沿线撤走了威慑乌克兰的部队，并要求乌克兰的分离主义者放弃主权公投计划。普京甚至表态说，倘若乌克兰东部自治的要求得到尊重，俄罗斯将会接受乌克兰5月25日总统选举的结果。[17]

瑞士向美国提交详细客户资料的承诺，意味着：其一，美国可以在金融战中精准地实施定点清除战术，重创对手；其二，可以将对相关国家核心人物资产的掌控作为要挟对方的工具，迫使对方满足美国的利益诉求。

美国将利用这一超级"金融核武器"在非洲、中东、中亚、拉美等地区，更便捷地实施自己的大战略，更高效地实现自身利益最大化的终极目标。

显然，瑞士愿意提供客户资料，无论是对于美国还是对于当今世界，都是具有划时代意义的重大标志性事件。它意味着，全球整个金融体系对美国都是透明的，再没有任何可以躲过美国视野的盲区，自此以后，全球各国的金融机构都将在美国霸权的覆盖之下裸奔。

一个超级金融帝国时代正式开启了。

自此以后，美国将越来越不必动用传统的成本高昂的军事武器打击对手，而更喜欢动用金融武器杀敌于无形。

从瑞士承诺向其他国家交出外国人账户详细资料那一刻起，瑞士的铜墙铁壁已经被美国彻底击穿。

借助这个良机，美国乘胜追击。

2014年5月19日，瑞士信贷向美国认罪，承认帮助美国客户逃税，同意支付约26亿美元的罚金。瑞信成为20年来第一家承认刑事指控的大型跨国银行。此事成为一个分水岭。约有100家瑞士银行和4.3万美国纳税人向美国司法部申请避免被指控，详细披露了其避税方法。

美国国税局把这些信息汇总在一起，增加了进一步调查13家瑞士银行的筹码。美国检察官已起诉的纳税人或银行家明确涉及瑞士宝盛、苏黎世银行，以及两家以色列银行的瑞士部门。

除了陷入刑事调查的13家银行外，另有106家与美国交涉寻求不被起诉的银行，他们面临的罚款可能将达到未申报资产的20%～50%。如果这些银行能说服客户参与美国国税局自愿披露计划，则可能有助于减免罚款。美国国税局已获得60亿美元补交税款和罚款。[18]

金融杀，让美国从一个胜利走向另一个胜利。

回顾整个金融杀的过程，无论是从战略角度，还是从金融、经济角度来看，对美国而言，都意味着一个超级帝国体系的建立。

其一，大大削弱了他国金融机构对美国金融机构的竞争力。

美国参议院的报告显示，美国货币监理局在2005～2010年间，发现汇丰银行美国分支机构存在80个需要注意的问题，却没有采取任何措施责令整改。[19]

我们设想一下，如果这80多个需要注意的问题都按照美国的要求进行整改，意味着什么？

别忘了，银行是金融服务机构，约束越多，其业务受到的制约越多，其自身的竞争力当然也会被削弱！

这当然对美国的金融机构是非常有利的，会使得美国金融机构的优势更为突出。美国金融监管机构对海外银行的严打行动，相当于帮助美国的金融机构拓展了更广阔的发展空间。进入2013年以后，美国金融机构的更快崛起，与此不无关系。

事实上，美国一直非常小心而周密地保护自己的银行业。

我们知道，很多国家的银行以代表处、分行、代理行或子行（注册法人银行）的形式在美从事运营活动。

1995～2002年间，在所有外资银行持有的金融（包括银行和非银行）资产中，欧洲银行占有的份额由51%上升到81%，而亚洲银行的份额则由40%骤降至8%。欧洲银行份额的增长在很大程度上要归功于其投资银行、投资管理及相关领域业务的长足进展，包括数宗大规模并购案——看到这个数据，就能明白为何美国重点打击欧系银行了。

但是，美国的制度设计却是非常周全的，它能够确保美国成为受益者。美国在推出允许银行跨州设立分行的《1994年里格尔－尼尔州际银行及分行效率法》之前，美国国会曾要求会计总署评估有关银行业的法律、法规，以确定当时的金融监管是否使得外资银行相对于美国本土银行具备"重大竞争优势"。会计总署的报告令人非常惊讶：

外资银行在美分行和代理行主要从事批发业务，几乎没有零售业务，给美国带来的资金超过从美国获取的资金，是美国经济的净资金提供者。[20]

之后，美国对外资银行在美的业务虽有放开，监管却是逐渐加强的。仅市场运营监管就包括以下几种。第一，限制外资银行业务范围和业务量的限制性监管。如美国禁止外资银行进行与政治有关的贷款和投资。在资本市场的并购上，美国禁止外资银行吞并、购买美国的非银行公司、企业，禁止外资银行持有美国公司、企业的股票；外国银行在收购美国银行5%以上的股权前，必须获得美联储理事会的批准。第二，以控制外资银行风险为目的的审慎性监管。包括非常严格的资本充足率监管，缴纳存款保证金以保护美国存款人，不断完善和严格的流动性监管等。第三，其他监管要求。包括关联方贷款、内部人贷款和股利的支付等。比如，商业银行对单一关联方的贷款总额不得超过银行资本余额的10%，对所有关联方的贷款总额不得超过银行资本余额的20%等。[21]

在美国加大了对全球的金融监管权力以后，美国对本国银行保驾护航的作用也扩张到了世界的几乎每一个角落，这等于为美国银行业未来的发展提供了前所未有的良机——只有理解了这一点，才能够更好地了解未来的发展趋势。

其二，使美国政府掌控世界的力量大大加强。

美国金融监管机构全力打击欧洲的银行业，将迫使全球的金融机构不敢再轻易与美国制裁的国家发生交易，也不敢轻易参与洗钱行为。那么，美国今后再制裁哪个国家，效果将更为显著。这实际上扩大了美国政府对外干预的力量。

根据美国出台的对伊朗金融制裁的规定，美国的金融机构不得与伊朗进行贸易和金融往来。但在2008年11月之前，外国银行在美国的分支机构只要对涉及伊朗、转往海外的资金进行严格审查，并且向美国政府提供一定的客户信息，就可得到豁免。这一局面后来由于美国强化制裁而终结。"同流氓国家的金融交易必须受到严惩，不能姑息。"

不少欧洲企业则反映，欧洲的银行如今变得无所适从，有的甚至完全中断了和伊朗有关的金融往来，妨碍了它们向伊朗合法出口商品，同时美国公司却在"人道主义"的招牌下向伊朗扩大出口。[22]

美国出狠招意义重大：如果美国要制裁哪个国家，效果立竿见影，谁还敢轻易得罪美国？这意味着，美国的强势地位得到了进一步强化。

其三，进一步打击欧洲的金融体系，削弱欧元的影响力。

美国金融监管机构的严打行动，不仅使英国，也使得其他相关国家的金融机构遭受重创。

在渣打银行之前，5家欧洲金融机构出于涉嫌修改记录、隐瞒同伊朗的交易被罚：荷兰国际集团6.19亿美元，瑞信银行5.36亿美元，荷兰银行5亿美元，劳埃德银行3.5亿美元，巴克莱银行2.98亿美元。[23]

在渣打、汇丰之后，2012年8月，美国监管部门还对德意志银行、莱斯银行、苏格兰皇家银行、意大利裕信银行开展了调查，因为怀疑这些银行"违法"地帮助伊朗、苏丹等被美国制裁的国家进行资金交易。

"只需细心观察就会发现，所有这些被调查的银行，无一例外均是欧系银行。"在美元与欧元"第一货币"激斗正酣、纽约和伦敦竭力争夺世界金融中心的大背景下，美国监管当局此举也被欧洲银行业认为是有意在"打压伦敦等国际金融中心地位"。[24]

2012年12月，瑞银集团因操纵全球金融合约定价的伦敦银行同业拆款利率，同意向美国、英国和瑞士监管机构支付15亿美元罚金（其中的12亿美元支付给美国司法部和美国商品期货交易委员会），以谋求和解。这使得欧洲大型银行受罚总金额至少达到61亿美元，约等于2012年这些银行预估获利的1/4。[25]

……

2013年10月下旬，荷兰合作银行同意接受10亿美元的罚金。同时，该行首席执行官皮耶特·穆尔兰德的辞职申请将"立即生效"，原因是他被指控参与操纵伦敦银行间同业拆借利率和其他基准银行间同业拆借利率。此外，美国监管部门还可能对荷兰合作银行驻伦敦办事处的前交易员保罗·罗布森提起刑事指控。另据《华尔街日报》报道，美国司法部发言人表示，美国联邦检察官"正在对可能操纵Libor及其他国际通用基准利率的行为进行积极的调查"。[26]

美国重罚欧系金融机构的消息连绵不绝地传出，以至于人们已经疲劳。

但是，正因为这种持续不断的重罚，美国最大限度地实现了自己的战略目标。

回顾美国金融大屠杀的过程，重点打击的是英国和瑞士的金融机构，这两个国家恰恰是最有力量与美国在金融领域竞争的国家。

笔者认识的一位企业家，2013年到英国汇丰银行开户，由于被要求提供的材料没有完全达到要求，开户被拒绝。而他拿着同样的材料到美国花旗银行，却非常顺利地开了户。通过这个小小的个例，我们可以清晰地感受到美国金融杀的巨大威力和它给美国金融机构带来的巨大利益。

在对英国、瑞士这两个金融强国的金融机构造成重创之后，美国的金融杀战略开始不断向其他国家延伸。2014年4月，严打对象已经转移到了法国——欧元区的两大核心国之一。

2014年4月30日，据《华尔街日报》报道，法国巴黎银行（BNP Paribas）将因违反美国针对伊朗等几个国家的经济制裁规定，涉嫌和被美国列入黑名单的国家如苏丹、伊朗开展生意往来，而面临约20亿美元的罚款及刑事指控（该行已为此计提了11亿美元拨备）。另外两家法国银行——法国兴业银行（Societe Generale）和法国农业信贷集团（Credit Agricole），也在与美国有关部门就涉嫌违反制裁规定一事进行谈判。[27]

在这场史无前例的金融监管大围剿中，美国的金融权力得到了空前的扩张。

第三节
恐怖的天网

Libor之战中，美国大获全胜，这场看不见硝烟的战争，充满着惊心动魄的情节。看懂的人，都会感受到其中的阴森恐怖。当然，从投资者角度考虑，从交易的公正角度考虑，美国这样做是有其巨大的进步意义的。事实上，也正是在这种积极意义的掩护之下，美国权力的触角一路延伸。

Libor案的辉煌进展，并没有让美国停下脚步。

金融战同样是立体战，这种战争的激烈和残酷，与真正意义上的战争不分伯仲，而且，它在财富控制、掠夺方面取得的效果更隐蔽、更不可思议。

接下来，美国开始了新的战役……

金银操纵调查

2013年3月，媒体突然爆出新闻：美国商品期货交易委员会正对全球最大的黄金市场——伦敦黄金市场进行调查，怀疑该市场的五大金商涉嫌操纵伦敦金定盘价。美国商品期货交易委员会正对伦敦黄金市场定价机制的透明性进行审查。该市场是全球最大的黄金市场，每日由巴克莱银行、德意志银行、汇丰银行、丰业银行和兴业银行五大金商进行两次报价，决定黄金交易价格。

在全球黄金交易中，伦敦市场有举足轻重的地位，全球大部分黄金交易均在该市场进行。伦敦金价对全球的珠宝商、矿业公司及冶炼厂的盈利状况有直接影响，同时也决定与黄金相关的衍生品交易价格。数据显示，截至2012年9月底，美国商业银行所持有的贵金属期货合约达1980亿美元。

另外，美国商品期货交易委员会同时也在调查伦敦白银市场的定价机制。该市场由丰业银行、德意志银行和汇丰银行每日进行一次报价决定白银价格。事实上，美国商品期货交易委员会在2008年就已展开了对白银市场的审查，因有投资者投诉当年夏季银价的大幅下跌受到了人为操纵。

有趣的是，定价商对黄金及白银价格存在的可能操纵一直是一个极具争议的话题。芝加哥期货经纪公司高级经纪商Kurt Pfafflin相信金价并未被操纵，认为这只是一种阴谋论。伦敦金银市场协会发言人表示，贵金属定价基本由供需水平决定，与Libor不同，过程是完全透明的。伦敦黄金和白银市场的定价机制分别从1919年和1897年开始启用，延续至今。[28]

与Libor相比，黄金、白银的意义看上去似乎小了点，美国为何突然将矛头对准了它呢？

如果从金融大战略的角度来看，这一点就非常容易理解了。

谁都知道，黄金、白银都属于人类历史上最悠久、最得到广泛认可和接受的货币，即使到今天，它们的价值也依然闪耀着光辉。

如果看看那些优秀的国家和领导人在干什么，就更容易明白这一点了。

2013年1月，德国央行宣布，计划在2020年前，运回在巴黎金库的全部374吨黄金，同时也将从纽约联邦储备银行运回300吨黄金。届时法兰克福的存储量将达到德国3400吨黄金总储备量的一半，另外仍有37%存放在纽约、13%存放在伦敦。

而此前的2000～2001年，德国央行已经从英国央行秘密运回940吨黄金，存放在英国的黄金年储备从1440吨下降到500吨，其理由是存储成本太高。

德国央行当年把黄金储备存放在国外，首要原因是冷战时期，担心苏联入侵，当时联邦德国决定把黄金存放到"尽可能西边、尽可能远离铁幕的地方"。但那一特殊历史时期早已过去，把黄金存放在国外，正受到越来越多德国公众的质疑，他们担心自己国家的黄金在美国会被偷梁换柱。德国一些经济学家、产业界领袖和国会议员甚至为此发起了"让黄金回家"的运动。[29]

德国的担忧不无道理。美联储声称的8100多吨黄金储备，从20世纪50年代艾森豪威尔总统任期之后，就再也没有被公开审计过。[30]美国到底还储备多少黄金，并不透明。

德国运回黄金有着长远的战略考虑。

回顾历史，美元的崛起与黄金不无关系。

在第二次世界大战快结束的1944年，美国集中了全球75%的官方黄金储备。正是由于有了这个重要的前提，1944年7月，美国才得以确立二战后以美元为中心的国际货币体系——布雷顿森林体系。其实质是以美元和黄金为基础的金汇兑本位制，即美元与黄金挂钩，其他国家的货币与美元挂钩，实行固定汇率制度。试想，如果美国当时没有那么多黄金储备，哪个国家会愿意接受布雷顿森林货币体系所确立的货币规则？

后来，由于越南战争开支庞大导致财政赤字，同时也由于美元大量发行和美国国内通货膨胀，美元相对贬值，在当时，各国纷纷兑回黄金，美国黄金储备从1948年的约2.2万吨下降到1971年8月的8100多吨，迫使美国取消了美元与黄金挂钩的固定汇兑制度。美元因此大幅度贬值。[31]

有庞大的黄金储备支持，布雷顿森林体系得以确立；当失去庞大的黄金储备的支持，布雷顿森林体系崩溃。这还不足以说明问题吗？

德国的意图非常明确，把存放在美国的黄金运回德国，强化德国的金融力量。在欧元存在的时候，德国作为欧元最核心的国家，是定海神针。当欧元出现大危机，甚至崩溃的时候，德国重新恢复马克，有庞大的黄金储备护驾，加之德国强大的科技能力和令人望而生畏的综合实力，足以在极短的时间内就重新构筑起一个强大的货币体系！

对于2016～2022年全球要爆发的高强度的大危机，德国已经有了足够的警惕。而中国的黄金，依然安静地躺在美国的金库里。早该像德国那样，运回国内了！

不仅德国，俄罗斯也一直在悄悄增加黄金储备。

2013年2月，国际货币基金组织披露的数据显示，俄罗斯央行过去10年购买了570吨黄金，较紧随其后的中国多出1/4。普京所属政党统一俄罗斯党的下院议员Evgeny Fedorov称："当美元、欧元、英镑或其他储备货币发生灾难时，一个国家拥有的黄金越多，其享有的主权就越多。"[32]

黄金对于一国金融基础的意义远大于它之于一般老百姓投资理财的意义。

我们再来看看瑞士，根据国际货币基金组织2014年4月发布的数据，人口只有800万的瑞士的黄金储备量高达1040吨，人均黄金储备量为130克黄金（是美国的5倍）。[33] 同时，瑞士还是全球最大的黄金精炼基地和全球第一大黄金贸易国，这使得瑞士法郎成为全球所有货币中，走势与黄金最具有正相关关系的货币。

下图为世界官方黄金储备（2014年4月）。

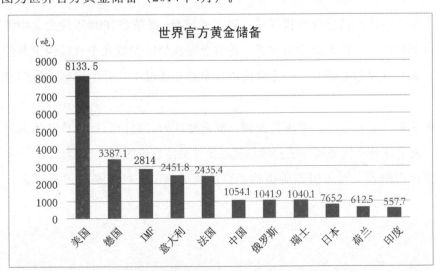

数据来源：International Monetary Fund。

那么，为什么美国要重点针对伦敦呢？

这是因为，老牌国际金融中心伦敦是全球最大的黄金交易中心。据伦敦金银市场协会数据，2012年，伦敦黄金日均成交额超过330亿美元，超过了纽约商品交易所黄金期货的日均成交额290亿美元。包括掉期、期权等在内的金融工具，都是以伦敦金定盘价为基准。

伦敦黄金市场价格和Libor一样具有广泛影响，被用以决定全球黄金现货市场的价格，影响面覆盖了珠宝销售乃至矿业公司收入等许多方面，同时也是贵金属衍生证券价格的参照物。

由于目前的黄金市场在很大程度上是建立在公众对黄金以往货币价值的公信力之上的，因此，如果在定价过程中爆出丑闻，很容易使偌大的黄金帝国在一夜之间崩塌。[34]

如此，对美国而言，将是一石二鸟，既可将黄金价格的主导权转移到美国，又可以对伦敦的金融中心地位构成重创——毕竟，良好信誉是金融的基石，一旦信誉受损，人们的信任也将瓦解。

与Libor操纵案一样，伦敦金操纵案，美国也是志在必得。

2013年9月，西澳洲大学教授安德鲁·凯明斯基发表的一份研究显示，每当黄金定盘价公布后，黄金衍生品的交易量就会猛增。这是交易商与其客户利用定盘期间的信息产生的结果。伦敦金定盘价的参与者在获得大量一手的买卖信息后，足以在1秒钟内知道未来金价是涨还是跌。凯明斯基认为，定盘价信息从五大行流出，通过他们的客户最终流向更广泛的市场，在目前这个交易优势以毫秒计算的金融市场里，这已足够有价值。

纽约大学斯特恩商学院教授罗莎·阿布朗特斯-梅兹在2008年的论文中曾写道："这是我见过最令人担忧的定价方式，伦敦金定盘价被少数几个直接经济利益相关企业控制，而且几乎没有监管——定盘价由几个企业通过不公开的电话沟通信息后确定下来。"

巴克莱银行前首席经济学家托斯顿·波列特认为，定价行即便比其他人早几秒知道消息，就足以处于优势地位了。"这就是伦敦金定盘价的最大漏洞。"[35]

定盘价有漏洞，对美国监管机构而言，就足够了！顺着漏洞追查下去，必然有斩获。

能源操纵调查

就在美国对伦敦金操纵案的调查还在进行中的时候，能源市场、外汇基准汇率指数、离岸外汇衍生品等市场操纵案件先后被曝光。

这个舞台已经完全被美国司法部门和金融监管部门占据。

2012年10月底，美国联邦能源监管委员会对英国巴克莱银行发出操纵能源价格调查的通知。指控认为，在2006年11月～2008年12月间，巴克莱以及交易商们对美国加利福尼亚的能源市场价格（电价）进行操纵，这违反了相关法律的规定。其他面对罚款的银行还包括摩根大通和德意志银行。

巴克莱银行就像一个受伤的士兵，刚刚试图爬起来却再次被箭射倒。[36]

对巴克莱的围剿如火如荼。另外两家美国监管机构——美国司法部和美国证券交易委员会也已经对巴克莱银行开始了两项新的调查。这两家机构都在对与巴克莱银行存在关联的第三方企业展开调查，以探知这些企业是否违反了美国的反腐败法。据悉，这些第三方企业帮助巴克莱集团赢得或保留业务。

2012年三季度，巴克莱银行税前利润为7.12亿英镑（约合11.39亿美元），同比下滑86%。[37] 美国监管机构的轮番上阵，让巴克莱银行——高盛的这个对手遍体鳞伤。

2013年5月，欧洲反垄断机构展开了对"操纵油价"问题的调查。挪威国家石油公司、英国石油公司（BP）、荷兰皇家壳牌有限公司等大型油气企业均证实遭到了欧盟的"突击检查"。随后，大宗商品交易商瑞士的嘉能可以及世界第四大石油贸易商贡沃尔集团（Gunvor Group，注册地在塞浦路斯）等也被欧洲监管机构"要求提供资料"。

欧洲反垄断联盟出手，却轻易不敢针对美国公司。

但欧洲反垄断联盟刚开了一个头，就被美国监管机构抢戏了。

美国联邦贸易委员会等立即跟进，对原油和精炼燃料（如汽油）的价格形成机制展开了正式调查。

美国监管机构和司法部门调查此类案件的时候，不分操纵者为哪国公司，显得非常铁面无私。也正因为这一点，其公正性显得更加突出。在此之下，相关领域的价格主导权被悄悄转移到美国手中，或者美国原有主导权得到进一步加强。

比如，全球最大的能源资讯公司普氏能源在能源和钢铁领域的定价方式早就遭到质疑：一方面，电话询盘的方式可能有些片面，不能反映市场的全部行情；另一方面，普氏能源的定价系统排除了时间窗口外的交易，这是报价易遭操纵的重要原因。

普氏收市价系统是在每日半小时的时间内，通过一系列买价、卖价和交易的价格，确定当天的现货油价。其中，普氏发布的布伦特原油基准是全球超过一半原油的价格基准，"石油基准价格影响柜台交易石油衍生品、伦敦洲际交易所的布伦特原油合约，以及从加拿大到澳大利亚的原油价格"。[38]

但是，美国监管部门直到现在才介入调查。

美国一出手就是大手笔。

2013年7月16日，美国联邦能源监管委员会宣布，对英国巴克莱银行及其四名前电力交易员操纵电力市场行为处以4.53亿美元罚款。这是该行继2012年Libor操纵案后再一次收到天价罚单。[39]

2013年7月30日，因被美国联邦能源监管委员会指控在2010～2011年采用8种手段操纵加利福尼亚州和中西部电力市场，美国摩根大通公司同意接受4.1亿美元罚款的和解协议。[40]

当然，电力操纵与油价操纵相比，属于小得可以忽略的问题。美国监管机构下一步要重点打击的将是原油价格操纵——把全球原油价格的主导权转移到美国，由其牢牢控制。此举将具有更重要的战略价值。

汇率操纵案

更大的目标慢慢浮出了水面！

那就是影响更大、更深远当然也更重要的汇率操纵案！

外汇市场是金融体系内最大的市场，日平均交易量高达4.7万亿美元。

而这个市场也是监管最薄弱的一个市场。

2013年6月，海外媒体报道称，基准汇率WM/Reuters被操纵，"这种操纵行为在外汇即期市场每天都会发生，并且已经持续了超过10年的时间，影响着各种基金和衍生品的价值"。基准汇率指数WM/Reuters诞生于1994年，为基金管理者提供标准化的汇率指数来计算每日的资产净值。而很小的汇率波动，都可以影响大约3.6万亿美元追踪各类指数的基金投资价值。

据披露，交易员们在客户的交易指令被执行之前布下"老鼠仓"，并协同其他银行的交易员一起在该汇率收盘前的一个"60秒窗口"内进行串谋操纵。由于最后的定盘汇率是基于这60秒内所有交易的中间值来计算的，因此数个规模较小的交易指令可能比一个大规模的交易单带来的影响要大。[41]

2013年10月29日，美国一位高级联邦检察官表示，司法部正在调查外汇市场操纵

337 / 第13章 美国金融杀: 2013～2015（下）

问题。这是美国首次公开承认在进行此类调查。美国司法部刑事部门的代理主管拉曼（Mythili Raman）表示，刑事与反垄断当局正在就可能的操纵行为进行"积极、持续的调查"。面临相关调查的其他欧洲银行披露，他们拨备了大量资金来应对法律方面的成本。[42]

受到调查的瑞银，为了"向监管机构表明自身良好的态度"，开始大刀阔斧地合并外汇交易部门，重组其外汇业务。瑞银的投资银行业务遭到沉重打击。[43]

由于外汇市场没有什么监管法规，监管责任落到了美联储头上。美联储正在调查全球最大几家银行的交易员们，看他们是否操控外汇市场，有些公司可能因管制不严而受到处罚。相关调查显示，德意志银行、花旗银行、巴克莱银行和瑞银控制了全球超过一半的外汇交易。[44]

到2014年2月，外汇操纵调查已经横扫欧美亚三大洲。

粗略统计，自外汇操纵调查于2013年10月正式宣布以来，花旗、高盛、德意志银行、劳埃德银行集团、汇丰银行、摩根大通、巴克莱银行、苏格兰皇家银行、瑞银等金融机构超过20名交易员被强制休假、停职或解雇。[45]

2014年2月，在汇率操纵事件的最新进展中又爆出猛料，英格兰银行[46]官员或曾纵容交易员操纵外汇市场基准汇率指数。据报道，英格兰银行的官员们曾告知外汇交易员们，与他行交易员分享客户头寸和下单指令并非违规。这使得英格兰银行再次曝光在丑闻之下，此前英格兰银行就因未能及时发现并警告Libor利率操纵事件而备受指责。

如果交易员可以证实在汇率操纵事件曝光之前，英格兰银行官员们就已经知道交易员们可能在操纵外汇市场的话，那么央行就会因不作为而饱受批评，甚至被问责。[47]

随后，海外媒体报道，"在目前监管机构大范围调查之际，外汇期权这种衍生品也被囊括其中"。监管机构针对银行涉嫌操纵全球外汇基准汇率指数WM/Reuters的调查在进一步扩大。[48]

自金融危机爆发到2014年3月瑞士信贷与美国联邦住房金融局达成8.85亿美元和解协议，华尔街及外国金融机构已在美国支付1000亿美元的诉讼和解金，仅2013年的处罚就占到一半以上。[49]

美国法学教授乌戈·马太和人类学教授劳拉·纳德指出，强制掠夺和欺诈掠夺，都是在法治的掩护下进行——通过杰出的法律工作者和法律学者。尽管西方法治对其每一个法律字母的解释都有板有眼，但它经常充当着一种压迫和掠夺的工具。一方面，美国法治不可否认的强大力量使其享有盛名的法律以及之后的霸权遍及全球。法治因此能够掩饰自己与掠夺间的联系，而掠夺本身则为令人敬畏的法治所庇护。另一方面，美国又费尽心思地改变法律，从而使美国成为一个在法律上低度可问责的国家。[50]

美国监管机构和司法部门，就像一只巨大的蜘蛛，沿着丑闻调查这条主线，慢慢地编织成一张覆盖全球的超级天网。美国在借助司法权力的扩展，实现对全球金融的控制。

可想而知的是，汇率操纵案还将不断延伸。随着调查的深入，美国监管机构和司法机构的权力将在全球金融领域进一步扩展。

这是前所未有的权力大扩张。这种权力不仅为美国带来不计其数的巨额罚款，还将使得美国对全球金融机构的监管变得名正言顺，并且常态化。这意味着，全球金融领域对美国正变得高度透明。

对于一个金融掌控世界的时代而言，这意味着什么，是不言而喻的。不知不觉中，金融的强权时代已经来临。而这种强权，是军事力量远不能相比的。

第四节
固本

无论何时，攻守兼备才是真正的强者，但美国一些金融机构不顾一切的逐利行为曾严重损害美国的国家利益，从而，促使美国政府严厉"整顿"国内金融体系，以更好地布局下个周期的大战略。

笔者在2008年年底出版的《中国怎么办——当次贷危机改变世界》中分析过，次贷危机后，美国成了大政府，政府的权力、美联储的权力都得到了空前的扩张。

美国在严厉监管外国金融机构的同时，也严厉打击国内的金融机构，以防止它们通过损害国家利益牟取私利，或者，防止它们过于"尊重事实"而遗忘了美国的国家利益。

与通过洗钱、逃税等理由打击外国金融机构的主线不一样，美国处罚本国的金融机构，基本都是围绕着"两房"展开的（即金融机构在次贷危机中的责任）。两条主线如果合起来的话，那么用一条主线就可以概括，那就是美国的国家利益。

2011年8月5日，标普向全世界发布了将美国主权债评级从ＡＡＡ下调至ＡＡ＋的新闻稿。

标普等级		评级标准
投资级	"AAA"	偿还债务能力极强，为标准普尔给予的最高评级。
	"AA"	偿还债务能力很强。
	"A"	偿还债务能力颇强，但还债能力较易受外在环境及经济状况变动的不利因素影响。
	"BBB"	有足够还债能力，但若在恶劣的经济状况下其还债能力可能较脆弱。
	"BBB-"	市场参与者认为的最低投资级评级。
投机级	"BB+"	市场参与者认为的最高投机级评级。
	"BB"	相对于其他投机级评级，违约的可能性最低。但持续的重大不稳定情况或恶劣的商业、金融、经济条件可能令发债人没有足够能力偿还债务。
	"B"	违约可能性较"BB"级高，发债人目前仍有能力偿还债务，但恶劣的商业、金融或经济情况可能削弱发债人偿还债务的能力和意愿。
	"CCC"	目前有可能违约，发债人需依赖良好的商业、金融或经济条件才有能力偿还债务。如果商业、金融、经济条件恶化，发债人可能会违约。
	"CC"	目前违约的可能性较高。
	"C"	提交破产申请或采取类似行动，但仍能偿还债务。
	"D"	发债人未能按期偿还债务。

这则消息犹如一枚重磅炸弹，令本已噤若寒蝉的全球股市顷刻溃败。率先开市的中东股市大跌，其中以色列股市大跌近7%，创11年以来最大跌幅。继而亚太股市、欧美股市均未能幸免于难，多数股市跌回至2010年8月的水平。据路透社数据，近两周时间，世界股市的市值蒸发约4万亿美元。[51]

此事令美国朝野极为震怒。

2013年2月，美国司法部对评级机构标普发起欺诈诉讼，希望对它进行最高50亿美元的罚款。司法部的指控包括：标普当初没能警告投资者房地产市场即将崩溃；标普当时故意夸大高风险抵押贷款投资产品的评级，该产品引发了金融危机；标普给这些投资产品高评级的原因是它希望从发行该产品的银行获取更多的业务。

标普回应称美国政府"有选择性地"提出了具有"惩罚性的""无价值的"诉讼，美国司法部此举意在报复它2011年下调美国ＡＡＡ的主权评级。标普的律师称："纵然美国政府声称标普与其他评级机构并无二致，且其他评级机构也做出同样的'独立'判断，但是也只有标普评级下降了美国的信用评级，且只有标普评级受到了起诉。"

标普一再拒绝对它的指控，并表示它的观点是独立的，是基于住宅抵押产品表现的诚信评估。标普还表示，几乎像其他所有公司一样，该公司并没有参与和影响到房地产市场的崩溃。[52]

无论怎么抗争，标普都难逃被重罚之劫。似乎所有的人都明白这个道理，只有标普没有想明白。

有意思的是，标普有此"遭遇"后，即使当美国政府在2013年10月关门期间，三大评级机构也都出奇一致地表示出了极高的"觉悟"，集体漠视美国政府的困境，谁也不敢"低看"美国的评级。

美国政府对金融机构的"严打"，无论是对外还是对内，效果都同样显著。

在次贷危机中，最令美国政府头疼的是"两房"（房利美和房地美）危机。

房利美和房地美是美国最大的两家非银行住房抵押贷款公司。房利美和房地美分别设立于1938年和1970年，属于由私人投资者控股但受到美国政府支持的特殊金融机构。两家公司的主要业务是从抵押贷款公司、银行和其他放贷机构购买住房抵押贷款，并将部分住房抵押贷款证券化后打包出售给其他投资者。

作为全美最大的住房抵押贷款融资机构，"两房"拥有或担保了总规模达11万亿美元的美国住房抵押市场的一半，在美国金融市场中的地位可谓举足轻重。也正因为此，在2008年9月次贷危机最为严重的时候，美国政府曾向两房提供了高达2000亿美元的资金，并提高其信贷额度，同时联邦住房金融局也宣布接管这两家公司。[53]

两房的财务报表显示，截至2009年底，"两房"拥有或担保的住房贷款总价值为5.5万亿美元，其中有500万笔贷款已经处于违约状态。2009年，"两房"合计亏损高达936亿美元，占政府救助资金的67%。美国国会预算办公室估计，在2009～2019年的10年间，两房将总共花费纳税人3890亿美元。换言之，除了之前投入的1450亿美元，美国政府还需要再投入2500亿美元。[54]

从2008年9月开始的两年时间里，美联储购买了超过1.4万亿美元的两房债券，成为两房债券的最大持有人。[55]

美国政府认为，它之所以为两房背负这么大的包袱，就是因为不当投资抵押贷款支持证券的过度膨胀所致，而始作俑者就是美国的金融机构。

2007年美国次级抵押债券发行量排名

机构名称	市场份额（%）	发行规模（亿美元）
美林	10.1	220.85
美国国家金融服务公司	7.9	172.72
摩根士丹利	7.8	172.11
Option one	7.3	162.66
雷曼兄弟	5.5	119.8
贝尔斯登	4.3	93.39

数据来源：《债券增信》。[56]

美国政府意识到，国内的金融机构在逐利的情况下，可能严重损害国家利益，动摇经济稳定发展的基石。因此，对于导致房利美和房地美几乎陷入破产境地的相关银行，必须予以严厉惩处，以儆效尤。

痛定思痛，美国把账算到了本国的金融机构身上。

2009年9月15日，在雷曼兄弟倒闭一周年之际，奥巴马发表演讲称："我们不能再回到金融危机中那种行为，过着不计后果和过度不受制约的日子，太多的问题都是因为要快速赚大钱和过度膨胀的贪欲引起的。"

奥巴马要求金融业不要反对监管改革，要求国会在年底前通过立法，对金融体系给予较严厉的管制，他同时严厉地警告华尔街，不要再次变成不计后果和不受制约的金融巨人。[57]

随后，美国出台严厉的金融监管法案，监管、约束、规范本国金融机构的行为，并秋后算账，对金融机构在次贷危机中尤其是在"两房"陷入困境过程中所扮演的角色进行调查并予以严厉惩处。

2012年2月，美国政府和49名州检察官与美国五大银行达成了总额400亿美元的协议，以和解围绕这些银行有计划地不正当获取借款人房屋、侵害借款人权益的指控。这些银行被控在收回违约借款人的房产时，使用虚假文件和钻法律空子，这一丑闻激起了公众的愤怒。

美国银行（Bank of America）将向政府机构支付近40亿美元现金，并向贫困借款人提供86亿美元的还款减免和本金减记。摩根大通（JPMorgan Chase）将支付近11亿美元的现金，并提供42亿美元的贷款减免。富国银行（Wells Fargo）将支付10亿美元现金并提供43亿美元的贷款减免。花旗集团（Citigroup）则将支付4.15亿美元现金，并提供18亿美元的贷款减免。[58]

2013年1月7日，美国银行发表声明称，该银行同意向房利美支付35.5亿美元抵押贷款担保索赔金，另外再支付67.5亿美元用于回购约3万份出售给房利美的可能存在问题的住宅抵押贷款。

美国银行在2000年1月1日到2008年12月21日间向房利美出售了1.4万亿美元住宅抵押贷款。房利美认为这些贷款中的部分房产和贷款人等信息不实，给房利美造成了巨额损失。除房利美外，房地美和许多其他抵押贷款购房方都要求美国银行为全国金融公司的贷款遗留问题支付赔偿金。[59]

美国政府的思路非常明确：在次贷危机后，拯救金融机构，让它们迅速恢复盈利的能力；然后慢慢回吐，为此前的错误行为埋单，帮助投资者承担部分损失，也帮助美国政府减轻救助压力。

2013年10月19日，美国摩根大通银行同美国司法部达成初步协议，同意支付130亿美元和解金，了结有关其出售不良住房抵押贷款证券的指控。这将是美国有史以来一家公司支付的最大笔罚款。摩根大通将支付其中的40亿美元给美国联邦住房金融局，以补偿误导房利美和房地美购买抵押贷款证券导致的损失。[60]

摩根大通还将支付40亿美元作为对按揭贷款消费者的补偿。其余50亿美元为其他罚款。这项和解仅针对民事诉讼部分，而未给予刑事豁免。美国司法部将继续对该银行及个人的违法行为展开刑事调查。此间舆论认为，摩根大通此举旨在尽快甩掉金融危机遗留下来的包袱。[61]

同时，摩根大通仍在为震惊市场的"伦敦鲸"事件[62]埋单。据不完全统计，近5年来，摩根大通为各类案件已支付超过220亿美元的罚款，相当于摩根大通2012年全年的净利润。

继摩根大通之后，2013年10月底，美国联邦住房金融局又将罚单开给了美国银行，准备向美国银行罚款60亿美元，因为该行在楼市繁荣时期误导抵押贷款机构。美国联邦住房金融局早在2011年就曾起诉17家银行，指控这些银行在向房地美和房利美不当销售抵押贷款支持证券（MBS）。房地美和房利美也因为从这些银行购入了大量不良MBS而在2008年接近倒闭，并被美国联邦政府接管。

继摩根大通之后，2013年10月，美国银行可能面临最高罚金，其向房地美和房利美出售的MBS名义价值超过570亿美元。相比之下，摩根大通为330亿美元。而摩根大通需要为其不当出售住房抵押证券支付130亿美元的罚金。[63]

2013年11月27日，标普称：为了摆脱次贷危机遗留问题，美国最大的几家银行可能要再支付1040亿美元解决抵押贷款引起的法律纠纷。标准普尔分析师在由斯图亚特·普莱森主编的报告中提到，抵押贷款诉讼最近呈现第二波激增趋势，超出了投资者的求偿范围。[64]

除了顺着"两房"这条主线强化对金融机构的监管，美国政府对内幕交易等行为也严厉打击，以维护市场秩序，树立投资者的信心，为美国金融体系全方位崛起奠定基础。

2013年11月初，美国对冲基金巨头SAC资本合伙公司就内幕交易指控认罪，将支付18亿美元的罚款。这是美国政府针对内幕交易开具的最大罚单。根据和解协议，SAC将向联邦政府支付近12亿美元罚款。在此之前，SAC已同意向美国证券交易委员会支付6.16亿美元罚款。美国检方认为，SAC1999～2010年间利用内幕消息开展交易，获得巨大非法利润。

纽约联邦检察官普里特·巴拉拉称上述"罚款金额大而公平，与被指控罪行的广度以及持续的时间相称，没有任何机构可以躺在'大到不能进监狱'的信条上高枕无忧"。明星基金经理史蒂文·科恩1992年成立SAC。过去20年间，这家对冲基金获得年均25%的回报，是美国最赚钱的对冲基金之一。[65]

可以想见的是，随着对国内金融机构的秋后算账，美国金融机构今后在追逐利益的同时，还不得不考虑美国的国家利益，即在不损害美国国家利益的情况下牟取利益，发展壮大。这一点对未来的趋势演进具有重大意义。

我们知道，凭借税收等收入，美国无论如何也不可能偿还得了自身庞大的债务，只能另辟蹊径，这条捷径就是笔者再三强调的：引爆全球经济、金融大危机，趁机抄底优质资产，通过对全球财富的重新大分配来偿还债务，并以此为契机，让美国成为一个空前强大的帝国。而这一目标，正是美国政府下一步的大战略所在。

注　释

[1]王昭，杨京德.瑞士同意通报美公民账户信息[N].人民日报海外版，2012-12-06.
[2]王冠群，王鹏.美国《海外账户纳税法案》的战略影响及应对[J].中国经贸导刊，2012（16）.
[3]Devlin Barrett，Evan Perez.HSBC to Pay Record U.S.penalty[N].The Wall Street Journal，2012-12-11.
[4]Shahien Nasiripour，Sharlene Goff.StanChart settles NY claims for $340m[N].The Financial Times，2012-08-15.

[5]Aubert Maurice.The limits of Swiss Banking Secrecy Under Domestic and International law [J].Berkeley Journal of International law，Volume 2，1984.

[6]BS agrees on tax fraud settlement in US[OL].Swiss Information，http：//www.swissinfo.ch/eng//Specials/Swiss_banking_secrecy_under_fire/News/UBS_agrees_on_tax_fraud_settlement_in_US.html？cid=7346，2009-02-19.

[7]刘美.瑞士银行：在北非动荡中建设"形象工程"[J].环球财经，2011（4）.

[8]Federal Act on the Restitution of Assets illicitly obtained by politically exposed person：Restitution of Illicit Assets Act (RIAA) [R].The Federal Assembly of the Swiss Confederation，http：//www.admin.ch/opc/en/classified-compilation/20100418/201102010000/196.1.pdf，2010-10-01.

[9]郭炘.追讨独裁者存在海外的不义之财[N].青年参考，2011-09-21.

[10]刘美.瑞士银行：在北非动荡中建设"形象工程"[J].环球财经，2011（4）.

[11]Swiss bank Wegelin to close after US tax evasion fine[OL].BBC News，http：//www.bbc.com/news/business-20907359，2013-01-04.

[12]刘广元.加勒比飓风[M].北京：文化艺术出版社，2013.

[13]Swiss bank Wegelin to close after US tax evasion fine[OL].BBC News，http：//www.bbc.com/news/business-20907359，2013-01-04.

[14]James Shotter.Switzerland moves step closer to tax settlement with US[N].The Financial Times，2013-08-28.

[15]陈洁、陈莎莎.美国瑞士签署反避税和解协议，瑞士银行家表示无奈接受[N].国际金融报，2013-09-02.

[16]Vanessa Houlder.Switzerland pledges to lift veil on tax secrecy[N].The Financial Times，2014-05-06.

[17]Neil MacFarquhar.Putin Announces Pullback From Ukraine Border[N].The New York Times，2014-05-07.

[18]David Voreacos，Giles Broom.Credit Suisse Offers Map to 13 Swiss Banks in U.S.Tax Probe[OL].The Bloomberg，http：//www.bloomberg.com/news/2014-05-25/credit-suisse-offers-map-to-13-swiss-banks-in-u-s-tax-probes.html，2014-05-26.

[19]Richard Blackden.HSBC money laundering：where was the regulator？[N].The Telegraph，2012-07-19.

[20]韩松.美国对外资银行监管框架[J]当代金融家，2006（12）.

[21]刘莹莹.新形势下美国外资银行监管对我国的启示[J].时代经贸，2010（8）；A Closer look the Dodd-Frank wall street reform and Consumer Protection Act：Impact on foreign banking organizations and foreign nonbank financial companies[R].Pricewaterhouse Coopers LLP.August 2010.

[22]管克江.美收紧金融套索绞杀伊朗[N].环球时报，2012-08-20.

[23]Isabella Steger.Tallying Up U.S.Regulators' Money Laundering Fines[N].The Wall Street Journal，2012-08-15.

[24]杨汛.汇丰渣打25亿美元"买平安"[N].北京日报，2012-12-13.

[25]Nicholas Comfort.UBS pays A whopping $1.5 billion fine for trying to rig rates[OL].Business Insider，http：//www.businessinsider.com/ubs-15-billion-Libor-fine-2012-12，2012-12-19.

[26]Sara Webb.Dutch Rabobank fined $1 billion over Libor scandal[OL].The Reuters，http：//www.reuters.com/article/2013/10/29/us-rabobank-Libor-idUSBRE99S0L520131029，2013-10-29.

[27]Noémie Bisserbe，Christopher M.Matthews，Andrew R.Johnson.BNP Paribas Facing $2 Billion in Fines Over Sanctions Violations[N].The Wall Street Journal，2014-04-30.

[28]美调查伦敦金定价机制[N].大公报，2013-03-15；Katy Burne，Matt Day and Tayana Shumsky.U.S.Probes Gold Pricing[N].The Wall Street Journal，2013-03-13.

[29]何京玉.德国欲从美国运回黄金储备，引发"黄金大劫案"猜测[OL].中国广播网，http：//finance.people.

com.cn/bank/n/2013/0117/c202331-20239891.html，2013-01-17．

[30]Paul C.Missing．8100 tons of gold.Please call 1-800-USTREASURY if found[OL].CMI Gold& Silver Inc，http://www.cmi-gold-silver.com/blog/missing-8100-tons-of-gold/，2011-06-24．

[31]陈炳才.德国把黄金运回国内有何启示意义[N].上海证券报，2013-03-01．

[32]Scott Rose, Olga Tanas.Putin Turns Black Gold to bullion as Russia Outbuys World[OL].The Bloomberg，http://www.bloomberg.com/news/2013-02-10/putin-turns-black-gold-into-bullion-as-russia-out-buys-world.html，2013-02-11．

[33]World Official Gold Holdings[R].International Monetary Fund，april 2014．

[34]王亚宏.黄金定价与利率操纵丑闻[N].中国黄金报，2014-01-24．

[35]李辉.伦敦金定盘价漏洞大暴露，五巨头秘密拍板遭质疑[N].证券时报，2013-11-28．

[36]Kenneth G.Mondero.Barclays：Libor-Fixing Scandal Out, New Controversies In[OL].ADVFN，http://uk.advfn.com/newspaper/kenneth-mondero/12344/barclays-libor-fixing-scandal-out-new-controversies-in，2012-10-31．

[37]Barclays PLC Interim Management Statement[OL].Barclays PLC，http://www.zonebourse.com/BARCLAYS-PLC-9583556/pdf/330124/Barclays%20PLC_Rapport-3%E8-trimestre.pdf，2012-09-30．

[38]Justin Scheck and Jenny Gross．Traders Try to Game Platts Oil-Price Benmarks[N]．The Wall Street Journal，2013-06-19．

[39]Barclays′ $453m fine for US energy market rigging upheld[OL].BBC News，http://www.bbc.com/news/business-23337178，2013-07-17．

[40]卜晓.摩根大通因操纵电价被美监管机构罚款4.1亿美元[N].经济参考报，2013-07-31．

[41]Liam Vaughan, Gavin Finch, Ambereen Choudhury.Traders Said to Rig Currency Rates to Profit Off Clients[OL].The Bloomberg，http://www.bloomberg.com/news/2013-06-11/traders-said-to-rig-currency-rates-to-profit-off-clients.html，2013-06-12．

[42]《焦点》美国证实对外汇市场操纵展开刑事调查[OL].路透社，http://cn.reuters.com/article/financialServicesNews/idCNL3S0IJ68020131029，2013-10-30．

[43]UBS AG Announces Restructuring[OL].Zacks Equity Research，http://finance.yahoo.com/news/ubs-ag-announces-restructuring-145003141.html，2013-11-29．

[44]Katie Martin.Deutsche Bank Wins Euromoney FX Poll[N].The Wall Street Journal，2013-05-08．

[45]Eva Szalay.Fixing scandal could become biggest crisis FX market has faced[OL].The FX Week，http://www.fxweek.com/fx-week/feature/2332979/fixing-scandal-could-become-biggest-crisis-fx-market-has-faced，2014-03-07．

[46]英格兰银行（Bank of England，香港称英伦银行）成立于1694年，是英国的中央银行，也是世界上最早形成的中央银行，是各国中央银行体制的鼻祖。英格兰银行通过货币政策委员会（Monetary Policy Committee，MPC），对英国国家的货币政策负责。

[47]Suzi Ring, Gavin Finch, Liam Vaughan.BOE staff said to have condoned currency traders′ conduct[OL].The Bloomberg，http://www.bloomberg.com/news/2014-02-07/boe-staff-said-to-have-condoned-currency-traders-conduct.html，2014-02-07．

[48]Mridhula Raghavan, Jonathan Spicer.NY Fed looked at forex benchmark in 2012, took no action：WSJ[OL].The Reuters，http://www.reuters.com/article/2014/03/13/us-newyorkfed-forex-idUSBREA2C04120140313，2014-03-12．

[49]Richard McGregor, Aaron Stanley.Banks pay out $100bn in US fines[N].The Financial Times，2014-03-25．

[50]乌戈·马太，劳拉·纳德.西方的掠夺：当法治非法时[M].北京：社会科学文献出版社，2012．

[51]陈慧晶，胡蓉萍，刘真真.经济观察报：标普们的劫杀史[N].经济观察报，2011-08-14.

[52]Katherine Rushton.US government lawsuit is revenge for AAA downgrade, says S&P[N].The Telegraph, 2013-09-03.

[53]何春梅.〝两房〞退市套牢中国？[J].英才，2010（8）.

[54]熙怡.从〝救市〞到〝退市〞：美国〝两房〞成〝泰坦尼克〞[N].广州日报，2010-07-06.

[55]张锐.美国〝两房〞改革的困境与出路[J].改革与开放，2010（19）.

[56]周沅帆.债券增信[M].北京：北京大学出版社，2010.

[57]Obama touts Wall Street changes on Lehman anniversary[OL].The Hindu, http://www.thehindu.com/news/international/obama-touts-wall-street-changes-on-lehman-anniversary/article20397.ece，2009-09-15.

[58]Shahien Nasiripour.US banks in $40bn mortgage settlement[N].The Financial Times，2012-02-09.

[59]王宗凯，阳建.美国银行与房利美就抵押贷款回购与赔偿达成协议[OL].新华网，http://news.xinhuanet.com/world/2013-01/08/c_124199632.htm，2013-01-08.

[60]Tom Braithwaite, Kara Scannell, Camilla Hall, Gina Chon.Mortgage watchdog seeks $6bn from BofA[N].The Financial Times,2013-10-20.

[61]Aruna Viswanatha, David Henry, Karen Freifeld. JPMorgan says 'mea culpa' in $13 billion settlement with U.S.[OL].The Reuters,http://www.reuters.com/article/2013/11/19/us-jpmorgan-settlement-idUSBRE9AI0OA20131119,2013-11-19.

[62]〝伦敦鲸〞事件发生在2012年5月，因一名叫布鲁诺·伊克西尔（Bruno Iksil）的交易员引发，该交易员就职于美国摩根大通银行，绰号〝伦敦鲸〞（the London whale）。2012年，由于他对企业债的交易造成信贷市场的剧烈波动，导致摩根大通史上最大规模的衍生品押注高达65亿美元的亏损，这一事件被称为〝伦敦鲸〞事件。

[63]吴家明.美国银行因误导抵押贷款机构领60亿美元罚单[N].证券时报，2013-10-22.

[64]Tracy Alloway, Camilla Hall, Gina Chon.S&P says banks may have to spend extra $104bn on mortgage cases[N].The Financial Times，2013-11-27.

[65]Larry Neumeister, Marcy Gordon.SAC Capital to pay $1.8 billion penalty for insider trading：Feds[N].Huffington Post，2013-11-04.

第 14 章

美国的战略棋局：2013～2015（上）

第一节
大国强人

　　美国的棋局是双线推进的。一条主线是金融，一条主线是政治军事。笔者在《时寒冰说：欧债真相警示中国》中，就美国战争与货币的关系做了表述。这两条主线相辅相成，齐头并进，但最终总是能归为一条——最大限度地掌控资源，实现霸权的扩张。

　　那么，美国的棋局在2013～2015年这段时间内，将如何运行？

　　我们仍然按部就班地做分析（本章第一节先做一点背景方面的介绍，具体大棋局从第二节开始谈）。

　　2012年这个转折点，不仅仅是对中国而言，对世界亦是如此。在随后的分析中，我们会更清晰地理解这一点。

　　说来有趣，在这一年当中，美国、中国和俄罗斯三个大国的领导人一起更迭。

　　2012年3月4日，俄罗斯举行总统选举，普京以63.75%的得票率胜出，当选俄罗斯联邦第六届总统。5月7日，普京宣誓就职，这是普京的第三次总统任期[1]，也是普京执掌克里姆林宫的首个长达6年的任期[2]，俄当局为他筹备了隆重的就职仪式。

　　由于俄罗斯的这次大选只是普京与梅德韦杰夫换了一下位置，俄罗斯媒体用非常幽默的话表达这一点："再见，梅德韦杰夫总统、普京总理；你好，普京总统、梅德韦杰夫总理。"[3]

　　但这个位置的互换所代表的权力却是截然不同的。

在当今世界上，权力最大的总统恐怕就数法国与俄罗斯的总统了。

在法国，宪法赋予总统凌驾于三权之上的权力，规定"共和国总统要确保宪法得到遵守。总统通过仲裁，保证公共权力机构正常行使职权和国家的持续性"。这一表述意味着总统是一切权力之上的权力，从而使法国总统拥有了高于美国总统的地位，因为美国总统在体制上与立法、司法处于相互制衡的地位。

而俄罗斯的三权分立是名不副实的，因为它没有建立起真正相互制衡的权力体系。总统独揽大权、议会位微权轻、司法独立地位不牢固，从而使俄罗斯呈现出强总统、软议会、弱政府的特点。使得俄罗斯总统与法国总统一样，总统在权力机关的地位都凌驾于立法、行政、司法三权之上，形成以总统为权力中心的政府体制。

从总统的职权看，法国和俄罗斯的总统不仅享有传统的总统权力，还有很多权力是一般总统制国家所没有的。

一是解散议会。在法国，总统在解散议会前虽然要同总理和议长商量，但不受他们意见的约束，解散议会的命令也无须任何人的副署。总统行使解散议会的权力是完全自由的。而在俄罗斯，总统有权决定国家杜马选举和解散国家杜马。宪法规定：国家杜马三次否决总统提出的总理人选，总统就有权解散杜马。

二是全民公决。这是一种总统越过议会，直接通过公民来表决法律的特殊权力。总统掌握和行使这种权力，既可以起到削弱议会权力的作用，又可以加强总统自己的地位。法、俄两国总统都有行使公民投票的权力。

三是两国总统虽然都不是政府首脑，却可以控制政府，拥有强大的行政权力。法国总统虽不兼任政府首脑，但政府总理及强力部门部长均由总统任免，总统实际上掌管政府的运作。俄罗斯总统有权经国家杜马同意后任命俄罗斯联邦政府总理，可以主持政府会议，做出解散政府、解除政府总理及政府成员职务的决定，从而从事实上使政府附属于总统。[4]

理解了这一点，就不难理解在梅德韦杰夫担任总统期间，即使强势如普京由于身份是总理也只能隐忍退让的内因了。普京的强势，与有着浓郁的法治、民主情怀的梅德韦杰夫，在许多方面格格不入，虽然共同的利益并不妨碍他们继续合唱"二人转"。没有普京，梅德韦杰夫不可能在俄罗斯政坛崭露头角；没有梅德韦杰夫，普京也无法通过一个安全的"过渡期"再次合法地问鼎总统宝座。

普京重新回到总统宝座，意味着，这个庞大的帝国重新在普京的掌控之下。

2012年11月6日，是另一个值得记住的日子。这一天，奥巴马击败共和党挑战者罗姆尼，成功连任。这与笔者的预测也吻合。[5]

　　媒体评论称：奥巴马的连任改写了过去70年失业率高于7.4%时白宫必定易主的历史，也成为第二次世界大战结束以来第二名赢得连任的民主党籍总统。

　　奥巴马在演讲中说："美国的财富多于世界上任何其他国家，但真正让我们富有的并非金钱。我们拥有有史以来最强大的军力，但真正让我们充满力量的并非军队。我们的大学和文化为全世界所艳羡，但美国真正吸引各国人踏上这片土地的魅力也不在于此。真正让美国与众不同的，是将这个地球上最多元化的国家的人民团结到一起的那些纽带，是我们共命运的信念，是只有当我们肩负某些对彼此以及对后代的责任美国才能走下去的信念，是无数的美国人前赴后继为之奋斗的自由。"[6]

　　2012年11月15日，中国共产党第十八届中央委员会选举习近平为中共中央总书记、中央军委主席。[7]

　　2013年3月，习近平当选后首访俄罗斯。[8]

　　一年之中，三个大国的领导人同时完成更迭，意味着三国同时站在了一个新的起点上，开始新的棋局。

　　精彩大戏即将上演。

　　强者的对弈让棋局更精彩。

　　由于此书前面部分对俄罗斯的着墨较少，接下来会做一点"弥补"。

　　先说普京。这是一位真正意义上的铁腕总统，甚至不少人干脆称他为"俄罗斯的沙皇"。

　　一则叶利钦意外"发现"普京的故事，流传颇广。

　　那是1994年10月的一天，疲惫的叶利钦很想通过打猎的方式放松一下。于是，他接受了列宁格勒州州长的邀请，去参观郊外的狩猎场。那一次的随员不多，都身着迷彩服，拿着猎枪。叶利钦注意到一个迟到者，"迷彩服非常合体，一副军人仪态。他持猎枪的姿态非常自信，紧紧地抱着，就像拥抱一个心爱的女人"。圣彼得堡市长对他解释说，那是市政府第一副主席，姓普京，叫弗拉基米尔。

　　随员在草地上摆好桌椅和食品，准备边吃边谈，午餐后再去森林打野猪。正当叶利钦说得投入的时候，意外发生了，从灌木丛中突然蹿出一个庞然大物，转动着眼睛，用蹄子扒拉着落叶，一步步地向他们逼近。

　　叶利钦写道："坦率地讲，野猪的突然出现使我们惊慌失措。当时，由于我讲话时太激动，眼镜掉在了地上，于是10个随同人员都钻到了桌子底下找眼镜，情况很危急！这时，我侧目看到，普京没有往桌子底下钻，下面也没有地方了。他不知什么时候已经端着猎枪在一旁站着，随后听到两声枪响。后来检查的结果表明，'总是迟到的普京'击中了野猪的心脏。我的第一印象很准确，这是一个强硬、不妥协和思维敏捷的人，莫斯科需要这样的人。后来的一切就像我预料的那样，命运终于使普京来到了首都。"

那些钻到桌子底下给叶利钦找眼镜的人呢？自然都被摒除在叶利钦的慧眼之外。叶利钦当时最需要的是对付野猪的人，而不是帮他找眼镜的人。[9]

这件事情显然被娱乐化了。

在中国，很多人都有一颗十分强烈的追求成功（还必须是速成）的心。他们不是通过脚踏实地、循序渐进地努力来实现梦想，而是通过探究成功者的成功之道——这种探究本身也是肤浅的，往往会把成功简单地归于一个细节，然后去模仿这种细节，以实现快速成功的梦想。比如，对于普京的成功，他们就认为是因为普京没有帮助叶利钦找眼镜而取得了成功，而那些钻到桌子底下找眼镜的人却失去了机会。于是，很多人知道了，遇到这种情况是不该去找眼镜的。

其实，所有的成功都是基于踏踏实实、一丝不苟的努力，通过风雨的打磨和生活的历练。普京对柔道、游泳、骑马、驾驶战机等样样精通，其个性中沉着、冷静、坚毅的素质，绝非一日之功。

叶利钦选中普京，是经过长时间考察的结果。叶利钦在其自传中对普京的评价是："他具备意志力和坚决果断的品质""普京是一位坚定的爱国主义者，总是以国家利益为重。对于这一点，我了解他的时间越长，越是坚信不移"。

叶利钦用饱含感情的文字评论说："普京之所以受到欢迎，主要是因为他赋予了人们希望和信心，让人们感觉到了安宁，感觉到自己深受保护……普京让人们感受到了由国家所保障的个人安全。人们相信他，相信他能保卫他们，这成了他受欢迎程度迅速上升的主要原因。很久以来，饱受政府危机之苦的国家从未有过如此积极的情绪，而它却由一位刚刚当政的年轻政治家激发了出来……普京使俄罗斯摆脱了恐惧，俄罗斯对他报以深深的感激。"[10]

当然，叶利钦选择普京还有出于自身利益的考虑。从苏联开始，权力的斗争就是一个后者摧毁前者的过程：斯大林摧毁了列宁建立的权力体系，赫鲁晓夫否定了斯大林，勃列日涅夫推翻了赫鲁晓夫的权力体制，戈尔巴乔夫摧毁了勃列日涅夫和安德罗波夫继承的体制，叶利钦则摧毁了戈尔巴乔夫建立起来的体制。

但当叶利钦选择普京的时候，普京既不是引人注目的公众人物，也没有自己的班底，没有强力部门的支持，甚至没有财源。选这样的人上来，才会对自己效忠和报恩。[11]

无论是于公还是于私，叶利钦的选择都是英明的。

普京不负众望。

普京接掌大权与俄罗斯从叶利钦时期的经济极度衰退中走出来，二者在时间节点上正好契合。当普京1999年8月被任命为政府总理时，俄罗斯经济开始了连续五个季度的GDP两位数增长。当普京2000年3月当选为俄罗斯总统时，世界石油价格开始攀升至创纪录的高水平。1999年春天，看似将走向破产的俄罗斯经济，结果却转变成了经济奇迹。[12]

1999～2008年，俄罗斯经济出现了10年持续快速增长，总体经济状况与20世纪90年代相比有了极大的改观。1999～2007年，俄罗斯GDP累积增长了62%，平均增长6.9%，大大超过了世界平均4.7%的增长速度。[13]

2006年，对于俄罗斯而言，是值得纪念的一年。这一年，俄罗斯国民生产总值超过了1990年苏联解体前的国民生产总值。俄罗斯人重新找回了自信。2007年3月21日，普京下达"封口令"，要求各级官员在陈述俄经济事务时只能用卢布作为货币单位，而不能使用美元、欧元等其他国际货币单位，但出于保持数据准确等特殊原因而必须使用国外货币单位的情况除外。[14]

普京从最初组建的团队中，从原克格勃系统挑选了很多人，比如出任国防部长的伊万诺夫，7大联邦区的总统全权代表也大多出身于克格勃系统。2003年，来自克格勃系统的干部已经占到俄罗斯政坛高级职位的25%，其中包括总统顾问、政府部长等，他们控制着国家的行政、经济、司法和监督媒体的大权。据俄罗斯社会学家统计，在普京第一个总统任期结束时，身居要职的官员中，"戴过肩章的人"比例已高达50%。[15]

这个团队的优势在于，他们不仅洞悉俄罗斯的国情，了解社会现实和民众的心理，而且具有更大的国际视野，能够同时在维护内部稳定和国际博弈中充分发挥自身的优势，这是那些出身官僚系统的团队远不能相比的。某种程度上，也可以说，这是俄罗斯得以迅速恢复元气的重要原因之一。

到2007年时，国际社会对俄罗斯的前景就普遍持乐观态度了。

西方分析人士认为，俄罗斯有望跻身世界经济五大强国之列。俄罗斯的石油美元积累阶段已经结束，开始实施一系列高科技发展计划。它已克服了苏联解体后的衰退期，不仅摆脱了危机，而且将在世界经济中发挥主导作用。[16]

一个人强势未必可怕，如果强势又有智慧，则令对手不仅感到可怕，而且感到恐惧。

事实上，近年来快速崛起的俄罗斯，正在引起西方越来越多的担忧。在2012年俄罗斯大选之前，俄罗斯国内针对普京的游行、抗议之声不绝于耳，普京谴责是美国在背后指使，妄图干扰、破坏俄罗斯大选。

值得一提的是，普京在总统大选中胜出的当天，美国白宫对此没有表态，美国国务院也只是发布了一份字斟句酌、不冷不热的声明，只字未提普京的名字，仅表示期待着与俄罗斯"当选总统"合作。

很多美国媒体对普京更是表现出明显的厌恶之意，有的直接称普京是"21世纪的沙皇"。普京宣布胜选后，充斥美国媒体的是俄罗斯反对派的声音，共和党候选人罗姆尼讥讽俄罗斯选举是"对民主程序的嘲笑"。在各国元首或政府首脑纷纷向普京表示祝贺时，奥巴马却默不作声。[17]

一直到俄罗斯大选结束5天之后，奥巴马才致电普京，祝贺他在俄罗斯总统选举中获胜。而在此之前，美国还一直在关注俄罗斯大选中的"不规范行为"。[18]

这是非常明显的失礼行为。俄、美两国领导人之间的隔阂由此可见一斑。

第二节
大国谋略

对于中国而言，俄、美两国的裂痕，以及美国等西方世界对普京治下的俄罗斯的警惕，某种程度上也为中国提供了一个契机——如果能够用好这一点的话。

从历史来看，当俄、美两国出现摩擦的时候，两国都更倾向于靠近中国，以利用中国的力量牵制对方。而中国则可以利用这一优势，更好地维护自己的利益，或追求利益最大化——前提是中国在两者之间保持好平衡。

美国与俄罗斯（包括苏联）都是这方面的高手。

不同的是，俄罗斯（含苏联）主要是通过转嫁危机与矛盾的方式实现自己的利益最大化，而美国则是通过寻求一种微妙平衡从中谋取利益最大化。

我们不妨通过一些具体的例子来了解这一点——这对于我们分析未来的趋势走向具有非常重要的意义。

比如，20世纪50年代的朝鲜战争为何突然爆发？历史学家沈志华先生通过对大量苏联解密档案的研究，得出的结论是：

《中苏友好同盟互助条约》的签署使苏联被迫放弃其在远东以中国东北为基础的

政治和经济权益，即中国立即收回大连港，并在2～3年内收回中长铁路[19]和旅顺港。

苏联把蒙古从中国的版图中独立出去，就在俄罗斯南部形成广阔的安全地带；恢复沙皇俄国在中国东北的势力范围，保证苏联拥有通向太平洋的出海口和不冻港，这是斯大林确定的苏联战后在远东的两个战略目标。而控制中国长春铁路和旅顺港、大连港，正是苏联实现其远东战略的基本途径。

在失去大连港和旅顺港之后，为了保持苏联在远东的战略目标，苏联必须实现对整个朝鲜半岛的控制，以替代在中国东北丧失的战略地位。于是，莫斯科决定积极支持朝鲜发动突击战，迅速统一朝鲜半岛。此外，根据中苏之间的协议，战时苏联可以使用中国的旅顺港。

处于朝鲜半岛中部和南部的元山、仁川、釜山和济州岛的几个港口，早在1945年就是苏联外交部注意的目标了。而恰在此时，美国总统杜鲁门和国务卿艾奇逊发表的关于韩国不在美国防御范围内的演说，又为斯大林实现对朝鲜政策的改变创造了条件。

沈志华认为，朝鲜战争的结果是：整个国际格局发生了变化。"如果没有这场朝鲜战争，全球主要的局势将仍然是美、苏直接对抗，中国作为中间地带存在。而在朝鲜战争以后，中国走到了前沿阵地，此后的越南战争、台海危机都可以说明这一点。"[20]

朝鲜战争让中华民族付出了巨大的牺牲，并由此与西方世界积怨，替代苏联成为西方世界的眼中钉，钓鱼岛等问题都与此不无关系。而苏联通过中国消耗其竞争对手美国，成为战争中付出最少但收益最大的国家。

俄罗斯的这种做法其实一直在延续。

2011年2月，《人民网》报道了这样一则新闻：俄罗斯和中国的水产公司将在日本称为北方领土的国后岛成立合资公司养殖海参，双方已于当月初签署了备忘录。这是首次确认第三国企业在北方领土参与经济活动。签署备忘录的分别是国后岛的水产企业"复兴"和中国大连的水产企业。据"复兴"的总裁透露，在国后岛养殖海参并向中国出口的方案是中方提出的，在履行环境调查等手续后，将于当年4月正式开展养殖项目。据俄地区发展部部长巴沙尔金称，俄方还在邀请韩国企业参与开发包括北方领土在内的千岛群岛。据称，韩国企业对建筑、煤炭、水产加工和酒店等项目表示了兴趣。

时任日本外相的前原诚司当天在记者会上表示："如果消息属实，我们完全不能接受。"俄罗斯是有意通过第三国的投资来加强对北方领土的实际控制。[21]

俄罗斯邀请中韩共同开发北方四岛，从表面上来看，是通过这种方式强化对领土的实际控制，其实，还隐藏着更深的用意。

我们知道，俄罗斯占据北方四岛，与日本侵占中国的钓鱼岛，都是二战遗留下来的问题。如果俄罗斯占据北方四岛是非法的，那么日本侵占我国钓鱼岛当然也是非法的，反之亦然。

俄罗斯的心机正在这里。

它极力拉拢中、韩以强化其对自己占领北方四岛合法化，这也就意味着，日本以同样的理由与中、韩在岛屿问题上发生更强硬的争执。

如果说得明白一点，就是：如果日本否认俄罗斯占据北方四岛的合法性，那么，日本也就同样否决了它自己占据中国钓鱼岛的合法性！

因为，二者都是二战后盟国商讨后的结果——1943年12月中、美、英《开罗宣言》规定，三国的宗旨，为剥夺日本自1914年第一次世界大战开始后在太平洋上所夺得或占领的一切岛屿，务使日本将所窃取于中国的领土归还中国。日本以武力或贪欲所攫取的其他土地上，亦务将日本驱逐出境。1945年的《波茨坦公告》再次确认《开罗宣言》的上述规定必将实施，更将日本的主权"限于本州、北海道、九州、四国及吾人所决定其他小岛之内"。

显然，俄罗斯拉中、韩共同开发北方四岛，实际上是把中、韩置于同日本领土争端中的不利地位，事实也是如此。日本每次在俄罗斯那里受了气，都往往在中、韩尤其中国这边发泄，在钓鱼岛上做更大的动作。

俄罗斯在平衡术上，同样是高手。近年来，由于与欧美对抗的考虑，俄罗斯与中国保持着友好关系。但同时，俄罗斯又向印度、越南出售先进武器，通过培养中国的对手来遏制中国。

2007～2011年，俄罗斯转让武器的最大接受国就是印度，占俄罗斯出口额的比例高达33%，俄罗斯向印度转让许可的是整套系统、工具包和配套的零部件。越南则位居俄罗斯武器接受国的第5位。[22]

对越南，2011年3月，俄罗斯向其出口了第一艘"猎豹"级导弹护卫舰"丁先皇"号，成为越南海军火力最强大的水面舰艇。越南国防部长还确认将从俄罗斯引进6艘"基洛"级潜艇。同年10月，俄罗斯向越南交付了第二套K—300P型"堡垒"机动式岸基反舰导弹系统，大大强化了越南的反舰和反登陆能力。[23]

俄罗斯通过培养印度、越南来制衡中国。这样，既增强了俄罗斯的国家安全，同时也促使中国更主动地与俄罗斯保持友好关系，而俄罗斯则不动声色地成为最大受益者。

再看看美国的大战略。

美国喜欢通过寻求一种微妙的平衡从中谋取利益最大化。比如，在中东，美国同时和以色列、阿拉伯国家结盟，这两大互相对立的势力都有求于美国。美国还将同样的战略组合用于韩国和日本，中国大陆和中国台湾，中国大陆和日本、印度和巴基斯坦……美国在敌对的或者有矛盾的双方之间辗转腾挪，谋取利益。

这其实就是对起源于英国而在美国发扬光大的"离岸平衡手"(off shore balancer)理论的充分运用。所谓"离岸平衡手"，就是指美国以平衡手段维持地区力量均势，遏制可能对美国霸主地位构成挑战的对手，以使自己获得更大的利益。简单来说，就是美国自己不出面，而让所在地的各个国家互相制衡，给美国带来获取利益最大化的充足空间。

著名国际关系理论家约翰·米尔斯海默认为，美国是现代历史上唯一成功获得霸权的国家，东北亚的日本帝国，欧洲的拿破仑法国、威廉德国和纳粹德国等，尽管为了寻求霸权发动过多次战争，但没有一个获得成功。

由于潜在霸权国的崛起将对霸权国构成最严重的挑战，已成为地区霸主的国家常常会采取一系列策略阻止遏制其他大国也成为地区霸主，最佳选择就是在当地扶植另一国家使之成为责任承担者发挥牵制作用，而自己则充当"离岸平衡手"。[24] 因此，美国灵活运用"离岸平衡手"实际上是在寻求另一种形式的全球霸权，美国也的确做到了这一点。

2009年9月底，笔者应邀到美国访问，做了一场专题演讲为上海交通大学美洲基金会募捐。同时，也应邀到美国加州大学圣迭哥分校交流。其间，聆听了美国克林顿政府时期的副助理国务卿Susan Shirk博士的一节课。她把课堂上的12位学生分成四组：两组代表中国，对中国政府提建议，并说出如何具体操作（如何对付美国）；两组代表美国，对美国政府提出建议，并说出如何具体操作（如何对付中国）。她要求代表美国政府的小组必须特别重视中国台湾问题，通过巧妙利用台湾与大陆之间的关系，追求美国的利益最大化。

这是令笔者至今仍感到震撼的一堂课。

美国的学校重视实践，像国际关系这种课，几乎就是通过模拟实战进行的。他们毫不遮掩利用矛盾牵制对手的战略布局。

这一点非常值得中国借鉴。

中国人从小受的教育是非黑即白，要么是朋友，要么是敌人，是用感情区分而非用理智或利益区分。实际上，敌人和朋友在很多时候并不那么分明，大部分时候是共存的——就好比世界是多元的一样，有的时候则是互相转化的。

宋朝时期，宋与辽国曾是宿敌。1004年，宋真宗在寇准的请求下，御驾亲征，打败辽兵，以绢20万匹、银10万两的代价与辽人签订"澶渊之盟"。"澶渊之盟"签订以后，为宋、辽人民提供了120年的和平相处局面，为宋、辽两国社会的发展以及双方政治、经济、文化交流提供了十分有利的条件。苏辙曾经指出，澶渊之盟"稍以金帛啖之，虏（辽）欣然听命，岁遣使介，修邻国之好，逮今百数十年，而北边之民不识干戈，此汉唐之盛所未有也"。[25]

绢20万匹、银10万两对宋朝而言是什么概念呢？"较之用兵之费，不及百分之一。"[26] 而且，这笔钱宋朝还可以从对辽贸易中赚回。[27]

宋辽讲和后，辽军退出宋境，"澶渊之盟"是双赢之举。但是，宋朝一直因辽占领幽云十六州而耿耿于怀。宋太宗两次北伐失败后，宋朝在事实上也已经决定放弃对辽事实上管辖着的这些地区的主权要求。[28]

但是，在金国崛起、辽国日益衰落的大背景下，宋朝不仅没有利用辽国去牵制金国，反而觉得是收回幽云十六州的绝佳机会，便背信弃义，单方面撕毁"澶渊之盟"，联合金国灭掉了辽国这个天然的屏障，直接面对更加强大的敌人。宋、金联合攻打辽国的过程中，金国观察到北宋王朝军力的虚弱，在1125年灭掉辽国的当年，就南下进攻宋朝。1127年，金国军队攻占开封，俘虏宋徽宗、宋钦宗二帝，北宋灭亡。

哲学家赫拉克利特说："人不能两次踏进同一条河流里。"但人却能够两次跌入同一个深渊。

在宋、金对峙的时期，蒙古迅速崛起。这个时候，局势又发生了变化，与宋有着深仇大恨的金变成了南宋的天然屏障，从宿敌变成了唇亡齿寒的关系。蒙古于1211年开始攻打金国，为了更快地灭金，蒙古几次派使向南宋提出联合共同对金作战。宋廷看到金朝即将灭亡，在1232年与蒙古达成协议，南宋与蒙古共同攻金，蒙古答应灭金后将河南归还南宋。1234年，金国被蒙古灭掉。[29]

悲剧又重演了。

在与宋联合作战的过程中，蒙古对宋的虚弱有了更深入的洞察，于是，便发动了灭宋的战争。[30] 这次的蒙古军队更为强大，南宋想偏安一隅的梦都做不成了。1276年，南宋灭亡。

南宋并非没有人看到这种结局，只是南宋对金的仇恨太深，理智的声音已经无人听取。南宋大臣乔行简就说："强鞑渐兴，其势已足以灭金。昔吾之仇也，今吾之蔽也。古人唇亡齿寒之辙可覆，宜姑与币，使得拒鞑。"

乔行简的意思是说，在蒙古势力兴起的形势下，金已经由过去的仇敌转变成了今天的缓冲国。只要金能够抵御蒙古人的进攻，南宋继续向金输纳岁币也是未尝不可的。蒙古势力很强，已经具备了灭亡金朝的能力，等到蒙古灭金朝之后，与宋为邻，对宋并非好事。如果不与金朝绝交，继续输纳岁币，则有利于金人抗蒙。这样，南宋也有机会舒缓时间，组织力量，对抗蒙古人的南下。

乔行简的看法是理性的。但是，这个民族血液中流淌着的受害者的心理，太根深蒂固，以至于人们无法穿越智慧前面横亘着的情绪的高墙，而是将思维局限在一个狭小的空间里。

对于试图一雪百年之耻的宋人而言，乔行简的看法无法接受，对于眼看金要亡仍继续屈辱地供给岁币的观点，更是非常愤怒。太学诸生黄自然等人甚至请求朝廷"斩（乔）行简以谢天下"。宋停止缴纳岁币，金国财政窘迫，金遂发动对宋战争以掠取财务，解决财政危机[31]，结果，导致宋、金仇恨更深。最终，南宋联蒙灭金，"两次踏进同一条河流里"，而后惹火烧身，自己也被蒙古灭掉，重蹈覆辙。

值得一提的是，从撕毁"澶渊之盟"一直到后来的抗蒙过程中，宋朝多次背信弃义，激怒对手。比如，1259年，在蒙古攻打宋的过程中，南宋抗击蒙军的最高长官贾似道一再向蒙古秘密乞和，提出"北兵若旋师，愿割江为界，且岁奉银两、绢匹各二十万"的条件。

这时，大汗蒙哥死亡，忽必烈的军队急于返回漠北争夺汗位，得到贾似道的议和条件后撤军，贾似道却在忽必烈撤兵时，背信弃义，袭击蒙古军队。忽必烈后来大举南伐，坚决不接受纳贡议和，直接以占领南宋为目标。[32] 1279年，宋末帝赵昺被大臣陆秀夫背着跳海而死，南宋灭亡。

回顾历史，从战略的角度来看，在美、俄关系紧张的大背景下，中国与其中的任何一个国家都不宜走得太近——与任何一国走得太近都会被另一方视为对手，而应该保持一种微妙的平衡。这样，二者都将把中国视为潜在的可以争取的朋友，二者都将有求于中国，中国就可以在这种平衡中追求自身利益最大化。

就当下而言，依然如此——因为俄罗斯奉行的一直是实用主义的对外战略和政策。每个后苏联时代的领导人，起初都是作为亲西方的政治家走进克里姆林宫的，都曾对美国和西欧表现出热爱。但是，过了一段时间，这种感情就淡化了。叶利钦和普京，后来都采取了激烈的反西方的立场。美国和欧洲的政治家的观点同样也经历了类似的演变：他们对新上任的俄罗斯总统总是抱有好感，到总统执政末期就变成了冲突。[33]

这种状况对中国来说，则是谋求自身利益最大化的机会——如果能够抓住的话。

当强国领导人各就各位，精彩的博弈也全面展开。

第三节

美、俄"演双簧"

无论对哪个国家而言，当今的中东都是必争之地。

中东是开启世界局势主动权的金钥匙。基辛格那句名言依然在我们耳边回响："谁控制了石油，就控制了所有国家；谁控制了粮食，就控制了人类；谁控制了货币，就控制了全球经济。"

哪个大国能忽略中东呢？

从伊朗到叙利亚，美国与俄罗斯的斗法似乎一刻也没有停止过。在这种激烈的角逐背后，隐含着怎样的利益诉求？双方在以怎样的勇气和智慧面对这盘错综复杂的棋局？

如果看懂了这盘棋，就能感受到其中的惊心动魄。

中东地区的重要性，是不言而喻的。

中东是世界上最大的石油储藏地，世界已探明原油总储量的2/3在中东。在早期公布的已探明储量最多的五个国家（沙特、加拿大、伊朗、伊拉克、科威特）中，有四个在中东地区。其中，沙特已探明的原油储量占世界总储量的1/4。因此，控制了中东的石油开采、出口和运输，就控制了世界的经济命脉。[34]

因此，冷战结束以后，美国作为全球唯一的无可比拟的超级大国对中东地区事务全面介入，成为中东地区的主导者。[35] 对中东地区的控制，不仅确保了美国的石油安全，也强化了美国影响世界的力量。

美国油页岩开发技术的提高，推动国内页岩油产量的大幅度增长，减少了对中东原油的依赖，但这并不意味着中东对于美国来说就不重要了。恰恰相反，这让美国更重视中东地区，并且，美国影响干预、左右中东局势的后顾之忧消除了，可以更好地发挥自己的影响力。

如果要打击俄罗斯经济，打压油价当然是一条捷径，前提是你必须有能力左右、控制中东的局势；要重创欧元，在欧元区家门口制造麻烦，中东是最好的地方；要打击原油进口大国，控制中东就等于控制了命门。

对棋局而言，中东棋子活，则全局活；中东棋子死，则全盘皆输。

目前，对美国而言，只剩下叙利亚和伊朗这两颗大钉子了。在次贷危机、欧债危机爆发以后，美国的重心转向实体经济的发展，如何在既不影响国内经济恢复，又不增加新债务的情况下，低成本地拔除这两颗钉子呢？

对伊朗，美国不断强化制裁，通过严厉、周密的制裁，削弱伊朗的力量，待时机成熟，再一举解决问题。

对叙利亚，美国有更好的条件，那就是，支持叙利亚反对派武装打内战，不断消耗叙利亚巴沙尔政权的力量——内战是摧毁一个国家的利器。最后，再压一根稻草即大厦倾倒。

美国的"钉子"则是俄罗斯的利益所在。

2011年以前，俄罗斯将伊朗当作投名状，不断谋取利益最大化。在这个过程中，俄罗斯受益匪浅，但也让伊朗人渐渐参透了其中的奥妙，或者说，俄罗斯的意图被伊朗看透了。而今，俄罗斯与伊朗的默契不再。有关这种博弈，笔者在《时寒冰说：经济大棋局，我们怎么办》中做过分析。

这样，中东地区与俄罗斯交好的国家，事实上只剩下叙利亚。

在叙利亚问题上，俄罗斯与美国，既有博弈，也有利益共同点——这一点是许多人所忽略的。

从叙利亚的地缘形势来看，美国可以安坐钓鱼台，稳享渔翁之利。

第一，近邻以色列是叙利亚的宿敌，且军力强大，打叙利亚绰绰有余。

第二，近邻土耳其现在也是叙利亚的敌人。

两国关系日益紧张，动辄擦枪走火。土耳其与叙利亚两国之间有着900多公里的漫长边界。自2011年3月中旬叙利亚发生动乱以来，叙利亚反对派武装"叙利亚自由军"就在土耳其方面的默许下，在土境内的边境地区安营扎寨，不断对叙政府设施发动军事行动；西方和海湾阿拉伯国家援助叙反对派的资金、武器和装备，源源不断从这里流入；外国恐怖势力武装人员一批批从这里渗入，配合叙反对派武装对叙政府军发起攻击……

2012年6月22日，叙利亚军队击落一架闯入叙国领空的土耳其战机，两国关系进一步恶化。2012年10月，两国发生互相炮击事件。[36] 2013年9月16日，土耳其空军战机在土、叙边境地区击落一架"侵入土耳其领空"的叙利亚直升机。

透过这种剑拔弩张的气氛，可知两国的仇恨之深。

第三，近邻约旦与美国关系非常密切。

我们知道，以色列是历史上第一个与美国签署自由贸易协定的国家，而约旦则是第一个与美国签署自由贸易协定的阿拉伯国家。[37] 两国关系之密切，由此可见一斑。

就连约旦国内的分析家都非常清楚：如果美欧军事打击叙利亚，约旦将是重要的"桥头堡"，"因为约旦是美国多年来在中东最铁杆的政治和军事盟友，向约旦部署更多美军，较其他国家会少许多政治阻力；约旦战略位置上更邻近叙利亚政府军的化学武器仓库和设施；与约旦紧邻的叙利亚南部更多被亲西方的'自由军'控制，而不是如叙北部那样已经落入效忠'基地'的叙反对派武装的'胜利阵线'手里。在这里可以保证所扶植叙利亚反对派的'纯净度'。约旦此时的地位如同美军发动伊拉克战争前的科威特"。

约旦还成为军事打击叙利亚的情报中心。约旦军方悄然向以色列开放空中走廊，以供以色列的无人机对叙利亚"敏感战略目标"实施空中侦察，而所得的情报供约旦、以色列和美国分享。约旦也是美欧训练"政治纯净"叙利亚反对派的最重要地点。约旦同时还是海湾国家向叙利亚反对派提供武器弹药支持的"主渠道"。沙特、阿联酋和卡塔尔不断向叙利亚境内的反对派提供各种武器支援。之前，海湾国家也通过土耳其这个渠道，但据说很快发现土耳其在武器过境途中"有私利"，比如说克扣新武器，或者只把武器提供给亲土耳其的反对派，因此海湾国家已改由约旦向叙利亚反对派提供武器。[38]

当2013年9月，美国流露出军事打击打叙利亚的意图时，约旦的态度是反对。很多人据此认为约旦是站在叙利亚一边的，实际上，约旦只不过是在作秀给叙利亚看，以免惹火烧身。在行动上，它是完全站在美欧一边的。

第四，近邻伊拉克虽然表态反对美国军事打击叙利亚，但伊拉克新政权与美国的关系，是尽人皆知的，最多视为打酱油的——即使伊拉克马利基政府有心向着叙利亚，也不会公开站到美国对立面。

第五，近邻黎巴嫩与叙利亚的关系较为复杂。叙利亚与黎巴嫩是邻国，历史上曾同属奥斯曼帝国。第一次世界大战后，叙利亚和黎巴嫩均沦为法国的委任统治地。相同的历史和文化背景使叙利亚与黎巴嫩两国一直保持着"特殊关系"。20世纪40年代，叙利亚和黎巴嫩先后独立，但叙视黎巴嫩为自己的属地，不承认其独立。1975年3月，黎巴嫩各派之间发生武装冲突，内战爆发。随后，阿盟授权叙利亚派遣约3.5万名军人，以"阿拉伯威慑部队"名义进驻黎巴嫩。应黎巴嫩政府的要求，这支军队一直留在黎巴嫩。但黎巴嫩国内的基督教派则强烈反对叙在黎驻军，并视其为"占领军"。1991年5月，叙黎两国签署《叙黎合作协调兄弟关系条约》，规定两国将保持特殊的兄弟般的国家关系，并在政治、军事、经济等领域进行全面的合作与协调。半个多世纪以来，黎巴嫩与叙利亚在阿以冲突及中东和平进程中一直相互协调，相互支持。

2005年4月，叙利亚迫于国际压力宣布从黎全部撤军，结束了在黎长达29年的军事存在。此后，叙黎关系一直紧张。2006年5月，联合国安理会通过第1680号决议，要求叙利亚回应黎巴嫩的要求，与黎巴嫩建立外交关系并划定边界。2008年8月13日，叙利亚总统巴沙尔和黎巴嫩总统苏莱曼宣布，两国一致同意建立大使级外交关系。[39]

黎巴嫩与叙利亚的关系到底如何先放在一边，以黎巴嫩的实力，即使它有心帮助叙利亚，又能起多大作用？

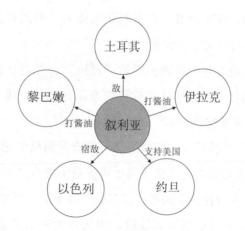

因此，对拿下叙利亚，美国是最胸有成竹的，对它而言也是最简单的。

美国的棋路非常清楚：通过支持叙利亚反对派与政府军的对抗，使双方不断消耗，最终达到拖垮叙利亚政权的目的。

除此之外，还有更重要的一点：与利比亚不同，叙利亚的反对派派系太多，甚至可以说难计其数，如果美国直接对叙利亚进行军事打击，那么，打完之后谁来领导叙利亚？假如打完叙利亚，它继续乱，美国不仅无法实现自己的利益最大化，反而可能背黑锅，成为众矢之的，遭到国际社会的批评。

因此，在这一至关重要的问题解决之前，美国不可能对叙利亚采取军事行动。

美国需要静待时机，让叙利亚反对派在与政府军对抗的过程中，逐渐整合成一支足以领导叙利亚的亲美力量。

面对美国的棋局，俄罗斯怎么应对呢？

同美国一样，坐视叙利亚乱下去，坐享渔翁之利。实际上，从利益的角度来看，俄罗斯与美国在这一点上是一致的——这可能出乎一些人的意料。道理非常简单：中东乱局有利于推高油价，而油价上涨，俄罗斯将是最直接的受益者。

俄罗斯的经济增长、财政收入都与石油、天然气关系密切。2001～2004年间，俄罗斯能源产业直接贡献了其工业增长的70%，石油产业就占了45%的份额。这表明，自然资源产业同期对俄罗斯GDP增长的直接贡献率就超过了1/3，石油产业贡献了将近1/4。如果考虑石油业的采购和工资效应对国内需求的影响，石油工业对经济增长的实际贡献更高。从出口来看，俄罗斯2000～2005年间出口额的强劲增长完全是由石油业推动的。[40]

俄罗斯的这种经济结构，使得其经济增长对国际原料市场价格特别是石油价格过于依赖，国际原油价格决定着俄罗斯经济的发展速度。[41]

另外，叙利亚内战，俄罗斯可以向叙利亚出售更多的武器，从中获取更大利益。在这一点上，俄罗斯的利益又与美国重叠了。

众所周知，中东乱局有利于美国武器的"促销"。尤其是伊朗的存在，简直是美国武器销售的首席促销员。只要伊朗在核研究方面有进展，或与美国关系紧张，海湾国家就会拿出大笔资金买美国的武器。

2010年9月，美国总统奥巴马向国会提交一份史无前例的超级军售协议——美国将向沙特出售价值600亿美元的先进战机及其他武器系统建造"中东安全岛"，以抗衡可能拥有核武器的伊朗，并填补美军撤离伊拉克后所留下的"军事真空"。[42]

沙特完全在以买跑车的心态购买战机，因为沙特军方外购的武器大大多于实际需要，多出来的部分作为战略储备。比如，沙特战斗机中队的标准配置是20架战斗机，规模堪称世界第一，其中有两架作为一般储备，还有两架则作为"消耗战战略储备"。如此豪华配置令人瞠目结舌。

美国蒂尔国际预测公司军事分析师大卫·罗克韦尔指出，以沙特阿拉伯为代表的中东国家之所以不惜血本采购武器，很重要的原因是美国与伊朗之间存在爆发军事冲突的可能性，伊朗一再表示如果自己遭到袭击，中东地区国家都将受到牵连。[43]

这种观点得到了美国官方的证实。美国国会研究服务局（Congressional Research Service）发表的报告指出，2011年，美国对海外销售武器增长两倍多，而美对外军售的猛增主要归因于其海湾盟友对"伊朗野心"的担忧。由于沙特阿拉伯、阿拉伯联合酋长国和阿曼等海湾国家与伊朗关系趋紧，2011年从美国进口创纪录水平的武器。这些国家与伊朗并不接壤，因而军购项目集中于价格高昂的战斗机和导弹防御系统等。这使得美国2011年对海外销售武器达663亿美元，占全球武器市场总价值853亿美元的78%，成为美国历史上武器出口量最大的一年。[44]

在伊朗与美国剑拔弩张的时候，俄罗斯却拿伊朗当投名状，把伊朗当作与西方国家讨价还价的筹码，甚至在关键的时刻拒绝交付2007年12月签订的可以装备5个营的

S-300防空导弹系统。

这不仅使得俄罗斯与伊朗的关系出现严重裂痕——2010年9月，伊朗议会国家安全和对外政策委员会主席布鲁杰迪明确表态："若俄拒绝交付S-300导弹，（伊朗）将起诉俄罗斯。"而且，这也使得阿拉伯国家难以再相信俄罗斯，这是导致美国武器销售随后迅猛增长的主要原因。就像伊朗国防部长严厉指责俄方拒绝履行S-300合同时所言："俄方用自己的行动表明他们不值得信任。"[45]

俄罗斯当时主要是通过在伊朗立场上对西方的妥协，来换取他们（尤其欧盟）在俄罗斯加入世界贸易组织等问题上的支持。

2010年12月7日，欧盟与俄罗斯正式签署协议，支持俄罗斯加入世贸组织。而2006年11月19日，俄罗斯与美国已经签署了俄罗斯加入世贸组织的双边协议。

这消除了俄罗斯的顾虑，此后，俄罗斯再次强势归来，在叙利亚问题上表现得空前强硬——这当然是做给世界尤其是阿拉伯国家看的。俄罗斯的努力为其赢得了利益。2011年和2012年，俄罗斯的武器出口大幅度增长（见下图所示）。

下图为2000～2013年俄罗斯武器出口增长情况。

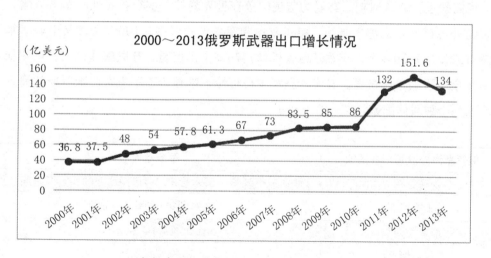

数据来源：综合SIPRI、Rusnews等数据。

我们知道，普京从1999年上台开始，便出台了一系列措施鼓励武器出口，以此扩大势力范围之外的接触空间，这也是俄罗斯同美国抗衡的好办法。[46]到2008年的时候，俄罗斯已经在武器出口中占到26.24%的份额，仅次于美国的27.15%。[47]但此后其武器出口的增长就停滞了，直到它再次活跃在中东地区的舞台上，以保护者的角色站在叙利亚的背后。

中东动荡，美国借机在中东大卖武器，俄罗斯虽然在阿拉伯国家的盟友少，但也能通过重回中东舞台，利用其价格优势抢占一部分市场份额。

因此，中东出现乱局，美国和俄罗斯在这些利益上是重叠的、一致的。尤其俄罗斯，更希望维持这种局面，而不是结束这种局面。两国虽然看起来剑拔弩张，但有的时候是真吵，有的时候则是秀给世界看。

但是必须清醒地认识到，美国与俄罗斯虽然在短期利益上一致，在长期利益上却是针锋相对的。俄罗斯希望叙利亚乱局在不摧毁巴沙尔政权的情况下长久维持，而美国支持叙利亚反对派维持内战的目的则是为了更快地摧毁叙巴沙尔政权——低成本地实现叙利亚的政权更迭，最终结束乱局。

两者在最终的战略目标上，是完全相反的。

因此，一旦美国军事打击叙利亚，俄罗斯就会强烈反对。一旦开打，以叙利亚的军力，根本无法对抗强大的美国，战争很快就能结束，俄罗斯的利益也将受损。

俄罗斯必须全力以赴地维持现有的格局不变。

俄罗斯这样做，也与其在叙利亚的势力布局有关。

我们知道，冷战时期，苏联为与美国争夺世界霸权，实行扩张性的军事战略，苏军在国外可以使用的海军基地、空军基地和军事设施曾多达100多个，其中海军基地（港口或设施）30多个，空军基地（机场）70多个。但是，苏联解体以后，俄罗斯不得不在全球收缩军事布局。其海外驻军少得可怜，唯独舍不下中东。俄罗斯的海外驻军除了几个独联体国家，唯一的一处就在叙利亚。[48]

俄罗斯海外驻军所在国家	军事基地
乌克兰	塞瓦斯托波尔（该基地2014年已归属俄罗斯）黑海舰队
亚美尼亚	久姆利第102军事基地
塔吉克斯坦	杜尚别第4军事基地
吉尔吉斯斯坦	坎特空军基地
叙利亚	塔尔图斯海军物质技术保障站

如果叙利亚政府被推翻，俄罗斯如何保护它在中东地区的唯一一处军事基地？

1974年，叙利亚同意将塔尔图斯港升格为苏联海军的正规海外基地，这也是苏联在海外的第一个正规海军基地。巴沙尔上台后，继续和俄罗斯保持良好关系。叙利亚局势发生动荡后，俄罗斯外交部发表声明，反对西方国家要求巴沙尔下台。俄总统普京发出明确警告："叙利亚离俄罗斯很近。"[49]

叙利亚问题久拖不决，对俄罗斯最为有利，美国当然清楚这一点。

美国必将结束这一局面，由此展开真正精彩的棋局。

第四节
大斗法

在美国的棋局上，拿下叙利亚是必走的一步棋。

一方面，叙利亚与美国关系不睦由来已久。美国认为，叙利亚长期支持巴勒斯坦激进组织哈马斯和黎巴嫩真主党，破坏美国积极推动的中东和平进程；"9·11"事件以来，美国将叙利亚列入支持恐怖主义的国家黑名单；在伊拉克战争期间，美国认为叙利亚为伊拉克反美武装力量提供支持，窝藏恐怖分子，默许和纵容恐怖分子穿越叙利亚、伊拉克边境，直接威胁驻伊美军的安全；美国认为叙利亚通过支持真主党来操纵黎巴嫩局势；另外，叙利亚与伊朗结成特殊关系，构成对美国中东战略的重大威胁；等等。因此，美国一直将叙利亚视为阻碍其中东政策的绊脚石，出台了一系列政治孤立、安全围堵和经济制裁等措施，对叙利亚进行打压。[50]

另一方面，一旦拿下叙利亚，伊朗就成了孤家寡人，再通过制裁等手段，削弱伊朗，时机成熟时使其"改天换地"，也就变得顺理成章。到那时，美国对中东的掌控也就完美地实现了无缝对接。

美国的棋路是非常清晰的。

在俄罗斯的棋局上，叙利亚是它的最后一块基地，一旦丧失，它在中东的舞台也就坍塌了。因此，俄罗斯必须全力以赴，殊死一搏。

在俄罗斯的棋局上，就叙利亚问题而言，有两步棋可以走。

其一，是坚定不移地站在叙利亚巴沙尔政权身后，阻止美国颠覆现政权——对于这种做法成功的可能性，恐怕连俄罗斯自己都不会相信。

其二，明保巴沙尔政权，暗中与叙利亚的反对派达成协议，确保叙利亚在"改朝换代"以后，俄罗斯的利益依然能够得到保障。

这步棋的难度在于，叙利亚反对派虽然派别林立，但倾向性都非常明确，有站在美国一边的，有站在土耳其一边的，但鲜有站在俄罗斯一边的。事实上，叙利亚反对派对俄罗斯的立场是极其反感的；否则，也不会出现那么多针对俄罗斯驻叙利亚使馆的袭击事件。

俄罗斯要想与叙利亚反对派对话，必须有资本，再露骨一点，必须有投名状送给反对派。

俄罗斯人做到了。

让我们来看看俄罗斯的棋路——非常精彩的布局。

俄罗斯人一直要捕捉的机会慢慢到来了。

2011年8月，叙利亚内乱日益恶化，政府的镇压行动也日益升级。阿拉伯联盟首次表态谴责叙利亚政府，沙特国王发表电视讲话谴责叙政府的镇压，并召回了驻叙大使。随后，科威特和巴林政府也召回各自驻叙大使。奥巴马则发表谈话称"叙利亚危机最好的解决办法就是巴沙尔下台"。8月18日，美国、英国、法国、德国及欧盟均发表声明，要求叙利亚总统巴沙尔下台。[51]

美国总统奥巴马主张对叙利亚实施更加严厉的制裁措施——美国开始亮出自己的战略意图：通过支持叙利亚反对派来壮大其力量，通过制裁来削弱巴沙尔政权，在自己不出兵的情况下，就可以实现叙利亚政权的更迭。

俄罗斯立即看到了机会，因为要制裁叙利亚，就必须得过俄罗斯这一关。

2011年10月4日，法国、英国、德国、葡萄牙四国向联合国提交了有关叙利亚问题的决议草案，核心是谴责并制裁叙利亚政府。

俄罗斯其实一直在等着这步棋。

10月4日的表决结果是：中国和俄罗斯投了反对票；印度、南非、巴西、黎巴嫩投了弃权票；美国、英国、法国、德国、葡萄牙、尼日利亚、波黑、加蓬、哥伦比亚投了赞成票。

否决权是《联合国宪章》赋予5个常任理事国（中国、俄罗斯、法国、英国和美国）的特殊权利——在表决中有超过一般计量的权力，使一票具有压倒多数的表决效果。[52] 只要其中任何一个常任理事国反对某一提案，即使其他14国（其他4个常任理事国和10个非常任理事国）全部赞成，该提案也无法在安理会通过。

俄罗斯的应对非常简单：不仅要投否决票，而且，要联合中国一起投否决票。

这次否决票，从大棋局角度来看，有利于让局势继续动荡，使油价维持高位，符合俄罗斯的利益。从小的棋局来看，此次否决，让叙利亚反对派深切体会到了得不到俄罗斯帮助的切肤之痛——因为中俄否决，快到嘴边的肉飞了，叙利亚反对派不得不与俄罗斯协商。

在投否决票的第二天，俄罗斯立即趁热打铁，迫不及待地向叙利亚反对派抛媚眼。俄罗斯外交部发言人10月5日就叙利亚局势对记者发表谈话说："俄罗斯亚非人民团结与合作协会已正式邀请叙利亚反对派派两个代表团到莫斯科访问，一个代表团代表在大马士革的国内反对派力量，另一个代表团代表在土耳其伊斯坦布尔成立的全国委员会的反对派人士。两个代表团本月访问莫斯科期间，将在俄罗斯外交部大楼内与俄罗斯有关方面就叙利亚局势问题进行会谈。"[53]

俄罗斯一邀请，叙利亚反对派代表立即飞到莫斯科。2011年10月11日，抵达莫斯科的叙利亚反对派代表团团长贾米尔（Nadri Jamil）在俄新社举行的记者招待会上表示："我们抵达莫斯科是为了表示，我们欢迎俄罗斯和中国对联合国安理会叙利亚问题决议草案的否决。我们珍惜与俄罗斯的友谊。"[54]

"我们欢迎"后面提到两个国家，"我们珍惜"后面只有俄罗斯。俄罗斯在叙利亚反对派心目中的地位由此可见一斑。

必须强调的是，俄罗斯邀请的是叙利亚比较温和的派别。俄罗斯此举的目的，显然是为了"抛砖引玉"，静等亲西方的更有实力的叙利亚反对派跟着到莫斯科，与俄罗斯谈判——得到他们的承诺才具有意义。

要做到这一点同样是非常难的。

那些亲西方的叙利亚反对派没有理睬俄罗斯抛出的橄榄枝。

但俄罗斯有的是耐心。

美国当然清楚俄罗斯的打算。2012年1月27日，摩洛哥代表阿拉伯国家联盟（简称"阿拉伯联盟"，或"阿盟"）和西方国家向安理会提交了一份新的决议草案。

美国之所以让阿拉伯国家牵头起草并提交这份草案，战略意图非常明确——阿拉伯国家控制着石油命脉。那么，原油进口国尤其对中东原油依赖度高的国家将不敢再与俄罗斯联手，因为这将激怒阿拉伯国家。美国意在分化瓦解俄罗斯的力量。

为了让这份草案不给俄罗斯否决的理由，阿拉伯国家和西方国家已删除了决议中明确要求巴沙尔交权和呼吁自愿实施武器禁运和制裁的内容，并增添了关于禁止外部军事干预的文字。

因此，新决议草案虽然谴责叙利亚镇压民众抗议，却没有提出制裁、要使用武力制裁或者威胁使用武力的条款，只是草案支持阿拉伯联盟要求叙利亚总统巴沙尔移交权力的计划。[55]

显然，新草案相对于第一次的草案是比较温和的。而"要求叙利亚总统巴沙尔移交权力的计划"也是阿拉伯联盟提出来的。

但对俄罗斯而言，内容并不重要。对于处于原油出口位置的它而言，原油进口国与阿拉伯国家的关系越紧张，对它越有利！这是俄罗斯求之不得的。它甚至更愿意激化这个矛盾。

因此，可以肯定的是，俄罗斯将继续投否决票，并且，联合中国一起。

2月4日上午，联合国安理会表决叙利亚问题决议草案，表决结果为13票赞成、俄罗斯与中国行使否决权否决了这一决议草案。

这次的草案最大限度地体现了阿盟的立场。因此，在中俄行使否决权以后，代表阿盟向安理会提交决议草案的摩洛哥表示，对俄罗斯和中国否决这项决议感到"非常遗憾和失望"。[56]

叙利亚反对派再次被打痛。

俄罗斯再添加一把火。2月7日，俄罗斯外长拉夫罗夫和对外情报局局长弗拉德科夫对叙利亚进行了旋风式访问。

叙利亚总统巴沙尔说："感谢友好的俄罗斯，是你们帮助了叙利亚人民。俄罗斯是叙利亚的老朋友……俄罗斯对叙利亚危机的立场，对保护叙利亚发挥了决定性的作用。"

更微妙的是下面这段话：在谈及与巴沙尔总统的会谈情况时，拉夫罗夫透露，叙利亚总统巴沙尔表示要致力于停火并准备与叙利亚各派进行政治对话。拉夫罗夫强调："很显然，停火要与所有政治派别的对话同时实现……叙利亚当局希望俄能对不想参加对话的反对派施加影响。"据悉，巴沙尔准备派叙利亚政府代表团赴莫斯科参加叙利亚各政治派别的会见活动。[57]

俄罗斯可谓左右逢源，进退自如，巧妙地把自己与叙利亚反对派的沟通，与叙利亚政府的授意实现了无缝对接。俄罗斯等于自己搭建了一个让叙政府与反对派对话的平台，把叙利亚局势的主动权一手掌控，这当然有利于俄罗斯实现自己的利益诉求。

俄罗斯重复上次的棋路，投完否决票马上就邀请叙政府和反对派到莫斯科进行非正式会谈。但美国显然不会听任这么好的机会让俄罗斯白白捡走。叙利亚反对派随即回绝了俄罗斯的邀请。

但西方和叙利亚反对派都想知道俄罗斯要做什么。

4月中旬，叙利亚反对派到莫斯科。17日，正在莫斯科访问的叙利亚反对派代表团同俄罗斯外长等官员进行了会谈。俄外交部发布的消息称，叙反对派代表团当天下午分别与俄罗斯外长拉夫罗夫，以及副外长、俄总统中东问题特别代表波格丹诺夫进行了会谈。会谈中，叙反对派对叙、俄两国一直以来保持的友好关系做出了高度评价。[58] 但没有任何有关叙利亚反对派确保俄罗斯在叙利亚利益的承诺——这是俄罗斯最需要的。

俄罗斯的棋路，美国看得很清楚。

美国要想办法快刀斩乱麻，尽快结束乱局。2012年7月，美、英、法、德等国向联合国递交了新的决议草案：如果叙利亚拒不执行安理会决议以及联合国秘书长的六点建议，安理会将依据《联合国宪章》第七章对叙利亚采取行动——根据《联合国宪章》第七章，安理会可以在其决议未能得到当事方执行的时候采取经济制裁或军事打击等手段。

7月19日，中俄两国再次联手投了否决票。

7月下旬，叙利亚国内外各反对派为了接管政权，就任命"叙利亚临时军事委员会"主席进行紧急协商时，参加协商的叙利亚各反对派一致同意，"权力移交后，新政权保证俄罗斯在叙利亚的利益"。[59]

但在俄罗斯看来，这种表态并没有保障，因为这种表态随时可能烟消云散，被人忘记。

俄罗斯也在等待，等待叙利亚反对派通过整合，产生出强势的能够代表叙利亚未来权力布局的派系。只有到了这个时候，俄罗斯才能相信自己得到的承诺是真实可信的。

应该说，在这个博弈的过程中，美、俄都是直接的受益者。

对美国而言，叙利亚政府的力量不断被削弱，而反对派的势力快速崛起。

对俄罗斯而言，叙利亚乱局导致国际油价一直处于高位，这符合它的利益诉求——俄罗斯仅仅通过"坐而论道"，无须动手，便坐收危机红利。由于俄罗斯每年出口原油约2.6亿吨，国际原油价格年均每桶上涨1美元，俄罗斯就可以多收入接近20亿美元。[60]"2011年，俄罗斯领导人高调提出2020年以前6000亿美元军队现代化计划（2012年，普京将这一计划改为7700亿美元）。如果单靠油价筹措上述军费，每桶油价只需上涨30美元就够了。这也许从另一个侧面表明，俄罗斯似乎为高油价做好了预期。"[61]

而且，俄罗斯拉中国第二次投否决票，使得阿拉伯国家有可能重新审视相关国家（比如中国）在中东的定位，控制着石油命脉的它们，将基于其自身利益重新权衡它们在未来石油供应中所扮演的角色。

此后，俄罗斯从中国连续得到大的石油订单，与此不无关系。这让俄罗斯成为实实在在的受益者。

而且，俄罗斯强硬反对制裁、军事打击叙利亚，带着铁汉形象重回中东大舞台，促进了俄罗斯的武器出口。俄罗斯是实实在在的受益者。

叙利亚反对派继续与俄罗斯建立联系，却又碍于美国的压力，不敢与俄罗斯走得太近。2013年2月，叙利亚反对派"全国联盟"主席穆瓦兹·哈提卜宣布推迟访问俄罗斯首都莫斯科。2月21日，叙反对派"全国联盟"代表在开罗会晤后表示，任何调解反对派与叙利亚当局冲突的协议都应该在俄罗斯和美国的支持下签署。[62]

面对俄罗斯的多次阻碍，美国决定联合欧盟，继续加大对叙利亚反对派的支持，通过反对派的力量，消耗叙利亚政权——这就等于绕过了俄罗斯。

对于欧盟来说，它也希望早日结束在自己家门口的战争，使周边的环境重回和平——和平的外部环境对于任何一个国家或区域的经济发展而言，都是至关重要的。

于是，2013年2月，欧盟修改武器禁运内容，允许对叙利亚反对派提供非致命性军事物资和医疗物资。5月27日，欧洲联盟成员国外长齐聚比利时，英国和法国积极倡导解除对叙利亚的武器禁运，以增加叙利亚反对派武装的"砝码"，迫使总统巴沙尔·阿萨德通过对话，政治解决当前危机。欧盟成员国一致同意继续保持对叙利亚政府的各项制裁，包括对叙利亚金融、贸易和投资的经济制裁，冻结巴沙尔和政府官员的海外资产等。在武器禁运方面，欧盟最终决定"基于各国自主意愿"解除对叙利亚的武器禁运。[63]

俄罗斯外交部发言人表示，"这将导致叙利亚双方离开谈判桌，继续武装对抗"。普京随后在俄罗斯-欧盟峰会结束后的记者招待会上表示："对于欧盟各国外长上周做出的取消对叙利亚反对派武器禁运的决定，我们当然做出自己的评估。我不会隐瞒这令我们失望的事实。"[64]

让叙利亚反对派与政府军"继续武装对抗"或许正是美国和欧盟所期待的，因为，这同时也意味着，叙利亚政权被更大、更快地消耗，叙利亚问题能早日解决。

但俄罗斯也有自己的底线。它是想在叙利亚政府和反对派之间寻求一种平衡，最终达到自己追求利益最大化的战略目标，它不会真正地完全站在其中的一方，以便为自己自如的进退留下充足的空间——更确切地说，俄罗斯早就清楚地认识到美欧联手意味着什么，它不可能真正改变得了最终的结果，因此，俄罗斯抓紧时间，积聚与叙利亚反对派讨价还价的筹码。

因此，在谈及向叙利亚政府出口S-300防空系统问题上，普京强调："S-300防空系统，的确是世界上最佳防空系统之一，这当然是很好的武器。我们不希望破坏地区平衡，合同在数年前签署，但目前还没有履行。"[65]

回想一下笔者在《时寒冰说：经济大棋局，我们怎么办》中对俄罗斯在伊朗问题上的表现，依然是S-300，依然是投名状，只不过是对象从伊朗换成了叙利亚。

俄罗斯人在利益最大化方面的追求，是那么不加粉饰。

第五节

谁是大赢家

一场生化袭击事件打破了僵局。

2013年8月21日，叙利亚政府军对反对派控制的大马士革东部郊区展开了进攻行动，出现了多人死于化学武器攻击的事件。美国宣布，高度确信是叙利亚政府使用了化学武器，导致1429名平民丧生，包括至少426名儿童。美国国务卿克里在记者会上指出，2013年，叙利亚政府已经多次使用化学武器。在8月21日袭击事件发生前3天，叙利亚政府军就被告知要戴上防毒面具，并被指示要在地面上做准备，提前采取预防措施。美方还截获了一位叙利亚政府高官的通话，这名官员证实是叙利亚政府发动了此次化武袭击，而且对联合国方面的核查取证感到担忧。

而早在2012年8月，奥巴马对叙利亚政府就已经列出不能逾越的"红线"，即在武装冲突中使用化学武器或者未能切实保护掌握的化学武器的安全。美国是否真会追究责任，并在军事上做出何种反应，全世界都在看美国将如何行动。此事自然关系到美国总统做出的承诺的可信度，以及美国在全球的领导力同过去相比究竟是否大为逊色。[66]

生化武器袭击事件，对美国而言，是动武的一个绝佳理由。

但这也正是这件事情非常蹊跷之处。

因为从2013年3月开始，在与反对派武装的战斗中，叙利亚政府军已经完全占据主动。

叙利亚政府军的主动是反对派武装的失误造成的。2012年7月起，叙利亚反对派武装开始把主攻目标转向重点城市，随即强攻叙利亚第二大城市阿勒颇（叙利亚主要经济中心），这使得反对派犯下了急功近利的错误。10月，反对派武装进攻受挫。11月，反对派武装又开始强攻首都大马士革，而这里集中了政府军7个师的兵力（其中包括第四装甲师即原共和国卫队5万人），约占陆军总兵力的一半。反对派武装无论是在人数上还是在武器配备上，都明显处于下风。而且，叙利亚境内的反对派武装派系众多，各自为政，没有形成统一的领导机构，很容易被政府军各个击破。

叙利亚政府军充分利用了这一点。

叙利亚政府军从2012年下半年开始采取收缩战线策略，放弃了广大农村地区，重点控制全国的大中城市，伺机反攻。2013年2月，叙利亚政府军开始进行战略反攻，4月开始在全国各战场全线出击，逐步收复丢失的战略要地。[67]

7月29日，叙利亚政府军宣布，其部队已经完全控制叙利亚中部霍姆斯省省会霍姆斯市重要城区哈利迪亚区。这是具有标志性的事件。反对派将霍姆斯市视为"革命首都"，是反对派的大本营。[68]

在这种情况下，叙利亚政府有必要动用生化武器挑衅美国的"红线"惹火烧身吗？

但可以确定的是，这个时候，美国实际上处于两难选择。

如果坐视叙利亚政府军将反对派彻底击溃，通过反对派武装消耗叙利亚政权的战略目标将落空，俄罗斯将成为最大赢家。毕竟，俄罗斯是与叙利亚政府保持着密切关系的国家。

如果对叙利亚实施军事打击，又将面对另一棘手的问题：叙利亚反对派派系林立、鱼龙混杂，甚至有基地组织等极端势力的身影，像这样一个散乱的扶不起来的阿斗，美国即使通过军事武力摧毁了叙利亚政府军，那么权力将落入谁的手里？美国能够操控吗？

比如，叙利亚反对派中的"胜利阵线"，是实力最强的反政府武装之一，该组织属于极端派别，甚至在2013年4月10日与"基地"的伊拉克分支正式合作，目标是建立一个伊斯兰国家。这让西方援助叙利亚反对派的行动变得十分尴尬。[69]

对于美国等西方国家来说，推翻巴沙尔政权非常容易。问题是，后叙利亚时代将由谁来掌控？这一步棋，才是导致美国无法对叙利亚动武的根本原因。

因此，美、英等国尽管一开始剑拔弩张，做出战争一触即发的声势，其实并非真的想打这场战争——战争的时机并未成熟，其目的乃是为了吓退叙利亚政府军队对反对派武装的进攻，打乱政府军的军事计划，给美国等西方国家全力支持的叙利亚反对派武装喘息、整合的机会。

事实上，美国也的确达到了这样的效果。

面对西方军事强国的战争信号，叙利亚政府军对反对派武装的进攻行动几乎全部停止。

从俄罗斯的角度来看，它当然也不希望美国就此发动战争，毕竟，俄罗斯还没有与叙利亚反对派建立起密切的联系。

这就使得美国、俄罗斯两大对手，达成了一种新的默契。

但美国与俄罗斯一直都没有消停。美国在加紧对叙利亚反对派的整合。2012年11月11日，叙利亚反对派和革命力量全国联盟建立，第二天，这个组织就被海湾阿拉伯国家合作委员会和阿拉伯国家联盟承认并且视为"叙利亚人民的唯一合法代表"。[70]

这种整合实际上是美国在为打击叙利亚战争做准备。但叙利亚反对派的整合进程令美国、英国都非常失望。

2013年8月29日，英国下议院投票否决了政府对叙利亚采取军事行动的提案。尽管此项投票不具约束力，但首相卡梅伦表示将"据此行事"。这是100多年来英国政府有关军事问题的提案首次遭议会否决。[71]

英国与美国的特殊关系，意味着打击叙利亚的时机并不成熟。

8月31日，美国白宫正式向国会提交要求对叙利亚当局实施军事打击的决议草案，让国会决定是否动武。奥巴马说，虽然他有权自行采取行动，但是他认为有必要就这个问题展开全国辩论。这表明奥巴马推迟了对叙利亚政府目标采取军事行动。[72]

9月6日，奥巴马在俄罗斯圣彼得堡说，他不希望在叙利亚采取军事行动，他准备研究防止使用化学武器的其他方式。[73]

9月9日，美国国务卿克里称，只要叙利亚总统巴沙尔在一个星期内交出所有的化学武器，就可以避免遭到外国的军事打击。俄罗斯立即心领神会，向叙利亚建议向国际社会交出化学武器，正在焦头烂额、恐惧不已的叙利亚政府立即对这根意外的救命稻草表示欢迎。奥巴马随后表示，如果叙利亚真这么做，他打算停止对叙利亚袭击。

很多媒体评论说，由于克里"说漏嘴"而让俄罗斯抓住了机会。殊不知，两国实际上是在完成一种心照不宣的默契。[74]

于是，叙利亚局势重归平静，而俄罗斯再次对叙利亚反对派抛出了橄榄枝。这是因为，它知道，局势的平静只能是暂时的，为了自身利益最大化，它必须着眼于长远。

2013年11月5日，俄罗斯外长拉夫罗夫在与新西兰外长麦卡利会晤后举行的新闻发布会上表示，俄罗斯希望叙利亚反对派和革命力量全国联盟主席艾哈迈德·贾尔巴访问莫斯科。拉夫罗夫说："我们曾多次邀请贾尔巴先生访问莫斯科。我们希望，他将接受此次的邀请。"[75]

在这个过程中，美国得到了什么呢？

在这段时间的中东格局上，对于俄罗斯的处处阻挠，美国一直处于被动防守的位置，因为双方都清楚，战争的时机并不成熟。

但是，这并非意味着美国一无所获。

美国最大的收获是，为自己实体经济的复苏提供了一个和平的空间，加速美国经济的增长步伐。战争打的是经济实力，在经济复苏阶段，当然是晚打比早打好。美国有的是耐心。更何况，美国经济复苏的阶段所对应的，正好是叙利亚现政权在被制裁中力量一天天遭到削弱的阶段。

事实上，三年战争已经让这个国家变得千疮百孔，濒临崩溃。联合国公布的数据显示，已有900万叙利亚人被赶出家园，其中有250万人被赶到了邻国，这比1948年的以色列建国战争中巴勒斯坦的逃难者更令人触目惊心，那次出逃的人口是75万人。

叙利亚内战中的死难者估计已经达到了15万人，尽管处境非常悲惨，但全球给予饱受苦难的叙利亚人的外交关注却在消退，外界无法提供有效的帮助。叙利亚内战各方在国际社会调停下达成和解的希望原本就很渺茫，随着2014年3月后美俄关系的恶化，变得更加遥不可及。[76]

这不是战争但胜似战争，但无尽的苦难总是由普通的民众承受。

在与叙利亚缓和关系的过程中，美国最直接的收获是让叙利亚自废化学武器。美国当年之所以敢打击伊拉克萨达姆政权，其中一个非常重要的原因，就是确信伊拉克没有生化武器，而不是相反！叙利亚交出化学武器，不仅有利于将来美国对叙采取军事行动，也解除了以色列的心腹大患。

这是以色列的收获。

叙利亚与以色列是宿敌。四次中东战争期间，叙利亚始终是阿以交战的前线国家。特别是1967年第三次中东战争后，以色列占领原本属于叙利亚领土的戈兰高地，至今尚未归还，导致叙以两国长期交恶。[77]

这次虽然美国没有打击叙利亚，但以色列和叙利亚一直冲突不断。以色列被指已多次打击叙利亚的军事设施，而以方对外界指控从来不予置评。[78]

这次让叙利亚交出化学武器予以销毁，实际上等于消除了以色列的心腹大患。剔除生化武器这一块，叙利亚是很难凭借常规武器对以色列造成威胁的，以色列的优势将变得非常明显。

不难想象，一旦叙利亚的生化武器被销毁，以色列或者美国打击叙利业就变得更加安全，而叙利亚无论对美国还是以色列而言，都是必须要拿下的！拿下叙利亚，扶植起民主政权，将能迫使俄罗斯告别它在叙利亚塔尔图斯军港的驻军，使俄罗斯失去地中海这一重要的军事基地，从而，为美欧消除一个心腹大患！

俄罗斯同样也有收获。让我们一点点来分析。

俄罗斯的最大实惠来源于叙利亚政府。

2013年12月25日，俄罗斯国有能源集团Soyuzneftegaz和叙利亚政府签署了一项协议，允许俄罗斯方面在2190平方公里的叙利亚海岸勘探、钻井、开发及生产石油和天然气。这是叙利亚历史上首次签署类似协议，这项协议甚至有可能会影响到叙利亚内战的格局。

协议规定，全俄石油天然气公司在协议生效后立即投入1500万美元进行勘探，确定钻井地点后再投入7500万美元进行钻井作业。[79] 如果开采成功，该公司将继续扩大开发规模。同时，俄方同意培训叙方石油业工人。叙利亚石油和矿产资源部长苏莱曼·阿巴斯表示，这份协议会为俄方和叙方带来丰厚的利润。[80]

但俄罗斯的收获并不仅限于此。

中东局势的演变，激怒了沙特阿拉伯。沙特有着很深的地区大国情怀，它拉着海湾国家支持打击叙利亚，实现叙利亚的政权更迭，拔掉这根刺。但结果，局势缓和了，它什么也没有得到，还白白地得罪了叙利亚政府。

2013年10月18日，沙特阿拉伯拒绝了联合国安理会非常任理事国的席位。这是联合国1945年成立以来头一次遇到一个国家在当选非常任理事国不到24小时内，公开拒绝接受这一席位。沙特外交部当日发表的声明谴责安理会没有通过惩罚叙利亚总统巴沙尔的决议，尽管巴沙尔造成了叙利亚长达两年半的血腥内战。[81]

沙特以此表达自己的愤怒。全世界也都听明白了。沙特向安理会扔石头，其实是想"砸"美国，因为美国出尔反尔没出兵叙利亚，尤其最近同沙特的地区劲敌伊朗搞缓和。[82]

沙特与美国的关系决定了，这种"怄气"不会闹大，美国给个安慰就能解决问题，更何况，美国只是缓兵，而非就此放过了沙特的两大劲敌——叙利亚和伊朗。

真正的问题在于，如果沙特对没有打击叙利亚不满，那么，它同时也会对在联合国就叙利亚问题投否决票的国家不满——而这恰是俄罗斯特别乐意看到的一幕。我们千万别忘记了，沙特是世界上最大的原油生产国和出口国，而中国正在替代美国成为全球最大的原油进口国——美国能源信息署（EIA）发布的报告显示，2013年9月，中国的原油日净进口量达到了630万桶，超过了美国的624万桶，而且中美之间的进口量差异将越来越大，美国能源信息署因此宣称"中国成为世界第一大石油进口国"。[83]

假如最大的原油进口国与最大的原油生产、出口国之间存在误解，谁将成为最大的受益者？

毫无疑问，就是俄罗斯。

出于石油安全的考虑，中国也须考虑石油进口渠道的多元化。

下图（见376页）为1990～2013年中国石油生产量与进口量。

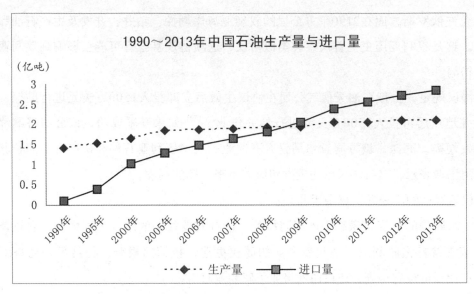

1990～2013年中国石油生产量与进口量

数据来源：综合《中国统计年鉴2013》和海关总署公布的数据。

在中国的原油平衡表上，有几个重要的节点：1993年，我国的原油进口量首次超过了出口量，成为原油净进口国，当年的对外原油依存度[84]是6%左右。2009年，我国原油的进口量首次超过国内的生产量，原油依存度突破50%，达到51.3%。2010年，该数值再创新高，达53.7%。2011年，我国原油对外依存度首次超过美国。2012年，我国原油对外依存度达到56.4%。[85]

2010年，中国超过美国成为世界第一大能源消费国。[86]

2013年9月，是一个至关重要的节点。这个月，中国的原油净进口量超过美国，成为全球最大的原油净进口国。美国能源信息署（EIA）预计，2014年，美国燃油净进口量将减少12%，至557万桶／日，创1986年以来最低水平。届时，中国的净进口量则有望提高6.1%，至657万桶／日。除了EIA，石油输出国组织（OPEC）2013年4月也发布报告称，"随着中国炼油产能快速增长带动的需求等因素，中国会在2014年超过美国，成为全球最大的石油净进口国"。[87]

下图（见377页上图）为美国能源信息署公布的2013年9月原油数据。

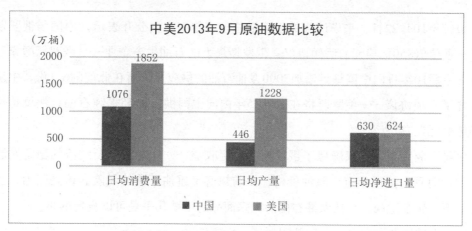

数据来源：Energy Information Administration。

我们再看看中国原油的进口来源国结构：

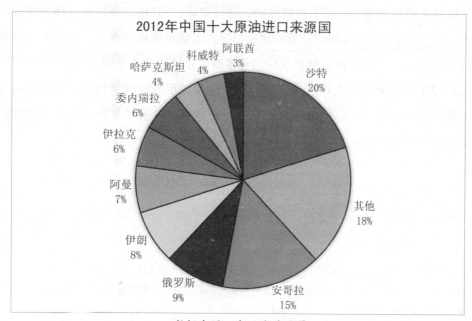

数据来源：中国海关总署。

从2012年中国的原油进口来源国可以看出，中国尽管努力想实现原油进口的多元化，但严重依赖中东的格局并没有改观，中东的石油供应对于中国的石油安全依然是至关重要的。假如与中东个别国家的关系出现问题，或者中东出现动荡，后果是不堪设想的。而这两种情况都恰恰是俄罗斯乐于见到的，俄罗斯不仅现在，今后也将是中国石油进口多元化进程中最大、最直接的受益者。

事实也是如此。

2013年10月22日，来华访问的俄罗斯总理梅德韦杰夫公开表示，中国与俄罗斯签署了一项价值850亿美元的巨额协议：俄罗斯最大的石油生产企业——俄罗斯国家石油公司，今后10年将向中国每年增加7000万桶石油的供应量。而在此前的6月份，中俄已经签署了一项协议——俄罗斯将在未来25年内向中国供应3.65亿吨石油，协议总价在2700亿美元左右。[88]

拿到巨额大单，不仅确保了俄罗斯的稳定收益——这对俄罗斯经济的稳定发展意义重大，而且，提前锁定了原油价格，提前规避了原油下跌的风险。这是因为，当美国发动下一轮金融战，包括原油在内的大宗商品的下跌几乎是可以肯定的事。

这一点俄罗斯人自己也心知肚明。

2013年9月，俄罗斯财政部披露的一份国家预算显示，俄国政府预测布伦特原油会在2016年跌至每桶60美元，在2030年前的平均价格会跌至每桶80美元。而9月初的时候，无论是美国纽约原油还是布伦特原油，每桶都曾达到110美元以上。俄罗斯把以每桶100美元计算的油价作为基础设置的政府预算，大幅下调到60美元，正是显示出其对未来油价的担忧。[89] 俄罗斯人的担忧，与笔者对大趋势的测算是吻合的。

从2012年全球大转折点开始，一直到2016～2022年的经济周期内，将是大宗商品惨烈下跌的时间。有关具体的分析，将在《时寒冰说：未来二十年，经济大趋势》下部"未来篇"有关2016～2022年的一些章节中进一步阐述。

注　释

[1]此前的2000年和2004年，普京担任俄罗斯总统，2008年梅德韦杰夫为总统，普京担任总理。
[2]梅德韦杰夫2008年12月30日签署《宪法修正案》，延长总统任期与国家杜马任期：总统任期由4年延至6年，国家杜马任期由4年延至5年。
[3]贾靖峰.俄罗斯筹备隆重仪式 迎接"新总统"普京[OL].中国新闻网，2012-05-07，http://www.chinanews.com/gj/2012/05-07/3867906.shtml.
[4]丁升.俄罗斯超级总统制解析——与法国半总统制的对比研究[J].群文天地，2011（3）.
[5]美国大选前，笔者在广东卫视做客"财经郎眼"节目时，预测奥巴马会连任。
[6]奥巴马连任改写历史，失业率高于7.4%白宫未易主[N].京华时报，2012-11-08.
[7]党的十八届一中全会产生中央领导机构，习近平任中共中央总书记中央军委主席[N].人民日报，2012-11-16.
[8]慕永鹏.习主席首访行程传递什么信号[N].人民日报海外版，2013-03-19.
[9]陈大超.给叶利钦找眼镜[J].读者，2009（9）。笔者手头的几部叶利钦的回忆录里，都未有这一内容。
[10]鲍里斯·叶利钦.午夜日记——叶利钦自传[M].南京：译林出版社，2001.
[11]弗·索罗维耶夫，尼·兹洛宾.又是普京：梅普轮流坐庄内幕揭秘[M].当代世界出版社，2011.

[12]斯蒂芬·赫德兰.危机中的俄罗斯：一个超级能源大国的终结[J].俄罗斯研究，2010（2）.

[13]李中海.普京八年：俄罗斯复兴之路（2000—2008）经济卷[M].北京：经济管理出版社，2008.

[14]陆绮雯.俄罗斯"经济账本"的新变化[N].解放日报，2007-03-31.

[15]王正泉.普京的"克格勃情结"[J].百年潮，2007（6）.

[16]新华网专稿.俄罗斯GDP回到苏联解体前水平[OL].新华网，http://news.xinhuanet.com/world/2007-11/29/content_7164891.htm，2007-11-29.

[17]周旭.普京归来美国忧心　美俄关系"重启"之路被指或将中断[OL].环球网，http://world.huanqiu.com/roll/2012-03/2502114.html，2012-03-07.

[18]Gregg Re.Obama finally congratulates Putin on election win after Stalin for five days[OL].The Daily Caller，http://dailycaller.com/2012/03/09/obama-congratulates-putin-on-election-win-after-five-days-of-stalin/，2012-09-03.

[19]中长铁路又称"东清铁路"，是指沙俄修筑的从俄国赤塔经中国满洲里、哈尔滨、绥芬河到达海参崴的铁路中在中国境内的一段铁路。此铁路以哈尔滨为中心，往西延伸至满洲里（今内蒙古境内），往东延伸至绥芬河（今黑龙江省牡丹江市），往南延伸至大连、旅顺，路线呈丁字型，全长约2400公里。

[20]章磊.沈志华教授解读朝鲜战争[N].新闻晚报，2013-08-04.

[21]于青.日本强烈反对中俄企业在国后岛合办公司[OL].人民网，http://world.people.com.cn/GB/13927793.html，2011-02-15.

[22]Stockholm International Peace Research Institut.SIPRI Yearbook 2012：Armaments，Disarmament and International Security[M].Oxford University Press，2012.

[23]国际关系学院国际战略与安全研究中心.中国国家安全概览2011[M].北京：时事出版社，2012.

[24]John J.Mearsheimer.The Tragedy of Great Power Politics[M].W.W.Norton，2003.

[25]赵永春."澶渊之盟"对宋金和战的影响[J].黑龙江民族丛刊，2008（1）.

[26]李焘.续资治通鉴长编卷七十[M].北京：中华书局，2004.

[27]王晓波.对澶渊之盟的重新认识和评价[J].四川大学学报，2003（4）.

[28]王晓波.对澶渊之盟的重新认识和评价[J].四川大学学报，2003（4）.

[29]张云筝等.宋代外交思想研究[M].北京：中国社会科学出版社，2012.

[30]张云筝等.宋代外交思想研究[M].北京：中国社会科学出版社，2012.

[31]伍纯初.南宋联蒙灭金政策形成原因分析[J].枣庄学院院报，2007（12）.

[32]张云筝等.宋代外交思想研究[M].北京：中国社会科学出版社，2012.

[33]弗·索罗维耶夫，尼·兹洛宾.又是普京：梅普轮流坐庄内幕揭秘[M].当代世界出版社，2011.

[34]徐翀.石油因素对中东国际关系的影响[J].国防大学学报（战略问题研究），2006（7）.

[35]G.John Ikenberry.America Unrivaled：The Future of the Balance of Power[M].New York：Cornell University Press，2002.

[36]Sebnem Arsu，Michael Schwirtz.As Tension Escalates，Turkey Issues a Ban on All Syrian Aircraft[N].The New York Times，2012-10-14.

[37]朱颖.自由贸易协定与美国对中东战略[J].西亚非洲，2009（4）；U.S.-Jordan Free Trade Agreement[OL].The White House，http://georgewbush-whitehouse.archives.gov/news/releases/2001/09/20010928-12.html，2001-09-28.

[38]邱永峥，刘畅.约旦，美欧军事打击叙利亚的"桥头堡"[N].环球时报，2013-05-03.

[39]王龙琴.背景资料：黎巴嫩与叙利亚的关系[OL].新华网，http://news.xinhuanet.com/world/2008-10/15/content_10197619.htm，2008-10-15.

[40]孔庆超.浅析石油产业与俄罗斯经济[J].商业经济，2011（10）.

[41]B.Roland, K.Annette, M.Elitza.Long-Term Growth Prospects For The Russian Economy[J].European Central Bank, Occasional Paper Series, https://www.ecb.europa.eu/pub/pdf/scpops/ecbocp58.pdf, No.58, Mar 2007.

[42]Alex Spillius.US secures records $60 billion arms sale to Saudi Arabia[N].The Telegraph, 2010-09-13.

[43]罗山爱.美拟售沙特600亿美元军火，将成史上最大军售[OL].京华时报，2010-09-15.

[44]G.Richard, K.Paul.Conventional Arms Transfers to Developing Nations, 2004-2011[R].The Congressional Research Service, http://www.fas.org/sgp/crs/weapons/R42678.pdf, 2012-08-24.

[45]陈小茹.俄罗斯拒绝交付S-300导弹 伊朗威胁起诉[N].中国青年报，2010-09-30.

[46]王逸峰.探析俄罗斯对外出口武器走向[J].海事大观，2006（8）.

[47]Fenella McGerty.The Evolution of Defense Trade[J].Janes Defense Weekly, 2010（24）.

[48]刘侣萍，崔启明.俄罗斯海外军事存在的现状及前景分析[J].俄罗斯研究，2007（1）.

[49]刘晨.叙利亚动荡的特殊性及其未来走势[J].亚非纵横，2012（2）.

[50]孙立昕.叙利亚会否沦为下个利比亚[N].法治周末，2011-05-03.

[51]Syria unrest: World leaders call for Assad to step down[N].BBC News, http://www.bbc.co.uk/news/world-middle-east-14577333, 2011-08-18.

[52]杨泽伟.联合国改革的国际法问题研究[M].武汉大学出版社，2009.

[53]安国章.俄罗斯邀请叙利亚反对派访问莫斯科[OL].人民网，http://world.people.com.cn/GB/15815094.html, 2011-10-06.

[54]施晓慧.叙利亚反对派访俄，赞成俄中否决联合国决议草案[OL].人民网，http://world.people.com.cn/GB/15865509.html, 2011-10-11.

[55]中俄就安理会关于叙利亚问题决议草案投否决票[OL].人民网，http://world.people.com.cn/GB/157278/17021716.html, 2012-02-05.

[56]中俄就安理会关于叙利亚问题决议草案投否决票[OL].人民网，http://world.people.com.cn/GB/157278/17021716.html, 2012-02-05.

[57]关健斌.俄外长旋风式访问叙利亚都谈了些啥[N].中国青年报，2012-02-09.

[58]Syrian Opposition Pushes for Russian Support[OL].Russia Today,http://rt.com/news/moscow-opposition-syria-support-272/,2012-04-17.

[59]胡若愚.媒体曝巴沙尔提交权条件，要求保证不受国际审判[N].新京报，2012-07-23.

[60]国际间在计算石油产供销时主要采用两种方法：一种是按容积计算，用桶或升表示；另一种是按重量计算，用吨表示。国际上计算石油的年产量、消费量等时习惯用吨，而计算石油的日产量、消费量和出口量等时则用桶。欧佩克组织和英美等西方国家原油数量单位通常用桶来表示，中国及俄罗斯等国则常用吨作为原油数量单位。石油因比重的不同，不同地区所产石油的重量也略有差异。目前，国际石油界在进行原油重量、容积折算时，一般以世界平均比重的沙特阿拉伯34度轻原油为准。这种原油每吨折合7.33桶，每桶又折合42美加仑（0.159立方米），每美加仑相当于3.785升。

[61]李福川.2011年俄罗斯经济特点及未来趋势[M]//李永全.俄罗斯发展报告（2012）.北京：社会科学文献出版社，2012.

[62]叙利亚反对派领袖宣布推迟访问俄罗斯[OL].新华网，http://news.xinhuanet.com/world/2013-02/26/c_114802446.htm, 2013-02-26.

[63]安晓萌.欧盟"批准"叙反对派进口武器[N].新京报，2013-05-29.

[64]普京：俄对欧盟解除对叙利亚的武器禁运失望[OL].中国新闻网，http://www.chinanews.com/gj/2013/06-04/4893771.shtml, 2013-06-04.

[65]Alexei Anishchuk.Russia has not yet sent S-300 missiles to Syria: Putin[OL].The Reuters, http://www.

reuters.com/article/2013/06/04/us-syria-russia-crisis-arms-idUSBRE9530EK20130604, 2013-06-04.

[66]薛理泰.大国在叙利亚进行博弈[N].联合早报, 2013-09-03.

[67]拱振喜.叙利亚危机的现状及前景分析[J].南方, 2013 (16).

[68]龚正.叙利亚政府军占领霍姆斯市重要城区[N].解放军报, 2013-07-31.

[69]李慎明, 张宇燕.全球政治与安全报告[M].北京：社会科学文献出版社, 2014.

[70]陈聪, 李姝莛.阿盟承认"叙利亚反对派和革命力量全国联盟"为叙利亚人民诉求合法代表[OL].新华网, http://news.xinhuanet.com/world/2012-11/13/c_113676049.htm, 2012-11-13.

[71]Steven Erlanger, Stephen Castle.Britain's Rejection of Syrian Response Reflects Fear of Rushing to Act[N].The New York Times, 2013-08-29.

[72]President Obama's Aug. 31 Statement on Syria[N].The Washington Post,2013-09-01.

[73]President Obama's News Conference in Russia[N]. The Washington Post, 2013-09-06.

[74]克里"说漏嘴"俄抓住机会, 叙交出化武让奥巴马下台[N].文汇报, 2013-09-11.

[75]俄罗斯希望叙反对派全国联盟主席访问莫斯科[OL].俄罗斯新闻网, http://rusnews.cn/eguoxinwen/eluosi_duiwai/20131105/43903798.html, 2013-11-05.

[76]Anne Barnard.Three Years of Strife and Cruelty Puts Syria in Free Fall[N].The New York Times, 2014-03-17.

[77]赵恩霆.哈全安：叙利亚局势恶化美国喜而伊朗忧[N].齐鲁晚报, 2011-04-30.

[78]韩冰洁.以色列被指空袭叙利亚防空基地[OL].中国新闻网, http://www.chinanews.com/gj/2013/11-01/5455450.shtml, 2013-11-01.

[79]B.Boris.Syria Signs Oil Exploration Deal with SoyuznefteGaz[OL].Ria Novosti, http://en.ria.ru/russia/20131225/185921289/Syria-Signs-Oil-Exploration-Deal-With-SoyuzNefteGaz.html, 2013-12-25.

[80]刘阳.俄罗斯一石油公司获叙利亚一处海上油田开发权[OL].人民网, http://energy.people.com.cn/n/2013/1226/c71890-23952638.html, 2013-12-25.

[81]Nate Rawlings.Saudi Arabia Rejects Seat on U.N.Security Council and Confuses Everyone[N].The Times, http://world.time.com/2013/10/18/saudi-arabia-rejects-seat-on-u-n-security-council-and-confuses-everyone/, 2013-10-18.

[82]吴云, 柴月等.拒绝接受"鸡肋"席位, 以此表达对美不满[N].环球时报, 2013-10-21.

[83]Zachary Keck.It's Official：China's the World's Largest Oil Importer[OL].The Diplomat, http://thediplomat.com/2013/10/its-official-chinas-the-worlds-largest-oil-importer/, 2013-10-11.

[84]原油对外依存度是指一个国家原油净进口量占本国原油消费量的比例，体现了一国石油消费对国外石油的依赖程度。目前，原油对外依存有三种计算方法：原油和石油产品的净进口量占国内石油产品消费量的比重；在第一种算法的基础上加上进口原油在炼油过程中产生增量占国内石油产品消费量的比重；原油净进口量占国内用于炼油的原油净投入的比重。中国有关部门使用的是第一种算法，如采用上述第二种或第二种算法，中国目前原油对外依存度数值将更高。

[85]黄烨.2012年进口原油2.7亿吨, 对外依存度十年提高9倍[N].国际金融报, 2013-02-05.

[86]Hossein Razavi.Realizing the Asian Century：Reducing Energy Intensity and Ensuring Energy Security[M]//Harinder S Kohli, Ashok Sharma, Anil Sood.Asia 2050：Realizing the Asian Century.SAGE Publications Pvt.Ltd, 2011.

[87]黄烨.原油净进口"老大"是谁[N].国际金融报, 2013-10-21。2013年9月, 中国的原油净进口量超过美国, 但从年度进口数据来看还少于美国。因此EIA才预测, 到2014年, 中国将成为全球最大的石油净进口国——这里指的是年度数据。

[88]Joe McDonald.Russia Signs $85 billion deal to supply oil to China：PM[OL].CTV News, http://www.ctvnews.ca/business/russia-signs-85-billion-deal-to-supply-oil-to-china-pm-1.1507581, 2013-10-22.

[89]Russian Government Adjusts Budget In Expectation of $60-$80 Oil[OL].Floating Path, http://www.floatingpath.com/2013/09/16/russian-government-adjusts-budget-expectation-60-80-oil/, 2013-09-16.

第15章
美国的战略棋局：2013～2015（下）

第一节
突然变脸背后

国家层面的博弈，说到底，就是制度优劣的博弈。优良的制度，总是能凝聚民族的力量，实现人才、资本等要素的最佳配置，产生出巨大的效益。而落后的制度，总是分散民族的力量，人不能尽其才，物不能尽其用，效率低下，浪费严重。

这两种制度博弈的结果，是显而易见的。

正当大国之间在中东因为叙利亚问题激烈博弈的时候，中东局势突然发生了令人惊讶的变化。谁能想到，这种变化与中国存在着什么样的内在关联呢？这对美国的战略决策和国际局势的变化，又意味着什么呢？

我们知道，美国一直在严厉制裁伊朗，限制它在核研究方面的进展。这是因为，美国认为，一旦伊朗发展核武器，沙特将从巴基斯坦获得核武器或制造核武器的能力，土耳其也可能谋求核能力。阿联酋、埃及，可能还有约旦，几乎肯定将从能源领域入手开始实施其核计划。如此，则中东地区永无宁日。逊尼派穆斯林与什叶派穆斯林之间、阿拉伯民族与波斯民族之间的矛盾将更加激化，形势将动荡不安，甚至失控。[1]

但是，2013年11月7日，奥巴马突然敦促国会议员不要对伊朗施加更多的制裁，不要对他与伊朗的核谈判进行掣肘。[2] 接着，奥巴马政府呼吁延缓有关扩大对伊朗经济制裁的立法，以缓解与伊朗的紧张局势，而美国共和党主导的众议院力主扩大对伊朗的经济制裁。奥巴马的这种态度，遭到某些重要议员的反对。[3]

随后，形势发生了更令人惊讶的变化。

2013年11月24日，美、俄、英、法、中、德六方与伊朗宣布，各方通过日内瓦谈判就伊朗核问题达成临时协议。这一历史性的突破为进一步谈判争取了时间。

临时协议对伊朗核计划做出了全面严格的限制：将控制伊朗离心机生产，限制正在运行的离心机的数量和类型，同时对中低丰度浓缩铀的库存施加约束，还将禁止伊朗启用阿拉克反应堆或新建其他核设施。协议要求其内容的落实情况要接受国际社会的严格检查。作为交换条件，美国将解冻约70亿美元的伊朗资产。但协议并没有取消对伊朗的关键性制裁，以防伊朗继续研发核武器。[4]

美国国务卿克里认为，临时协议只是伊朗核谈判的"第一步"，有效期仅为6个月，直至达成"全面"协议。[5]

这只是一个为下一步谈判指明方向的"临时协议"，即便如此，国际油价也立即闻声而落。因为伊朗毕竟也是一个位居世界排名前五位的石油大国，一旦伊朗局势缓和，必然增加油价下跌的压力。

我们知道，在与伊朗的谈判中，美国是处于绝对主导地位的国家，而俄罗斯由于此前与伊朗的关系早已貌合神离，这份"临时协议"体现出来更多的是美国的意愿。美国通过这步棋，让俄罗斯感受到痛——毕竟，俄罗斯的财政平衡与油价息息相关。正所谓"以其人之道还治其人之身"，既然你俄罗斯在叙利亚问题上百般掣肘希望局势缓和，我就让它彻底缓和！

但是，美国政府突然与伊朗和解的态度，受到美国部分国会议员的批评。

美国参议院外交关系委员会主席梅南德斯发起针对伊朗新的制裁议案，试图对伊朗石油出口实施全面禁运，并进一步切断伊朗获得硬通货的渠道，包括伊朗进入全球银行系统的渠道。

奥巴马的表态出乎很多人的意料。

2013年12月19日，奥巴马罕见地威胁将否决参议院两党联合提出的这份扩大制裁伊朗的议案。[6]

奥巴马对伊朗态度的变化，与伊朗新总统有关——这当然只是表面的原因。

2013年6月15日，伊朗总统大选结果揭晓，温和保守派候选人、前首席核谈判代表哈桑·鲁哈尼赢得选举，成为伊朗新一届总统。鲁哈尼主张务实的政治和经济政策，与各方均保持着较为良好的关系。他承诺组建一个"充满智慧和希望"的政府，与国际社会建立起建设性互动，以避免制裁或减少制裁影响。这些主张为他赢得了大批改革派的支持者，并最终帮他问鼎总统宝座。[7]

一句话，鲁哈尼是继哈塔米（第5任伊朗总统，1997～2005年在位）之后，又一位能与西方对话容易被西方认可的伊朗领导人。鲁哈尼一当选，即向美国发出积极信号，以化解伊朗核危机，很快获得美国积极的回应。[8]

鲁哈尼善于展现个人魅力，美国媒体称鲁哈尼为"穿着神职长袍的推销能手"。但是，就连那些被鲁哈尼的魅力所折服的外交官也指出，鲁哈尼并没有任何实质性的提议。曾任奥巴马顾问的加里·萨莫雷（Gary Samore）甚至认为鲁哈尼的观点和内贾德非常相似，只是用一种更为友善而柔和的方式表达出来而已。[9]

显然，鲁哈尼替代不了哈塔米，但这给美国提供了一个台阶。

必须指出的是，美国并非真的要放过伊朗。

事实上，就在与伊朗达成"临时协议"不久，2013年12月12日，美国财政部和国务院宣布，对被美方认定为规避国际社会对伊朗制裁、为伊朗核计划提供支持的一批公司和个人实施制裁，禁止美国人与他们进行交易。[10]

无论是叙利亚还是伊朗，对美国而言，延长时间只会让他们的力量更加削弱。

数据显示，2013年上半年，伊朗的石油收入同比减少58%，通货膨胀率则超过40%，伊朗货币同比贬值70%，失业率超过30%。这意味着伊朗已经不能和西方"硬扛"下去了，否则国内经济即将崩溃，随之而来的是政权的垮台，甚至政体的消失。[11]

即使在哈桑·鲁哈尼当选总统以后，这种情况也未能改变，甚至有恶化倾向。在鲁哈尼掌权六个多月后，普通伊朗人、企业主和投资人对经济可能快速复苏的希望正在破灭，伊朗政府正陷入资金短缺的困境。尽管鲁哈尼已设法稳定了伊朗的官方货币，遏制住了通货膨胀势头，并达成了在一定程度上放松经济制裁的临时核协定，然而，鲁哈尼上任之初就发现，伊朗政府的财政现状要比他的前任内贾德公开过的情况严重得多。

现在，美元的短缺和税收的减少让鲁哈尼几乎找不到应对之策，他所能采取的措施甚至会在短期内让那些选他上台的人更加痛苦。伊朗将从2014年3月28日起，逐步停止石油补贴，而且，这仅仅是一个开始，以后还将把油价、电价以及其他公共服务的价格提高近90%，财政极度的困难还将迫使伊朗政府逐步取消每月给近6000万伊朗人每人发放的12美元救济，而鲁哈尼政府仅仅承诺在2015年把通胀率从2013年的42%和2014年年初的32%削减到25%。市场对政府的经济运行能力的信心正在消散，而削减补贴则让经济局面变得更加动荡——2007年，当伊朗政府提高汽油价格、限定油量配给时，抗议者纵火焚烧了数十座加油站。[12]

伊朗的困境美国当然清楚得很。由于叙利亚问题还没有解决，伊朗可以争取更多的时间发展核利用研究；而美国通过谈判的方式，在制裁方面开个小小的口子，让伊朗先中止核研发，然后，再为将来军事打击中东的两颗"大钉子"赢得充足的时间。

同时，继续对伊朗进行制裁，让伊朗的力量在制裁中不断被消耗——像伊朗这样的国家根本承受不了漫长时间的经济制裁，其经济很容易在制裁中走向崩溃。对美国来说，还有什么措施比这种打击伊朗的方式成本更低、副作用更小呢？而且，一旦时机成熟，美国就会出手，彻底解决中东的两大对手。到那个时候，沙特等国也会更亲密地站在美国一边，帮助美国实现更大的战略布局。

笔者反反复复提到，通过传统的税收等方式，美国不可能偿还得了庞大的债务，只有通过诱发更严重的全球性的大危机，导致大量优质企业倒闭，大量优质资产跌到谷底。它以升值的美元展开廉价大收购，通过这种最大限度地控制资源的方式扩大财富，才能最终将债务问题化解，并累积起来更加强大的力量。

而这一战略目标，将集中在2016年开启的这个新周期内完成。

作为打击欧元区的一个"杀手锏"，引爆中东局势可以大大帮助美国实现自己的战略目标。留着叙利亚和伊朗这两枚棋子，在关键的时候使用，才更符合美国的长远利益。

美国不仅在中东突然变脸，在亚洲局势中，也突然上演了这一幕，以至于很多人无法看懂，美国到底在玩什么游戏。

2013年11月23日，中国政府郑重发布划设东海防空识别区[13]声明。这是中国强化领海领空管制、维护国家领海领空安全、维护空中飞行秩序的合法之举，也是中国有效行使自卫权的必要举措。[14]

中国划设防空识别区完全符合国际法和国际通行做法，目的是维护国家安全，保障东海上空飞行秩序，遵循公开透明原则，表明中国愿通过制度化、法律化行动维护主权，这有助于促进安全互信，促进与周边国家良性互动。[15]

自中国公布东海防空识别区之日起，日本航空、全日空、乐桃航空及日本货物航空4家航空公司向中国有关部门提交了飞行计划。考虑到若日本航空公司持续递交飞行计划，等于承认中国的防空识别区，日本一边指责中国"非法侵犯了公海上空飞行自由的国际法一般原则"，一边通知日本的航空公司，中国划设的东海防空识别区"对日本不具有任何效力"，要求航空公司继续按现有规则应对。据日本共同社报道，上述航空公司表示应日本政府要求，27日起不再向中国递交飞行计划。11月28日，日本官方宣布日自卫队飞机在没有向中方通报的情况下飞入了中国东海防空识别区。[16]

最值得玩味的是美国人的态度。

2013年11月23日，美国白宫和国务院发表声明，对中国划设东海防空识别区提出指责。美国国防部发言人强调，不会按中国的规定通报航空器在防空识别区内的飞行计划，重申不接受中国的任何要求。美国国防部长哈格尔发表声明称，"美军的作战计划不会有任何改变"。随后，两架美国B-52轰炸机从关岛起飞，于华盛顿时间11月25日晚间7时左右进入中国东海防空识别区。报道称，B-52没有装备武器，没有战机护航。美国官员说，这一飞行任务在中国宣布设立东海防空识别区之前就已计划开展。[17]

美国政府的强硬态度令日本政府欣喜不已。

但随后就发生了戏剧化的一幕。

2013年11月29日，奥巴马政府宣布建议美国民航飞机服从中国有关东海防空识别区的通行要求，提前向中方提交飞行计划。美国国务院发言人办公室当天发表声明称，美国政府基本上希望进行国际运营的美国民航飞机能够遵守外国政府发布的"航空要求"，不过强调这一建议不代表美国政府将接纳中方有关要求。《纽约时报》等美国主要媒体援引政府官员的话称，奥巴马政府已决定敦促美国民航飞机尊重中国东海防空识别区的规定，以防"意外冲突"。这一做法与此前日本政府要求该国航空公司拒绝服从中国东海防空识别区的规定形成鲜明对比。[18]

美国政府态度的这种突然变化，既令日本措手不及，又愤怒异常。

那么，美国政府的态度为何同时在中东、亚洲局势中发生重大变化？这里面存在着什么样的隐情？

这其实暗示着美国棋局的重大变化——美国"战略新移"！[19]

美国越来越清晰地认识到一个问题：无论它谋划的是什么棋局，俄罗斯与中国这两个新兴国家的领军者无论如何是绕不过去的。换句话说，棘手的伊朗问题只有在打掉其后的大国羁绊之后，才能按照美国的意愿发展——这意味着，美国对它的战略，要做重大的调整，对手大国排在了伊朗的前面！

也有西方评论家这样分析：

奥巴马显然明白，美国在全球的力量归根结底取决于美国的经济实力——这正是他反复强调美国必须集中精力"从内部事务着手搞好国家建设"的原因。一百年来的全球霸权兴衰早已证明了这个道理。英国、法国和苏联的衰落，都是由于本国经济太过疲弱，无法支撑它们的国际抱负。这三个国家都因为战争而削弱了国力：苏联出兵阿富汗，等于给自己的棺材钉下了最后一颗钉子。二战使英国无力再支撑起这个庞大的帝国。战后的法国在阿尔及利亚和印度支那[20]打的两场恶战把自己拖垮。现在，中国很快就有可能超过美国，成为世界最大经济体，因此美国明白，在未来相当长的一段时期里，它都不能在军事上犯下代价高昂的错误。[21]

这个观点从另一个角度剖析了美国暂缓攻打叙利亚的内因。

美国的棋局在进行调整。

这是美国在叙利亚和伊朗问题上，态度突然改变的根本原因。

第二节
战略新移

国家与国家之间的利益碰撞是难免的，尤其是两种价值观不同的国家在利益方面的碰撞会变得更为激烈。

我们很清楚美国的战略目标，就是通过未来全球性的大危机，制造廉价收购优质资产、掌控世界财富的机会，从而彻底化解自身的债务问题。美国经济的快速复苏，正在不断强化其力量。

有些研究者根据美国的就业率情况来判断"美国的复苏依然脆弱"，是非常错误的。虽然，美国的就业率还没有达到它理想的目标，但对于一个自动化程度越来越高的国家而言，这已经是非常了不起的成就。更重要的是，在就业率缓慢上升的背后，是科技含量更高的自动化技术日益广泛的普及，这将大大提升美国的竞争力。

2014年1月中旬，美银美林分析师迈克尔·哈奈特（Michael Hartnett）发表了其研究结论：40年来，全球制造业机器人数量从无到有，迅速增加，2015年将达170万，而同期美国制造业的工作岗位却从2000万个骤降至约1100万个。虽然近几年奥巴马动作频出，推动制造业回流美国，一定程度上拉动了制造业就业，但从大趋势来看，工人被机器人取代的趋势似乎无可避免。[22]

而此前，牛津大学教授弗雷（Frey）和奥斯本（Osborne）发布的一份名为"未来就业：就业对人工智能的敏感性分析"的报告，研究了人工智能代替各行各业工作的可能性。他们的发现令人瞠目结舌：有将近一半的美国现有就业岗位将被人工智能所取代。[23]

因此，就业率没有大幅度提升不仅不能说明美国经济复苏的脆弱，反而在给我们传递一个更加值得重视的信号：一个更为强大的美国正在迅速成长起来。

美国在以高科技为代表的新兴产业的引领之下，迅速聚集起更加可怕的力量，它将在未来的全球大危机中，将这种力量彻底释放出来。

但是，这并不意味着，美国可以不讲策略而凭借强大的力量蛮干。

这从来都不是美国的风格。

美国在实施这一将彻底改变美利坚命运的重大战略的过程中，也有它自身的阻碍，它必须扫清这些障碍。一个非常直观的问题是：如果有别的国家抢在美国前面抄底，将会怎样？

这是美国不得不考虑的问题，否则就容易为别人做嫁衣。

美国常年施加压力，逼迫人民币升值，对中国的制造业造成了重大打击。但这也有利于强化人民币的国际地位——升值的货币在国际上理所当然是会受到欢迎的。

金融服务公司环球银行间金融通信系统（Swift）的数据显示，2013年10月份在与全球贸易相关的信贷协议中，采用人民币作为融资货币的比例从2012年同期的4.4%升至8.7%，超过了欧元和日元的占比，不过仍远远低于美元。美元在贸易融资中的占比为81%，欧元和日元分别为6.64%和1.36%。

尽管贸易融资只是日交易量为5.3万亿美元的外汇市场中微不足道的一部分，但人民币在贸易融资中使用比率的迅速增长凸现出人民币的重要性不断上升。

国际清算银行（Bank for International Settlements）2013年9月发布的报告也显示，人民币首次跻身全球十大交易货币。该行称，3年间，人民币的日均交易额增长了两倍多，在2013年达到1200亿美元。

用人民币进行结算可以让美国和其他外资公司从中国供应商处获得更有竞争力的定价。中国央行去年表示，外国进口商使用人民币结算可以节省2%～3%开办信用证及购汇或结汇等的结算成本支出。对中国供应商而言，接受人民币付款节省了把美元兑换成人民币的成本，也规避了汇率波动的风险。[24]

更重要的是，中国人正在利用人民币升值的优势，不断到全球各地进行大收购。

以房地产为例。仅在2013年9～10月之间，伦敦房地产卖家平均要价就从49.37万英镑升至54.42万英镑。也就是说，一个月之内，卖家要价就升了10%。有统计显示，外国人买走了伦敦中心区新住宅物业的七成。中国买家是这些海外买家的重要组成部分。[25]

英国著名房地产中介公司认为，中国买家大约在2009年涌入英国房地产市场，从此，伦敦中央区的房价增长异常迅猛，每年的涨幅均在10%左右。

在澳大利亚，过去几年里，中国是其房地产市场的购买生力军。2010～2012年间，中国买家的数量猛增75%，而仅在2012年一年里就完成了约242亿元的交易额。即便金融危机给所有的经济体和金融市场带来了挑战，但是澳大利亚的房价依然维持5%～25%的增幅。[26]

美国房地产市场，同样是中国人投资的重点选择。

中国是美国住宅房地产的第二大海外投资者。根据咨询公司Rhodium Group的统计数据，2013年1月～10月，中方投资者已经在美国商业地产领域投资了58.9亿美元，近6倍于2011年、2012年的投资总额（9.6亿美元）。

全美房地产商协会的数据也显示，中国投资者于2012年3月～2013年3月间在美国房地产领域投资81亿美元，占美国来自海外房地产投资总额682亿美元的12%，仅次于加拿大。但美国并不是中国投资者的唯一选择。中国在海外的房地产投资有2/3位于欧洲、澳大利亚及新加坡。[27]

在2014年2月召开的美国私募股权房地产大会上，70%接受调查的投资者认为，2014～2016年间，美国将成为全球获得中国房地产投资最多的国家。[28]

可以肯定的是，只要中国这份在全球疯狂"扫货"的狂热不减，即使有优质资源要收购，中国也走到了前面。

中国高速增长的GDP也让美国备感压力。以购买力衡量，2007年，中国GDP占世界总量的13%，到2050年，这一比例将上升到20%。[29]

根据国际货币基金组织（IMF）对中美经济的预期，2011～2014年间，中国经济将增长24%，而美国仅仅增长7.6%。如果忽略支出结构以及通胀程度的变化，那么2014年全年中国经济总量将超出美国0.12%。[30]

2014年4月，世界银行赞助的国际比较项目（International Comparison Program）发表的研究报告也指出，如果按照购买力平价计算，中国将在2014年取代美国，一举成为全球最大的经济体。[31]

除了上述原因，在美国的中东棋局中，通过制裁消耗伊朗和叙利亚，削弱它们的实力，甚至将它们拖垮是非常重要的战略构成。但是，美国走这一步棋同样面临着阻碍。

美国要打击叙利亚，有中、俄反对。

美国要强化对伊朗的制裁，又遭遇到中国这一难题。

由于美国的制裁，伊朗的原油产量逐年下降，2011年被伊拉克超越，退居欧佩克第三位。根据美国能源信息署发布的数据，2011年，中国是伊朗原油的第一大买家，而欧盟是伊朗的第二大出口对象。在欧盟强化对伊朗的制裁以后，从伊朗进口原油的主要是中国、印度。

虽然中国也减少了从伊朗的原油进口，但从某种程度上来说，只要中国和印度等国继续从伊朗进口原油，就等于在制裁伊朗问题上开了一个口子。美国更难达到自己的战略目的。

2013年9月22日，据伊朗《德黑兰时报》报道，中国从伊朗的石油进口量正在迅速增长，2013年8月份，中国从伊朗进口石油较2012年同期增加了17.5%。8月份中国每天从伊朗进口43.63万桶石油。[32]

中国海关总署发布的数据显示，2013年11月，中国自伊朗进口的原油同比上升25.9%，达到221.3万吨。

这对于伊朗意义重大。

石油出口占伊朗所有出口所得的80%，占政府收入的50%～60%。伊朗政府2012财年预算预测，每天能出口220万桶石油。而据国际能源署发布的数字，伊朗2012年底日均原油出口100万桶。制裁导致伊朗每季度损失90亿美元。

由于西方不断升级的制裁，尤其是2012年7月1日，欧盟开始禁止进口伊朗石油，导致伊朗已陷入20世纪80年代以来最严重的金融危机，其货币里亚尔汇率频创历史新低，日用品价格暴涨。[33]

但只要中国和印度等国继续从伊朗进口原油，美国通过制裁扼杀伊朗的效果就必然大打折扣。

更重要的一点是，由于遭受制裁，伊朗已接受用人民币结算其向中国供应的一部分原油。英国《金融时报》报道称："全球金融危机加快了从西向东的转移。这些措施（如美国对伊朗的制裁）现在正推动人们在交易中使用人民币。"[34]

笔者在《时寒冰说：欧债真相警示中国》一书中做过论述，美元是美国最核心的利益所在。

有研究者指出，信用货币体系下，美国是全球货币政策的实际制定者。美元供给的每次扩张都直接导致大宗商品价格上涨，这增加了生产国的成本，削减了它们的储备，并造成了输入型通胀。随后到来的美元贬值更直接降低了生产国和资源国储备的实际购买力。这种国际经济中的三元结构在美元霸权的驱动下，导致了一个世界扩张的成本最终由其他两个世界承担：最被动的是资源国，最痛苦的是生产国（特别是中国这样的大型生产国，买什么什么涨，卖什么什么跌），而消费国则凭借国际铸币权，始终位于食物链的上端。[35]

美国当然要全力以赴地维护其货币霸权。

但是，美国强化对伊朗的制裁，却在客观上给人民币结算原油提供了契机。这一点或许是出乎美国意料的。但可以肯定的是，这从两个方面让美国感觉到了痛：一是制裁伊朗不能"全封闭"，二是人民币结算原油。

美国研究者指出，由于中国与俄罗斯敢于抵制美国推翻叙利亚巴沙尔·阿萨德政权和对伊朗实施严厉经济制裁的努力，奥巴马政府官员对莫斯科和北京大发脾气。美国国家安全事务助理赖斯谴责中俄否决联合国安理会关于叙利亚问题的决议，称美国对此行为"不可原谅"。[36]

这些因素的累积，最终导致了美国的战略大调整——使美国把战略重心从中东转向了以俄罗斯、中国为代表的新兴市场国家，即"战略新移"。这也正是美国在一些重大问题上态度突然转变的原因所在。具体而言，就是通过暂时的和解稳住叙利亚和伊朗，对前者利用内战消耗——叙利亚对美国而言，早已成为熟透的桃子，只是何时愿意摘的问题。对后者则通过制裁不断削减其力量，而悄悄把战略重心转移到以中俄为代表的新兴市场国家。

这是美国"战略新移"的外因——必须指出的是，这里的"战略新移"包含的首要含义是"危机新移"，即在未来的大危机中，新兴国家尤其是金砖国家（俄罗斯、中国、巴西、印度、南非）排在了前面。而通常所提及的"战略东移"（这里的"东"指的是亚太，前面的"新"指的是新兴经济体），美国实际上早在2010年就开始了。2010年5月，奥巴马向国会递交的《国家安全战略报告》，就提出亚太地区是美国未来关注的重心。[37]

在欧洲、北非、中东逐渐减少其军事存在并宣布反恐战争告一段落后，美国很明确地将于2014年与北约一道将其战斗部队撤出阿富汗。美国在减少军人人数及优化各军兵种构成进程中，将主要的海空军力移向其认为可能会对其霸权地位构成直接挑战的亚太区域。[38]

美国决定在2020年以前，将60%的海军力量部署在亚太地区。美国多次在亚太地区进行名目繁多的军演。在政治上，以军演显示美国的军事存在，安抚盟国，威慑对手。在经济上，美国军演展示新型武器，促进军火销售，刺激国内经济。

由于紧缩预算的压力，奥巴马计划在今后10年内削减4890亿美元的国防开支，美国军工产业的国内市场萎缩，迫切希望拓展海外市场，于是，亚太地区成为美国最大的军火倾销场所。制造地区紧张气氛，使得美国的传统盟友日本、韩国均争先恐后地签订了不少昂贵的订单。[39]

美国进行亚太战略调整往往会对中美关系造成直接的负面影响，而且，难以缓解并陷入恶性循环之中。原因在于，历史上大国崛起往往伴随着崛起国与霸权国之间激烈的冲突和对抗。[40]

无论是战略东移还是新移，都代表着美国战略的调整。

但笔者认为，"战略新移"对美国战略调整的表述更为准确。许多研究者对美国战略东移后的表现表示困惑，认为美国对战略东移的表述经常发生矛盾，奥巴马政府对亚太战略的表述甚至出现了一定程度的弱化和收缩。[41]

这种困惑就在于，没有真正看清楚美国的大战略布局——新兴经济体将要爆发的大危机，将是对其大战略的最准确的诠释。在后面的章节中，我们还会从美国大战略角度进一步分析。严格地说，美国的大战略早已超越了地缘战略的概念，而是围绕着以美元为基础的金融主线展开，以稳步构建起一个庞大的金融帝国。

2014年4月，在美国与俄罗斯因乌克兰问题翻脸的情况下，奥巴马访问日本、韩国、马来西亚和菲律宾等亚洲四国，不仅没有向中国示好，反而表露出明显的制衡中国的意图。美国明确表示，美军已经准备了多种方案，将强有力地应对中国未来在南中国海（即中国南海）和东中国海（即中国东海）的"任何挑衅行动"。这些方案包括向靠近中国的地方派遣B-2轰炸机，以及在接近中国沿海水域的范围举行航母演习。还可以采取一些更具挑衅性可选对策来对抗中国，其中包括：扩大美国战机的侦察飞行规模，派遣航母进入中国沿海附近的有争议水域，其中包括台湾海峡。[42]

并且，美国与菲律宾达成了一项为期10年的协议，该协议将允许美国的军舰、飞机和部队使用位于菲律宾各处的基地。[43]

如果仅从"战略东移"的角度来看，很难理解美国这种两面树敌的态度，但如果从"战略新移"的角度来看，则一目了然。对美国而言，以俄罗斯、中国为代表的新兴国家，乃是美国大棋局中的首要对手。

当然，在与俄罗斯交恶的同时，美国依然赤裸裸地展现出和中国对抗的姿态显得并不智慧。2014年4月18日，美国凯托学会高级研究员特德·盖伦·卡彭特（Ted Galen Carpenter）撰文指出，美国与俄罗斯和中国同时交恶令人十分担忧。美国政府应该采取措施使华盛顿与莫斯科、北京的关系，永远要比莫斯科与北京之间的关系更为亲密。奥巴马政府笨拙的外交政策甚至可能将俄罗斯与中国推到一起，让它们消弭彼此严重的分歧，而共同对抗来自美国的威胁。[44]

在奥巴马亚洲四国访问结束后的第一天，中国国防部宣布中国与俄罗斯将很快在东海举行联合军事演习。并且，俄罗斯总统普京将于5月20日访华，其中一个重要议题是与中国签订一项规模巨大的能源换投资协议。[45]

现在，我们对美国的战略新移做进一步的分析。

这是一盘非常精彩的棋局。

美国的"战略新移"，尤其是从中东的伊拉克撤军，将使这一地区重新陷入动荡。美国难道没有看到这样做的后果吗？不仅看到了，而且在有意促成这样的结果。中东的动荡对那些原油严重依赖这一地区的国家而言，将是致命的伤害，其经济更容易崩溃，廉价收购的机会更容易裸露出来——这恰好与美国的大战略实现了完美对接。

美国的另一步棋是从阿富汗撤军。一旦美国和北约在2014年底完成撤军，阿富汗将重新陷入战乱——这几乎是可以肯定的结果。10年阿富汗战争，并没有能够解决塔利班问题。为什么美国还要撤军呢？

阿富汗国民40%的是普什图人，人口将近1300万，与它毗邻的巴基斯坦也是普什图人的聚集地，两者加起来，人口将达到4000万。[46]

一旦美军撤离，阿富汗的动荡将首先祸及巴基斯坦——中国最铁的盟国。其次，将祸及中亚——中国一个非常重要的能源之门。而美国则可以趁乱重返中亚——中亚的地缘战略和能源地位要远远高于阿富汗。

对美国而言，其战略大调整还有一个很重要的因素。我们此前谈到过"中美金融恐怖平衡"问题。中国对美国出口廉价的商品，换取美元，中国再用这些美元购买美国国债。说白了，美国打了一个借条，把中国的商品和卖商品的钱又都拿走了。这种恐怖平衡，是美国在次贷危机爆发后的黑暗日子里正常维持的重要原因之一。

但是，随着房地产热的持续，制造业的重要性在中国慢慢削弱——房地产的赚钱效应不仅吸纳了资本、人才，也对制造业造成了抽血效应，维持房地产热得以持续的庞大的货币投放，导致制造业成本的快速上升。终于，中国的制造业从鼎盛走向衰退。东南亚等地因劳动力、原材料成本更低，从而取代中国成为美国的廉价商品供应地。

中国各级政府对制造业的衰退并没有太在意。因为房价持续上涨带来的充足的土地财政收入让地方政府显得财大气粗。这终于催生了2012年中国以制造业为代表的实体经济的转折，在这种情况下，一方面，中美贸易顺差将很难维持，中国也将不可能再像过去那样大量地购买美国国债。另一方面，中国国内的财政平衡，也慢慢被债务压力打破。

这也就意味着，中国与美国之间的金融恐怖平衡正在悄然无息中发生巨变。对美国而言，中国可被利用的价值正在慢慢变小。

那么，中美金融恐怖平衡结束以后，美国如何再构建起一种新的恐怖平衡呢？那就是引爆全球经济危机，促使包括新兴经济体在内的资金向美国流动，流到美国的这部分资金或买美国的房产、股票，或买美国的债券——也就意味着新的平衡的建立！

除了上述因素，人民币的持续升值，催生了中国庞大的海外收购力量——这直接威胁着美国大战略目标的实现。

这些因素交织在一起，最终促使美国的战略新移。

既然如此，美国为何在中国东海防空识别区问题上态度"软化"了呢？

如果能够看懂美国的棋局变化，就不会产生这样的疑问了。

中国划定的东海防空识别区与日本的防空识别区有相当一大块是重叠的。美国一方面不承认中国划定的防空识别区，一方面又敦促美国民航飞机尊重中国东海防空识别区的规定。在客观上给世界造成了一种非常模糊的概念，而正是这种"模糊"的模棱两可的表态，会造成中日两国在东海识别区问题上的持续对峙。这正是美国所需要的效果，因为这种航空识别区的重叠，加大了中日两国"擦枪走火"的风险，一旦陷入这种局面，对中国和日本将是巨大的财富消耗。而这两个国家，恰恰又是美国最大的两个债权国。

美国是借力打力的战略高手。

1972年2月21日，美国总统尼克松抵达北京访问。2月28日，《中美上海联合公报》发表，宣布中美两国关系走向正常化。

但就在尼克松访华之前的一年——1971年6月17日，日、美签署《归还冲绳协定》（《关于琉球诸岛及大东诸岛的日美协定》），美国将琉球群岛和大东群岛的一切权利移交给日本。美国以日本拥有"施政权"为由，把联合国交付美国托管的琉球行政权交予日本管理。同时，美国还错误地将原属中国领土的钓鱼岛也包括在琉球群岛管辖区域内。

1971年12月30日，中华人民共和国外交部发表声明指出，钓鱼岛等岛屿是中国台湾的附属岛屿，而不属于琉球也就是现在所称的冲绳，美国政府片面宣布对这些岛屿拥有所谓"施政权"，这本身就是非法的。[47]

事实上，连美国媒体都认为责任在美国。《纽约时报》评论称，在中日两国之间钓鱼岛主权争端中，美国一直是麻烦的制造者。美国不仅在1971年主观地将岛屿的管辖权交给日本，从而造成了这一问题，还宣称美日安保联盟适用于这些小岛，导致日本对华立场更加强硬。[48]

事实上，无论是从中国还是日本的史料来看，钓鱼岛都不属于"琉球"，而是一直被作为中国台湾岛及澎湖列岛的附属无人岛。钓鱼岛及其附属岛屿本为中国固有领土，早在明清时期就已经有中国自己的称谓。而日本直到1900年才有冲绳县师范学校教员黑岩根以"尖阁列岛"命名钓鱼岛，被日本政府采用至今。[49]

日本也有学者承认这种基本事实。日本横滨国立大学名誉教授村田忠禧在其论著《日中领土争端的起源——从历史档案看钓鱼岛问题》中指出，日本政府关于"对尖阁列岛[50]的基本见解"是无法经得起检验的谎言。对于主张尖阁列岛是日本固有领土的日本政府而言，这是难以承认的、极其不利的事情。但是，公文告诉我们，这正是不容否定的事实。[51]

美国政府无视事实还那样做，其实是故意埋下了一个楔子，使中日两国因为领土问题互相牵制，而这个楔子正是在尼克松访华之前埋下，可见这种布局用心的险恶。钓鱼岛在此后的几十年中，一直是中日之间冲突的导火索。

在美国战略调整之后，日本政府夸大中国威胁论，挑起钓鱼岛争端，与美国的亚太再平衡战略找到了结合点。[52]

美国在韩日两国之间，同样埋下了一个楔子，那就是独岛问题。韩国和日本之所以在独岛问题上激烈斗争几十年，与美国在此问题上的暧昧态度不无关系。甚至"直到现在，韩国政府也不知道美国在独岛问题上到底应采取什么样的态度"。美国战后在处理独岛主权归属问题上所采取的暧昧态度，直接导致了韩日几十年来因独岛主权问题的不断纷争，并将不断继续下去。"美国在独岛问题上采取的这种态度无不是出自维护自身国家利益的思考"，独岛问题不仅仅是韩国和日本两国间单纯的领土主权问题，而是与美国曾经在远东地区的国家利益有着密不可分的关系。[53]

第三节
站在目标下

美国的"战略新移"，是在悄无声息中完成的，一些国家对此并不理解。

在美国与叙利亚达成销毁化学武器共识的时候，一直力主打击叙利亚的土耳其被激怒了，它无法理解美国这样做的理由。土耳其随后做了一个非常重要的决定。2013年9月26日，土耳其国防部长宣布将选择中国精密机械进出口公司共同承建该国价值40亿美元的远程防空和导弹防御系统（"红旗-9"导弹系统）。英国《金融时报》称，土耳其的采购决定正值其同美国的关系紧张之际，土耳其支持对叙利亚采取军事行动，而美国踌躇不前。土耳其外交事务评论员伊迪兹说："我怀疑安卡拉想通过这次招标做出一个重要的政治声明。"[54]

土耳其的决定引起美国等北约国家的强烈不满。美国认为，中国中标就意味着"红旗-9"导弹将能直接或间接地连入北约情报系统，从而导致北约关键信息在不经意间泄露给中国。美国总统奥巴马在同土耳其总理埃尔多安会面时，两次警告土耳其不要购买中国导弹防御系统。

2013年10月7日，北约秘书长拉斯穆森公开向土耳其施压，他称："个别国家采购的系统……必须能与其他国家的系统协同工作。我希望土耳其能遵守这一点。"[55]

美国不打叙利亚激怒了土耳其，而土耳其购买中国导弹防御系统的做法则激怒了美国。不久之后，土耳其就发生了严重的骚乱。

2013年12月，土耳其警方展开反腐大行动。仅在12月7日的行动中，就有50多人遭拘留，其中包括土耳其人民银行的高层，以及一些企业主、商人，此外还有土耳其执政党"正义与发展党"的成员。土耳其政府内政部长、经济部长及环境部长的儿子也遭逮捕。

12月18日，土耳其总理埃尔多安指责这一反贪行动是由国外势力操纵的，所谓"贪腐丑闻"是"国际势力"的"阴谋"，旨在扰乱土耳其经济、推翻现政府。埃尔多安随后解除了参与行动的多名高级警官职务。此事在土耳其造成冲击波，土耳其反对派则要求该国总理埃尔多安辞职。[56]

随后，土耳其经济部长穆罕默德·扎菲尔·恰拉扬、内政部长穆阿迈尔·居莱尔、环境和城市化部长埃尔多安·巴伊拉克塔尔因涉贪腐丑闻辞职。12月25日，埃尔多安宣布改组内阁，更换10名部长，占内阁职位数近半。[57]

由于土耳其贫富分化严重，民众的不满情绪非常强烈。在经合组织成员国中，土耳其贫富差距程度仅次于墨西哥，贫富差距超过14倍。这种贫富悬殊无形中埋下了阶级冲突的祸根。[58]

这也意味着，愈演愈烈的土耳其动荡，将给埃尔多安政府带来更大的考验。

面对民众要求埃尔多安下台的强烈呼声，此情此景，不能不给人联想。

必须注意的是，在土耳其与美国的导弹系统之争中，同样有中国因素。这一系列的现象，给美国人的感觉是什么，是不言而喻的。当美国人觉察到其战略的每一步棋局上都活跃着中国的身影时，其战略的大调整乃是必然的。

而且，美国制造业的复苏，以及中国制造业向东南亚的转移，使得美国从内外两个层面减少了对中国低价产品的依赖，大大降低甚至消除了美国的后顾之忧——这种变化被国内一些研究者忽略，依然坚持老观念，一厢情愿地认为中美两国是"一损俱损，一荣俱荣"的关系。

变化总在悄无声息中进行。

美国的"战略新移"，对中国的意义重大。

它意味着美国更明确地把中国当成了战略打击目标。尽管此前美国也不断借机激化中国和日本的矛盾，以此牵制、消耗亚洲这两个彼此有着广泛联系的国家，但其"战略新移"之后，其行为方式将变得更为明确和具体。

我们知道，2012年，中日两国因钓鱼岛问题矛盾激化，始作俑者是日本东京都知事石原慎太郎，而石原慎太郎这个日本的极端民族主义者，正是在美国突然提出了"购买"钓鱼岛，妄图以此永久性侵占我领土的非分之想。钓鱼岛问题从此开始激化。

中国和日本在经济上有着非常广泛的联系，两国矛盾的爆发，将同时对这两个亚洲大国也是世界经济强国的实力造成削弱。而这一点，显然有利于实现美国将来廉价收购全球优质资源的宏大战略目标。

另外，在捍卫我国领土钓鱼岛、断绝日本侵略幻想问题上，笔者想说明一点：我们可以做得更有智慧。从苏联到俄罗斯，都坚持北方四岛是其领土，其理由是：其占领四岛是二战的结果，改变这一结果将意味着否定二战！[59]

这个理由直接就击中了美国的软肋！

1944年6月，美英联军在诺曼底登陆后，美国希望苏联对日作战，斯大林提出来必须完全恢复1905年日俄战争以前俄国在远东地区的地位，提出库页岛和千岛群岛归还苏联。美国总统罗斯福完全同意。1945年2月10日，苏、美、英三国首脑签署了《雅尔塔协定》，"三大国首脑已决定击溃日本后应毫无疑问地满足苏联这些要求"，"库页岛南部及周边岛屿归还苏联"，"千岛群岛应该移交苏联"。[60]

俄罗斯等于找到了它与美国在二战中建立起来的利益共同点和共同取得的成果，而这一点是美国绝不敢否定的。

也正因为这一点，美国不得不一次又一次地强调，《日美安全保障条约》中有关共同防卫的条款[61]不适用于日本和俄罗斯有争端的南千岛群岛（即日本所称的"北方四岛"）。

中国有着比俄罗斯更明确、更理直气壮的理由，证明钓鱼岛属于中国。

1943年12月，中、美、英三国首脑发表《开罗宣言》，明确规定："日本所窃取于中国之领土，例如东北四省[62]、台湾、澎湖群岛等，归还中华民国。其他日本以武力或贪欲所攫取之土地，亦务将日本驱逐出境。"钓鱼岛是甲午战争后随台湾、澎湖群岛一起割让的，当然在归还之列。1945年7月的《波茨坦公告》规定："《开罗宣言》之条件必将实施，而日本之主权必将限于本州、北海道、九州、四国及吾人所决定之其他小岛。"1945年，日本战败，中国依据《开罗宣言》和《波茨坦公告》有权收复一切被日本侵占的领土，作为台湾附属岛屿的钓鱼岛理应归还中国。[63]

1945年9月2日，日本政府在《日本投降书》中明确接受《波茨坦公告》，并承诺忠诚履行《波茨坦公告》各项规定。1946年1月29日，《盟军最高司令部训令第677号》明确规定了日本施政权所包括的范围是"日本的四个主要岛屿（北海道、本州、九州、四国）及包括对马诸岛、北纬30度以北的琉球诸岛的约1000个邻近小岛"。[64]

而且，经日本正式签署的投降书规定，日本同意并有义务忠实履行《波茨坦公告》中的全部条款。因此，毋庸置疑，日本在签署投降书后即永久地失去了对钓鱼岛的主权。[65]

其实，不仅钓鱼岛，就连整个琉球群岛，根据二战中的上述具有法律效力的文件规定，日本都不拥有主权！拥有主权的应该是中国！

事实上，早在1943年11月23日[66]，罗斯福总统就对蒋介石说："琉球系许多岛屿组成的弧形群岛，日本当年是用不正当手段抢夺该群岛的，也应予以剥夺。我考虑琉球在地理位置上离贵国最近，史上与贵国有很紧密的关系，贵国如想得到琉球群岛，可以交给贵国管理。"蒋介石的回答是："我觉得此群岛应由中美两国共同管理为好。"[67]

开罗会议后的第三天，罗斯福再次对蒋介石建议说："此岛（琉球群岛）不能让侵略成性的日本长期占领，是不是与台湾及澎湖列岛一并交于你们管辖？"蒋介石犹豫。罗斯福再次明确建议说："战争结束了，就将琉球群岛交给贵国。"但蒋介石犹豫再三说："琉球群岛问题比较复杂，我还是那个意见，中美共同管理为好。"蒋介石的回答令罗斯福很感意外，之后就再也没有提及琉球问题。这样，在此后发表的《开罗宣言》中谈到日本应归还中国之领土时，只说到"日本窃取中国之领土，例如满洲（即东北）、台湾、澎湖列岛等"，没有明确提及钓鱼岛。

史学家们研究这段历史的时候，得出的结论是：第一，蒋介石当时为了讨好美国，唯美国马首是瞻；第二，蒋介石怕琉球归还中国，中日又结新怨。但事后，蒋介石非常后悔。[68]

《开罗宣言》《波茨坦公告》和《日本投降书》等国际法文件，规定了日本领土范围，是钓鱼岛归属中国的法律依据。

《开罗宣言》规定：琉球群岛本不是日本历史之固有领土，乃依武力及贪欲攫取之土地，理应将日本驱逐出境，还其本来之面目。1947年，联合国安理会通过第21号决议，剥夺日本统治的太平洋岛屿，改为战略防区，由美国托管。1947年4月，联合国明确将琉球群岛列为托管地，划归美国管理，但仍是基于联合国的托管制度之下的。但是，1950年6月朝鲜战争爆发，11月中国抗美援朝，入朝作战。美国出于冷战需要，决定扶植日本。1951年9月，美国召集48个同盟国与日本签订了《对日旧金山合约》。

1971年6月17日，美日签署《归还冲绳协定》，私相授受琉球群岛，钓鱼岛也被划入"归还区域"，遭到祖国大陆与台湾两岸中国人的强烈反对。同年12月30日，中国外交部发表声明称："美日两国在'归还'冲绳协定中，把我国钓鱼岛等岛屿列入'归还区域'，完全是非法的，这丝毫不能改变中华人民共和国对钓鱼岛等岛屿的领土主权。"[69]

为了缓和事态，美国政府在1971年10月发表声明："美国认为，把原从日本取得的对这些岛屿的行政权归还日本，毫不损害有关主权的主张。美国既不能给日本增加在它们将这些岛屿行政权移交给我们之前所拥有的法律权利，也不能因为归还日本行政权而削弱其他要求者的权利……对此等岛屿的任何争议的要求均为当事者所应彼此解决的事项。"

尽管日本为消除中华文化的影响，在琉球强行推行日本文化，但琉球群岛人千年积累下来的中华文化根深蒂固，基本未变。[70]

显然，无论从历史的角度，还是从国际法的角度来看，中国对整个琉球群岛有充足的理由提出主权要求，钓鱼岛当然也顺理成章属于中国。

美国如果否认这一点，也就意味着否认二战的成果——中国也应该像俄罗斯人那样，抓住这一要害。更何况，钓鱼岛本来就是中华民族的固有领土！在领土问题上的强硬和明确，灭绝了妄图侵吞我国领土者的痴心妄想，更容易减少摩擦。

在内心深处，日本人只承认他们在二战中输掉了与美国的战争，"并未输掉与中国的战争。而这种潜在的心理会影响处理外交政策的方式"。[71]

2013年12月26日，日本首相安倍晋三不顾各方反对悍然参拜靖国神社。此举引致众多饱受日本军国主义毒害的亚洲邻国的不满。2013年12月30日，中国驻日大使程永华率先在日本《每日新闻》发表署名文章，批驳安倍参拜的错误观点。

中国新任驻美大使崔天凯在《华盛顿邮报》发表评论指出：安倍的参拜行径同他一贯否认日本的战争罪行是密不可分的……这一挑衅性的姿态对地区安全和经济繁荣构成了巨大威胁。日本只有承认战争罪行并痛改前非，才能为全球最具经济活力的地区打下和平与安全的基础。[72]

到2014年1月9日，中国驻外使节前后40余人次通过发表署名文章、召开记者会等方式批驳安倍政府的错误言行，频率之高、规模之大极为罕见。

大使在文章中基本都会提到驻在国的二战历史，以此提醒对方，日本领导人在否定二战历史，这是对二战胜利果实的否定。很多国家都是二战受害国，因此这不仅仅是中日关系的问题，其他很多国家同时也能引起共鸣。

这是中国当代外交上罕见的集体行动，做得非常漂亮。美国政府高官毫不保留地表达了对安倍等歪曲历史行为的失望，并私下表示，华盛顿正把安倍此举视为对美国的"违逆"，将采取明确的应对措施。[73]

如果中国在争取利益、捍卫民族尊严方面，都做得如此睿智，很多被动的局面是可以变主动的。

重新回到我们的主题。

在美国的"战略新移"之后，美国在中日纠纷中，反而不会明显偏袒日本，它更会扮演偏向中立的立场，以给中日矛盾激化创造条件，使两个大国互相牵制、互相消耗，从而为美国在未来的全球资源大收购中清除掉两个强大的竞争对手。

这也意味着，美国比任何国家都愿意看到中日爆发战争，而日本首相安倍晋三愚蠢的挑衅，将使得战争危险性日益上升。

从趋势的角度来看，预测这场战争爆发的时间比预测这场战争是否会爆发更有现实意义。

2014年1月22日，日本首相安倍晋三在达沃斯演讲时，公开污蔑中国是"太平洋地区的不稳定因素，暗喻这与德国在一战前快速扩充军备的行为类似"。[74]

安倍晋三暗示中日两国由于钓鱼岛而引发的紧张局势，可能重蹈英国和德国一战时的覆辙。他呼吁增大军事预算的透明度，抑制在亚洲的军事扩张。[75]尽管日本随后表示，安倍的观点不应该被理解为暗示两个亚洲国家有发生战争的可能性[76]，但许多人理所当然地会那样理解。

哈佛大学学者约瑟夫·奈曾警告历史类比的危险："战争绝非不可避免，但认为不可避免反而会成为战争的原因之一。"而偏偏"安倍认为冲突可能是不可避免的"。

安倍晋三在达沃斯论坛还说，若爆发战争，损失最大的将是中国。他指出，冲突将拖累北京需要维持其合法性的经济增长率。但安倍没提到本国损失。

2014年1月24日，中国外交部发言人秦刚严厉抨击安倍的历史类比，完全就是为了逃避侵略历史，移花接木，偷换概念。与其拿一战前英德关系说事儿，不如深刻地检讨甲午战争，检讨日本对朝鲜半岛的殖民统治，检讨日本二战对受害国人民发动的法西斯战争。[77]

中日之间的紧张关系，将首先直接影响到双方的经济。

这当然并非美国"战略新移"的全部内容。美国的战略配合，从来都是全方位的、缜密的。

第四节
网上之网

美国不仅仅在地区矛盾和冲突方面扮演着一个煽风点火的角色，也从技术、贸易等角度，对中国进行封堵。其中，最典型的当属美国的TPP（跨太平洋伙伴关系协议，Trans –Pacific Partnership Agreement的缩写）战略。

TPP是什么？

从战略的角度来看，用四个字可以概括：网上之网！

亚洲国家彼此之间，或与亚洲以外其他国家签订了许多自由贸易协定，这些协定很多都把美国的势力排除在外。就像奥巴马所说："我们必须像美国的竞争对手那样，积极地去寻求新的市场。如果其他国家签订贸易协定，而美国只是作为一个局外人袖手旁观，我们将会失去创造就业的机会。"[78]

而美国通过一个覆盖亚太的跨太平洋伙伴关系协议，就把各国间已经织就的网（贸易协定）消融了，奥巴马所说的难题也就迎刃而解！因此，称TPP为"网上之网"，是最大、最强的网。

此网既出，他网不在！

此网既出，其他网被一网打尽。

TPP的一个突出特点就是"高标准、全覆盖"，它将农业、知识产权、劳工标准、环境标准、服务贸易、投资标准及政府采购等敏感议题悉数纳入，"100%撤销关税，不承认例外"。[79]

TPP的前身是跨太平洋战略经济伙伴关系协定，它由亚太经合组织中的四个成员国新加坡、新西兰、智利和文莱于2005年发起。

2008年，美国决定加入谈判，从此改写了TPP的命运。TPP的目标是建立一个"面向21世纪、高标准、全面的自由贸易"的平台，是21世纪的贸易协定。美国加入后开始主导TPP谈判，参与谈判国家也扩展至12个国家，分别是美国、澳大利亚、新西兰、加拿大、墨西哥、秘鲁、智利、新加坡、文莱、越南、马来西亚和日本。

需要指出的是，这12国的经济规模占世界经济总量将近40%，贸易规模也超过了全球贸易额的40%。TPP成员国已是美国最大的商品和服务出口市场。2012年，美国对亚太的产品出口额达到9420亿美元，占美国出口额的61%。[80]

TPP为何如此重要？

美国要重返亚太，除了经济方面的主导权外，还涉及维持其在亚太地区政治和军事等各方面主导地位的内容，而维持和扩展政治、军事上的绝对优势必须以强大的经济实力为后盾，以此支撑其战略扩张。为此，就必须扩大出口，促进就业，纠正失衡的经济结构。相应地，美国的外交政策也进一步向经济倾斜。[81]

2009年3月，美国政府公布了以"让贸易为美国家庭服务"为主题的《2010年贸易政策议程》和《2009年年度报告》，制定了今后5年内美国出口翻两番、创造200万个就业机会的目标。

这促使美国把以东亚为核心的亚太地区作为扩大出口的战略重点，而TPP将有助于填补亚太地区现有自由贸易协定之间的缺口，进而促进各协定的融合，为美国增加就业岗位，扩大美国的出口。[82]

奥巴马把TPP作为他第二任期贸易议程的主要内容，并设置了在2013年之前完成谈判的目标。在实在无法完成的情况下，才推迟到2014年。美国对TPP的急迫感正是它"战略新移"的直接表现。

TPP规定了原产地规则。这意味着，中国在其他国家生产的产品，将算到相关国身上。比如，在马来西亚生产的汽车有65%的零件为中国制造就可能仍然算作马来西亚制造。有评论乐观地指出，鉴于参与TPP协定的12个太平洋国家中的大量制成品和零部件都来自中国，如果条款得到批准，中国几乎肯定会受益于销量的增加。[83]

这个"漏洞"难道美国意识不到？

在这个"漏洞"之下，其实隐含着另外一个问题：这将对中国的企业产生巨大的诱惑力，从而，推动国内企业加速向参与TPP协定的相关国家转移制造业。制造业向外转移并不一定就是坏事，只要国内的制造业有强大的技术创新作为支撑，反而容易与外迁的制造业形成良性互动。

早在10年前，美国制造业的海外生产比例达30%多，几乎是日本的两倍，但因为美国自身不断地进行产业技术改造和创新，同时开放市场吸纳海外的优势产品，反而形成了良性循环。[84]

问题是，中国的制造业缺少的恰恰是技术创新等方面的支持。

这也就意味着，中国制造业的外迁将加速中国国内制造业的空心化。这对于中国

"世界工厂"的地位，将造成致命的冲击。一旦出现这种情况，中国房地产和金融两大泡沫所赖以存在的基础将坍塌，这将加速泡沫的破灭。

除此之外，美国想通过TPP谈判达到的战略意图还包括：

一是促进美国的出口。美国政府希望通过加强与亚太的贸易，实现其5年之内出口翻番、创造200万个就业机会的政策目标。通过TPP，美国可以充分发挥其技术和金融优势，打开更多的亚太经济体市场，以提升出口总量，助力美国由"消费驱动"向"出口驱动"转变。

二是借此制定新的国际贸易规则。与过去的经济合作协议不同，TPP增加了"战略合作"内容，这些内容更有助于美国推行有利于自己的贸易标准。也因此，TPP被认为是美国在WTO之外推动自由贸易的新途径。

三是提升美国在亚太地区的主导权。美国前国务卿希拉里·克林顿曾明确表示，把推动TPP作为美国重返亚洲战略的重点，以TPP为突破口，建立以美国为主导的横跨太平洋的亚太经济合作体系，并由此建立其主导的"亚太自贸区"，进而赢得全球的战略优势。[85]

美国精心打造的TPP，就是要用美国所主导的国际规则约束和引导中国，使中国成为国际秩序的被动的遵守者。

四是传播美国的价值观。美国把劳工标准、环保标准、知识产权保护、可持续发展等内容包括在TPP之中，既是出于对自身利益的考虑，也在一定程度上反映了其自身的价值追求，体现着美国在国际事务中的道义诉求，使之站在一定的道德制高点上。这些内容或诉求短期内可能会在其他TPP国家中引起一些争议，因而延缓TPP谈判进程，但从长远来看，则有助于提升美国的影响力。[86]

除此之外，还有非常重要的一项内容，就是割裂中国与TPP相关国家的贸易联系，从源头上打击中国经济较为依赖出口的软肋，从而抑制乃至扼杀中国这个潜在的竞争对手。所以，美国不仅竭力拉拢日本，还试图拉印尼、泰国等亚洲国家加入TPP谈判[87]，以达到孤立中国的目的——当这一效果与中国制造业外迁的威力合二为一，对中国经济无疑将产生非常重要的影响。

为了推动TPP，美国与亚太盟国的军事演习逐步扩大，使地区安全局势恶化，强化他国对中国崛起的危机感。美国以此巩固与盟国的关系，冲击亚太地区已经形成的"经济上中国主导，安全上美国主导"的利益格局。简言之，就是通过不断扩大的军事演习，制造亚太地区的安全困境，逼迫中小国家在美中之间"重新站队"。[88]

TPP的大网，已在慢慢撒开。

到此为止，世界几个主要大国的战略布局已经慢慢展开，接下来要上演的，将是更加惊心动魄的大博弈。有关未来（2016~2034年）的大趋势演变，以及楼市、大宗商品等的走势，将在《时寒冰说：未来二十年，经济大趋势（未来篇）》中展开具体和系统的分析。

注　释

[1]National Intelligence Council.Global Trends 2025：A Transformed World[M].New York：Cosimo，Inc.2008．

[2]White House appeals to Congress on Iran sanctions[OL].Space Daily．http：//www.spacedaily.com/reports/White_House_appeals_to_Congress_on_Iran_sanctions_999.html，2013-11-07．

[3]Geoff Dyer.Obama in plea to postpone new Iran sancations[N].The Financial Times，2013-11-20．

[4]Faith Karimi.20 Questions about the Iran nuclear deal：What is says，what's at stake，what's next[OL].CNN News,http：//edition.cnn.com/2013/11/24/world/meast/iran-nuclear-deal-qa/，2013-11-25．

[5]Joby Warrick.Nuclear Pact's Fine Print：A Temporary Halt In Advances[N].The Washington Post,2013-11-24．

[6]Carol E.Lee，Jay Solomon.Obama Issues Rare Veto Threat on Iran Bill：Bipartisan Senate Bill Would Slap Tehran With New Sanctions[[N].The Wall Street Journal，2013-12-19．

[7]Steven Ditto.Reading Rouhani：The Promise and Peril of Iran's New President[OL].Policy Focus（129），http：//www.washingtoninstitute.org/uploads/Documents/pubs/PolicyFocus129_Ditto_5.pdf，October 2013．

[8]伊朗新总统示好，美国欲与之谈判[N].中国青年报，2013-07-15．

[9]Somini Sengupta.President Hassan Rouhani of Iran[N].The New York Times，2013-09-27．

[10]Additional Treasury and State Designations Targeting Networks Linked to Iranian WMD Proliferation and Sanctions Evsion[OL].U.S.Department of State，http：//www.state.gov/r/pa/prs/ps/2013/218637.htm，2012-12-12．

[11]王宇，徐方清.以色列强烈反对，美国与伊朗关系缓和仍存变数[J].中国新闻周刊，2013-12-06．

[12]Thomas Erdbrinkmarch.In Iran，Hopes Fade for Surge in the Economy[N].The New York Times，2014-03-20．

[13]防空识别区是指一国为保障本国领空不受侵犯，自主在领海上空毗连的国际空域划定的区域，作为本国领空的缓冲地带，对进出该区域的外国航空器进行快速识别、定位、监控和管制。国际法没有禁止设立防空识别区的规定。只要不违反《联合国宪章》和《联合国海洋法公约》有关公海空域飞行自由的规定，各国均可出于正当国防需要自行划设。美国和加拿大是最早设立防空识别区的国家，分别于1950年和1951年设立。日本、冰岛、韩国、意大利、马来西亚、菲律宾、印度等20多个国家也已建立此类制度。

[14]孟彦，周勇.中国东海防空识别区：防的是觊觎 护的是安全[N].人民日报海外版，2013-11-25．

[15]钟声.坚定的意志，有力的行动[N].人民日报，2013-11-27．

[16]赵薇.划设东海防空识别区正当合法[N].人民日报海外版，2013-11-29．

[17]Julian E.Barnes，Jeremy Page.U.S.Sends B-52s on Mission to Challenge Chinese Claims[N].The Wall Street Journal，2013-11-27．

[18]廖政军.美国政府建议民航飞机尊重中国东海防空识别区[N].人民日报，2013-12-01；Peter Baker and

Jane Perlez.Airlines Urged by U.S.to Give Notice to China[N].The New York Times，2013-11-29．

[19]此处的"新"指俄罗斯、中国、巴西、印度、南非等新兴经济体，有关这一概念后文会做详细解读。

[20]印度支那一般特指属于原法国殖民地的越南、老挝、柬埔寨三国。广义的印度支那半岛即中南半岛，包括越南、老挝、柬埔寨、泰国、缅甸、马来西亚的马来亚部分和新加坡。此处是指越南、老挝、柬埔寨三国。

[21]Gideon Rachman.Cruise missiles alone cannot secure credibility[N].The Financial Times，2013-09-16．

[22]Matthew Boesler.Bank of America："Long Robots, Short Human Beings"[OL].Business Insider，http：//www.businessinsider.com/bofa-long-robots-short-human-beings-2014-1，2014-01-17．

[23]Carl Benedikt Frey, Michael A.Osborne The Future of Employment：How Susceptible are jobs to computerization?[R].Department of Engineering Science，University of Oxford.http：//www.oxfordmartin.ox.ac.uk/downloads/academic/The_Future_of_Employment.pdf，2013-09-17．

[24]Nicole Hong.Yuan Hits Milestone in Trade Finance Deals：China's Currency Passes Euro, Yen to Become Second-Most Used Currency After Dollar[N].The Wall Street Journal，2013-12-04．

[25]Richard Dyson. Sellers 'get what they want' in Crazy London Property Market[N].The Telegraph，2013-10-21；Gwynn Guilford. Chinese Investors are Buying More Than a Quarter of London's New Homes[OL].Quartz.http：//qz.com/116748/chinese-investors-are-buying-more-than-a-quarter-of-londons-new-homes/#/，2013-08-19．

[26]黎史翔.房价回暖，海外炒房抄着了[N].法制晚报，2013-11-04．

[27]Lawrence Yun, Jed Smith, Gay Cororaton.2013 Profile of International Home Buying Activity：Purchases of U.S.Real Estate by International Clients for the Twelve Month Period Ending March 2013[R].National Association of REALTORS，http：//www.realtor.org/sites/default/files/2013-profile-of-international-home-buying-activity-2013-06.pdf，June 2013．

[28]Michelle Yuan.China Demand for U.S.Property to Boost Investment[N].The Wall Street Journal，2014-02-27．

[29]Vassilis K.Fouskas, Bulent Gokay.The Fall of the US Empire：Global Fault-Lines and the Shifting Imperial Order[M].Pluto Press，2012．

[30]Chris Giles.China Poised to Pass US as World's Leading Economic Power This Year[N].The Financial Times，2014-04-30．

[31]Purchasing Power Parities and Real Expenditures of World Economics[R].International Comparison Program，http：//siteresources.worldbank.org/ICPINT/Resources/270056-1183395201801/Summary-of-Results-and-Findings-of-the-2011-International-Comparison-Program.pdf，2014-04-30．

[32]China August Oil Import from Iran up 17.5[N].Tehran Times，2013-09-22．

[33]杨军.美欧卡死石油贸易，伊朗经济痛苦挣扎[N].中国青年报，2013-01-14．

[34]Henny Sender.Iran accepts renminbi for oil as China negotiates US sanctions[N].The Financial Times，2012-05-08．

[35]邵宇.旧秩序：美元驱动的三个世界[OL].FT中文网，http：//www.ftchinese.com/story/001051214，2013-07-05．

[36]Ted Galen Carpenter.Washington's Biggest Strategic Mistake[OL].The National Interest，http：//nationalinterest.org/commentary/washingtons-biggest-strategic-mistake-10274，April 18，2014．

[37]National Security Strategy (2010)[EB/OL].The White House，http：//www.whitehouse.gov/sites/default/files/rss_viewer/national_security_strategy.pdf，2010-05．

[38]李海东.美国2014年对外政策展望 战略重心继续移向亚太[N].中国日报，2013-12-23．

[39]阮宗泽.美国亚太"再平衡"：军工复合体及构建美国太平洋世纪[M]//黄平，倪峰.美国问题研究报告

（2013）．构建中美新型大国关系．北京：社会科学文献出版社，2013．

[40]孙哲．亚太战略变局与中美新型大国关系：清华中美关系评论（2011～2012）[M]．北京：时事出版社，2012．

[41]孙哲．亚太战略变局与中美新型大国关系[M]．北京：时事出版社，2012．

[42]Adam Entous, Julian E.Barnes.U.S.Beefs Up Military Options for China as Obama Reassures Allies in Asia[N].The Wall Street Journal, 2014-04-27.

[43]Mark Landler.U.S.and Philippines Agree to a 10-Year Pact on the Use of Military Bases[N].The New York Times, 2014-04-27.

[44]Ted Galen Carpenter.Washington's Biggest Strategic Mistake[OL].The National Interest.http://nationalinterest.org/commentary/washingtons-biggest-strategic-mistake-10274,April 18,2014.

[45]Didi Kirsten Tatlow.After Obama Visit, Planned Naval Drills With Russia Reported[N].The New York Times,2014-05-01.

[46]张德广，刘古昌，王珍．动荡持续　复苏艰难：2012/2013年国际形势纵览[M]．北京：世界知识出版社，2013．

[47]郭永虎．关于中日钓鱼岛争端中"美国因素"的历史考察[J]．中国边疆史地研究，2005（4）．

[48]Wu Xinbo.America Should Step Back from the East China Sea Dispute[N].The New York Times, 2014-04-23.

[49]李理．近代日本对钓鱼岛的非法调查及窃取[M]．北京：社会科学文献出版社，2013．

[50]即中国所说的钓鱼岛。

[51]村田忠禧．日中领土争端的起源——从历史档案看钓鱼岛问题[M]．社会科学文献出版社，2013．

[52]李向阳．亚太地区发展报告（2014）[M]．北京：社会科学文献出版社，2014．

[53]陈刚华．韩日独岛（竹岛）之争与美国的关系[J]．学术探索，2008（4）．

[54]萧强，柳玉鹏，葛元芬．土耳其购买中国导弹令北约国家感到"不安"[N]．环球时报，2013-09-29；Daniel Dombey.Turkey to buy $4bn air defence system from China [N].The Financial Times, 2013-09-27.

[55]Mette Fraende.NATO head expresses concern about Turkey's Chinese missile deal[OL].The reuters.http://www.reuters.com/article/2013/10/07/us-turkey-china-defence-idUSBRE9960HO20131007,2013-10-07.

[56]王莉兰．土耳其展开反贪行动，反对派要求总理辞职[OL]．新华网，http://news.xinhuanet.com/world/2013-12/19/c_125886053.htm，2013-12-19．

[57]Orhan Coskun,Ece Toksabay Hit by scandal and resignations, Turk PM names new ministers[OL].The Reuters, http://uk.reuters.com/article/2013/12/25/uk-turkey-corruption-idUKBRE9BNOLK20131225, 2013-12-25.

[58]田文林．新自由主义戕害"模范国家"[N]．人民日报海外版，2013-06-15．

[59]施君玉．俄总统登"北方四岛"触痛日本神经[N]．大公报，2010-11-02；Andy Sharp.Russia, Japan Island Row Back[OL].The Diplomat, http://thediplomat.com/2010/10/russia-japan-island-row-renewed/, 2010-10-04.

[60]李凡．二战后日苏"北方领土"问题的形成[J]．世界历史，2005（6）．

[61]1960年，日本和美国修订了成为两国同盟关系基础的《日美安全保障条约》，该条约成为美国介入亚洲事务的重要手段。该条约第五条规定，美日任何一国如在日本管辖领土内遭到武力攻击，双方将采取行动对付共同威胁。

[62]东北四省是指传统意思上的东北三省辽宁省、吉林省、黑龙江省加上中华民国时期塞北四省中的热河省。

[63]石家铸.钓鱼岛问题的现状与中日关系[J].毛泽东邓小平理论研究，2004（4）．

[64]黄凤志，刘雪莲.东北亚地区政治与安全报告（2013）[M].北京：社会科学文献出版社，2013．

[65]谭晓虎，汪开明.从国际公法角度论钓鱼岛主权归属[J].西北第二民族学院学报，2003（4）．

[66]1943年，世界反法西斯战争开始进入反攻阶段，随着意大利的无条件投降，纳粹德国的覆灭只是时间问题。美国总统罗斯福决定召开由美、英、中、苏四国首脑参加的开罗会议，以加强反法西斯联盟，协同对日作战。由于蒋介石一向对苏联不友好，斯大林反对将中国列为四大强国，加上又瞧不起蒋介石，不愿与蒋会面，故对罗斯福的倡议迟迟未予答复。斯大林的态度和想法，使罗斯福颇感意外。考虑到斯大林与蒋介石的矛盾，罗斯福决定将四巨头会议分两次开，即先在埃及开罗开中、美、英首脑会议，然后再在伊朗德黑兰开美、英、苏首脑会议。这一想法得到中、英两国的赞同。

[67]王言.蒋介石两次拒绝接收琉球群岛[J].文史博览，2008（1）．

[68]纪连海.琉球之谜[M].北京：北京大学出版社，2011。原引还包括：王晖.冷战的征兆：蒋介石与开罗会议中的琉球问题[J].开放时代，2009（5）；国立编译馆.中华民国外交史料汇编（12）[M].台北：渤海堂文化事业有限公司，1996；CHIANG KAI-SHEK, An Inventory of His Diaries in the Hoover Institution Archives, 43-10 （November, 1943）．

[69]黄凤志，刘雪莲.东北亚地区政治与安全报告（2013）[M].北京：社会科学文献出版社，2013．

[70]纪连海.琉球之谜[M].北京：北京大学出版社，2011；原引包括：王海滨.琉球名称的演变与冲绳问题的产生[J].日本学刊，2006（2）；刘江水.论钓鱼岛的主权归属问题[J].日本学刊，1996（6）．

[71]外媒称中日紧张关系令美尴尬，美国2盟友已闹僵[OL].环球网，http://mil.huanqiu.com/observation/2014-02/4808580.html，2014-02-06．

[72]Cui Tiankai.Shinzo Abe risks ties with China in tribute to war criminals[N].The Washington Post.2014-01-09．

[73]商西.中国外交官密集发声批安倍拜鬼——32名大使在驻在国重要媒体发文，美或取消奥巴马访日计划[N].京华时报，2014-01-12．

[74]Jane Perlez.Abe's Version of History Doesn't Sit Well With Chinese[N].The New York Times，2014-01-23．

[75]Ankit Panda.Shinzo Abe At World Economic Forum: Restrain Military Expansion In Asia[J].The Diplomat，2014-01-23．

[76]Kiyoshi Takenaka.Abe sees World War One echoes in Japan-China tensions[OL].Reuters，http://www.reuters.com/article/2014/01/23/us-japan-china-idUSBREA0M08G20140123，2014-01-23．

[77]刘歌，李珍，萧达等.安倍认定中日必有一战？称开战中国损失最大[N].环球时报，2014-01-24．

[78]Remarks by the President in State of the Union Address[OL].The White House，http://www.whitehouse.gov/the-press-office/remarks-president-state-union-address，2010-01-27．

[79]孙哲.亚太战略变局与中美新型大国关系[M].北京：时事出版社，2012．

[80]Matthew J.Slaughter.Attracting Foreign Direct Investment through an Ambitious Trade Agenda: New Opportunities for the U.S.Economy and Workforce[R].Organization for International Investment Global Investment Grows America's Economy，http://www.ofii.org/sites/default/files/OFII_TTP_TTIP_White_Paper_0.pdf，July 2013．

[81]Hillary Rodham Clinton.Secretary Clinton's Speech at Economic Club of New York [EB/OL]．U.S.Department of State，http://translations.state.gov/st/english/texttrans/2011/10/20111014172924su0.9650494.html#axzz2xyttvnT1，2011-10-14．

[82]赵晋平.跨太平洋伙伴关系协定——经济影响与对策[M].北京：中国财经经济出版社，2013．

[83]Jay Newton-Small.Why Trying to Hurt China in the Trade Game Could Backfire[OL].The Time，http://

swampland.time.com/2014/01/14/why-trying-to-hurt-china-in-the-trade-game-could-backfire/，2014-01-14.

[84]魏浩.日本经济衰退的原因及其启示[J].日本研究，2003（2）.

[85]李洁.财经观天下：美国推TPP意欲何为[OL].新华网，http://news.xinhuanet.com/world/2011-11/12/c_111162484_2.htm，2011-11-12.

[86]仇朝兵."跨太平洋伙伴关系"及其对中国的影响[M]//黄平，倪峰.美国问题研究报告（2013）：构建中美新型大国关系.北京：社会科学文献出版社，2013.

[87]美国竭力拉日本加入TPP[N].人民日报，2013-02-26；Aurelia George Mulgan.Japan，US and the TPP：the view from China[OL].East Asia Forum，http://www.eastasiaforum.org/2013/05/05/japan-us-and-the-tpp-the-view-from-china/，2013-05-05.

[88]孙哲.亚太战略变局与中美新型大国关系[M].北京：时事出版社，2012.